СОКРОВЕННЫЕ ТАЙНЫ

РОМАН

МОСКВА
ЭКСМО-ПРЕСС
2000

УДК 820(73)
ББК 84(7 США)
Б 87

Sandra *BROWN*
BEST KEPT SECRETS

Перевод с английского *Л. Косоговой, И. Стам*

Разработка оформления
художника *Е. Савченко*

Серия основана в 2000 году

Браун С.
Б 87   Сокровенные тайны: Роман / Пер. с англ. Л. Косоговой,
И. Стам.— М.: Изд-во ЭКСМО-Пресс, 2000. — 432 с.

ISBN 5-04-005549-8

В маленький техасский городок приезжает красивая молодая женщина — помощник прокурора, чтобы расследовать причины гибели
своей матери. Под подозрение попадают друзья матери — теперь ува-
жаемые граждане. Один из них, шериф Рид, любивший когда-то мать
Алекс, но не простивший ей измены, становится для Алекс самым
дорогим человеком.

УДК 820(73)
ББК 84(7 США)

ISBN 5-04-005549-8

Глава 1

Она вскрикнула скорее не из-за того, что вдруг увидела таракана, а из-за того, что сломала ноготь. Таракан-то был крошечный, а трещина на ногте — куда хуже. На ее наманикюренном пальчике она казалась огромной и извилистой, как Большой Каньон.

Алекс хлопнула по таракану обернутым в блестящий полиэтилен меню. В нем предлагался скромный набор блюд, которые в этом мотеле подавали в номер. На обратной стороне меню рекламировались блюда мексиканской кухни — их можно было отведать в пятницу вечером. Там была также реклама ансамбля «Четыре наездника», игравшего музыку «кантри» и «вестерн». Каждый вечер, с семи до полуночи, «Наездники» выступали в зале «Серебряная шпора».

Алекс не удалось пристукнуть таракана, и он поспешно укрылся за фанерным туалетным столиком.

— Я до тебя еще доберусь.

Она не без труда отыскала пилку для ногтей в косметичке; Алекс как раз собиралась навести в ней порядок, но обломила ноготь о металлическую застежку, а тут еще из укрытия вылез таракан, видимо, желая получше рассмотреть нового жильца 125-го номера. Комната находилась на первом этаже мотеля «Житель Запада», совсем рядом с холодильниками со льдом, напитками и всякой мелочью.

Подпилив ноготь, Алекс напоследок придирчиво осмотрела себя в зеркале. Важно было сразу произвести неотразимое впечатление. Они и без того изумятся, когда узнают, кто она такая, но ей хотелось сразить их наповал, чтобы они онемели от удивления, — и тогда бери их хоть голыми руками.

Они, конечно же, начнут сравнивать. Этого не избежать; поэтому ей не хотелось ударить лицом в грязь. Она сделает все, что в ее силах, чтобы они не нашли ни единого недостатка у дочери Селины Гейтер.

Она тщательно продумала свой туалет. Все — одежда, украшения, аксессуары — говорило об отменном вкусе. Общее впечатление было таково: безупречно, однако без излишней строгости, модно, но не чересчур, аура образованной независимой женщины ничуть не умаляла ее привлекательности.

Сначала она была намерена сразить их своим видом, а уж потом удивить, сообщив, с какой целью она явилась в Пурселл.

Всего несколько недель назад этот городишко в тридцать тысяч жителей был крошечной точкой, затерявшейся на карте Техаса. Число крупных зайцев и рогатых жаб не уступало там числу горожан. Какое-то время назад предпринимательская деятельность в городке привлекла бы к нему внимание печати, пусть и довольно скромное. А вот когда Алекс добьется своей цели, сообщения из Пурселла несомненно пойдут под самыми крупными заголовками во всех газетах, от Эль-Пасо до Тексарканы.

Вид у нее — выше всяких похвал, решила она; улучшить его могла разве что воля божия или дорогостоящая пластическая операция. Алекс повесила на плечо сумочку, взяла в руку кейс из угриной кожи и, убедившись, что ключ от номера у нее с собой, захлопнула дверь с табличкой «125».

Когда Алекс подъезжала к центру, ей дважды пришлось сбрасывать скорость возле школ. В Пурселле «час пик» приходился как раз на конец школьных занятий. Родители развозили чад к зубным врачам, на уроки музыки, в магазины. Некоторые, возможно, отправлялись домой, но замедленное движение транспорта и пробки на перекрестках свидетельствовали, что дома в тот день не оставалось никого. Честно говоря, езда с постоянными остановками ничуть не раздражала Алекс, напротив, это давало ей возможность уловить характер городка.

Над транспарантом, висевшим у пурселлской средней школы, трепетали черные и золотые ленты. С полотна скалилась на проезжающие мимо машины стилизованная черная пантера — символ футбольной команды школы; надпись на транспаранте гласила: «Бей пермианцев!» На стадионе тренировались футболисты. А на соседнем поле, сверкая на солнце инструментами, оркестр репетировал программу, с которой выступит в пятницу, во время перерыва в матче.

Все выглядело вполне невинно. На минуту Алекс охватило сожаление при мысли о том, что ей предстоит и чем это скорее всего обернется для жителей городка. Но чувство вины быстро развеялось, стоило лишь напомнить себе, зачем она сюда приехала. Если она хоть на секунду забывала, как дошла до этого рубежа своей жизни, память услужливо воскрешала перед ней всеобщее отчуждение и суровые бабушкины обвинения. Вряд ли она могла позволить себе хоть чуточку разжалобиться.

В центре Пурселла было почти пусто. Большинство магазинов и учреждений, выходивших на главную площадь, были закрыты. Всюду пестрели бесчисленные таблички о продаже домов и лавок с молотка.

На зеркальных витринах, в коих красовались соблазнительные товары, вкривь и вкось шли всевозможные надписи. На дверях опустевшей прачечной еще висело написанное от руки объявление. В слове «стирать» кто-то стер «и» и первое «т»; теперь в объявлении говорилось: «У нас удобно и дешево с..рать; 3 сорочки 1 доллар» — непристойный, но точный итог экономического положения в округе Пурселл.

Алекс поставила машину перед зданием окружного суда и опустила монеты в счетчик на тротуаре. Здание суда было построено девяносто лет назад из красного гранита, который добывали в горах и доставляли сюда по железной дороге. Итальянцы-каменотесы натыкали горгульи и гриффины всюду, где только возможно, — словно количество украшений оправдывало затраты на их труд. Сооружение получилось помпезное, но эта пышная безвкусица по-своему привлекала. Над куполом здания на свежем северном ветру развевались национальный флаг и флаг Техаса.

Проработав в Остине целый год в законодательном собрании штата и связанных с ним службах, Алекс не испытывала ни малейшего страха перед официальным учреждением. Она решительным шагом поднялась по ступеням и потянула на себя тяжелую дверь. Внутри на оштукатуренных стенах облупилась краска, пахло ветхостью и запустением. По плиточному полу расползлась сеть тоненьких трещин, переплетавшихся, как линии на старческой руке.

Потолки были высокие. В коридорах гуляли сквозняки, пахло крепчайшим дезинфицирующим раствором, заплесневелыми судебными бумагами и духами, которыми чересчур щедро пользовалась секретарша районного прокурора. Она выжидательно подняла глаза, когда Алекс вошла в приемную.

— Привет! Что, душечка, заблудились? Какие чудные волосы! Я бы тоже с удовольствием носила волосы вот так, узлом на затылке. Только для этого уши должны быть совсем маленькие. А у меня торчат, как два лопуха, представляете? Вы небось хной пользуетесь, раз они у вас в рыжину отдают?

— Это кабинет районного прокурора Частейна?

— Ну да, душечка. А зачем он вам? Он сегодня вроде как занят.

— Я от прокурора округа Трэвис. О моем приезде, насколько я знаю, уже звонил мистер Харпер.

Секретарша на мгновение замерла и перестала усердно перемалывать зубами жевательную резинку.

— Так это вы? А мы думали, приедет мужчина.

— Как видите, я... — Алекс развела руками.

Секретарша была раздосадована.

— Мистер Харпер мог бы и сказать, что помощником у него будет не мужчина, а дама, да где там, — сказала она, тряхнув ладошкой. — Сами знаете, какой народ эти мужчины. Что ж, душечка, вы явились точно в назначенный час. Меня зовут Имоджен. Хотите кофе? Костюмчик у вас — блеск, прямо писк моды. Юбки теперь носят чуть короче, да?

Рискуя показаться невежливой, Алекс спросила:

— А мои коллеги уже здесь?

В ту же минуту из-за закрытой двери послышался мужской смех.

— Вот и ответ на ваш вопрос, душечка, — заметила Имоджен. — Небось кто-то рассказал неприличный анекдот, чтобы немного выпустить пар. Их же прямо-таки распирает от любопытства, с чего вдруг такое сверхсекретное совещание. Что тут за тайна? Мистер Харпер так и не сказал Пату, с какой целью вы едете в Пурселл, а ведь они дружили, когда учились на юридическом. Может, все дело в том, что «МЭ» хочет получить лицензию на азартные игры?

— «МЭ»?

— «Минтон энтерпрайзиз», — она произнесла это так, будто изумлялась: неужто Алекс не знает этого названия.

— Мне, пожалуй, больше не стоит заставлять их ждать, — тактично заметила Алекс, уклоняясь от вопроса Имоджен.

— Ну надо же, и чего это я так разговорилась. Значит, хотите кофейку, да, душечка?

— Нет, спасибо.

Вслед за Имоджен Алекс подошла к двери. Сердце у нее забилось вдвое быстрее обычного.

— Извините, — сказала Имоджен, просунув голову в дверь и прервав шедший там разговор. — Помощник окружного прокурора Харпера уже здесь. Вас ждет приятный сюрприз. — Она обернулась к Алекс. Щеточка ресниц, густо накрашенных темно-синей тушью, опустилась, выразительно — «между нами, девочками» — подмигнув ей. — Давай, заходи!

Собравшись с духом, как перед решающей встречей, Алекс шагнула в кабинет.

Непринужденная атмосфера, царившая там, не оставляла сомнений: ждали мужчину. Как только Алекс переступила порог и Имоджен прикрыла дверь, господин, сидевший за столом, вскочил на ноги. Он потушил горящую сигару в массивной стеклянной пепельнице и потянулся за пиджаком, висевшим на спинке его стула.

— Пат Частейн, — представился он, протягивая руку. «Приятный сюрприз» — это скромно сказано. Впрочем, Грег Харпер, мой старинный приятель, всегда умел выбирать женщин. Ничего удивительного, что себе в помощники он тоже раздобыл красавицу.

Это типично мужское замечание неприятно задело ее, но она оставила его без ответа, лишь наклонила голову в знак благодарности за комплимент. Рука, которую она крепко пожала, была унизана таким количеством перстней из высокопробного золота, что хватило бы на якорь для приличного размера яхты.

— Спасибо, что организовали это совещание, мистер Частейн.

— Помилуйте, это же в порядке вещей. Рад служить и вам, и Грегу. Зовите меня просто Пат. — Подхватив Алекс под локоток, он повернул ее к своим собеседникам, которые почтительно встали. — Это мистер Ангус Минтон и его сын Джуниор.

— Здравствуйте, господа.

Впервые предстать перед ними вот так, лицом к лицу, — это было странное и сильное ощущение. В ней боролись любопытство и неприязнь. Ей хотелось и разобраться в них, и немедленно их обличить. Однако она, как и следовало ожидать от такой дамы, лишь вежливо протянула руку и сразу ощутила пожатие жесткой мозолистой ладони. Пожатие крепкое, даже чересчур, но такое же открытое и дружеское, как и улыбавшееся ей лицо.

— Очень рад, мэм. Добро пожаловать в округ Пурселл.

Лицо у Ангуса Минтона было загорелое и обветренное — видно было, что ему знакомо и обжигающее летнее солнце, и ледяной северный ветер, и многолетний труд под открытым небом. Веселый огонек горел в голубых глазах, от которых лучами разбегались дружелюбные морщинки. У него был громкий раскатистый голос. А хохочет он, подумала Алекс, во всю ширь своей мощной груди и растущего животика, типичного для любителя пива, — признак единственной его слабости. В остальном он выглядел очень крепким, в отличной форме. Даже мужчина помоложе и покрупнее его вряд ли полез бы с ним драться — такой у него был внушительный вид. Но при всей своей силе он казался простодушным, как дитя.

Рукопожатие его сына было помягче, но не менее сердечное и дружественное. Он нежно обхватил пальцы Алекс и доверительно сообщил:

— Я — Минтон-младший. Здравствуйте.

— Здравствуйте.

На вид ему никак нельзя было дать его сорока трех лет, особенно когда он улыбнулся. Сверкнули ровные белые зубы, на щеке появилась очаровательная ямочка — ясно, что, подвернись удобный случай, уж он его не упустит. Он намеренно задержал на ней взгляд голубых глаз, чуть темнее, чем у отца, но таких же озорных; в них сквозил намек, что главные в этом кабинете — они двое. Она отняла у Джуниора свою руку, хотя он явно не собирался ее выпускать.

— А это — Рид, Рид Ламберт.

Алекс повернулась туда, куда указывал Пат Частейн, и обнаружила четвертого мужчину, которого до сих пор не замечала. Пренебрегая правилами хорошего тона, он продолжал сидеть, сгорбившись, в кресле в дальнем углу комнаты. Вытянутые ноги скрещены, острые носки потрепанных ковбойских сапог устремлены к потолку и вызывающе покачиваются взад-вперед. Руки спокойно лежат на поясе поверх массивной ковбойской пряжки. Он неторопливо расцепил кисти рук и поднес два пальца к полям ковбойской шляпы.

— Приветствую, мэм.

— Здравствуйте, мистер Ламберт, — холодно произнесла она.

— Садитесь, пожалуйста. — Частейн указал на стул. — Имоджен вам кофе предлагала?

— Да, но я отказалась. Хотелось бы, если возможно, перейти к предмету нашего совещания.

— Разумеется. Джуниор, подвиньте-ка сюда тот стул. И вы, пожалуйста, Ангус. — Кивком головы Частейн усадил и Минтона-старшего.

Когда все расселись, районный прокурор вернулся за свой стол.

— Ну, мисс... Ах ты, черт меня подери. Представлялись друг другу, представлялись, а вашего имени так и не узнали.

Алекс мастерски держала паузу. Четыре пары любопытных глаз были устремлены на нее, ожидая узнать ее имя. Она еще помолчала для большего эффекта. Ей хотелось проследить за реакцией каждого из собравшихся и тщательно проанализировать ее. Жаль только, что Рид Ламберт был ей не очень хорошо виден. Он сидел чуть позади нее, из-под ковбойской шляпы виднелась лишь нижняя часть его лица.

Она глубоко вздохнула.

— Я Александра Гейтер, дочь Селины.

Все были ошеломлены.

Наконец Пат Частейн озадаченно спросил:

— А Селина Гейтер кто?

— Да, ну и дела, черт побери. — Ангус обмяк, как проколотая надувная игрушка.

— Дочь Селины! Господи, поверить не могу, — прошептал Джуниор. — Не могу поверить.

— Может, кто-нибудь мне все-таки объяснит? — спросил ничего не понимающий Пат Частейн. Но его никто не слушал.

Оба Минтона откровенно разглядывали Алекс, ища в ее лице сходство с матерью, которую они отлично знали. Уголком глаза она заметила, что носки сапог Ламберта уже не покачиваются. Он подобрал колени и сел прямо.

— Чем, скажите на милость, вы все эти годы занимались? — спросил Ангус.

— Сколько же прошло лет? — вставил свой вопрос Минтон-младший.

— Двадцать пять, — коротко ответила Алекс. — Мне было всего два месяца, когда бабушка Грэм уехала отсюда.

— Как поживает ваша бабушка?

— Она сейчас в Уэко, в лечебнице, мистер Минтон, умирает от рака. — Не было никакого смысла щадить их чувства. — Она в коматозном состоянии.

— Мне очень жаль.

— Благодарю за сочувствие.

— Где же вы все это время жили?

Алекс назвала городок в центральной части Техаса.

— Мы там жили всю жизнь — во всяком случае, сколько я себя помню. Я там окончила школу, поступила в Техасский университет, на юридический факультет. Год назад получила право адвокатской практики.

— Юридический. Подумать только! Что ж, вы молодец, Александра, просто молодец. Правда, сынок?

Минтон-младший включил свою неотразимую улыбку на полную мощность.

— Что и говорить. И ни капельки не похожи на себя, ту, какой я вас последний раз видел, — поддразнил он. — Если мне память не изменяет, пеленки у вас были мокрые, а на голове ни единого волоска.

Алекс хорошо помнила, по какому поводу проводится это тщательно организованное совещание, и подобная фамильярность была ей не по нраву. Она обрадовалась, когда в разговор снова вмешался Пат Частейн.

— Страшно не хочется нарушать столь трогательную встречу, но я по-прежнему ничего не понимаю.

Ангус решил его просветить:

— Селина училась в одном классе с Джуниором и Ридом. Они, вообще говоря, очень дружили. Поодиночке их, бывало, и не увидишь никогда — непременно вместе. Не разлей вода.

Тут его голубые глаза затуманились, и он горестно покачал головой.

— Но Селина умерла. Вот беда-то. — Он помолчал, успокаиваясь. — А сейчас мы, собственно, впервые увидели Александру с тех пор, как ее бабушка, мать Селины, уехала отсюда. — Улыбаясь, он хлопнул себя по бедрам. — А здорово, черт возьми, что вы вернулись в Пурселл.

— Спасибо, но... — Алекс открыла свой кейс и вынула плотный бумажный конверт. — Я вернулась не насовсем, мистер Минтон. Я здесь, вообще-то, как лицо официальное.

Она протянула конверт через стол районному прокурору, тот озадаченно посмотрел на него.

— Лицо официальное? Когда Грег звонил и просил оказать содействие его первому помощнику, он сказал что-то вскользь о возобновлении уже закрытого дела.

— Здесь все есть. — Алекс указала глазами на конверт. — Предлагаю вам внимательно прочесть это и как можно подробнее ознакомиться с делом. Грег Харпер просит, мистер Частейн, чтобы ваша прокуратура и другие органы, призванные блюсти закон, оказывали нам всяческую помощь. Он заверил меня, что вы будете считаться с его просьбой, пока я буду заниматься расследованием.

Она решительно захлопнула кейс, встала и направилась к двери.

— Расследование? — Районный прокурор Частейн поднялся из-за стола. Минтоны тоже встали.

— Так вы не из комиссии по азартным играм? — спросил Ангус. — Нам говорили, что нас будут проверять досконально, прежде чем выдадут лицензию на открытие ипподрома, но я думал, мы уже досмотр прошли.

— И я решил, что остались лишь формальности, — заметил Минтон-младший.

— Так оно и есть, насколько я знаю, — сообщила Алекс. — Мое расследование не имеет касательства ни к комиссии по азартным играм, ни к выдаче вам лицензии на постройку ипподрома.

Она замолчала, и Частейн, помедлив, спросил:

— В таком случае к чему же оно имеет касательство, мисс Гейтер?

Выпрямившись в полный рост, она сказала:

— Я расследую дело об убийстве, закрытое двадцать пять лет назад. Грег Харпер обратился за помощью к вам, мистер Частейн, поскольку преступление было совершено в округе Пурселл.

Она взглянула в глаза Ангусу, потом Джуниору. Наконец пристально и сурово посмотрела на тулью шляпы Рида Ламберта.

— Рано или поздно я узнаю-таки, кто из вас убил мою мать.

Глава 2

Алекс стянула с себя жакет и бросила его на гостиничную постель. Подмышки у нее были влажные, колени подкашивались. Ее мутило. Сцена в кабинете районного прокурора потрясла ее больше, чем хотелось себе самой в этом признаться.

Она вышла из кабинета Пата Частейна, высоко подняв голову и расправив плечи, не очень быстрым шагом, но и не медля. На прощание она улыбнулась Имоджен, которая явно подслушивала у двери: секретарша смотрела на Алекс, ошалело открыв рот и вытаращив глаза.

Свою последнюю реплику Алекс хорошо отрепетировала, прекрасно срежиссировала и великолепно произнесла. Встреча прошла в точности по плану, но какое счастье, что она уже позади.

Алекс стащила с себя пропотевшую одежду. Ей бы очень хотелось думать, что самое худшее уже позади, но она была уверена, что оно еще впереди. Те трое, с кем она сегодня познакомилась, добровольно не сдадутся, на спинку не улягутся и лапки кверху не поднимут. Ей еще придется с ними столкнуться, и в следующий раз они вряд ли будут несказанно счастливы видеть ее.

Ангус Минтон на вид добродушен, как Санта-Клаус; впрочем, Алекс понимала, что он только хочет казаться безобидным, но от человека его положения трудно ожидать одного добродушия. Он самый богатый, самый влиятельный предприниматель в округе. Такое не достигается лишь благожелательным попечительством. Чтобы сохранить то, на что он положил целую жизнь, он готов сражаться до конца.

Минтон-младший — сердцеед, умеющий обращаться с женщинами. Годы пощадили его. Он мало изменился, если сравнивать с фотографиями, где он снят еще подростком. Алекс поняла также, что он умело пользуется своей внешностью. Джуниор вполне мог бы ей понравиться. Но и его тоже вполне можно было заподозрить в убийстве.

Труднее всего будет разобраться с Ридом Ламбертом, потому что у нее осталось о нем наименее четкое впечатление. Ей так и не удалось заглянуть ему в глаза. Рид-мужчина выглядел куда крепче и сильнее, чем Рид-мальчик, которого она помнила по фотографиям из бабушкиной коробки. На первый взгляд он был мрачен, недружелюбен и опасен.

Алекс была уверена, что ее мать отправил на тот свет один из этих мужчин. И что вовсе не Бадди Хикс, обвиненный в убийстве, на самом деле убил Селину Гейтер. Мерл Грэм, бабушка Алекс, всю жизнь вдалбливала ей это в голову, как «Отче наш».

— Исправлять ошибку и искать виновного придется тебе, Александра, — чуть ли не ежедневно твердила ей Мерл. — Это самое малое, что ты можешь сделать для матери.

При этих словах она обычно с тоской смотрела на одну из многочисленных фотографий покойной дочери, повсюду развешанных в доме. Поглядев на снимки, она всякий раз принималась плакать, и никакие усилия внучки не могли унять ее слез.

Однако до последнего времени Алекс понятия не имела, кого именно Мерл подозревает в убийстве Селины. Она узнала это случайно, и то были самые черные минуты в ее жизни.

Когда позвонили из лечебницы и доктор срочно вызвал ее в Уэйко, Алекс немедленно села в машину и помчалась туда. В лечебнице было тихо, безукоризненно чисто, персонал заботлив и вышколен. Бабушка могла там находиться благодаря пожизненной пенсии, назначенной ей телефонной компанией. Впрочем, несмотря на комфорт, все вокруг было покрыто серым налетом старости; из коридоров тянуло безнадежностью и тленом.

В то холодное, унылое, дождливое утро Алекс сообщили,

что бабушка находится в крайне тяжелом состоянии. Она вошла в тихую отдельную палату и направилась к кровати. Тело Мерл заметно усохло с тех пор, как Алекс навещала ее всего неделю назад. Но глаза горели прежним огнем. Правда, на сей раз взгляд был враждебным.

— Не входи сюда, — проскрежетала Мерл, едва дыша. — Видеть тебя не желаю. Все из-за тебя!

— Да ты что, бабушка? — испуганно спросила Алекс. — О чем ты говоришь?

— Не нужна ты мне здесь.

Смущенная такой откровенной враждебностью, Алекс оглянулась на стоявших позади врача и сестру. Те непонимающе пожали плечами.

— Почему же ты не хочешь меня видеть? Я ведь из самого Остина ехала.

— Это ты виновата, что она умерла, сама знаешь. Если б не ты... — Мерл застонала от боли и вцепилась в простыню бескровными, похожими на спички пальцами.

— Ты о маме? Ты считаешь, что я виновата в ее смерти?

Глаза Мерл вдруг распахнулись.

— Да, — злобно прошипела она.

— Но ведь я была всего лишь ребенком, совсем крохой, — возразила Алекс, облизнув пересохшие от отчаяния губы. — Как же я могла?

— Спроси их.

— Кого, бабушка? Кого спросить?

— Тех, кто ее убил. Ангуса, Джуниора, Рида. Но главное — ты, ты, ты.

Тут Мерл впала в коматозное состояние, и врачи увели Алекс. От страшного обвинения она оцепенела; оно стучало у нее в мозгу, надрывало душу.

То, что Мерл считала Алекс виновной в смерти Селины, объясняло очень многое в их отношениях. Алекс всегда мучилась вопросом, почему бабушка с нею неласкова. Каких бы успехов она ни добивалась, заслужить похвалу бабушки не могла. Алекс знала, что ее никогда не считали такой же одаренной, умной или обворожительной, как эту улыбающуюся девушку на фотографиях, в которые с жадной тоской всматривалась Мерл.

Алекс не держала обиды на свою мать. Наоборот, она бо-

готворила и обожала ее со слепой страстью ребенка, вырос-
шего без родителей. Она постоянно стремилась во всем быть
не хуже Селины, и не только для того, чтобы стать ее достойной дочерью. Она также отчаянно надеялась добиться любви
и одобрения Мерл. Оттого-то как обухом по голове ударила
ее фраза из уст умирающей бабушки, что в убийстве Селины
виновата она, Алекс.

Врач осторожно спросил, не желает ли она, чтобы миссис
Грэм отключили от системы жизнеобеспечения.

— Мы ничего для нее уже сделать не можем, мисс Гейтер.

— Нет, можете, — заявила Алекс так свирепо, что врач
опешил. — Вы можете не дать ей умереть! Я буду звонить постоянно.

По возвращении в Остин она немедленно подняла дело
об убийстве Селины Грэм Гейтер. Много бессонных ночей
провела она, изучая протоколы и другие судебные документы, а потом направилась к своему начальнику, прокурору округа Трэвис.

Попыхивая сигаретой, Грег Харпер перебросил ее из
одного уголка рта в другой. В суде Грега считали грозой изво-
рачивающихся обвиняемых, лжесвидетелей и педантичных
судей. Разговаривал он всегда слишком громко, слишком
много курил и слишком много пил, носил пятисотдолларо-
вый костюм в мелкую полоску и ботинки из кожи игуаны,
стоимость которых в два раза превышала стоимость костюма.

Прокурор любил пускать пыль в глаза и мнил себя по
меньшей мере пупом земли. Он был проницателен, честолю-
бив, безжалостен, неумолим и к тому же страшный охальник;
он, вероятно, вполне мог бы найти себе подходящее местечко
в политических кругах штата — чего он, собственно говоря, и
добивался, ценил одаренность. Потому он и взял Алекс к себе
в помощники.

— Хотите поднять дело об убийстве, которому уже стукнуло добрых двадцать пять лет? — спросил он, когда она объяснила, с какой целью просит организовать совещание в
Пурселле. — А причина для пересмотра имеется?

— Убитая — моя мать.

За все время, что она знала Грега, он впервые задал вопрос, на который не знал заранее ответа и не мог его даже
предугадать.

— Господи, Алекс! Извините. Я этого не знал.

Она слегка пожала плечами.

— Ну, такие вещи не очень-то рекламируют, правда?

— Когда это случилось? Сколько вам было лет?

— Я была еще младенцем. Я ведь ее совсем не помню. Матери было всего восемнадцать, когда ее убили.

Длинной костлявой рукой он потер свое такое же длинное и худощавое лицо.

— Официально считается, что убийство осталось нераскрытым?

— Не совсем так. Одного подозреваемого арестовали, предъявили ему обвинение, но дело до суда не дошло и было закрыто.

— Объясните-ка мне все толком, но покороче: у меня сегодня обед с генеральным прокурором штата. Даю вам десять минут. Выкладывайте.

Когда она закончила рассказ, Грег, нахмурясь, прикурил очередную сигарету от предыдущей, докуренной до самого фильтра.

— Черт возьми, Алекс, так вы говорите, там замешаны Минтоны? Значит, ваша бабушка и впрямь считает, что один из них укокошил вашу мать?

— Или же их дружок, Рид Ламберт.

— А она случайно мотива убийства для них не припасла?

— В общем-то, нет, — уклончиво ответила Алекс, не желая говорить ему, что Мерл назвала ее, Алекс, в качестве мотива. — Судя по всему, Селина была с ними очень дружна.

— Тогда зачем бы одному из них убивать ее?

— Вот это-то я и хочу выяснить.

— За денежки штата.

— Дело вполне реальное, Грег, — сдержанно заметила она.

— Но у вас никаких доказательств, одно лишь предчувствие.

— Больше, чем предчувствие.

Он неопределенно хмыкнул.

— А вы уверены, что не сводите с одним из них счеты?

— Разумеется, не свожу. — Алекс обиделась. — Я рассматриваю дело с юридической точки зрения. Если бы Бадди Хикса судили и присяжные признали его виновным, я бы не придала значения тому, что сказала бабушка. Но ведь это все официально зафиксировано.

— Отчего же она не подняла шума, когда дело закрыли?

— Я ее сама об этом спрашивала. Денег у нее было мало, а юридическое крючкотворство наводило на нее ужас. Кроме того, убийство дочери подорвало ее силы. Те малые средства, что она имела, ушли на то, чтобы вырастить меня.

Только теперь Алекс стало ясно, почему с раннего детства, сколько она себя помнила, бабушка всегда подталкивала ее к профессии юриста. Зная, что от нее ждут одних лишь успехов, Алекс прекрасно училась в школе и в конце концов в числе самых лучших студентов с отличием окончила юридический факультет Техасского университета. К юриспруденции ее склонила бабушка, но, к счастью, эта профессия увлекла Алекс. Ее любознательный ум с наслаждением вникал в разные юридические тонкости. К своей миссии она была подготовлена прекрасно.

— Бабушка была всего лишь вдовой, которая осталась одна с ребенком на руках, — сказала она, выстраивая свои доводы. — Что же она могла поделать, когда судья вынес решение о неподсудности Хикса по причине психической неполноценности? Собрав последние деньги, Мерл упаковала вещи, уехала из города и больше туда не возвращалась.

Грег посмотрел на часы. Потом, зажав в губах сигарету, встал и натянул пиджак.

— Не могу я заново открывать дело об убийстве, не имея ни малейших доказательств или даже намека на причину. Вы и сами это понимаете. Ведь не за глупость же я пригласил вас к себе работать сразу после университета. Хотя, надо признать, ваша премиленькая попка тоже сыграла свою роль.

— Вот спасибо.

Она не могла скрыть отвращения, вызванного, однако, вовсе не его нетактичным замечанием; он всегда бравировал своим мужским превосходством, но ей было ясно, что это у него напускное.

— Слушайте, Алекс, вы ведь просите не о каком-то ничтожном одолжении, — сказал он. — Сами знаете, кто эти ребята, так что нечего нам с вами чушь пороть. Если я и решусь в это дело ввязаться, то мне нужны не одни голые предчувствия и бабушкины бредни.

Вместе с ним она подошла к двери.

— Бросьте, Грег, не вешайте мне на уши юридическую лапшу. Вы же думаете только о себе.

— Верно, черт подери, думаю о себе. Причем постоянно.

Его откровенное признание несколько затруднило ей игру.

— Дайте мне по крайней мере разрешение заняться расследованием этого убийства, я ведь другими делами сейчас не занята.

— Вы же знаете, какая у нас куча нераспутанных дел, сколько бумаг еще не готово для передачи в суд.

— Буду работать сверхурочно. Я от других обязанностей не уклоняюсь. Вы же меня знаете.

— Алекс...

— Пожалуйста, Грег.

Она видела: он хочет, чтобы она взяла назад свою просьбу, но ее могло остановить только решительное «нет». Начатое расследование возбудило ее профессиональный интерес, а отчаянное желание доказать, что бабушка ошибалась, и снять тем самым с себя вину подталкивало ее к новым действиям.

— Если я вскорости не представлю вам конкретных данных, я сама все брошу и больше вы об этом деле не услышите.

Он внимательно заглянул в ее исполненное решимости лицо.

— А почему бы вам не найти себе горячего мужика — все ваши беды и огорчения как рукой снимет; средство испытанное. По меньшей мере добрая половина мужчин города с превеликим удовольствием вас ублажила бы, как женатые, так и холостые.

Она посмотрела на него испепеляющим взглядом.

— Ладно, ладно. Можете заниматься своими раскопками, но только в свободное от работы время. И извольте найти мне что-то конкретное! Раз уж я взялся участвовать в выборах, то негоже мне выглядеть последним дураком; и тем, кто у меня работает, тоже не стоит... Ну вот, опоздал на обед. Пока.

Дел на нее навалили множество, поэтому расследованию убийства матери она могла уделять мало времени. Алекс читала все, что удалось раскопать: газетные сообщения, протоколы слушания по делу Бадди Хикса, — покуда не выучила все факты наизусть.

Их было немного. Мистер Бад Хикс, умственно отсталая личность, был арестован неподалеку от места убийства; его одежда была запятнана кровью жертвы. В момент ареста при нем был хирургический инструмент, которым он, предположительно, и совершил преступление. Его взяли под стражу, допросили и предъявили обвинение. Слушание состоялось через считанные дни. Судья Джозеф Уоллес заявил, что Хикс неподсуден, и направил его в психиатрическую лечебницу штата.

Дело казалось проще простого. И когда Алекс уже поверила было, что Грег прав и она занимается пустыми домыслами, то вдруг наткнулась в протоколе слушаний по делу Хикса на странную фразу. Зацепившись за нее, она принялась копать глубже и затем снова явилась к Грегу, вооружившись заверенной выпиской из протокола.

— Ну, я кое-что нашла.

С торжествующим видом она бросила папку поверх бумаг, которыми был завален стол.

Грег сердито нахмурился.

— Какого черта вы веселитесь? И ради бога, не швыряйтесь папками. У меня с похмелья зверски болит голова, — бурчал он из-за густой завесы дыма. Снова затянувшись, он выпустил изо рта сигарету лишь для того, чтобы хлебнуть дымящийся черный кофе. — Как провели выходные?

— Замечательно. Куда плодотворнее вас. Прочтите-ка.

Он осторожно открыл папку и пробежал содержимое еще мутными глазами.

— Гм-м. — Даже при беглом прочтении материал вызвал у него интерес. Откинувшись на спинку стула и положив ноги на угол стола, он еще раз внимательно просмотрел бумаги. — Это от врача психбольницы, где содержится тот самый Хикс?

— Содержался. Он умер несколько месяцев назад.

— Интересно.

— Интересно? И только-то? — разочарованно воскликнула Алекс. Она поднялась, обошла свой стул и встала за ним, вцепившись пальцами в обивку. — Бадди Хикс провел в лечебнице двадцать пять лет ни за что ни про что!

— Это вам пока неизвестно. Не делайте скороспелых выводов.

— Психиатр, лечивший его последнее время, сказал, что Бадди Хикс был образцовым больным. Никогда не выказывал склонности к насилию. Даже половое влечение у него явно отсутствовало, и, по мнению врача — а он в своем деле дока, — Бадди был не способен совершить преступление, подобное тому, которое стоило моей матери жизни. Признайте, Грег, одно это уже вызывает подозрение.

Он прочел еще несколько бумаг, потом проворчал:

— Подозрение-то вызывает, однако на дымящееся ружье или пистолет никак, черт возьми, не тянет.

— Конкретных доказательств у меня нет, их можно добыть разве только чудом. Делу как-никак двадцать пять лет. Самое большее, на что я могу рассчитывать, — это представить достаточно весомое обоснование для пересмотра дела большим судом присяжных. О добровольном признании подлинного убийцы — а у меня нет ни малейших сомнений в том, что Бадди Хикс мою мать не убивал, — можно лишь мечтать. Остается еще слабенькая надежда выкурить из норы свидетеля преступления.

— Слабенькая? Считайте, Алекс, никакой нет.

— Почему?

— Вы поработали неплохо, к разговору подготовились, значит, должны понимать почему. Убийство произошло в сарае, на ранчо Ангуса Минтона. Только шепни в округе его имя, и земля дрогнет в ответ. Он здесь шишка на ровном месте. Даже если свидетель и найдется, он не станет давать показания против Минтона, потому что это значит кусать руку, кормящую тебя. В том районе штата под началом у Минтона добрая дюжина предприятий, которые уже давно на ладан дышат. Отсюда возникает еще один щекотливый вопрос, впрочем, в этом деле все они щекотливые. — Грег отхлебнул кофе и закурил новую сигарету. — Губернаторская комиссия по азартным играм только что дала «Минтон энтерпрайзиз» зеленый свет на постройку ипподрома в округе Пурселл.

— Я про это решение знаю. Но какое оно имеет значение?

— Вот сами и скажите.

— Ровно никакого! — выкрикнула она.

— Ладно, поверю вам. Но если вы начнете швыряться обвинениями и клеветать на одного из любимцев Техаса, как вы думаете, придется это по нраву губернатору? Он ведь чертовски гордится своей комиссией. Хочет, чтобы это обоюдовыгодное мероприятие с бегами прошло без сучка без задоринки. Ни споров чтобы не было, ни плохих отзывов в печати. Никаких сомнительных сделок вокруг него. Словом, чтобы комар носа не подточил.

И если вдруг какой-то нахальный прокурор начнет тявкать о том, что тщательно отобранная самим губернатором комиссия дала благословение человеку, замешанному в убийстве, губернатор жутко разозлится. А если означенный прокурор работает под моим началом, как вам кажется, на кого он прежде всего озлобится? Moi[1].

Не ввязываясь в спор, Алекс спокойно сказала:

— Хорошо. Я от вас ухожу и буду расследовать дело сама.

— Черт, до чего вы любите театральные жесты. Вы же не дали мне закончить. — Он нажал кнопку селектора и прорычал, чтобы секретарша принесла еще кофе. И, не дожидаясь его, зажег новую сигарету. — С другой стороны, — сказал он, выпустив клуб дыма, — я терпеть не могу ублюдка, который занимает сейчас губернаторский особняк. Я этого не скрываю, и мне платят взаимностью, хотя этот сукин сын и ханжа ни за что в том не признается. Вот бы посмотреть, как он завертится, словно уж на сковородке. Я бы просто уписался от счастья. Представляете, ему пришлось бы объяснять, почему из тьмы претендентов его комиссия выбрала некое лицо, замешанное в убийстве? — Грег хмыкнул. — Да у меня от одной этой мысли оргазм будет.

Алекс коробили доводы Грега, и в то же время она была в восторге от того, что разрешение он ей все-таки дает.

— Значит, я могу вновь поднять дело?

— Преступление осталось нераскрытым, потому что суд над Хиксом так и не состоялся. — Грег опустил ноги на пол; стул под ним резко качнулся и заскрипел. — Должен вам все же заметить: я иду на это вопреки собственному здравому смыслу и лишь потому, что доверяю вашему наитию. Вы мне нравитесь, Алекс. Еще когда стажировались здесь студент-

---

[1] На меня (*фр.*).

кой, вы доказали, что не лыком шиты. Так что попка попкой, но вы нам пришлись ко двору.

Он посмотрел на собранные ею бумаги, ногтем подцепил одну из папок за уголок.

— Мне все-таки сдается, что у вас просто зуб на этих ребят, на город или на что там еще. Не утверждаю, что без причины. Но на этом ведь дело не построишь. Если бы не та выписка с показаниями врача из психушки, я бы, безусловно, вам отказал. Так что не забывайте, когда будете резвиться в траве-мураве с букашечками-таракашечками, что меня тоже крепко держат за задницу. — Он поднял голову и посмотрел на нее недобрым взглядом. — Постарайтесь не сесть в галошу.

— Так, значит, я могу ехать в Западный Техас?

— Это все там случилось, да?

— Да. А как быть с делами, которые числятся за мной?

— Посажу стажеров готовить их и попрошу отсрочки. А тем временем позвоню-ка я районному прокурору Пурселла. Мы с ним вместе учились на юридическом. Для той операции, что вы наметили, он подходит как нельзя лучше: не шибко умен, жену взял из того круга, куда сам не был вхож, — и теперь жаждет всем угодить. Попрошу его оказать вам посильную помощь.

— Только без особых подробностей. Ни к чему заранее вводить их в курс дела.

— Хорошо.

— Спасибо, Грег, — от души сказала она.

— Не спешите благодарить, — умерил он ее пыл. — Если вы там попадете в капкан, я вас поддерживать не стану, публично отрекусь. Генеральный прокурор не скрывает, что считает меня своим прямым наследником. Я хочу получить этот пост, а там бы мне очень пригодилась красивая смекалистая бабенка в качестве начальника отдела. Избиратели такое обожают. — Он ткнул в нее желтым от никотина пальцем. — Не сядьте в лужу, детка, иначе я с вами незнаком, так и знайте. Ясно?

— До чего же вы беспринципный сукин сын.

Он усмехнулся крокодильей усмешкой.

— Даже мамочке своей я не сильно нравился.

— Я пришлю вам открытку. — Алекс собралась уходить.

— Минуточку. Вот еще что. У вас на все про все тридцать дней.

— Что?

— Тридцать дней — извольте успеть хоть что-то разыскать.

— Но...

— Больше дать не могу, а то прочие окрестные туземцы начнут роптать. Это куда больше, чем заслуживают все ваши наития и ни на чем не основанные подозрения. Хотите — соглашайтесь, не хотите — не надо.

— Я согласна.

Он не знал, что перед нею маячил куда более жесткий срок, назначенный ею самой. Алекс хотела сделать бабушке перед смертью подарок: назвать убийцу Селины. Ее не беспокоило даже то обстоятельство, что бабушка была в коме. Уж как-нибудь она пробудит ее сознание. И, верила Алекс, прежде чем успокоенная бабушка испустит дух, она похвалит наконец свою внучку.

Алекс склонилась над столом Грега.

— Я уверена, что не ошибаюсь. Я добьюсь суда над настоящим убийцей, и ему не миновать полновесного приговора. Вот увидите.

— Ну да, ну да. А пока что займитесь-ка выяснением, каков в постели настоящий ковбой. Не забудьте вести записи. Мне нужны подробности: шпоры, пистолеты и всякое такое.

— Извращенец.

— Не строй из себя святую невинность. Тоже мне, целка-невидимка.

Сейчас, вспоминая тот разговор, Алекс улыбнулась. Она не принимала всерьез его возмутительное мужское хамство, потому что знала: он уважает в ней профессионала. При всей необузданности Грег Харпер был ей наставником и другом с того самого лета, когда она перед началом занятий на юридическом работала в прокуратуре. Сейчас он многим рисковал ради нее, и она ценила его доверие.

Получив согласие Грега, она времени терять не стала. Всего за один день привела в порядок рабочие бумаги, убрала все со стола и заперла квартиру. Рано утром она выехала из

Остина и ненадолго остановилась в Уэйко, зашла в лечебницу к Мерл. Состояние ее было прежним. Алекс оставила телефон гостиницы, по которому ее могли в крайнем случае разыскать...

Прямо из номера она позвонила районному прокурору домой.

— Будьте добры мистера Частейна, — сказала она, услышав в трубке женский голос.

— Его нет дома.

— Это миссис Частейн? Мне очень нужно поговорить с вашим мужем.

— А кто это?

— Алекс Гейтер.

Она услышала тихий смех.

— Та самая, да?

— «Та самая»?

— Та самая, которая обвинила Минтонов и шерифа Ламберта в убийстве. Пат приехал с работы сам не свой. Никогда еще не видела его таким.

— Простите, пожалуйста, — едва дыша, перебила Алекс, — вы сказали, *шерифа* Ламберта?

Глава 3

Кабинет шерифа находился в цокольном этаже пурселлского окружного суда. Второй раз за эти несколько дней Алекс поставила машину на платную стоянку и вошла в ту же дверь.

Было рано. В кабинетах цокольного этажа незаметно было бурной деятельности. Главной среди этих клетушек была большая комната дежурного, похожая на любую другую комнату дежурного в отделении шерифа, с неизменным облаком табачного дыма. Несколько мужчин в форме столпились возле плитки, где закипал кофе. Один что-то говорил, но, завидев Алекс, замер на полуслове. Головы одна за другой повернулись к ней, и вот уже все смотрят на нее в упор. Она остро ощутила свою неуместность здесь, в этом сугубо мужском царстве. Равенство полов при приеме на работу еще явно не коснулось участка, руководимого шерифом округа Пурселл.

Она, однако, не смутилась и любезно произнесла:

— Доброе утро.

— Доброе, — нестройным хором ответили ей.

— Меня зовут Алекс Гейтер. Мне нужно встретиться с шерифом.

Этого можно было и не говорить. Они и без того уже поняли, кто она и зачем пришла. Вести быстро облетают городишко вроде Пурселла.

— А он вас ждет? — с вызовом спросил один из помощников шерифа, сплюнув табачную жвачку в пустую банку из-под зеленой фасоли.

— Думаю, он меня примет, — уверенно сказала она.

— Вас что, Пат Частейн прислал?

В то утро Алекс еще раз попыталась дозвониться прокурору, но миссис Частейн сказала, что он уже ушел на службу. Алекс и туда позвонила, но к телефону никто не подошел. То ли он был еще в дороге, то ли избегал ее звонков.

— Он знает, чем вызван мой визит. Шериф у себя? — уже резче спросила она.

— По-моему, нет.

— Я его не видел.

— Да здесь он, здесь, — нехотя сказал один из помощников. — Несколько минут назад пришел. — Он мотнул головой в сторону коридора: — Последняя дверь налево, мэм.

— Благодарю вас.

Алекс ласково улыбнулась, хотя никаких нежных чувств к ним не испытывала, и направилась в коридор. Она ощутила, как их взгляды сфокусировались на ее спине. Вот и указанная дверь; она постучала.

— Да?

Рид Ламберт сидел за деревянным исцарапанным столом, который был таким же древним, как и краеугольный камень в фундаменте судебного здания. Обутые в сапоги ноги шерифа покоились на углу стола. Как и вчера, он сидел развалясь, только на сей раз во вращающемся кресле.

Его ковбойская шляпа и кожаная куртка на меху висели

на вешалке в углу между большим, до самого пола, окном и стеной, сплошь оклеенной объявлениями о розыске преступников, болтавшимися на пожелтевших скрученных обрезках скотча. В ладонях он держал треснутую, в потеках, фарфоровую кружку с кофе.

— Ну, здравствуйте, мисс Гейтер.

Она так энергично закрыла дверь, что звякнуло матовое дверное стекло.

— Почему мне вчера не сказали, что вы шериф?

— И тем испортил бы сюрприз? — Он хитро усмехнулся. — Как же вы узнали?

— Случайно.

— Я был уверен, что вы рано или поздно явитесь. — Он выпрямился в кресле. — Но на такую рань никак не рассчитывал.

Он встал и указал на единственный, кроме его кресла, свободный стул. Сам прошел к столику, где стояла кофеварка.

— Хотите?

— Все-таки мистер Частейн обязан был мне сообщить.

— Пат? Ни в коем разе. Когда дело пахнет жареным, наш прокурор сразу хвост поджимает.

Алекс поднесла ладонь ко лбу.

— Кошмар какой-то.

Не дожидаясь ответа на свое предложение выпить кофе, он налил еще одну такую же кружку.

— Сливки, сахар?

— Это ведь не светский визит, мистер Ламберт.

Он поставил кружку черного кофе перед ней на край стола и вернулся к креслу. Когда он усаживался, дерево и древние пружины негодующе заскрипели.

— Этак мы с вами каши не сварим.

— Вы что, запамятовали, зачем я приехала?

— Ничуть, но разве ваши обязанности запрещают вам выпить кофейку? Или, может, вы отказываетесь по религиозным соображениям?

Алекс раздраженно положила сумку на стол, подошла к кофеварке и насыпала себе в кружку ложечку сухих сливок.

Кофе был крепкий и горячий — как и взгляд, которым смотрел на нее шериф, — и намного лучше той тепловатой бурды, которую она уже выпила в кафетерии мотеля «Житель Запада». Если шериф сам заварил его, то в кофе он знал толк. Да и в остальном был далеко не простак. Комфортно развалившись в старом кресле, он отнюдь не выглядел обеспокоенным тем, что его считают замешанным в убийстве.

— Как вам Пурселл, мисс Гейтер?

— Я здесь недавно, у меня еще не сложилось определенное мнение.

— Ох, бросьте. Держу пари, наш городок вы невзлюбили задолго до приезда сюда.

— С чего вы взяли?

— Да это и ежу ясно. У вас же здесь умерла мать.

То, как он походя упомянул о смерти ее матери, больно резануло Алекс.

— Она не просто умерла. Ее убили. Причем зверски.

— Я помню, — угрюмо сказал он.

— Вот именно. Как раз вы и обнаружили ее тело, не так ли?

Он опустил глаза и долго смотрел в кружку с кофе, прежде чем сделать глоток. Затем залпом выпил весь остаток, опрокинув содержимое в рот так, словно там было виски.

— Это вы убили мою мать, мистер Ламберт?

Поскольку накануне ей не удалось проследить за его реакцией на свои слова, она хотела не упустить ее на сей раз.

Он резко вскинул голову.

— Нет. — Он облокотился на стол и, обхватив себя руками, спокойно посмотрел ей в глаза. — И хватит городить чушь собачью, ладно? Зарубите себе на носу прямо сейчас, мы оба сэкономим массу времени: если вы желаете допрашивать меня, госпожа прокурор, то вам придется вызвать меня повесткой в суд с полным набором присяжных.

— Значит, вы отказываетесь помогать мне в расследовании?

— Я этого не говорил. Пат даст указания, и мой участок будет к вашим услугам. Я лично окажу вам посильную помощь.

— Просто по доброте душевной? — притворно ласково спросила она.

— Нет, я просто хочу, чтобы это дело наконец завершилось навсегда. Понятно? Тогда и вы сможете уехать назад в свой Остин — там ваше место; а прошлое пускай остается в прошлом, его место именно там. — Он встал, чтобы налить себе еще кофе, и через плечо спросил: — Почему вы вообще приехали?

— Потому что Бад Хикс не убивал мою мать.

— А вам-то, черт возьми, откуда знать? Или вы просто-напросто его спросили?

— Не могла я его спросить. Он умер.

По его реакции она сразу поняла, что Рид об этом не знал. Он подошел к окну и, задумчиво глядя вдаль, стал отхлебывать кофе.

— Ах ты, черт, надо же. Значит, Придурок Бад умер.

— Придурок Бад?

— Его так все звали. Мне кажется, никто и фамилии его не знал, пока Селина не умерла и вся история не попала в газеты.

— Мне говорили, он был умственно отсталым.

Он кивнул.

— Да, и к тому же говорил нечленораздельно. Его едва можно было понять.

— Он жил с родителями?

— С матерью. Она сама была полоумная. Умерла давно, вскоре после того, как Бада отправили в лечебницу.

Стоя к ней спиной, Ламберт по-прежнему смотрел сквозь щели в жалюзи. На фоне окна вырисовывался его силуэт — стройный, широкоплечий, узкобедрый. Джинсы сидели на нем даже чересчур ладно. Алекс выругала себя за то, что обратила на это внимание.

— Придурок Бад разъезжал по всему городу на таком, знаете, громадном трехколесном велосипеде, — тем временем заговорил Ламберт. — За несколько кварталов было слышно, что он едет. Эта махина звенела и бренчала, как тележка старьевщика, сплошь увешанная разным хламом. Он был мусорщик. Маленьким девочкам запрещали подходить к нему близко. А мы, мальчишки, издевались над ним, озорничали по-всякому. — Ламберт грустно покачал головой. — Стыдно за это сейчас.

— А умер он в психиатрической лечебнице, куда его упекли за преступление, которого он не совершал.

Ее замечание вернуло его к действительности.

— А какие у вас доказательства?

— Доказательства я найду.

— Их не существует.

— Вы в этом уверены? Или вы уничтожили неопровержимые доказательства в то утро, когда якобы нашли тело Селины?

Меж его густых бровей пролегла глубокая складка.

— Вам что, нечем больше заняться? Или в вашей прокуратуре дел маловато? С чего вы вообще взялись все это ворошить?

Она кратко, но точно раскрыла ему причину, как в свое время Грегу Харперу.

— Справедливость не восторжествовала. Бадди Хикс был невиновен. Он отдувался за преступление, совершенное кем-то другим.

— Мною, Джуниором или Ангусом?

— Да, одним из вас троих.

— Кто вам это сказал?

— Бабушка Грэм.

— Ага, наконец что-то прояснилось. — Он продел большой палец в петлю для ремня, небрежно свесив загорелые пальцы над ширинкой. — Она, значит, вам сказала; а она случайно не говорила, как ревновала свою дочь?

— Бабушка? Да к кому?

— К нам. К Джуниору и ко мне.

— Она говорила, что вы двое и Селина были все равно как три мушкетера.

— А ей было обидно. Говорила ли она вам, что надышаться не могла на Селину?

Незачем было и говорить. Скромный дом, в котором росла Алекс, выглядел поистине святилищем ее матери. Заметив, что Алекс нахмурилась, шериф ответил на вопрос сам:

— Нет. Я и так вижу, что миссис Грэм забыла об этом упомянуть.

— Вы считаете, что я здесь с личным планом кровной мести.

— Именно так и считаю.

— Ну так вовсе нет. — Алекс перешла к обороне. — Я считаю, в этом деле столько пробелов, что его пересмотр сам собою напрашивается. И прокурор Харпер считает так же.

— Этот самовлюбленный индюк? — презрительно фыркнул Ламберт. — Да он собственную мать обвинит в том, что она торгует на всех углах сами знаете чем, если это хоть как-то приблизит его к креслу генерального прокурора.

Алекс понимала: отчасти он прав. Она попыталась сменить тактику.

— Когда мистер Частейн получше ознакомится с фактами, он согласится, что произошла страшная судебная ошибка.

— До вчерашнего дня Пат о Селине слыхом не слыхал. И он целиком занят тем, что вылавливает беспаспортных рабочих-иммигрантов да торговцев наркотиками.

— И вы меня вините в том, что я жажду восстановить справедливость?! А если б вашу мать зарезали в конюшне, неужто вы не стали бы добиваться, чтобы убийца понес заслуженное наказание?

— Не знаю. Моя мамаша сбежала, когда я был от горшка два вершка; я и не помню ее.

Алекс почувствовала сострадание. Но ей ли сочувствовать ему? Неудивительно, что на фотографиях, которые она видела у бабушки, Рид запомнился ей подростком с напряженным лицом, и взгляд у него был не по годам взрослый. А ей и в голову не пришло спросить бабушку, отчего у мальчика всегда такой серьезный вид.

— Это дела не меняет, мистер Ламберт. Вы тоже подозреваетесь в убийстве. — Она встала и взяла сумочку. — Спасибо за кофе. Простите, что побеспокоила вас в такую рань. Отныне мне придется рассчитывать на помощь местного отдела полиции.

— Погодите минутку.

Уже направившись было к выходу, Алекс остановилась и повернулась к нему.

— Что?

— Здесь нет отдела полиции.

Обескураженная этим сообщением, она смотрела, как он берет с вешалки шляпу и куртку. Пройдя вперед, он открыл перед ней дверь и вышел следом.

— Эй, Сэм, я ухожу. Буду напротив. — Помощник кивнул. — Сюда, пожалуйста, — сказал Рид и, подхватив Алекс под локоть, повел ее в конец коридора к маленькому квадратному лифту.

Они вошли в кабину вместе. Он закрыл заскрипевшую дверь. Скрежет механизма отнюдь не успокаивал. Алекс очень хотелось надеяться, что лифт все-таки доберется до места назначения.

Стараясь как бы помочь этому древнему сооружению, она целиком сосредоточилась на подъеме. Тем не менее Алекс остро ощущала, что Рид Ламберт стоит рядом, почти касаясь ее. Он внимательно разглядывал ее.

— А вы похожи на Селину, — сказал он.

— Да, я знаю.

— Ростом, фигурой, повадками. Волосы у вас, правда, потемнее и рыжины больше. И глаза у нее были карие, а не голубые, как у вас.

Его взгляд скользнул по ее лицу.

— Но вы поразительно похожи.

— Благодарю вас. Я считаю, мать была красивой.

— Все так считали.

— Включая и вас?

— А я особенно.

Дернувшись, лифт внезапно остановился. Алекс потеряла равновесие и повалилась на Рида. Он подхватил ее под руку и поддерживал, пока она не оправилась от толчка; это заняло, пожалуй, чуточку больше времени, чем было на самом деле необходимо; стоя рядом с ним, Алекс чувствовала легкое головокружение, дыхание стало неровным.

Они оказались на втором этаже. Выходя с нею во двор, он одним движением плеч натянул куртку.

— Я поставила машину перед парадным подъездом, — сказала она. — Видимо, надо опустить еще денег в счетчик парковки?

— Забудьте. Если вам выпишут штраф, у вас ведь найдутся высокопоставленные друзья.

Улыбаясь, он демонстрировал не такие безупречные зубы, как Минтон-младший, но улыбка оказывала точно такое же действие. В низу живота у нее сладко защекотало — ощущение было необычным, удивительным и жутковатым.

Его быстрая усмешка подчеркнула морщинки у глаз и у рта. Он выглядел на все свои сорок три года, но следы пережитого ничуть не портили его сурового худощавого лица. У него были темно-русые волосы, которых никогда не касалась рука парикмахера-модельера. Он надел фетровую ковбойскую шляпу, надвинув ее на самые брови цветом чуть темнее волос.

Глаза у Рида были зеленые. Алекс заметила это, как только вошла к нему в кабинет. Она испытывала все то, что переживает любая женщина в присутствии привлекательного мужчины. У него не было и намека на брюшко, на рыхлость мышц, как бывает в этом возрасте. Физически он выглядел лет на двадцать моложе.

Алекс пришлось напомнить себе, что она — прокурор суверенного штата Техас и что ей положено смотреть на Рида Ламберта не глазами женщины, а глазами человека, облеченного юридической властью. Кроме того, он был на целое поколение старше.

— Что, сегодня утром на всех не хватило чистой форменной одежды? — спросила она, пока они переходили улицу.

На нем были простые голубые джинсы «ливайс» — старые, выцветшие и тесные, — вроде тех, что ковбои надевают на родео. Куртка из коричневой кожи застегивалась на талии, как у летчиков. Меховая подкладка и большой воротник были, по-видимому, из шкуры койота. Как только они вышли на солнце, Ламберт надел пилотские очки. Стекла были такие темные, что его глаз за ними она разглядеть уже не могла.

— Меня раньше в дрожь бросало от одного только вида формы, поэтому, став шерифом, я дал понять, что меня засунуть в нее не удастся.

— А почему вас от нее в дрожь бросало?

Он криво усмехнулся.

— Я всегда норовил удрать от человека в форме или уж хотя бы на него не нарываться.

— Мошенничали?

— Безобразничал.

— Были столкновения с законом?

— Так, мелкие стычки.

— Что же заставило вас перемениться? Божественное прозрение? Испуг? Пара ночей в тюрьме? Исправительное заведение для малолетних?

— Да нет. Просто я подумал: если я могу перехитрить стражей закона, значит, в состоянии перехитрить и нарушителей. — Он пожал плечами. — Выбор профессии казался вполне естественным. Есть хотите?

Не успела она ответить, как он распахнул дверь закусочной. Колоколец, который ковбои вешают на шею коровам, возвестил об их приходе. Вот где, видимо, был центр общественной жизни. Все столики, представлявшие собой красные пластмассовые пластины на хромированных поржавевших ножках, уже были заняты. Рид провел ее в еще не занятую, выгороженную у стены кабину.

Посыпались разноголосые приветствия служащих, фермеров, горлопанов, ковбоев и секретарш; каждого можно было без труда определить по его наряду. Все, кроме секретарш, были в сапогах. Алекс заметила Имоджен, секретаршу Пата Частейна. Не успели они с Ридом пройти мимо ее столика, как та принялась возбужденным шепотом рассказывать женщинам, сидевшим с нею, кто такая Алекс. По мере того как новость бежала от столика к столику, шум в зале смолкал.

Было совершенно ясно, что эта уменьшенная копия пурселлского общества регулярно собирается в закусочной во время перерыва. Любой посторонний человек вызывал тут интерес, а уж появление дочери Селины Гейтер было из ряда вон выходящим событием. Алекс чувствовала себя громоотводом: к ней явно стекались разные электротоки. Среди них она улавливала и враждебные разряды.

Из музыкального автомата лилась баллада об утраченной любви в исполнении Кристал Гейл. Одновременно черно-белый телевизор с размытым изображением, стоявший в углу зала, передавал «Тележурнал». На экране обсуждалась мужская импотенция, к большому удовольствию трех хрипатых горлопанов. Борьба против курения еще не докатилась до Пурселла, и воздух можно было резать ножом. Но над всеми запахами царил аромат жареного бекона.

К ним подошла официантка в фиолетовых полиэстеровых брюках и блестящей блузке из золотистого атласа, держа на подносе две чашки кофе и тарелку со свежими пончиками из дрожжевого теста. Подмигнув, она сказала:

— Привет, Рид.

И вновь засеменила на кухню, где повар, зажав в зубах сигарету, ловко шлепал на сковороду яйца.

— Угощайтесь.

Алекс не замедлила воспользоваться предложением шерифа. Пончики были еще теплыми, сахарная глазурь таяла во рту.

— Эти яства словно только вас и дожидались. И столик этот отведен для вас? Вы всегда заказываете одно и то же?

— Владельца заведения зовут Пит, — сообщил Ламберт, указывая на повара. — Когда-то по дороге в школу я каждое утро забегал сюда, и он кормил меня завтраком.

— Как великодушно.

— Не из милосердия, — отрезал он. — После уроков я подметал здесь полы.

Она нечаянно задела его больное место. Рид Ламберт остро помнил свое сиротское детство. Сейчас, однако, был неподходящий момент выведывать информацию; едва ли не все взоры присутствующих были устремлены на них.

Он жадно съел два пончика и запил черным кофе, не теряя при этом ни крошки еды, ни секунды времени, не делая лишних движений. Он ел так, как ест человек, знающий, что ему теперь долго не придется поесть.

— Оживленное местечко, — заметила она и, не стесняясь, слизала с пальцев глазурь.

— Да уж. Старожилы вроде меня в новый торговый центр и в забегаловки у вокзала не ходят, оставляют их для приезжих и молодежи. Если не можете кого-то нигде найти, значит, он в этом кафе. С минуты на минуту явится Ангус. Штаб-квартира его корпорации «Минтон энтерпрайсиз» всего в квартале отсюда, однако он проворачивает множество дел именно в этом зале.

— Расскажите мне о Минтонах.

Рид протянул руку к последнему пончику: Алекс явно не собиралась его есть.

— Они богаты, но богатством не кичатся. В городе их любят.

— Или побаиваются.

— Некоторые — вероятно, — пожал он плечами.

— Ранчо — это только часть их предприятий?

— Да это, так сказать, прадедушка нынешней корпорации. Ангус выстроил его на пустом месте: была голая пыльная земля и отчаянная решимость добиться своего.

— Чем именно они там занимаются?

— В основном держат скаковых лошадей. Главным образом чистокровных. Есть и «четвертушки». Иной раз у них скапливается до ста пятидесяти коней, которых они объезжают и потом передают тренерам.

— Вы, я смотрю, хорошо в этом разбираетесь.

— У меня у самого есть парочка скаковых. Держу их у Минтонов, за плату, конечно. — Он указал на ее недопитую чашку кофе. — Если вы закончили, пойдемте, я хочу вам кое-что показать.

— А что именно? — спросила она, удивившись внезапной смене темы.

— Это недалеко.

Они вышли из кафе, но прежде он попрощался со всеми, с кем здоровался, когда они пришли. За завтрак он не заплатил, тем не менее повар Пит отдал ему честь, а официантка ласково погладила по спине.

Шерифский автомобиль, джип «Блейзер» с приводом на четыре колеса, стоял у тротуара перед зданием суда. Для него было отведено особое, специально помеченное место. Рид отпер дверцу, помог Алекс сесть в кабину, потом уселся рядом. Они проехали всего несколько кварталов и остановились перед маленьким домом.

— Вот, — сказал он.

— Что это?

— Здесь жила ваша мать. — Алекс повертела головой, оглядывая скромную каркасную постройку. — Когда она здесь жила, район выглядел совсем иначе. Все пошло прахом. Вон там, где углубление в тротуаре, тогда росло дерево.

— Да. Видела на снимках.

— Несколько лет назад оно погибло, пришлось спилить. Во всяком случае, — сказал он, давая задний ход, — я подумал — вам стоит взглянуть.

— Спасибо.

Пока «Блейзер» отъезжал от тротуара, Алекс не сводила глаз с домика. Белая краска на стенах потемнела. Золотисто-коричневые тенты над фасадными окнами выцвели под знойным летним солнцем. Ничего привлекательного в доме не было, но она крутила головой, стараясь, покуда возможно, не выпускать его из виду.

Значит, вот где она прожила с матерью недолгих два месяца. Там Селина кормила, купала, качала ее, пела ей колыбельные. Там ночами мать прислушивалась, не заплакала ли малышка. Эти стены слышали, как мать шептала своей дочурке слова любви.

Ничего этого Алекс, конечно, не помнила. Но не сомневалась, что все было именно так.

Подавив волновавшие ее чувства, Алекс продолжила разговор, оборвавшийся, когда они ушли из кафе.

— А почему Минтонам необходимо построить ипподром?

Он глянул на нее так, словно она рехнулась.

— Да ради денег. Почему же еще?

— У них ведь вроде бы денег и так полно.

— Денег всем всегда мало, — он хмуро усмехнулся. — А сказать об этом прямо способен лишь бедняк вроде меня. Поглядите-ка вокруг, — он указал на пустые магазины вдоль главной улицы, по которой они ехали. — Видите, все закрыто или объявлено к продаже. Как только лопнул нефтяной рынок, экономика в городе рухнула. Ведь почти все здесь так или иначе были связаны с нефтепромыслом.

— Это мне понятно.

— Понятно? Что-то я сомневаюсь. — В голосе его слышалось пренебрежение. — Чтобы выжить, городу и нужны бега. А вот чего нам вовсе не нужно, так это синеглазой рыжеволосой соплячки-юристки в меховой шубке, которая явится и все дело изгадит.

— Я сюда явилась для расследования убийства, — отрезала она, уязвленная его внезапной грубостью. — Бега, лицензия на тотализатор и местная экономика к нему касательства не имеют.

— Черта с два не имеют. Разорите Минтонов — разорите и Пурселл.

— Если виновность Минтонов будет доказана, что ж — они сами навлекли на себя разорение.

— Слушайте, мадам, никаких новых ключиков к разгадке убийства вашей матери вам найти не удастся. Зато удастся заварить здесь кашу. Местные жители вам помогать не станут.

Против Минтонов никто слова не скажет, потому что будущее округа зависит от того, построят они бега или нет.

— А вы, конечно, первый в списке преданных молчальников.

— Вот именно, черт побери.

— Но почему? — настойчиво спросила она. — Минтоны что-то про вас прознали? Может, кто-то из них затащил вас в то стойло, где вы потом и «обнаружили» тело моей матери? Что вы там вообще делали в такое время?

— Что и каждый день: выгребал из конюшен навоз. Я тогда работал у Ангуса.

Она опешила.

— Вот как? Я этого не знала.

— Вы еще многого не знаете. Да это и к лучшему.

Резко вывернув руль, он завел машину на отведенное ей место у здания суда и затормозил так, что Алекс швырнуло вперед на ремень безопасности.

— Оставили бы вы прошлое в покое, мисс Гейтер.

— Благодарю, шериф. Я без промедления обдумаю ваш совет.

Она выскочила из кабины, хлопнув напоследок дверцей.

Выругавшись себе под нос, Рид смотрел, как она шагает по тротуару. Ему хотелось, забыв обо всем, просто разглядывать ее стройные икры, отмечать, как соблазнительно покачиваются бедра, оценивать прочие достоинства ее фигуры, не ускользнувшие от его внимания еще вчера, когда она только вошла в кабинет Пата Частейна. Ее имя, однако, лишило его возможности предаваться этому чисто мужскому удовольствию.

Дочь Селины, думал он, недоверчиво и испуганно качая головой. Что же удивляться, что Алекс показалась ему такой чертовски привлекательной. Ее мать стала его задушевной подругой еще в начальной школе — с того самого дня, когда у нее от сердечного приступа внезапно умер отец и какой-то сопляк начал было ехидно дразнить ее безотцовщиной.

Хорошо зная, как больно ранят насмешки над родителями, Рид бросился на защиту Селины. Он не раз сражался за нее и в последующие годы. А если на ее стороне был Рид, никто не смел ей грубого слова сказать. Так завязалась крепкая дружба, совершенно особая, недоступная для других, —

пока не появился Джуниор, которого они допустили в свой союз.

Нечего и удивляться, думал он, что помощник окружного прокурора из Остина разворошила в его душе прежние чувства. Лишь одно, пожалуй, вызывало у него беспокойство: сила этих чувств. Хотя Селина и успела родить ребенка, умерла она совсем юной. Александра же воплощала собою ту женщину, какой Селина могла бы стать.

Он попытался было убедить себя, что его волнение вызвано просто-напросто тоской по молодости, нежными воспоминаниями о детской влюбленности. Но то была бы ложь. Если уж он и вправду затруднялся определить, что его так взбудоражило, то достаточно было вспомнить, как затопило его горячей волной, как тесны вдруг стали джинсы, когда он следил за ее губами и пальцами, а она не торопясь слизывала с них сахарную глазурь.

— О боже, — сказал он.

Он испытывал двойственное чувство к этой женщине — а некогда и к ее матери, незадолго до того, как ее нашли в конюшне мертвой.

Отчего эти две женщины, между которыми пролегло двадцать пять лет, играли такую важную роль в его жизни? Любящая Селина едва не погубила его. Ее дочь несет в себе не меньшую угрозу. Начни она только копаться в прошлом, один бог знает, какой бедой это может обернуться.

Он собирался уйти с поста шерифа и заняться совсем другим делом, прибыльным и достойным. Ему, само собой, вовсе не хотелось, чтобы его будущее было омрачено уголовным расследованием.

Все эти годы Рид работал не покладая рук отнюдь не для того, чтобы награда за труды в последний момент от него ускользнула. И теперь, когда он, можно сказать, пользуется всеобщим уважением, о котором всегда мечтал, он не собирался стоять в сторонке и глядеть, как Алекс в процессе расследования вновь вытаскивает на суд людской его темное прошлое. Если эту нахальную прокуроршу не остановить, она его доконает.

Те, кто утверждает, что материальные блага — пустяк, сами имеют всего вдоволь. А у него никогда ничего не было.

До последнего времени. Он не остановится ни перед чем, чтобы защитить то, что он с таким трудом завоевал.

Выходя из машины и снова открывая двери окружного суда, он проклинал день, когда Александра Гейтер появилась на свет, — как когда-то проклинал ее рождение. Но он думал и о том, что ее рот способен не только извергать обвинения и юридическую тарабарщину. Рид готов был поставить свой выигрыш на следующих бегах, что этот рот годится и на нечто совсем иное.

Глава 4

В аптеке «Прерия» судья Джозеф Уоллес был почетным клиентом: никто в таких дозах и с такой регулярностью не покупал средство от повышенной кислотности. Отодвигаясь от обеденного стола, он уже чувствовал, что не миновать ему вскорости сделать глоток-другой своего снадобья. Обед приготовила его дочь Стейси; она варила ему обеды ежедневно, кроме воскресенья, когда они отправлялись поесть в ресторан загородного клуба. Стейсины клецки, легкие и воздушные, как всегда, падали ему в желудок, словно мячи для гольфа.

— Что-то не так? — Стейси заметила, что отец рассеянно потирает живот.

— Нет, ничего.

— Тебе же обычно очень нравится курица с клецками.

— Обед был вкуснейший. Просто желудок опять дает о себе знать.

— Пососи мятный леденец.

Стейси протянула ему хрустальную конфетницу, стоявшую рядом на чистом, без пылинки, кофейном столике вишневого дерева. Он развернул леденец в красно-белую полоску и сунул в рот.

— Стало быть, желудок дает о себе знать? И есть на то причина?

Стейси взяла на себя заботы об отце несколько лет назад, когда умерла ее мать. Дочь была одинока, молодость ее давно прошла, но она никогда и не проявляла никаких устремлений, кроме как стать хозяйкой дома. У нее не было ни мужа, ни детей, поэтому она усердно хлопотала вокруг судьи.

Стейси отродясь не была красавицей, и возраст не внес поправок в это прискорбное обстоятельство. Бессмысленно пытаться описать ее прелести с помощью тактичных эвфемизмов. Она всегда была дурнушкой. И все же в Пурселле она пользовалась всеобщим уважением и признанием.

Ее имя входило в список членов любой сколько-нибудь значимой женской организации. Она вела уроки для девочек в воскресной школе при Первой методистской церкви; исправно, каждое субботнее утро, навещала обитателей дома престарелых, а по вторникам и четвергам играла в бридж. Дни ее были сплошь заняты всевозможными мероприятиями. Одевалась она хорошо и дорого, хотя для своего возраста чересчур старомодно.

Манеры ее были безукоризненными, благовоспитанность изысканной, нрав спокойным и ровным. Благородный стоицизм, с которым она сносила удары судьбы, вызывал восхищение. Все полагали, что она довольна и счастлива.

Но сограждане ошибались.

Маленький, похожий на воробья, судья Уоллес надел тяжелое пальто и направился к двери.

— Мне вчера вечером позвонил Ангус.

— Да? И чего он хотел? — поинтересовалась Стейси, поднимая отцу воротник, чтобы его не прохватило ветром.

— Вчера приехала дочь Селины Гейтер.

Стейсины хлопотливые руки замерли, она даже отступила назад. Их глаза встретились.

— Дочь Селины Гейтер?

Губы ее побелели как мел, голос стал резким и пронзительным.

— Она родила ребенка, помнишь, Александрой, кажется, назвали.

— Да, Александрой, помню, — рассеянно повторила Стейси. — Она здесь, в Пурселле?

— Вчера, по крайней мере, была. Вполне уже взрослая.

— Почему ты мне вчера не сказал, когда я пришла домой?

— Ты поздно вернулась со званого ужина. Я уже лег. К тому же я понимал, что ты устала, незачем было тебя попусту беспокоить.

Стейси отвернулась и принялась выбирать из конфетницы целлофановые обертки. У отца была досадная привычка оставлять их в вазочке.

— Почему это неожиданное появление Селининой дочери непременно должно меня обеспокоить?

— В общем-то нипочему, — ответил судья, радуясь, что не видит глаз Стейси. — Впрочем, теперь, возможно, все в этом чертовом городишке пойдет наперекосяк.

Стейси вновь повернулась к нему. Ее пальцы терзали кусочек целлофана.

— Отчего вдруг?

Неожиданно рыгнув, судья прикрыл рот кулаком.

— Она работает в Остине, в окружной прокуратуре.

— Дочь Селины?! — воскликнула Стейси.

— Черт-те что, правда? Кто бы мог подумать, что из нее выйдет что-нибудь путное? Росла-то ведь без родителей, с одной Мерл Грэм.

— Ты пока так и не сказал, зачем она явилась в Пурселл. Навестить кого?

Судья отрицательно покачал головой.

— Боюсь, по делу.

— Она имеет какое-то отношение к минтоновской лицензии на открытие ипподрома?

Он отвел глаза, теребя в волнении пуговицу на пальто.

— Да нет; у нее, э-э-э, у нее есть разрешение окружного прокурора вновь произвести расследование по делу об убийстве ее матери.

Казалось, плоская грудь Стейси вдруг еще больше ввалилась. Она бессильно шарила за спиной руками, стараясь нащупать место, к которому можно было бы прислониться.

Сделав вид, что не замечает страданий дочери, судья сказал:

— Пату Частейну пришлось устроить для нее встречу с Минтонами и Ридом Ламбертом. Там, по словам Ангуса, она во всеуслышание самоуверенно заявила, что рано или поздно непременно выяснит, кто из них убил ее мать.

— Что? Да она сумасшедшая!

— Ангус утверждает, что нет. Говорит, язык у нее — как бритва, она в здравом уме и отнюдь не шутит.

Нащупав валик дивана, Стейси с облегчением опустилась на него и положила узкую ладонь себе на грудь.

— Как отреагировал на это Ангус?

— Ты ведь Ангуса знаешь. Его же ничем не проймешь.

Такое впечатление, что это его словно бы забавляет. Сказал, что беспокоиться нечего: ей не удастся представить большому суду присяжных никаких доказательств, потому что их вообще нет. Преступление совершил Придурок Бад. — Судья выпрямился. — И никто не сможет усомниться в правоте моего решения: он был неподсуден по причине психической неполноценности.

— Еще бы, — сказала Стейси, немедленно вставая на его защиту, — у тебя просто не было иного выбора, кроме как отправить Придурка Бада в лечебницу.

— Я ежегодно просматривал его историю болезни, снимал показания с лечивших его врачей. Это заведение, да будет тебе известно, не какой-то захудалый желтый дом. Это одна из лучших лечебниц в штате.

— Никто тебя ни в чем не обвиняет, папа. Господи боже, достаточно всего лишь ознакомиться с твоей деятельностью на посту судьи. Свыше тридцати лет безупречной работы.

Он провел рукой по редеющим волосам.

— И сейчас вдруг такое — до чего же обидно! Может быть, уйти в отставку досрочно, не дожидаясь следующего лета и моего дня рождения?

— Ни в коем случае, ваша честь. Останешься на своем месте до тех пор, пока не наступит час уходить в отставку, и ни днем раньше. И никакой жалкой выскочке, вчерашней студенточке, тебя с твоего поста не спихнуть.

Хотя Стейси старательно демонстрировала отцу свою в нем уверенность, глаза выдавали ее беспокойство.

— Ангус говорил, что эта девица... что она собой представляет? Похожа на Селину?

— Отчасти. — Судья подошел к входной двери и открыл ее. Уже на пороге он с сожалением бросил через плечо: — Ангус сказал — она еще красивее.

После ухода отца Стейси долго еще сидела в отупении на валике дивана, уставившись в одну точку. Она совершенно забыла, что надо вымыть посуду.

— Добрый день, судья Уоллес. Меня зовут Алекс Гейтер.

Представляться не было необходимости. Он понял, кто она такая, как только вошел в свой кабинет, примыкавший к залу суда. Миссис Липском, его секретарша, кивком головы указала ему на стул у противоположной стены. Повернувшись, он увидел молодую женщину — двадцати пяти лет, если он не ошибся в расчетах, — которая, сидя на жестком стуле с прямой спинкой, демонстрировала поистине царственную осанку и уверенность в себе.

Судье мало приходилось общаться с Селиной Гейтер, но от Стейси он знал о ней все. Одиннадцать лет девочки проучились в одном классе. Даже делая скидку на типичную для юных девушек зависть, которую испытывала Стейси, он нарисовал для себя достаточно нелестный портрет девицы, которая сознает, что она красива и всем нравится, и которая вертит как хочет всеми мальчиками в классе, в том числе и теми двумя: Джуниором Минтоном и Ридом Ламбертом.

Из-за Селины Стейси пережила бесчисленное множество горьких минут. Уже за одно это судья невзлюбил Селину. А поскольку сидевшая в приемной молодая женщина приходилась дочерью той особе, то она с первого же взгляда не понравилась судье.

— Здравствуйте, мисс Гейтер.

Судья Уоллес пожал протянутую руку, подержав ее в своей ровно столько, сколько необходимо, чтобы не нарушить правила приличия. Он чувствовал, как непросто ему видеть в этой модно одетой женщине коллегу. Он предпочитал юристов в белых рубашках и шерстяных костюмах, а не в мехах и изысканных платьях с короткой юбкой. От настоящих членов коллегии адвокатов должно чуть заметно пахнуть сигарами и кожей, в которую переплетают тома судебных дел, а не тонкими духами.

— Районный прокурор Частейн уже сообщил вам о цели моего приезда?

— Да. Сегодня утром. Но я еще вчера вечером узнал об этом от Ангуса.

Она наклонила голову, словно говоря, что это интересное заявление стоит запомнить, чтобы потом осмыслить как следует. Он готов был дать себе хорошего пинка за то, что ни с того ни с сего вылез со своим сообщением.

По правде говоря, он был ею просто ослеплен. Ангус Минтон не ошибся. Александра Гейтер была красивее матери.

Когда она повернула голову, ее темные волосы под солнечными лучами, пробивавшимися сквозь жалюзи, будто вспыхнули огнем. Воротник мехового жакета, касаясь щеки, подчеркивал свежесть кожи и придавал лицу восхитительный румянец цвета спелого абрикоса. У Стейси была похожая шубка, но в ней лицо его дочери приобретало оттенок остывшей золы.

— Нельзя ли мне поговорить с вами в зале суда? — вежливо спросила она.

Сам не зная зачем, он взглянул на часы.

— Боюсь, это невозможно. Я, собственно, зашел узнать только, кто мне звонил и что передал. Сегодня я весь день занят.

Миссис Липском вздрогнула от удивления, выдав его с головой.

Мгновение Алекс задумчиво рассматривала носки своих туфель.

— Не хочется настаивать, но придется. Это очень важно, мне необходимо начать расследование как можно скорее. Прежде чем предпринимать какие-то шаги, я должна уточнить у вас некоторые факты. Много времени это не займет. — Уголки ее губ приподнялись в улыбке. — Не сомневаюсь, что ваше содействие будет по достоинству оценено у нас в Остине.

Судья Уоллес был отнюдь не глуп; Алекс тоже. Приказать ему она не могла, не тот у нее чин, зато вполне могла выставить его в неприглядном свете в прокуратуре округа Трэвис, а те имели знакомства в Капитолии штата.

— Что ж, хорошо, проходите, пожалуйста. — Он сбросил с плеч пальто, попросил миссис Липском не звать его к телефону и следом за Алекс направился в зал суда. — Присаживайтесь.

В желудке у него жгло. Перед тем как вернуться в суд, он принял снадобье от повышенной кислотности, но еще глоток ему не помешал бы. Что касается Алекс, она отнюдь не казалась взволнованной. Усевшись за стол напротив него, она грациозным движением плеч сбросила меховой жакет.

— Приступим, мисс Гейтер, — властно произнес Уоллес. — Что же вы хотите узнать?

Алекс открыла портфель и вынула пачку бумаг. Судья чуть не застонал.

— Я прочла стенограмму слушаний по делу Бадди Хикса, и у меня возникли вопросы.

— А именно?

— Что вас так подгоняло?

— Простите?

— Бад Хикс был арестован по обвинению в совершении особо жестокого убийства и помещен в окружную тюрьму Пурселла без права освобождения под залог. Слушания о его неподсудности по причине психической неполноценности проходили три дня спустя.

— И что?

— Не слишком ли короток этот срок для того, чтобы решить дальнейшую судьбу человека?

Судья откинулся на спинку кожаного кресла, которое подарила ему дочь; он надеялся, что его хладнокровие произведет впечатление на молодую юристку.

— В то время, вероятно, к слушанию было назначено много дел, и я старался разобрать их побыстрее. Либо же наступило некоторое затишье, и это дало мне возможность рассмотреть дело без проволочек. Не помню. Ведь минуло двадцать пять лет.

Опустив глаза, она смотрела в блокнот, лежавший у нее на коленях.

— Вы распорядились, чтобы мистера Хикса обследовали всего два психиатра.

— Его умственная неполноценность была очевидной, мисс Гейтер.

— В этом я не сомневаюсь.

— Он же считался, как бы помягче выразиться, городским юродивым. Не хочу показаться жестоким, но ведь так оно и было. Его просто терпели. Люди видели его, но не замечали, — надеюсь, вы меня понимаете. Своего рода принадлежность городского пейзажа, безобидная...

— *Безобидная?*

Судья снова готов был откусить себе язык.

— До той ночи, когда он убил вашу мать.

— Никакой суд присяжных не признал его виновным в этом, судья Уоллес.

Раздосадованный, он облизнул губы.

— Да, конечно. — Он пытался избежать ее спокойного

взгляда и собраться с мыслями. — Я счел, что в данном случае достаточно заключений двух психиатров.

— Я без сомнения согласилась бы с вами, если бы заключения не были столь различными.

— Или же если бы жертвой преступления не оказалась ваша мать, — сделал выпад судья.

— Это замечание я пропускаю, судья Уоллес, — сердито бросила она.

— Но разве не из-за этого весь сыр-бор? Или вы по какой-то неизвестной мне причине сомневаетесь в моей порядочности и хотите опротестовать решение, которое я вынес двадцать пять лет назад?

— Но если вам нечего скрывать, у вас нет и повода думать, что я подорву вашу безупречную служебную репутацию всего-навсего тем, что задам несколько вопросов. Так ведь?

— Продолжайте, — сухо сказал он.

— Два назначенных судом психиатра разошлись во мнениях относительно психического состояния мистера Хикса в ту ночь, когда была убита моя мать. Это первое, что озадачило и заинтересовало меня. Обратив внимание окружного прокурора Харпера на это обстоятельство, я получила его согласие на доследование.

Один из психиатров считал, что Хикс не способен на насильственное действие. Второй же утверждал, что способен. Отчего вы не попытались получить третье заключение, которое разрешило бы спор?

— В нем не было необходимости.

— Не могу с этим согласиться. — Она помолчала, потом исподлобья взглянула на него. — Вы регулярно играли в гольф с врачом, мнение которого легло в основу судебного решения. А второй психиатр вообще не из вашего города. Он первый и единственный раз был приглашен Пурселлским судом в качестве эксперта.

Судья Уоллес побагровел от возмущения.

— Раз вы сомневаетесь в моей честности, предлагаю вам навести справки прямо у этих врачей, мисс Гейтер.

— Я попыталась. К несчастью, оба уже скончались. — Она холодно смотрела в его откровенно враждебное лицо. — Тем не менее я справилась у врача, лечившего мистера Хикса последним. Он утверждает, что наказан был невиновный, и у меня есть тому официальное письменное подтверждение.

— Мисс Гейтер! — Судья приподнялся в кресле и хлопнул ладонью по столу. Он был зол, но одновременно чувствовал себя раздетым и уязвимым.

Легкий стук в дверь раздался как нельзя кстати.

— Да?

Неторопливо вошел шериф Ламберт.

— Рид! — Алекс не удивилась бы, если бы судья побежал через весь зал и обнял шерифа. Казалось, он обрадовался ему. — Входите.

— Миссис Липском не велела мешать вам, но, когда она сказала, кто у вас здесь, я убедил ее, что могу пригодиться.

— Кому же? — язвительно спросила Алекс.

Ленивой походкой Рид подошел к стоявшему возле нее креслу и опустился в него. Дерзкие зеленые глаза скользнули по ней.

— Любому, кому понадобится помощь.

Алекс решила пропустить это двусмысленное замечание мимо ушей, надеясь в свою очередь, что он не заметит, как краска заливает ее лицо. Она сосредоточила свое внимание на судье.

— Мисс Гейтер полюбопытствовала, почему я принял решение о неподсудности мистера Хикса. Поскольку она не была с ним знакома, ей трудно представить себе, сколь точно он отвечал требованиям неподсудности по причине психической невменяемости, а именно — он не способен был понять выдвинутые против него обвинения и своими показаниями облегчить собственную защиту.

— Благодарю вас, судья, — сказала она, кипя от злости, — но мне эти требования известны. Зато мне неизвестно, почему вы столь поспешно вынесли свое решение.

— Не видел необходимости откладывать дело, — ответил судья, испытывая заметное облегчение от присутствия Рида. — Я ведь уже говорил вам, что большинство горожан лишь терпели Хикса, не более. Ваша мать, надо отдать ей должное, была к нему добра. Вот Придурок Бад и прилепился к ней самым трогательным образом. Уверен, что он ей частенько досаждал, таскаясь за ней повсюду, как собачонка. Правда, Рид?

Шериф кивнул:

— Селина никому не позволяла его дразнить. Он, бывало, делал ей подарки, ну, знаете, мескитские бобы, камешки — что-то в этом роде. А она всегда благодарила его так, словно он одаривал ее королевскими сокровищами.

— Придурок Бад, надо полагать, принял ее доброту за более глубокое чувство, — сказал судья Уоллес. — В тот вечер он пошел за ней в конюшню и, гм, попытался навязать ей свое ухаживание.

— Изнасиловать ее? — напрямик спросила Алекс.

— Ну да, — сконфузившись, подтвердил судья. — А когда она оказала сопротивление, он не мог смириться с отказом и...

— Ударил ее ножом тридцать раз, — закончила Алекс.

— Вы вынуждаете меня быть бесчувственным, мисс Гейтер. — Судья укоризненно посмотрел на нее.

Алекс положила ногу на ногу. Легкое шуршание ее чулок привлекло внимание шерифа. Она видела, что он глядит на подол ее юбки, но постаралась не отвлекаться и продолжала расспросы нервничавшего судьи.

— Итак, если я вас правильно поняла, вы утверждаете, что убийство не было преднамеренным, а совершено в состоянии аффекта?

— Как вы сами заметили, это всего лишь предположение.

— Хорошо. Чтобы проверить наши доводы, допустим, что так оно и было на самом деле. Если Бад Хикс действовал под влиянием крайнего раздражения, оскорбленного чувства, неукротимого вожделения — неужели он не схватил бы вилы, грабли или еще что-нибудь, что было под рукой? С чего это у него вдруг оказался скальпель, если Хикс, входя в конюшню, не собирался убивать Селину?

— Все очень просто, — сказал Рид. Алекс внимательно посмотрела на него. — В тот день ожеребилась кобыла. Роды были трудные. Пришлось звать на помощь ветеринара.

— И что? Понадобилось рассекать промежность? — спросила она.

— В конце концов обошлось. Нам удалось вытащить жеребенка. Но доктор Коллинз тоже был там, вместе со своим саквояжем. Скальпель мог выпасть из сумки. Я, разумеется, лишь строю догадки, но логично предположить, что Придурок Бад заметил его и подобрал.

— Не очень-то обоснованное предположение, шериф.

— Не такое уж необоснованное. Как я вам уже рассказывал, Придурок Бад собирал всякий металлический хлам.

— Он прав, мисс Гейтер, — поспешил вставить судья Уоллес. — Спросите кого хотите. Блестящая вещица вроде хирургического ножа привлекла бы его внимание, как только он вошел в конюшню.

— А он был в тот день в конюшне? — спросила она Рида.

— Был. Весь день приходили и уходили разные люди. Среди них и Придурок Бад.

Алекс благоразумно решила отступить для перегруппировки сил. Обратившись к судье, она холодно и веско обронила: «Благодарю вас» — и вышла из зала. Шериф вышел вслед за ней. Как только дверь приемной за ними закрылась, Алекс повернулась к нему.

— Я буду вам очень признательна, если отныне вы перестанете подсказывать тем, кого я допрашиваю.

— А я разве подсказывал? — с невинным видом спросил Рид.

— Еще как. Вы и сами, черт возьми, прекрасно это знаете. В жизни не слыхала столь неубедительного, из пальца высосанного толкования обстоятельств убийства. А любого адвоката, попытавшегося таким образом защищать своего подопечного, я бы съела живьем.

— Гм, забавно.

— Забавно?

— Ну да. — Дерзкий насмешливый взгляд вновь скользнул по ее фигуре. — Я как раз подумал, что вас было бы неплохо съесть.

Она почувствовала, как кровь прилила к голове, и с возмущением сказала:

— Вы что же, не принимаете меня всерьез, мистер Ламберт?

Его наглость испарилась вместе с двусмысленной ухмылкой.

— Я вас чертовски серьезно воспринимаю, госпожа прокурор, — прошипел он.

Глава 5

— Успокойся, Джо.

Ангус Минтон почти лежал в красном кожаном кресле с откидной спинкой. Он обожал это кресло. Зато Сара-Джо, его жена, ненавидела.

Заметив на пороге кабинета Джуниора, Минтон жестом пригласил сына войти. Прикрыв рукой трубку радиотелефона, он прошептал:

— У Джо Уоллеса все поджилки трясутся. Брось, Джо, ты спешишь с выводами и волнуешься по пустякам, — сказал он в трубку. — Она просто делает то, что, как она полагает, входит в ее обязанности. В конце-то концов, убили ведь ее матушку. А теперь, окончив юридический и получив пост прокурора — это тебе не просто так, — она пошла на всех войной. Ты же знаешь современных деловых женщин.

Он помолчал, слушая собеседника. Потом отнюдь не ласково повторил:

— Какого черта, Джо, успокойся же, слышишь? Помалкивай себе, и все само собой уляжется. Предоставь Селинину дочку мне, вернее, нам, — сказал он, подмигнув Джуниору. — Через недельку-другую она, поджав хвост, потопает на своих длинных красивых ножках обратно в Остин и доложит своему начальнику, что все ее усилия пошли прахом. Мы получим разрешение на открытие ипподрома, его в срок построят, ты уйдешь в отставку с безупречным послужным списком, и через год в это же время мы с бокалами в руках вспомним все это, выпьем и посмеемся.

Попрощавшись, он швырнул телефон на край стола.

— Господи, вот пессимист так пессимист. Его послушать — Селинина дочь уже накинула веревку на его тощую шею и хорошенько затянула петлю. Принеси-ка мне пива, ладно?

— Там, в вестибюле, Клейстер — ждет, что ты его примешь.

От этой новости мрачное настроение Ангуса ничуть не улучшилось.

— Принесла нелегкая. Впрочем, что сейчас, что потом — какая разница. Сходи за ним.

— Ты все же будь полегче с Клейстером. Он и так дрожит как овечий хвост.

— Сам виноват, так ему и надо, — пробурчал Ангус.

Джуниор вернулся через несколько секунд. За ним, волоча ноги, брел Клейстер Хикам. Покаянно потупившись, он мял в руках потрепанную ковбойскую шляпу. Прозвище «Клейстер» он приобрел, выпив на спор целую бутыль клея «Элмерс». Его настоящее имя давным-давно забыли. Клейстер, видимо, совершил свой подвиг еще где-то в начальной школе, во всяком случае, он бросил курс наук, не доучившись и до девятого класса.

В течение нескольких лет он разъезжал с ковбоями, выступал в состязаниях родео, но без особого успеха. Если он и получал призы, то очень скромные, они быстро уходили на выпивку, азартные игры и женщин. Получив работу на ранчо у Минтонов, он впервые попытался зарабатывать на жизнь трудом, и попытка эта затянулась почти на тридцать лет, несказанно всех удивив. Обычно Ангус терпеливо сносил периодические запои Клейстера. Но в этот раз батрак перешел все границы.

В течение нескольких минут, которые показались ему вечностью, Клейстер стоял и молча потел под взглядом Ангуса, пока тот не рявкнул:

— Ну?

— Анг... Ангус, — заканючил старый ковбой, — знаю я, что ты хочешь сказать. Я делов наделал — по шейку, но я, ей-богу же, не нарочно. Знаешь, говорят: в темноте, мол, все кошки серы, да? И с лошадьми — вот чтоб мне провалиться — все в точности так же. Тем более если ты принял пинту и в брюхе булькают «Четыре розы».

Он ухмыльнулся, обнажив остатки черных гнилых зубов. Но Ангус и не думал веселиться.

— Ошибаешься, Клейстер. Я скажу совсем не это. А скажу я вот что: ты уволен.

Джуниор вскочил с кожаного диванчика.

— Отец!

Ангус суровым взглядом подавил его попытку вмешаться в разговор.

Клейстер побледнел.

— Ты ж это не всерьез, а, Ангус? Я ведь здесь без малого тридцать лет.

— Получишь компенсацию за увольнение — это больше, черт побери, чем ты заслуживаешь.

— Но... Но ведь...

— Ты запустил жеребца в загон с десятком молодых горячих кобылок. Что, если б он какую из них покрыл? Та, из Аргентины, ведь тоже там была. Ты хоть представляешь, сколько стоит эта лошадка? Больше полумиллиона. Если бы тот ярый конек ее повредил или ожеребил... — Ангус возмущенно фыркнул. — Бог ты мой, страшно подумать, в какую бы ты нас впутал историю. Не заметь один из конюхов твоей промашки, нагрел бы ты меня на миллионы, да и репутация нашего ранчо пошла бы прахом.

Клейстер с трудом проглотил стоявший в горле ком.

— Последний раз, Ангус. Клянусь.

— Это я уже слыхал. Собирай свое барахло, а в пятницу зайдешь в контору. Я скажу бухгалтеру, пусть выпишет тебе чек.

— Ангус...

— Прощай, и счастливо тебе, Клейстер.

Старый ковбой жалобно поглядел на Джуниора, зная заранее, что помощи оттуда ждать не приходится. Минтон-младший упорно смотрел в пол. Наконец Клейстер побрел к выходу, оставляя за собой грязные следы.

Услышав, что хлопнула парадная дверь, Джуниор встал и направился к встроенному в стену холодильнику.

— Не знал я, что ты решил его уволить, — с обидой произнес он.

— А почему это ты должен был знать?

Сын протянул отцу бутылку пива и откупорил вторую — для себя.

— Разве необходимо его увольнять? Неужто нельзя было просто наорать на него, лишить кое-каких обязанностей, урезать зарплату? Господи, папа, ну куда такой старик теперь денется?

— Вот о чем ему стоило подумать до того, как запускать жеребчика в общий загон. Ладно, хватит об этом. Мне и самому тошно. Он же тут работает с незапамятных времен.

— Ну подумаешь, ошибся человек.

— Хуже: его на этом застукали! — взревел Ангус. — Если ты намерен тоже стать хозяином ранчо и концерна, сопли разводить нечего. Наше дело, знаешь ли, не из одних удовольствий состоит. Тут мало угощать клиентов изысканными обедами да любезничать с их женами и дочками. — Ангус сделал большой глоток пива. — А теперь поговорим о Селининой дочери.

Примирившись с мыслью, что Клейстер понесет жестокое, хотя и чрезмерное, как ему казалось, наказание, Джуниор опустился в мягкое кресло и глотнул из своей бутылки.

— Значит, она ходила к Джо, да?

— Да, и заметь, времени зря не теряла. Джо перетрусил чертовски. Боится, что его незапятнанная судейская карьера пойдет псу под хвост.

— А что Александра от него хотела?

— Задавала вопросы о том, почему он ускорил слушание о неподсудности Придурка Бада. Рид пришел Джо на помощь — очень умно с его стороны.

— Рид пришел?

— Он-то ушами никогда не хлопает, верно? — Ангус стянул сапоги и повесил их на подлокотник своего кресла. Они с глухим стуком упали на пол. Ангус страдал подагрой, и большой палец на ноге причинял ему боль. Он стал массировать палец, задумчиво поглядывая на сына.

— Что ты думаешь об этой девице?

— Я склонен согласиться с Джо. Она опасна. Считает, что кто-то из нас убил Селину, и полна решимости выяснить, кто же именно.

— У меня тоже такое впечатление.

— Никаких улик против нас у нее, разумеется, нет.

— Разумеется.

Джуниор бросил настороженный взгляд на отца.

— Она умна.

— Как бестия.

— И с внешностью полный порядок.

Отец с сыном понимающе хмыкнули.

— Да, хороша, — проронил Ангус. — Но ведь и мать была недурна.

Улыбка медленно сползла с лица Джуниора.

— Да уж.

— Все еще тоскуешь по ней? — Ангус внимательно посмотрел на сына.

— Иногда.

Ангус вздохнул.

— Конечно, если теряешь такого близкого друга, боль, должно быть, проходит не скоро. Ты же все-таки человек. Но я считаю, глупо до сих пор оплакивать женщину, которая столько лет в могиле.

— Ну, оплакиванием это вряд ли можно назвать, — возразил Джуниор. — С того дня, когда я понял принцип действия этого прибора, — сказал он, поглаживая ширинку, — подолгу он у меня не простаивал.

— Да я не о том говорю, — Ангус нахмурился. — Найти бабу, чтобы спать с ней, — дело нехитрое. Я говорю о твоей жизни. Пора посвятить себя чему-то. После смерти Селины ты долго был сам не свой. Далеко не сразу пришел в себя. Ладно, это можно понять.

Он оттолкнул скамеечку для ног от кресла, выпрямился и ткнул широким толстым пальцем в Джуниора.

— Но ты, парень, чересчур это дело затянул, полный ход так с тех пор и не развил. Посмотри на Рида. Он тоже тяжело переживал смерть Селины, но оклемался же.

— Откуда ты знаешь, что оклемался?

— А ты видел, чтобы он хандрил?

— Однако трижды женился я, а не Рид.

— Нашел чем гордиться! — рявкнул Ангус, потеряв терпение. — Рид живет толково, делает карьеру.

— Карьеру? — презрительно фыркнул Джуниор. — Шериф в этом занюханном городишке — тоже мне карьера! Кусок дерьма.

— А что же, по-твоему, карьера? Перетрахать за свою жизнь всех баб — членов городского клуба?

— Здесь, на ранчо, я тоже не баклуши бью, — возразил сын. — Все утро вел переговоры по телефону с тем скотоводом из Кентукки. Он уже почти готов купить жеребенка, которого кобыла Еще Чуточку от Хитрого Малого принесла.

— Ага, и что же он говорит?

— Что он серьезно подумывает о покупке.

Ангус вылез из кресла и одобрительно пророкотал:

— Отличная новость, дружок. Этот старикан — сукин сын

почище многих. Я о нем всякого наслышался. Он кореш Хитреца Ханта. Когда они выигрывают забег, он кормит лошадей черной икрой, выпендривается как может.

Ангус хлопнул Джуниора по спине и взъерошил ему волосы, словно тому было годика три, а не сорок три.

— И тем не менее, — Ангус вновь нахмурился, — это лишь подчеркивает, сколько мы потеряем, если комиссия по азартным играм аннулирует нашу лицензию еще до того, как на ней высохнут чернила. Тут достаточно намека на скандал, и нам крышка. Так как же нам быть с Александрой?

— Что значит — как с ней быть?

Оберегая большой палец, Ангус осторожно заковылял к холодильнику за новой бутылкой пива.

— Она ведь по нашему хотению не провалится в тартарары. — Он ловко откупорил бутылку. — На мой взгляд, нам необходимо убедить ее в нашей полной невиновности. Мы — честные граждане. — Он нарочито пожал плечами. — А поскольку мы и есть честные граждане, убедить ее в этом не составит особого труда.

Джуниор увидел, что отцовская голова уже работает на полную мощность.

— И каким способом мы это сделаем?

— Не мы, а ты. Тем самым, которым ты владеешь в совершенстве.

— А именно?

— Обольсти ее.

— Обольстить ее?! — изумился Джуниор. — Мне кажется, она не очень-то подходит для обольщения. Она, я уверен, нас на дух не переносит.

— Стало быть, это и надо изменить в первую голову. И заняться этим должен ты. Для начала постарайся во что бы то ни стало ей понравиться. Я бы и сам взялся, будь я во всеоружии. — Он озорно улыбнулся сыну. — Как, справишься с таким неприятным заданием?

Джуниор усмехнулся в ответ.

— Я чертовски рад, что подвернулась возможность испытать свои силы.

Глава 6

Ворота были распахнуты. Алекс въехала на территорию кладбища. Она никогда еще не бывала на материнской могиле, но знала номер участка: нашла его в бумагах, которые разбирала после того, как отправила бабушку в лечебницу.

Холодное небо неприветливо хмурилось. Солнце зависло на западе над самым горизонтом, как огромный оранжевый диск с каким-то латунным отблеском. Длинные тени от надгробий падали на жухлую траву.

Посматривая на скромные таблички указателей, Алекс нашла нужный ряд, поставила машину и вышла. Насколько она могла судить, кроме нее, вокруг никого не было. Здесь, на окраине города, ветер, казалось, дул сильнее, а его завывание было более зловещим. Подняв воротник мехового жакета, она направилась к своему участку.

Хотя она приехала специально, чтобы отыскать могилу, увидеть ее Алекс оказалась не готова. Могила возникла перед нею неожиданно. Первым порывом было отвернуться, как если бы она наткнулась на нечто ужасное, нечто страшное и отвратительное.

Прямоугольная плита возвышалась над землей не более чем на два фута. Алекс и не заметила бы ее, если бы не выбитое на камне имя матери. Далее шли даты рождения и смерти — больше ничего. Ни эпитафии. Ни непременного «От любящих». Ничего, кроме голых дат.

При виде этой скудной надписи у Алекс сжалось сердце. Селина была так молода, так хороша, подавала большие надежды — а тут такая безликость!

Она опустилась на колени возле могилы, которая находилась несколько поодаль от других, на гребне пологого склона. Тело отца Селины было в свое время переправлено из Вьетнама в его родную Западную Вирджинию благодаря любезности армейского командования США. Дедушку Грэма, умершего, когда Селина была еще ребенком, похоронили в его родном городе. Могила Селины казалась особенно одинокой.

Камень был холодным на ощупь. Алекс обвела пальцем буквы материнского имени, потом положила ладонь на сухую ломкую траву рядом с надгробием, словно надеясь услышать биение сердца.

Она по наивности вообразила, что каким-то сверхъестественным образом сумеет вступить в общение с матерью, но почувствовала лишь, что руку ей колет щетинка травы.

— Мама, — прошептала она, как бы пробуя слово на вкус. — Мама. Мамочка.

Слова казались чужими. Она их никому и никогда не говорила.

— Она уверяла, что вы узнаете ее по одному только голосу.

Вздрогнув, Алекс резко обернулась. Ахнула от испуга, прижав руку к сильно бьющемуся сердцу.

— Вы меня напугали. Что вы здесь делаете?

Джуниор Минтон опустился рядом с ней на колени и положил на могильный камень букет живых цветов. Мгновение он пристально смотрел на надгробие, потом повернул голову и задумчиво улыбнулся.

— Я позвонил в мотель, но у вас никто не отвечал.

— Как вы узнали, где я остановилась?

— В нашем городе все про всех все знают.

— Но никто не знал, что я поеду на кладбище.

— Вычислил путем несложного рассуждения: попытался представить себе, куда бы я пошел на вашем месте. Если вам мое общество мешает, я уйду.

— Нет, ничего. — Алекс оглянулась на имя, высеченное на холодном и сером бесстрастном камне. — Я здесь никогда не была. Бабушка отказывалась возить меня сюда.

— Бабушка у вас не самый добродушный и уступчивый человек.

— Да, пожалуй, не самый.

— Вам в детстве очень не хватало матери?

— Очень. Особенно когда я пошла в школу и увидела, что в целом классе только у меня нет мамы.

— Многие дети не живут с матерями.

— Да, но они знают, что мать у них есть.

Эту тему ей было трудно обсуждать даже с друзьями и близкими. И уж вовсе не хотелось обсуждать ее с Минтоном-младшим, как бы сочувственно он ни улыбался.

Она тронула принесенный им букет и растерла лепесток

красной розы в холодных пальцах. После камня лепесток на ощупь казался теплым бархатом, но цветом походил на кровь.

— Вы часто приносите цветы на могилу моей матери, мистер Минтон?

Он не отвечал, пока она вновь не взглянула на него.

— В день, когда вы появились на свет, я был в роддоме. Видел вас до того, как вас обмыли. — Он улыбнулся открытой, сердечной, обезоруживающей улыбкой. — Вам не кажется, что уже по одной этой причине мы можем обращаться друг к другу по имени?

Отгородиться от его улыбки было невозможно. От нее и железо бы расплавилось.

— В таком случае зовите меня Алекс, — улыбаясь в ответ, сказала она.

Он оценивающе осмотрел ее с ног до головы.

— Алекс. Мне нравится.

— Так как же?

— Что именно? Нравится ли ваше имя?

— Нет. Часто ли вы приносите сюда цветы?

— Ах, вот вы о чем. Только по праздникам. Мы с отцом обычно приносим цветы на ее день рождения, на Рождество, на Пасху. Рид тоже носит. А уход за могилой мы оплачиваем вместе.

— И на то есть причина?

Он как-то странно взглянул на нее и ответил просто:

— Мы все любили Селину.

— Полагаю, кто-то из вас и убил ее, — тихо сказала она.

— Вы ошибаетесь, Алекс. Я ее не убивал.

— А ваш отец? Мог он ее убить, как вы думаете?

Он отрицательно покачал головой.

— Он относился к Селине как к дочери. И считал ее дочерью.

— А Рид Ламберт?

Он лишь пожал плечами, словно тут и объяснений не требовалось.

— Рид? Ну, знаете...

— Что?

— Рид никогда не смог бы ее убить.

Алекс плотнее запахнула жакет. Солнце село, холодало с

каждой минутой. Когда она заговорила, возле ее губ повисло облачко пара.

— Сегодня я весь день просидела в библиотеке, читала подшивки местной газеты.

— И что-нибудь вычитали обо мне?

— О да, все о том, как вы играли в футбольной команде «Пантеры Пурселла».

Он засмеялся; ветер трепал его светлые волосы, гораздо светлее, чем у Рида, и более ухоженные.

— Увлекательное, наверно, чтение.

— Да уж. Вы с Ридом были капитанами команды.

— Черт, правда. — Он согнул руку, будто хвастаясь крепкими бицепсами. — Мы считали себя непобедимыми — этакие крутые ребята.

— В предпоследнем классе мать стала королевой бала на вечере встречи выпускников. Я видела фотографию, где Рид целует ее во время перерыва между таймами.

Алекс испытала странное чувство, когда разглядывала этот снимок. Раньше она его никогда не видела. Бабушка почему-то не держала его среди других фотографий; возможно, потому, что Рид целовал Селину дерзко, по-настоящему, так, словно имел на нее права.

Ничуть не смущаясь ликующей толпы на стадионе, он властно обвил руками талию Селины. Голова ее под поцелуем откинулась назад. А он выглядел победителем в своей забрызганной грязью футбольной форме, с видавшим виды шлемом в руке.

Посмотрев на фотографию несколько минут, Алекс почувствовала этот поцелуй на собственных губах.

Вернувшись к действительности, она сказала:

— Вы ведь познакомились с моей матерью и Ридом гораздо позже, не правда ли?

Вытянув из земли травинку, Джуниор стал крошить ее пальцами.

— В девятом классе. До тех пор я учился в Далласе в интернате.

— Сами так решили?

— Мать решила. Она не желала, чтобы я набрался неподходящих, с ее точки зрения, манер у детей нефтяников и ковбоев, поэтому каждую осень меня отправляли в Даллас. Долгие годы мое воспитание было яблоком раздора между матерью и отцом. Он наконец настоял на своем, заявив, что надо же мне когда-нибудь узнать, что на свете существуют и другие люди, не одни только «бледные маленькие ублюдки» — это я его цитирую — из частных школ. И в ту же осень записал меня в пурселлскую среднюю школу.

— Как перенесла это ваша мать?

— Не слишком хорошо. Она была решительно против, но поделать ничего не могла. Там, откуда она родом...

— Откуда же?

— Из Кентукки. В свое время ее отец был одним из лучших коневодов в стране. Это он вывел победителя знаменитых скачек «Тройная корона».

— А как она познакомилась с вашим отцом?

— Ангус поехал в Кентукки покупать кобылу. А вернулся с кобылой и с моей матерью. Прожив здесь более сорока лет, она до сих пор придерживается традиций семейства Пресли, в том числе — отправлять всех отпрысков в частную школу. А папа не только записал меня в рядовую пурселлскую школу, но еще и настоял, чтобы я играл в футбольной команде. Тренеру эта мысль пришлась не очень-то по душе, но отец купил его, пообещав обеспечить формой всю команду, если он меня возьмет, ну и...

— Ангус Минтон слов на ветер не бросает.

— Уж будьте покойны, — засмеялся Джуниор. — Говорить ему «нет» без толку, он его не слышит; так я стал играть в американский футбол. Если бы не отец, я бы и близко к полю не подошел и в первую же тренировку меня изметелили бы до полусмерти. Ребята меня, ясное дело, невзлюбили.

— За то, что вы самый богатый мальчик в городе?

— Да, работенка эта нелегкая, но кому-то же ее надо делать, — обаятельно улыбаясь, ответил он. — Во всяком случае, когда я в тот вечер пришел домой, то заявил отцу, что с одинаковой силой ненавижу и пурселлскую среднюю школу, и футбол. Сказал, что мне намного больше нравятся бледные маленькие ублюдки, чем такие громилы, как Рид Ламберт.

— И что было потом?

— Мама рыдала до истерики. Отец ругался и неистовствовал. Потом вывел меня во двор и бросал мне мяч до тех пор, пока я, ловя его, не разодрал себе в кровь все руки.

— Какой ужас!

— Да нет, что вы. Он же это делал ради меня. Он знал то, чего я знать не мог: здесь вся жизнь — игра; еда, выпивка, сон — все вертится вокруг футбола. Слушайте! — воскликнул он. — Я тут разболтался о пустяках, а вы небось замерзли.

— Нет.

— Точно?

— Да.

— Хотите уйти?

— Нет. Хочу, чтобы вы продолжали болтать о пустяках.

— Это официальный допрос?

— Это разговор, — довольно резко сказала она, и он ухмыльнулся.

— Суньте, по крайней мере, руки в карманы.

Взяв ее ладони, он направил их в карманы ее жакета, сунул поглубже и погладил поверх меха. Алекс возмутил этот интимный жест. Бесцеремонный и в данных обстоятельствах крайне неуместный. Однако, решив не заострять на этом внимание, она сказала:

— Итак, насколько я понимаю, в команду вы все же вошли.

— Да, во вторую команду школы, но не выступал ни в едином матче, кроме самого последнего. В районном чемпионате.

Он опустил голову и задумчиво улыбнулся.

— Разрыв был в четыре очка, не в нашу пользу. Обычный гол нас уже бы не спас. До конца тайма оставались считанные секунды. Мяч был у нас, но ситуация на поле была безнадежная, да и лучшие принимающие игроки еще раньше получили травмы.

— О господи.

— Я же вам сказал, футбол здесь — дело кровавое. Короче говоря, когда очередную звезду бегом выносили на носилках с поля, тренер поглядел на скамью запасных и выкрикнул мое имя. Я чуть штаны не обмочил.

— И что же дальше?

— Я сбросил пончо и побежал к своим; был тайм-аут, они стояли, сбившись в кучу. Из всех игроков только на мне была чистая фуфайка. А защитник...

— Рид Ламберт? — Алекс знала это по газетным отчетам.

— Да, мой кумир, повергавший меня в ужас. Увидев, что иду я, он довольно громко застонал, а потом, когда я сообщил, какую комбинацию предложил мне сыграть тренер, застонал еще громче. И, глядя мне в переносицу, сказал: «Ну, щенок, если я брошу тебе этот чертов мяч, смотри не упусти его, а то хуже будет».

Джуниор замолчал, погрузившись в воспоминания.

— Я этого до самой смерти не забуду. Рид диктовал условия.

— Условия?

— Нашей дружбы. В тот миг я должен был доказать, что достоин его дружбы, другого случая не представилось бы.

— Это было так важно?

— Елки-палки, еще бы! Я уже достаточно долго проучился в той школе и понимал: если я не сумею поладить с Ридом, мне выше дерьмовой «шестерки» сроду не подняться.

— И вы взяли его пас?

— Если честно, то «взял» сказать нельзя. Рид послал мяч прямо сюда, — он указал себе на грудь, — между номерами у меня на фуфайке. С тридцати пяти ярдов. Мне ничего не оставалось, как схватить мяч обеими руками и пронести его за линию ворот.

— И этого оказалось достаточно, верно?

Он улыбался все шире и наконец расхохотался.

— Ага. Так оно и началось.

— Отец ваш был, наверно, в восторге.

Джуниор закинул голову и залился смехом.

— Он перепрыгнул через забор, перемахнул через скамью запасных и выбежал на поле. Подхватил меня на руки и несколько минут носил по полю.

— А ваша мама?

— Мама! Да она скорей бы умерла, чем пошла на футбол. Считает его дикостью. — Он фыркнул и стал теребить мочку уха. — В общем-то, она, черт возьми, права. Но мне плевать было, кто что обо мне думает. Главное, в тот вечер мной очень гордился отец.

Его голубые глаза сияли.

— Он даже не был знаком с Ридом, но обнял и его, прямо в чем тот был, в грязной футбольной форме. С того вечера они тоже подружились. У Рида вскоре умер отец, и он переехал к нам на ранчо.

С минуту он молча предавался воспоминаниям. Алекс не стала мешать ему. Наконец Джуниор взглянул на нее и вдруг застыл в удивлении.

— Господи, до чего же вы сейчас похожи на Селину, — тихо проговорил он. — Не столько чертами, сколько выражением лица. Вы так же умеете слушать. — Он протянул руку и дотронулся до ее волос. — Она очень любила слушать. По крайней мере, у ее собеседника складывалось такое впечатление. Могла часами сидеть неподвижно и просто *слушать*.

Он убрал руку, хотя ему явно не хотелось ее убирать.

— Именно это вас сначала в ней и привлекло?

— Черт, нет, конечно, — он лукаво улыбнулся. — Сначала меня к ней влекло вожделение юнца-девятиклассника. Когда я впервые увидел Селину в школьном вестибюле, у меня даже дыхание перехватило — так она была хороша.

— И вы стали за ней бегать?

— Да вы что? Обалдеть я обалдел, но не спятил же.

— Как, а ваша безумная любовь к ней?

— Селина в то время принадлежала Риду, — отрезал он. — Тут даже и вопроса не было. — Он встал. — Пойдемте-ка отсюда. Что бы вы там ни говорили, а вы уже окоченели. Да и страшновато здесь в темноте.

Озадаченная его последним заявлением, Алекс не возражала, когда он помог ей встать. Она повернулась, чтобы стряхнуть сзади с подола сухую траву, и снова посмотрела на букет, лежавший на могиле. Зеленая вощеная бумага, в которую он был обернут, сухо потрескивала и трепетала на свежем ветру.

— Спасибо за цветы.

— Пожалуйста.

— Ценю, что вы помнили о ней все эти годы.

— Честно сказать, я пришел сюда и с другим, тайным, намерением.

— Вот как?

— Ага. — Он взял ее руки в свои. — Чтобы пригласить вас к нам домой выпить рюмочку.

Глава 7

Ее уже ждали. Это стало очевидным, как только она переступила порог длинного и громоздкого двухэтажного дома Минтонов. Желая понаблюдать за подозреваемыми в семейной обстановке, она сразу согласилась поехать с Джуниором к ним домой.

Входя в гостиную, она невольно подумала: а не является ли она сама объектом наблюдений?

Алекс твердо решила действовать очень осторожно, и первое испытание не заставило себя ждать: через всю комнату шел Ангус, чтобы пожать ей руку.

— Очень рад, что Джуниор нашел вас и уговорил прийти, — сказал он, помогая ей снять жакет, который потом бросил в руки Джуниору. — Повесь-ка, хорошо?

Одобрительно глядя на Алекс, Ангус сказал:

— Я не знал, как вы воспримете наше приглашение. Мы вам рады.

— А я рада, что пришла.

— Прекрасно, — сказал он, потирая руки. — Что будете пить?

— Белого вина, пожалуйста.

Его голубые глаза светились дружелюбием, но ей они внушали тревогу. Казалось, он видит ее насквозь и от него не укроется ее внутренняя неуверенность, которую она так старательно прятала под маской самостоятельной, знающей себе цену женщины.

— Белого вина, значит? Гм, вот уж чего я терпеть не могу. С тем же успехом можно пить газировку. Но жена моя тоже его пьет. Она сейчас спустится. Присаживайтесь, Александра.

— Она предпочитает, чтобы ее звали Алекс, папа, — сказал Джуниор, подходя вслед за отцом к встроенному в стену бару с напитками, чтобы налить себе виски с водой.

— Алекс, значит, да? — Ангус поднес ей бокал вина. — Что ж, такое имя, по-моему, даме-прокурору к лицу.

Комплимент был явно двусмысленный. Она ограничилась тем, что сказала «спасибо» и за него, и за вино.

— И зачем же вы меня пригласили?

На мгновение ее прямота привела Минтона-старшего в замешательство, но он ответил столь же прямо:

— Слишком много воды утекло — ни к чему нам враждовать. Хочу познакомиться с вами поближе.

— И я затем же пришла, мистер Минтон.

— Ангус. Зовите меня Ангус. — Он пристально посмотрел на нее. — Отчего вы вдруг решили стать юристом?

— Чтобы расследовать убийство матери.

Ответ как-то непроизвольно сорвался у нее с языка, удивив не только Минтонов, но и саму Алекс. До того она никогда не формулировала даже для себя эту цель. Должно быть, Мерл Грэм не только успешно пичкала ее овощами, но и внушала эту мысль.

Сделав такое публичное признание, она вдруг поняла, что больше всего сомневается в самой себе. Говорила же бабушка Грэм, что в конечном счете именно она, Алекс, несет ответственность за смерть матери. И если ей не удастся доказать обратное, бремя вины останется с нею до конца ее дней. Она приехала в округ Пурселл, чтобы добиться собственного оправдания.

— Вы говорите без обиняков, — сказал Ангус. — Это мне нравится. Вилять да темнить — только время зря тратить, я считаю.

— Я тоже, — сказала Алекс, вспомнив, что сроки ее подпирают.

Ангус откашлялся.

— Не замужем? И детей нет?

— Нет.

— Почему?

— Папа! — делая большие глаза, воскликнул Джуниор, смущенный бестактностью отца.

Но Алекс не обиделась, ей было даже забавно.

— Да ничего страшного, в общем-то. Вполне обычный вопрос.

— И каков же будет ответ?

Ангус сделал большой глоток из своей бутылки.

— Не было ни времени, ни охоты.

Ангус неопределенно хмыкнул.

— А здесь кое у кого слишком много времени, да маловато охоты.

Он уничтожающе посмотрел на Джуниора.

— Папа имеет в виду мои неудачные браки, — пояснил тот.

— Браки? Сколько же их было?

— Три, — поморщившись, признался Джуниор.

— И ни одного внука, — проворчал Ангус, похожий на недовольного медведя. Он погрозил сыну пальцем. — И ведь не то чтобы не знает, как получают приплод.

— Твои манеры, Ангус, как всегда, вызывают сожаление.

Все трое одновременно обернулись. В дверях стояла женщина. Алекс уже мысленно представляла себе, какой должна быть жена Ангуса — сильная, самоуверенная, сварливая, — словом, ни в чем ему не уступающая, этакая грубая баба, обожающая ездить верхом, охотиться с гончими, из тех, кто чаще держит в руках арапник, чем щетку для волос.

Миссис Минтон оказалась полной противоположностью тому образу, который составила себе Алекс. У нее была гибкая фигура, а лицо тонкое, как у дрезденской фарфоровой статуэтки. Седеющие светлые волосы мягкими локонами обрамляли лицо, бледное, как двойная нитка жемчуга, обвивавшая ее шею. Одета она была в лиловато-розовое шерстяное платье с широкой юбкой, которая при ходьбе плавно развевалась вокруг стройных ног. Она вошла и села в кресло рядом с Алекс.

— Это Алекс Гейтер, дорогая, — сказал Ангус. Если даже его и рассердило замечание жены, он виду не подал. — Алекс, это моя жена, Сара-Джо.

Сара-Джо Минтон, наклонив голову, официально и холодно произнесла:

— Очень рада познакомиться, мисс Гейтер.

— Благодарю вас.

Бледное лицо Сары-Джо осветилось, а прямые тонкие губы изогнулись в лучезарной улыбке, когда Джуниор без всякой просьбы поднес ей бокал белого вина.

— Спасибо, мой дорогой.

Он наклонился и поцеловал мать в подставленную ему гладкую щеку.

— Прошла головная боль?

— Не совсем, но я вздремнула, и стало легче. Спасибо за заботу.

Она погладила его по щеке. Ее молочной белизны рука, отметила Алекс, была на вид хрупкой, как сорванный бурей цветок. Обращаясь к мужу, Сара-Джо сказала:

— Неужели так необходимо вести разговоры о приплоде в гостиной, а не в хлеву, где они более уместны?

— В собственном доме я буду говорить, о чем мне заблагорассудится, — заявил Ангус, хотя, судя по всему, ничуть на нее не рассердился.

Джуниор, привыкший, видимо, к их пикировкам, засмеялся и, отойдя от матери, сел на подлокотник кресла, в котором сидела Алекс.

— Собственно, мы говорили не о приплоде как таковом, мама. Просто папа сокрушался насчет того, что я не в состоянии удержать жену достаточно долго, чтобы она успела принести наследника.

— Всему свое время: будет подходящая жена, будут и дети. — Она говорила это не только Джуниору, но и Ангусу. Потом, повернувшись к Алекс, спросила:— Если я не ослышалась, вы сказали, что пока не замужем, да, мисс Гейтер?

— Верно.

— Странно. — Сара-Джо отхлебнула из бокала. — А вот у вашей матери недостатка в поклонниках не было.

— Но Алекс же не утверждала, что ей недостает поклонников, — уточнил Джуниор. — Она просто разборчива.

— Да, я выбрала карьеру, а не замужество и семейную жизнь. Во всяком случае, на ближайшее время. — Она сосредоточенно нахмурилась: ей пришла в голову неожиданная мысль. — А моя мать проявляла когда-нибудь интерес к какой-либо профессии?

— Я, по крайней мере, ничего такого от нее не слышал, — сказал Джуниор, — хотя, надо полагать, все девочки в нашем классе в разное время мечтали играть героинь в фильмах, где снимался Уоррен Бейти.

— Она так рано меня родила, — с едва заметным сожалением сказала Алекс. — Быть может, ранний брак и рождение ребенка помешали ей выбрать профессию.

Осторожно, одним пальцем Джуниор приподнял ее подбородок, и глаза их встретились.

— Селина сама сделала свой выбор.

— Спасибо, что сказали мне об этом.

Он опустил руку.

— Я никогда не слышал, чтобы она хотела стать кем-нибудь, кроме как женой и матерью. Я помню тот день, когда мы именно об этом и говорили. Ты тоже, наверно, помнишь, папа. Стояло лето и такая жара, что ты дал Риду денек отдохнуть после того, как он вычистил конюшни. И мы втроем решили устроить пикник возле старого пруда, помнишь?

— Нет. — Ангус встал и пошел за новой бутылкой пива.

— А я помню, — мечтательно произнес Джуниор, — да так ясно, словно это было вчера. Расстелили под мескитовыми деревьями одеяло. Лупе дала нам с собой домашнего тамале[1]. Наевшись, мы растянулись там, глядя сквозь ветви в небо. Селина лежала между нами. Мескитовые деревья почти не давали тени. От солнца и сытости нас клонило в сон.

Мы смотрели, как кружат над чем-то канюки, и говорили: надо бы узнать, что там за падаль, да лень было вставать. Лежали, болтали, знаете, кто кем станет, когда вырастет. Я сказал, что хочу стать ловеласом международного масштаба. Рид заявил, что в таком случае он скупит акции компании, производящей презервативы, и разбогатеет. Ему-де все равно, кем стать, главное — разбогатеть. А Селина хотела стать женой, и только. — Он помолчал, опустив глаза. — Женой Рида.

Алекс вздрогнула.

— Легок на помине, — сказал Ангус. — По-моему, это голос Рида.

Глава 8

Лупе, экономка Минтонов, провела Рида в гостиную. Обернувшись, Алекс увидела его в дверях. Она все еще была под впечатлением ошеломительного признания Джуниора.

От бабушки Грэм Алекс слышала, что Рид и Селина были в школе друг в друга влюблены. Это подтверждала и фотография, на которой он вручал ей корону королевы школьного бала. Но Алекс не знала, что ее мать хотела выйти за него

---

[1] Мексиканское блюдо из кукурузы с мясом и перцем.

замуж. И то, как она этим потрясена, было написано у нее на лице.

Рид обвел взглядом гостиную.

— Как вы тут уютно устроились.

— Привет, Рид, — сказал Джуниор, не вставая с подлокотника кресла, в котором сидела Алекс, но теперь ей почему-то казалось, что он расположился чересчур близко, и это выглядело фамильярно. — Что это ты вылез из дому? Выпить захотелось?

— Давай заходи, — махнул ему рукой Ангус.

Сара-Джо не обратила на него никакого внимания, словно его и не было. Это озадачило Алекс: ведь когда-то Рид жил с ними как член семьи.

Ламберт положил куртку и шляпу на кресло и направился к бару за стаканом, который Ангус ему уже наполнил.

— Зашел узнать насчет моей кобылки. Как она?

— Прекрасно, — ответил Ангус.

— Это хорошо.

Наступило натянутое молчание, каждый сосредоточенно разглядывал содержимое своего бокала. Наконец Ангус сказал:

— Тебя что-то еще заботит, Рид?

— Он пришел предостеречь вас, чтобы вы были поосторожнее в разговорах со мной, — сказала Алекс. — Сегодня он так же предупредил судью Уоллеса.

— Когда вопрос задается непосредственно мне, я на него сам и отвечаю, госпожа прокурор, — раздраженно заметил Ламберт.

Запрокинув голову, он осушил бокал и поставил его на стол.

— Ладно, увидимся. Спасибо за выпивку.

Громко топая, он зашагал к двери, захватив с кресла шляпу и куртку.

Удивительно, но первой, после того как Рид хлопнул парадной дверью, заговорила Сара-Джо:

— Я смотрю, манеры у него ничуть не изменились к лучшему.

— Ты же знаешь Рида, мама, — обронил Джуниор, пожимая плечами. — Налить тебе еще вина?

— Да, пожалуйста.

— Давайте все выпьем, — сказал Ангус. — Я намерен переговорить с Алекс наедине. Если хотите, — обратился он к ней, — возьмите бокал с собой.

Она не успела оглянуться, как он помог ей встать с кресла и вывел из комнаты. В коридоре она осмотрелась.

Стены были оклеены красными ворсистыми обоями, всюду висели оправленные в рамки фотографии скаковых лошадей. Над головой грозно нависала массивная люстра. Мебель была темная и громоздкая.

— Как, нравится мой дом? — спросил Ангус, видя, что она замешкалась, оглядываясь вокруг.

— Очень, — солгала она.

— Я сам его спроектировал и построил, когда сын был еще в колыбели.

Алекс и без пояснений поняла, что Ангус не только сам построил, но и обставил дом. Вкус жены в нем совершенно не чувствовался. Вне всякого сомнения, Сара-Джо одобрила его лишь потому, что у нее не было другого выбора.

Дом был чудовищно уродлив, но непростительно плохой вкус, с которым он был сделан, придавал ему своеобразное обаяние, свойственное и Ангусу.

— Пока дом строился, мы с Сарой-Джо жили в будке путевого обходчика. В той проклятущей хибаре стены были такие, что улицу видно. Зимой замерзали чуть не насмерть, а летом просыпались под слоем пыли толщиной в целый дюйм.

Жена Ангуса с первого взгляда не понравилась Алекс. Она показалась ей женщиной взбалмошной, занятой лишь собственной персоной. Тем не менее Алекс посочувствовала моло-денькой Саре-Джо: ее, словно редкий цветок, вырвали из благодатной, окультуренной почвы и посадили в разительно иные, столь неблагоприятные условия, что она завяла. Да и как она могла приспособиться к здешней жизни? Для Алекс было загадкой, с чего это супруги решили, что Сара-Джо здесь приживется.

Ангус первым прошел в обшитый деревом кабинет, где еще сильнее, чем в других уголках дома, ощущалась натура хозяина. Со стен покорно смотрели вдаль карими глазами лось и олень. Остальное место на стенах заполняли фотографии скаковых лошадей; на попоне у каждой красовались цвета Минтона; кони были сняты на разных ипподромах страны, но неизменно в круге для победителей. Здесь висели и сравнительно недавние фотографии, и сделанные десятки лет назад. Несколько стендов в комнате были заполнены всевозможным огнестрельным оружием. В углу на флагштоке высился государственный флаг. Под карикатурой в рамочке виднелась надпись: «Пусть я бреду по долине Смерти, но сил зла я не боюсь... все равно большего сукина сына в этой долине не сыскать».

Как только они вошли в кабинет, Ангус ткнул пальцем в угол.

— Идемте туда. Я хочу вам кое-что показать.

Вслед за ним она подошла к столу, покрытому чем-то вроде обычной простыни. Ангус снял ее.

— Бог ты мой!

Это был макет ипподрома. Причем необычайно подробный — вплоть до разноцветных трибун, передвижных боксов и косых полос на автомобильной стоянке.

— «Бега Пурселла», — хвастливо провозгласил Ангус, гордо выпятив грудь, будто молодой отец, у которого родился первенец. — Я понимаю, Алекс, вы делаете то, что считаете своим долгом. Я это только уважаю. — Вдруг лицо его угрожающе потемнело. — Но вам и невдомек, сколь многое в городе зависит от успеха нашего дела.

Словно обороняясь, Алекс скрестила руки на груди.

— Так объясните.

Большего и не требовалось. Ангус принялся пространно рассказывать, какие именно бега он намерен построить. Без излишней расчетливости, без скупердяйства. Первоклассное сооружение, от конюшен до дамских комнат.

— Наш ипподром будет единственным настоящим на всей территории между Далласом, Форт-Уэртом и Эль-Пасо, да и еще миль на триста от них. К нам будут охотно приезжать туристы. Предвижу, что лет через двадцать Пурселл станет вторым Лас-Вегасом, возникшим посреди пустыни, как нефтяной фонтан.

— Не слишком ли радужная получилась картина? — недоверчиво спросила Алекс.

— Разве что самую малость. Но ведь так же сомневались, когда я начал строить этот дом. То же самое твердили, когда я закладывал беговую дорожку и крытый бассейн для лошадей.

Но на меня скептицизм не действует. Если хочешь добиться крупных успехов, надо и мечтать по-крупному. Помяните мое слово, — для большей выразительности он махал кулаком в такт речи, — если мы получим разрешение на постройку ипподрома, Пурселл преобразится!

— Но это ведь не всем придется по вкусу, а? Быть может, кое-кто предпочел бы, чтобы городок остался таким, как есть.

Ангус упрямо покачал головой.

— Несколько лет назад город наш процветал.

— Нефть?

— Так точно. Одних банков было десять. *Десять*. Больше, чем в любом другом городке того же размера. Лавочники прямо с ног сбивались. Торговля недвижимостью шла на «ура». Преуспевали все. — Он замолчал, переводя дух. — Хотите что-нибудь выпить? Пива? Кока-колы?

— Нет, спасибо, ничего не надо.

Ангус вынул из холодильника бутылку пива, открыл ее и сделал большой глоток.

— А потом нефтяной рынок лопнул, — продолжал он. — И мы сказали себе, что это явление временное.

— А вас крах нефтяного рынка сильно задел?

— У меня прилично вложено в несколько скважин и в компании по добыче природного газа. Но я, слава богу, никогда не вкладывал больше, чем могу себе позволить потерять. Ради нефтяной скважины я еще ни разу не закрыл ни одного своего предприятия.

— И все-таки понижение цен на нефть нанесло вам, вероятно, немалый финансовый урон. Неужели вы тогда не расстроились?

Он отрицательно покачал головой.

— Сколько раз я богател и разорялся — столько у вас, барышня, и годков не наберется. Черт, подумаешь, дело какое: обанкротиться. Богатеть, конечно, приятнее, но остаться без гроша гораздо увлекательнее. Тут уж хочешь не хочешь приходится пошевеливаться. Правда, Сара-Джо, — сказал он, задумчиво вздохнув, — со мной, ясное дело, не согласна. Она чувствует себя куда надежнее, когда денежки пылятся в сейфе; это ей больше по вкусу. Я в жизни не притронулся к ее деньгам, да и к наследству сына. Слово ей дал, что не трону.

Разговор о наследстве был для Алекс совершенно чужд. Даже мысль о нем была ей недоступна. Они с бабушкой жили на зарплату, которую та получала в телефонной компании, а потом, когда Мерл ушла с работы, — на ее пенсию. Отметки у Алекс были всегда хорошие, поэтому она получала в Техасском университете стипендию; а после занятий подрабатывала себе на одежду и еду, чтобы бабушка не жаловалась, будто на ней лежат и эти расходы.

На юридическом факультете она получала за отличную учебу дополнительные пособия. Работая в государственном учреждении, на роскошь рассчитывать не приходилось. Она выдержала многонедельную битву с собственной совестью, прежде чем решилась купить себе меховой жакет в награду за то, что ее приняли в коллегию адвокатов. Такие траты она себе почти никогда не позволяла.

— И у вас достаточно капитала, чтобы финансировать строительство? — спросила Алекс, возвращаясь к теме разговора.

— Не у меня лично.

— У «Минтон энтерпрайсиз»?

— Не только. Мы образовали группу, где вкладчиками выступают и отдельные лица, и предприятия — те, кто рассчитывает получать от ипподрома доход.

Жестом пригласив ее сесть, он опустился в красное кожаное кресло с откидывающейся спинкой.

— Во время нефтяного бума все почувствовали вкус к богатству. И теперь снова жаждут его.

— Не очень-то это лестная характеристика для жителей Пурселла: стая ненасытных плотоядных зверей, готовых пожрать доход от бегов.

— Вовсе не ненасытных, — сказал Ангус. — Все получат свою долю, от крупных вкладчиков до владельца бензоколонки самообслуживания на ближайшем углу. И речь не просто о прибыли отдельных лиц. Подумайте, сколько школ, больниц и прочих общественно значимых заведений сможет построить город на свою растущую прибыль. — Подавшись вперед, он сжал кулак, будто ухватился за что-то. — Вот почему так важен этот чертов ипподром. Он поможет Пурселлу снова встать на ноги, и даже больше того. — Его голубые глаза сияли убежденностью и энтузиазмом. — Ну, что скажете?

— Я же не идиотка, мистер Минтон, то есть Ангус, — поправилась она. — Я прекрасно понимаю, какое значение будет иметь ипподром для экономического положения в округе.

— Тогда почему бы вам не прекратить это нелепое расследование?

— Я его нелепым не считаю, — отрезала она.

Не сводя с нее глаз, он рассеянно почесал щеку.

— Как вы могли подумать, что я способен убить вашу маму? Она была одним из самых близких друзей сына. Приходила к нам каждый день по нескольку раз. После замужества пореже, но до того — уж точно каждый день. Да я бы пальцем ее не смог тронуть.

Алекс очень хотелось ему верить. Хотя он и был в числе подозреваемых, он все равно вызывал у нее искреннее восхищение. Судя по тому, что она узнала из прочитанных газет и из разговора с Ангусом, он построил свою империю, начав с нуля.

Даже его неотесанность была по-своему привлекательной. Он обладал даром убеждения. Но ей нельзя было поддаваться магнетизму этой колоритной личности. Как ни сильно она восхищалась Ангусом, гораздо важнее было узнать, каким образом она, невинное дитя, подтолкнула кого-то к убийству собственной матери.

— Я не могу прекратить расследование, — сказала она. — Даже если б я того захотела, ведь Пат Частейн...

— Слушайте, — резко перебил ее Ангус, — да вы просто похлопайте своими большими ясными голубыми глазками, скажите, что, мол, ошиблись немного, — и завтра, я гарантирую, он даже не вспомнит, зачем вы сюда приехали.

— Не стану я...

— Ладно, предоставьте Пата мне.

— Ангус, — она повысила голос, — я ведь не о том говорю.

Видя, что он готов ее выслушать, она продолжала:

— Так же как вы убеждены в выгодах ипподрома, я убеждена, что дело об убийстве моей матери велось неправильно. И намерена это исправить.

— Даже если это поставит под удар будущее целого города?

— Бросьте, — возмутилась она. — Вас послушать, так я у голодающих детей кусок хлеба отнимаю.

— До этого пока не дошло, но тем не менее...

— На карту поставлено и мое будущее. Я не смогу спокойно жить, пока дело не будет решено так, как я считаю правильным.

— Да, но...

— Эй, объявляется тайм-аут. — Дверь внезапно открылась, и в комнату заглянул Джуниор. — Алекс, мне в голову пришла отличная мысль. А не остаться ли вам поужинать у нас?

— Черт бы тебя побрал, сын! — загремел Ангус и стукнул кулаком по подлокотнику. — Где тебе понять, что такое деловая беседа, — у тебя же шило в заднице. Мы с Алекс ведем серьезный разговор. В другой раз не смей соваться, когда я с кем-то беседую. Сам мог бы сообразить.

Было заметно, как Джуниор проглотил ком в горле.

— Я не знал, что у вас такой серьезный и такой секретный разговор.

— А надо было бы, черт побери, знать. Бог ты мой, мы же...

— Пожалуйста, Ангус, не надо, все в порядке, — поспешила вмешаться Алекс. — И очень хорошо, что Джуниор нас прервал. Я только сейчас увидела, что уже поздно. Мне пора идти.

Ей невыносимо было смотреть, как отец устраивает головомойку взрослому сыну, да еще в присутствии гостьи. Ей было неловко за них обоих.

Обычно Ангус был, что называется, славным стариканом. Но не всегда. Если ему перечили, он мгновенно взрывался. И Алекс только что убедилась, что запал у него короток и что вспыхивает он от малейшей искры.

— Я вас провожу, — глухим голосом предложил Джуниор.

Она попрощалась с Ангусом за руку.

— Спасибо, что показали мне макет. Ваши объяснения не поколебали моих намерений, зато многое прояснили. Буду иметь это в виду, расследуя дело.

— Вы можете нам доверять, понимаете? Мы не убийцы.

Джуниор проводил ее к выходу. Когда он подавал ей меховой жакет, она обернулась к нему.

— Мы еще увидимся, да, Джуниор?

— Очень надеюсь.

Он наклонился и поцеловал ей руку, потом повернул ее ладонью кверху и опять поцеловал. Алекс быстро отняла руку.

— Вы так с каждой встречной женщиной заигрываете?

— Почти с каждой. — Он сверкнул улыбкой, в которой не было и тени раскаяния. — Как, действует на вас?

— Ничуть.

Он ухмыльнулся, давая ей понять, что он в этом не убежден и знает, что и она не убеждена тоже. Пробормотав еще раз «спокойной ночи», она отъехала от крыльца.

В машине было холодно. Алекс дрожала в своем жакете. Направляясь к шоссе, она заметила постройки, стоявшие вдоль частной дороги Минтонов. Это были по преимуществу конюшни. В одной светился слабый огонек. Возле двери стоял «Блейзер» Рида. Повинуясь порыву, Алекс подъехала, поставила машину рядом и вышла.

Спальня Сары-Джо в ее техасском доме в точности повторяла с детства привычную ей спальню в Кентукки, вплоть до шелковых шнуров на портьерах. Когда дом был построен, она разрешила Ангусу обставить комнаты по своему вкусу массивной темной мебелью с обивкой из красной кожи и развесить свои охотничьи трофеи, но категорически воспротивилась, чтобы этим отвратительным стилем первых поселенцев испортили их спальню.

Ангус с радостью уступил. Ему нравилось, что в спальне его окружают узорчатые, вычурные, такие женственные вещицы. Он не раз говорил Саре-Джо, что недаром же он аж до Кентукки добрался, присматривая себе невесту; на какой-нибудь скотнице жениться нетрудно было и поближе.

— Мама, можно к тебе? — предварительно постучав, Джуниор приоткрыл дверь спальни.

— Пожалуйста, заходи, милый.

Сара-Джо улыбалась, явно довольная визитом сына.

Обложенная целой кучей атласных подушек, она сидела в кружевной ночной кофте и, источая аромат дорогого косметического крема, читала биографию какого-то зарубежного государственного деятеля, о котором он и не слыхивал. Он не слыхивал и о стране, в которой этот деятель жил. Возможно, кроме его матери, об этом вообще больше никто не слыхал.

Она сняла очки для чтения, отложила книгу в сторону и разгладила рукой шелковое стеганое одеяло. Мотнув головой, Джуниор отклонил предложение сесть рядом и остался стоять у кровати, сунув руки в карманы и позвякивая мелочью. Его раздражал этот ежевечерний ритуал, соблюдавшийся с самого детства.

Джуниор давно уже не испытывал ни потребности, ни желания целовать мать на ночь, но Сара-Джо каждый вечер попрежнему ожидала его прихода. Не явись он, она бы обиделась. Джуниор с Ангусом старались всячески щадить ее и без того слабые нервы.

— Как здесь всегда хорошо пахнет, — заметил он, не зная, что сказать. На душе все еще саднило после взбучки, полученной в присутствии Алекс. Ему не терпелось уехать из дому и поскорее оказаться в каком-нибудь ночном баре, где не надо думать о сложностях жизни.

— Это сухие духи. Они лежат у меня во всех ящиках и шкафах. Когда я была маленькой, у нас была горничная, которая делала их из толченых сухих цветов и травок. Как же они чудесно пахли! — сказала она мечтательно. — А теперь их приходится заказывать. В наши дни их искусственно ароматизируют, но все равно, по-моему, приятно.

— Как книга? — Джуниору уже наскучило обсуждать сухие духи.

— Очень интересная.

Он искренне в этом усомнился, но улыбнулся матери.

— Прекрасно. Я рад, что она тебе нравится.

Сара-Джо уловила его подавленность.

— Что-то не так?

— Нет, ничего.

— Я сразу вижу, если что не так.

— Ничего особенного. Отец разозлился, что я прервал его беседу с Алекс.

Сара-Джо скорчила недовольную гримаску.

— Твой отец до сих пор не научился пристойно вести себя, когда в доме посторонние. Если он настолько груб, что способен утащить гостя из залы во время коктейля, ты вправе отплатить ему тем же, прервав его беседу.

Она утвердительно качнула головой, словно, сказав свою речь, считала вопрос решенным.

— А что они, собственно, обсуждали с такой секретностью?

— Что-то касающееся смерти ее матери, — беспечно ответил он. — Не о чем беспокоиться.

— Ты уверен, что не о чем? Сегодня мне показалось, все были в большом напряжении.

— Если и есть причина для беспокойства, то папа все, как всегда, уладит. Уж тебе-то, безусловно, волноваться не стоит.

Он совершенно не собирался говорить матери о расследовании, которое ведет Алекс. Близкие Сары-Джо знали, что она терпеть не может всего, что так или иначе способно испортить ей настроение или даже огорчить, и всячески ограждали ее от этого.

Ангус никогда не обсуждал с ней дела, особенно когда они принимали плохой оборот. Сара-Джо огорчалась, когда их лошади неудачно выступали на скачках, и бурно радовалась победам, этим ее интерес к делам и ограничивался. Ни ранчо, ни компании, входившие в «Минтон энтерпрайсиз», ее не занимали.

Вообще говоря, Сару-Джо ничто особенно не занимало, за исключением, пожалуй, Джуниора. Она походила на красивую куклу, запертую в стерильно чистой комнате, где она не испытывает разрушающего воздействия солнечного света или иных стихий, прежде всего самой жизни.

Джуниор любил мать, но отдавал себе отчет в том, что ее не очень-то любят другие. Ангуса, напротив, любили все. Жены некоторых друзей дома, платя необходимую дань дружбе, поддерживали с Сарой-Джо теплые отношения. Без них у нее не было бы в Пурселле ни единой приятельницы.

Она-то ради дружбы, безусловно, из кожи вон лезть не стала бы. Она считала большинство местных жителей грубыми и вульгарными и своего мнения не скрывала. Казалось, она рада сидеть в этой комнате, в окружении красивых, мягких, не требующих душевного напряжения вещиц, которые она любила больше всего.

Джуниор знал, что о ней судачат, что над ней насмехаются. Поговаривали, что она пьет. Пить она не пила, разве что два бокала вина перед ужином. Те, кому недоступна была тонкая чувствительность ее натуры, считали ее странной. Другие же думали, что она просто-напросто чокнутая.

Конечно, большей частью она действительно была не в себе, казалось, она снова и снова переживает свое сверхблагополучное детство, память о котором свято берегла. Она так и не оправилась от безвременной смерти любимого брата: когда Ангус с ней познакомился, она все еще оплакивала его.

Джуниор спрашивал себя: а не вышла ли мать замуж за отца лишь для того, чтобы избавиться от тяжких воспоминаний? Другого повода для брака столь не подходящих друг другу людей он придумать не мог.

Джуниору не терпелось уехать поразвлечься, но он тем не менее медлил, хотелось узнать мнение матери об их сегодняшней гостье.

— И что ты о ней думаешь?

— О ком? О дочери Селины? — рассеянно спросила Сара-Джо. Она сдвинула брови, чуть нахмурилась. — Внешне очень привлекательна, хотя, на мой взгляд, столь яркий контраст в цвете волос, глаз и кожи вряд ли можно считать вполне женственным.

Задумавшись, она теребила пальцами тонкие кружева ночной кофты.

— Во всяком случае, очень целеустремленная, правда? Гораздо серьезнее своей матери. Бог свидетель, Селина была глупышкой. Сколько я помню, вечно она смеялась. — Сара-Джо замолчала и склонила голову набок, словно прислушиваясь к доносящемуся издалека смеху. — Не припомню случая, когда бы она не хохотала.

— Да сколько хочешь случаев. Ты просто не знала ее как следует.

— Бедняжка. Я знаю, тебя потрясла ее смерть. Мне-то известно, что значит терять того, кого любишь. Это страшное горе.

Ее голос, нежный и тихий, вдруг переменился, изменилось и выражение лица. Поникшая фиалка исчезла, лицо выражало твердую решимость.

— Смотри, сын, больше не позволяй Ангусу ставить тебя в неловкое положение, особенно в присутствии посторонних.

Джуниор беспечно пожал плечами. Тема была знакомая.

— Да он ведь это не всерьез. Просто манера такая.

— Тогда ты обязан его от нее избавить. Милый, неужели ты не понимаешь? Он именно этого от тебя и ждет. Ждет, что ты будешь с ним на равных. Ангус ведь понимает лишь один разговор — грубый приказ. Он понятия не имеет, что можно беседовать тихо и вежливо, как мы с тобой. Тебе надо говорить с ним тоном, который ему доступен, тем, каким разговаривает Рид. С Ридом Ангус не посмел бы обойтись пренебрежительно, как с тобой, потому что Рида он уважает. А уважает он его потому, что Рид перед ним не лебезит.

— Папа уверен, что Рид непогрешим. До сих пор не может пережить, что Рид ушел из «МЭ». Он бы предпочел, чтобы дела вел у него не я, а Рид. А я что ни сделаю, все не по нему.

— Да это же неправда! — возразила Сара-Джо с жаром, чего за ней давно не водилось. — Ангус тобой очень гордится. Он просто не умеет это показать. Жесткий человек. Чтобы добиться того, чего добился он, приходилось быть крутым. Он хочет, чтобы и ты был таким же.

Джуниор усмехнулся и сжал кулаки.

— Ладно, мама, завтра же утром иду в бой.

Она захихикала. Жизнерадостность и чувство юмора сына неизменно восхищали ее.

— Надеюсь, не буквально; впрочем, Ангус мечтает именно об этом.

На этой веселой ноте можно было и попрощаться. Джуниор поспешно пожелал ей спокойной ночи и, пообещав ездить осторожно, вышел. На лестнице он столкнулся с Ангусом; тот, хромая, поднимался наверх, держа в руке сапоги.

— Ты когда обратишься к врачу с этим пальцем?

— Да какой толк от этих проклятущих врачей. Только деньги дерут. Отстрелить надо чертов палец, и все дела.

Джуниор усмехнулся.

— Прекрасно, только не запачкай кровью ковер. С мамой припадок будет.

Ангус засмеялся, от гнева не осталось и следа, словно не было той стычки в кабинете. Он обнял сына за плечи и крепко сжал.

— Я знал, что ты не подведешь и девицу эту к нам доставишь. Все было в точности, как я задумал. Мы заставили ее перейти к обороне и заронили в душу семена сомнения. Если она не дура — а она, по-моему, далеко не дура, — она даст задний ход, пока не наломала дров.

— А если не даст?

— А если не даст, все равно наша возьмет, — мрачно обронил Ангус. Потом улыбнулся и ласково потрепал сына по щеке. — Спокойной ночи, сынок.

Джуниор смотрел, как отец ковыляет по лестничной площадке. Настроение у него повысилось, и, тихонько насвистывая, он стал спускаться. На сей раз Ангус не будет в нем разочарован. Задание, которое он получил, было ему как нельзя более по вкусу.

Он славился умением кружить женщинам головы. Алекс оказалась крепким орешком, но охота за такой дичью еще увлекательнее. Чертовски красивая баба. Даже и без отцовского приказа он все равно бы за ней приволокнулся.

Но чтобы все прошло без осечки, потребуется время и внимание. Он даст себе несколько дней на выработку безошибочной тактики. А пока что можно заняться покорением планет поменьше. И, проходя через вестибюль к выходу, он отдал честь своему красивому отражению в зеркале.

Глава 9

Конюшня, как и дом, была каменная. Внутри все было так же, как и в других конюшнях, какие Алекс доводилось видеть; правда, эта поражала безукоризненной чистотой. По обе стороны широкого прохода шли денники. Пахло по-своему даже приятно: сеном, кожей и лошадьми. Тусклые ночники, висевшие между денниками, давали достаточно света, и она сразу заметила, что в одном деннике, примерно посреди ряда, горит яркая лампа. Она тихонько двинулась туда, миновала распахнутую дверь сбруйной, потом дверь с табличкой «Физиотерапия». Через широкий проем увидела двор с дорожкой для выгула сразу нескольких лошадей.

Еще не видя Рида, она услышала его голос, он тихонько приговаривал что-то обитателю денника. Поравнявшись с открытой дверью, она заглянула внутрь. Рид сидел на корточ-

ках и своими большими руками растирал заднюю ногу лошади.

Склонив голову набок, он целиком ушел в это занятие.
Вдруг его пальцы нажали, видимо, на чувствительное место.
Конь всхрапнул и попытался отдернуть ногу.

— Спокойно, спокойно.

— А что с ним?

Услышав ее голос, Рид не повернулся и не выказал ни малейшего удивления. Очевидно, прекрасно знал, что она стоит
у двери; просто делал вид, что ничего не замечает. Он осторожно опустил поврежденную ногу и, встав, погладил лошадь
по крупу.

— Это она. — Он многозначительно усмехнулся. — Вы
что же, еще не отличаете кобылы от жеребца, в вашем-то возрасте?

— Отсюда не видно.

— Ее зовут Нарядные Трусики.

— Лихо.

— Ей подходит. Она думает, что она умнее меня, умнее
всех. На самом деле умна-то она умна, да ум ее до добра не
доводит. То скачет слишком далеко, то слишком быстро, вот
ей и достается в конце концов.

Он зачерпнул горсть зерна и подал лошади на ладони.

— А, понятно. Скрытый намек на меня.

Он не возражал, лишь пожал плечами.

— Счесть это за угрозу?

— Как хотите, так и считайте.

Он снова играл словами, вкладывая в них двойной смысл.
Но на этот раз Алекс на удочку не попалась.

— И что же это за лошадь?

— Жеребая. Эта конюшня для кобыл.

— И все они стоят здесь?

— Ну да, отдельно от остальных. — Лошадь ткнулась мордой ему в грудь; он заулыбался и стал почесывать ее за ушами. — Вокруг мам с детками слишком большая суета.

— Почему?

Он пожал плечами, давая понять, что объяснить это непросто.

— Похоже, наверно, на родильное отделение. С новорож-
денными все носятся, как ненормальные.

Он провел рукой по гладкому животу кобылы.

— Ей в первый раз жеребиться, вот она и нервничает. На днях ее выгуливали, а она вдруг решила проявить норов и повредила плюсну.

— И когда она ожеребится?

— Весной. Время еще есть, пусть отдыхает. Дайте-ка мне руку.

— Что?

— Руку вашу.

Чувствуя, что она колеблется, он нетерпеливо втащил ее в денник, поставил рядом с собою возле кобылы и сказал:

— Потрогайте.

Накрыв ее ладонь своей, он прижал ее к лоснящемуся боку кобылы. Под короткой грубой шерсткой ощущались сильные, полные жизни мышцы.

Кобыла всхрапнула и осторожно переступила ногами; Рид успокоил ее. В деннике было душно и слишком натоплено. Особый запах пробуждающейся новой жизни заполнял все пространство.

— Теплая, — затаив дыхание, прошептала Алекс.

— Да уж.

Рид пододвинулся к Алекс и, держа ее руку в своей, провел ее рукой по телу кобылы, к ее раздутому животу. Алекс негромко и удивленно вскрикнула, ощутив под ладонью какое-то движение.

— Жеребенок.

Рид стоял так близко, что от его дыхания слегка шевелились пряди ее волос, она слышала запах его одеколона, смешавшийся с запахами конюшни.

От резкого толчка прямо ей в ладонь Алекс радостно рассмеялась. Вздрогнув от неожиданности, она на мгновение прислонилась к Риду.

— Какой резвый.

— Она принесет мне чемпиона.

— А она ваша?

— Да.

— А кто отец?

— За его услуги я дорого заплатил, но он того стоил. Красавец жеребец из Флориды. Он моей сразу приглянулся. По-моему, ей было жаль, что все так быстро кончилось. Может, если бы он все время бегал поблизости, она бы не отбивалась от табуна.

У Алекс так сдавило грудь, что она едва дышала. Ее тянуло прислониться щекой к боку кобылы и все слушать и слушать убаюкивающий голос Рида. К счастью, разум возобладал, и она не успела наделать глупостей.

Она вытянула руку из-под его ладони и обернулась. Он стоял близко, почти касаясь ее; чтобы взглянуть ему в лицо, ей пришлось откинуть голову, затылком она чувствовала конское тепло.

— Все владельцы лошадей имеют доступ в конюшню?

Рид сделал шаг назад, давая ей возможность пройти к выходу.

— Я ведь работал у Минтонов; они, я полагаю, знают, что мне можно доверять.

— И что же это за лошадь? — повторила Алекс свой вопрос.

— «Четвертушка».

— Четвертушка чего?

— Четвертушка чего?! — Он закинул голову и захохотал. Рядом заплясала Нарядные Трусики. — Бог ты мой, вот это сказанула. Четвертушка чего?

Он снял цепь, приковывавшую кобылу к металлическому кольцу в стене, и, плотно закрыв калитку, подошел к Алекс, стоявшей возле денника.

— Вы с лошадьми не лучшим образом знакомы, верно?

— Как видите, не лучшим, — сухо ответила она.

Ее смущение позабавило его, но лишь на минуту. Затем он, насупившись, спросил:

— Вы сами надумали сюда приехать?

— Меня пригласил Джуниор.

— А, тогда все ясно.

— Что вам ясно?

— Да он вечно бросается со всех ног за каждой новой доступной бабой.

У Алекс кровь закипела в жилах.

— Я не доступна ни для Джуниора Минтона, ни для кого-либо другого. И я не баба.

Он опять медленно и насмешливо оглядел ее с головы до ног.

— Пожалуй, и впрямь нет. В вас слишком много прокурорского и маловато женского. Вы хоть когда-нибудь отдыхаете?

— Уж не тогда, когда расследую дело.

— Что, и с бокалом в руке тем же занимались? — презрительно спросил он. — Дело расследовали?

— Именно.

— Какие своеобразные методы расследования у прокуратуры округа Трэвис!

Он повернулся к ней спиной и, вскинув голову, зашагал в противоположный конец здания.

— Подождите! Я хочу задать вам несколько вопросов.

— Пришлите мне повестку, — бросил он через плечо.

— Рид!

Повинуясь порыву, она рванулась за ним и вцепилась в рукав его кожаной куртки. Он остановился, посмотрел на ее пальцы, впившиеся в помягчевшую от долгой носки кожу, потом не спеша обернулся и глянул на нее зелеными пронзительными глазами.

Алекс выпустила его рукав и отступила на шаг. Не то чтобы она испугалась, скорее ее поразило собственное поведение. Она вовсе не собиралась обращаться к нему по имени и, уж безусловно, не намеревалась хвататься за него, особенно после того, что произошло в деннике.

Облизнув пересохшие от волнения губы, она сказала:

— Я хочу с вами поговорить. Пожалуйста. Это останется между нами. Хочу удовлетворить собственное любопытство.

— Знаем-знаем такой приемчик, госпожа прокурор. Я и сам его не раз использовал. Разыгрываете из себя большого друга подозреваемого, надеясь, что он развесит уши и проговорится о том, что хотел бы скрыть.

— Все отнюдь не так. Просто хочу поговорить.

— О чем?

— О Минтонах.

— О чем именно?

Он стоял, широко расставив ноги, слегка выпятив таз; руки он сунул в задние карманы джинсов, отчего куртка на груди распахнулась. Устрашающе мужская поза. Она одновременно и возбуждала, и раздражала Алекс; она поспешила подавить в себе эти чувства.

— Как на ваш взгляд, у Ангуса с Сарой-Джо счастливый брак?

Он заморгал и кашлянул.

— Что?

— Не надо на меня так смотреть. Я спрашиваю ваше мнение, я не требую анализа их отношений.

— Да какая, к чертям, разница, счастливый у них брак или нет?

— Сара-Джо — совсем не та женщина, на которой, с моей точки зрения, должен был жениться Ангус.

— Противоположности сходятся...

— Мысль не новая. Они... близки?

— Близки?

— Да, близки — в интимном смысле.

— Отродясь об этом не думал.

— Думали, конечно. Вы же с ними здесь жили.

— Очевидно, моя голова в отличие от вашей не настроена на похотливую волну. — Он шагнул к ней и понизил голос: — Но мы могли бы это исправить.

«Нельзя позволить ему вывести меня из равновесия», — решила Алекс; она понимала, что ему хочется не столько соблазнить, сколько взбесить ее.

— Они спят вместе?

— Наверное. Меня не касается, что они делают или не делают в постели. Более того, мне на это наплевать. Меня волнует только то, что происходит в моей собственной постели. Отчего бы вам не расспросить меня об этом?

— Потому что меня это не интересует.

Он понимающе ухмыльнулся.

— А по-моему, интересует.

— Мне не нравится, когда на меня смотрят пренебрежительно только потому, что я женщина-прокурор.

— Тогда бросьте это занятие.

— Какое? Быть женщиной?

— Нет, прокурором.

Она мысленно сосчитала до десяти.

— Ангус с другими женщинами встречается?

Она уловила в его глазах нарастающее раздражение. Его терпение истощалось.

— Вы считаете Сару-Джо страстной женщиной?

— Нет, — ответила Алекс.

— Как на ваш взгляд, Ангус не страдает отсутствием сексуальных аппетитов?

— Судя по его аппетиту к еде и жизни, не должен.

— Вот вам и ответ на ваш вопрос.

— Отношения между ними оказали воздействие на Джуниора?

— Откуда мне, к черту, знать? Спросите его.

— Да он что попало наплетет, лишь бы отговориться.

— И таким образом ясно даст понять, что вы лезете не в свое дело. Я не так обходителен, как он. Так что лучше не вмешивайтесь.

— Это и мое дело.

Он вынул руки из карманов и скрестил их на груди.

— С нетерпением жду доступного моему пониманию объяснения.

Его сарказм не смутил ее.

— В отношениях между родителями может скрываться причина трех неудачных браков Минтона-младшего.

— И это вас тоже не касается.

— Касается.

— И каким же образом?

— Джуниор любил мою мать.

Слова эти гулко прозвучали в коридоре затихшей конюшни. Голова Рида резко откинулась назад, будто его неожиданно ударили в подбородок.

— Кто вам сказал?

— Он сам. — Не сводя с него внимательных глаз, Алекс тихо добавила: — Он сказал, вы оба ее любили.

Довольно долго он молча смотрел на нее, потом пожал плечами.

— Каждый по-своему. И что из этого?

— Не потому ли распадались браки Джуниора? Оттого, что он все еще был влюблен в мою мать?

— Понятия не имею.

— А вы как это объясняете?

— Ну, ладно. — С высокомерным видом он склонил голову набок. — Я считаю, незачем припутывать Селину к дерьмовым этим минтоновским бракам. Просто он не умеет всласть потрахаться без того, чтобы потом не чувствовать себя виноватым. Вот для очистки совести он и женится каждые несколько лет.

Это было сказано с явным намерением оскорбить Алекс, и она оскорбилась, однако решила не показывать, как сильно он ее задел.

— Как вы думаете, почему он испытывает чувство вины?

— Это гены. У него в жилах течет кровь многих поколений благородных южан. Отсюда и муки совести во всем, что касается прекрасного пола.

— А вы — в подобных случаях?

Он широко ухмыльнулся.

— Что бы я ни сделал, вины за собой никогда не чувствую.

— Даже если совершили убийство?

Ухмылка тут же исчезла с его лица, глаза потемнели.

— Подите к черту!

— Вы когда-нибудь были женаты?

— Нет.

— Почему?

— Не ваше дело, черт побери! Есть еще вопросы, госпожа прокурор?

— Да. Расскажите мне о своем отце.

Рид медленно опустил руки. Холодно, в упор посмотрел на Алекс. Она сказала:

— Я знаю, ваш отец умер, когда вы были еще школьником. Джуниор сегодня упомянул об этом. После смерти отца вы переехали жить сюда.

— У вас нездоровое любопытство, мисс Гейтер.

— Это не просто любопытство. Я собираю факты, относящиеся к проводимому мной расследованию.

— Ну конечно, конечно. Очень важный фактический материал, вроде сексуальной жизни Ангуса.

Она укоризненно взглянула на него:

— Меня интересуют мотивы, шериф Ламберт. Вы, как человек, по долгу службы стоящий на страже правопорядка, не можете этого не понимать. Вам ведь знакомы понятия «мотив» и «возможность совершения преступления»?

Взгляд его стал еще холоднее.

— Мне необходимо установить, в каком расположении духа вы были в ту ночь, когда убили мою мать?

— Бред собачий. Где тут связь с моим стариком?

— Быть может, ее и нет, но вы мне все же расскажите. Почему вы так болезненно относитесь к этой теме, если она не имеет большого значения?

— А Джуниор не рассказал вам, как умер мой отец? — Она отрицательно покачала головой. Рид горько усмехнулся. — Что это он? Не понимаю. Здесь долго судачили о его смерти, ни одной отвратительной подробности не упустили. Разговоров хватило на много лет.

Он наклонился, и их глаза оказались на одном уровне.

— Он захлебнулся собственной блевотиной, так по пьянке и окочурился. Правильно, этому и ужасались. Жуткое дело, черт побери, особенно когда директор вызвал меня из класса и сообщил.

— Рид! — пытаясь остановить этот саркастический поток, Алекс подняла руку. Он, отмахнувшись, ударил по ней.

— Ну уж нет: раз вам не терпится сунуть нос во все темные углы и выведать все тайны, получайте. Но держитесь, крошка, это вам не фунт изюму. Папочка мой был городским пьянчужкой, всеобщим посмешищем; этакая никчемная, жалкая, горемычная пародия на человека. Я ведь даже не заплакал, узнав, что он умер. Я радовался: помер-таки этот ничтожный, гнусный мерзавец. Я от него сроду ничего доброго не видал и всю жизнь сгорал от стыда, что он — мой отец. И его это обстоятельство так же не радовало, как и меня. Чертово отродье — вот как он меня обычно называл, перед тем как влепить затрещину. Я был для него обузой. А я, как последний дурак, все мечтал и делал вид, что у нас семья. Вечно приставал, чтобы он пришел посмотреть, как я играю в футбол. Однажды он явился-таки на матч. Уж он устроил спектакль: взбираясь на трибуну, где самые дешевые места, он повалился и, падая, сорвал один из флагов. Я готов был умереть от стыда. Велел ему больше не появляться на стадионе. Я его ненавидел. *Ненавидел*, — проскрежетал он. — Я не мог позвать друзей домой — такой там был хлев. Мы ели из консервных банок. Я знать не знал, что существуют такие вещи, как тарелки, которые расставляют на столе, или что в ванной бывают чистые полотенца; все это я увидел в домах у других ребят, куда меня приглашали. Собираясь в школу, я старался выглядеть как можно приличнее.

Алекс уже сожалела, что вскрыла эту гноящуюся рану, но ее радовало, что он разговорился. Впечатления и переживания детства многое объясняли в этом человеке. Но он рисовал портрет отверженного, а это не сходилось с тем, что она о нем знала.

— А мне говорили, что в школе вы верховодили, к вам тянулись ребята. Вы установили там свой порядок, все зависело от вас.

— Такого положения я добился грубой силой, — объяснил он — В начальных классах ребята надо мной потешались, все, кроме Селины. Потом я подрос, окреп и научился драться. Дрался я по-страшному, без всяких правил. Смеяться надо мной перестали. Враждовать со мной оказывалось себе дороже, куда удобней было со мной дружить.

Губы его скривились в презрительной усмешке.

— А теперь вы вообще упадете, мисс прокурор. Я воровал. Крал все, что можно было съесть или вообще могло пригодиться. Понимаете, ни на одной работе отец не удерживался больше нескольких дней без того, чтобы не напиться. Он брал, что ему причиталось, на весь заработок покупал себе одну-две бутылки и напивался до потери сознания. В конце концов он оставил попытки работать. Я кормил нас обоих, подрабатывая после уроков где придется и воруя где можно и нельзя.

Сказать Алекс на это было нечего. И Рид это понимал. Потому и поведал ей свою историю. Ему хотелось, чтобы она почувствовала себя дрянной и очень недалекой. Он ведь и не предполагал, как много схожего в их детских воспоминаниях, хотя голодной она не бывала никогда. Мерл Грэм очень заботилась об удовлетворении ее физических потребностей, зато эмоциональными совершенно пренебрегала. Алекс выросла с ощущением, что она хуже других и ее не любят. С искренним сочувствием в голосе она сказала:

— Мне очень жаль, Рид.

— Мне ваша чертова жалость не нужна, — издевательски отозвался он. — И ничья не нужна. От такой жизни я очерствел и озлобился, и меня это устраивает. Я рано научился защищаться, потому что мне было ясно: заступаться за меня никто, черт возьми, не станет. Я ни от кого не завишу, кроме как от самого себя. Не доверяю ничему и тем более никому.

И разрази меня гром, если я когда-нибудь опущусь до уровня моего старика.

— Вы придаете своим воспоминаниям слишком большое значение, Рид. Вы чересчур чувствительны.

— Я хочу, чтобы все забыли про Эверетта Ламберта. И не желаю, чтобы хоть один человек подумал, будто я имею к нему какое-то отношение. Никакого. Никогда.

Он сжал зубы и, вцепившись в отвороты ее жакета, притянул ее к своему разъяренному лицу.

— Я многое сделал, чтобы заставить людей забыть тот прискорбный факт, что я сын Эверетта Ламберта. И вот, когда его все почти забыли, откуда ни возьмись являетесь вы и начинаете всюду лезть, поднимаете вопросы, давно лишенные всякого смысла, напоминая всем и каждому, что к своему теперешнему положению я полз из трущоб, с самого дна.

Он с силой толкнул ее. Она отлетела и, ухватившись за калитку денника, едва устояла на ногах.

— Я уверена, что никто и не взваливает на вас отцовские грехи.

— Ах, вы так считаете? Но в маленьком городке, крошка, все иначе. Скоро вы сами в этом убедитесь, потому что вас начнут сравнивать с Селиной.

— Ну и на здоровье. Буду даже рада.

— Вы в этом уверены?

— Да.

— Осторожнее. Когда лезете в воду, не зная броду, неплохо бы подумать, чем это может кончиться.

— А если без околичностей?

— Возможны два варианта. Либо окажется, что вы во всем уступаете своей матери, либо вы обнаружите, что сходство с ней вовсе не столь уж лестно для вас.

— Это в каком же смысле?

Он окинул ее взглядом:

— Мужчина при виде вас вспоминает, что он мужчина, — в этом вы на нее похожи. И, как она, умеете этим пользоваться.

— Что вы хотите сказать?

— Она была далеко не святая.

— Я и не думала, что она была святой.

— Разве? — вкрадчиво спросил он. — А по-моему, думали. Вы, мне кажется, создали сказочный образ матери и надеетесь, что Селина полностью ему соответствует.

— Какая нелепость, — решительно запротестовала Алекс, но тут же осеклась: в ее ответе слышалось просто детское упрямство. Более спокойным тоном она сказала: — Что говорить, бабушка была убеждена, что Селина — центр Вселенной. Мне с детства внушили, что она была идеальной молодой женщиной. Но сейчас я сама стала женщиной — и достаточно взрослой — и понимаю, что мать была живым человеком со своими недостатками, как все люди.

Несколько мгновений Рид внимательно смотрел на нее.

— Не забудьте, я вас предупредил, — тихо произнес он. — Лучше возвращайтесь в гостиницу, уложите в чемодан свои модные шмотки и папки с судебными бумагами и мотайте в Остин. Что было, то было. Здесь нет желающих бередить темное прошлое в истории Пурселла — особенно сейчас, когда решается судьба лицензии на открытие ипподрома. Они бы скорее оставили Селину лежать тут, в конюшне, чем...

— В *этой* конюшне? — ахнула Алекс. — Мою мать убили здесь?

Она видела, что он проговорился случайно. Рид едва слышно чертыхнулся и отрывисто сказал:

— Здесь.

— Где именно? В каком деннике?

— Не важ...

— Покажите же, черт бы вас побрал! Мне до смерти надоели ваши уклончивые ответы да увертки. Покажите, где вы нашли ее в то утро, шериф.

Подчеркнув последнее слово, она напоминала ему, что по долгу службы он обязан блюсти закон и поддерживать правопорядок.

Не говоря ни слова, он повернулся и направился к двери, через которую она вошла в этот сарай. Возле второго от входа денника он остановился.

— Здесь.

Алекс замерла, потом медленно двинулась вперед и наконец поравнялась с Ридом. Она заглянула в денник. Сена там не было, просто голый пол с резиновым покрытием. Калитка была снята, поскольку денник пустовал. Он выглядел безобидным, каким-то безликим.

— После того, что тут случилось, лошадь в денник не ставили ни разу, — сказал Рид и с пренебрежением добавил: — Ангус ведь не лишен сентиментальности.

Алекс попыталась было вообразить окровавленный труп, лежащий на полу денника, но ничего не вышло. Она вопросительно взглянула на Рида.

Ей показалось, что скулы у него обозначились еще больше, а вертикальные морщины возле рта стали глубже, чем минуту назад, когда он злился. Посещение места убийства не прошло для него так легко, как он хотел бы.

— Расскажите мне, как это было. Пожалуйста.

Он поколебался, потом сказал:

— Она лежала по диагонали, голова в том углу, ноги где-то здесь. — Носком сапога он коснулся пола. — Вся была залита кровью. Волосы, одежда, все.

Даже следователи, не раз расследовавшие убийства — Алекс их уже наслушалась, — и те обсуждают кровавые подробности с большими эмоциями. Голос Рида звучал глухо и монотонно, но на лице застыла боль.

— Глаза у нее были еще открыты.

— Который был час? — осипшим голосом спросила Алекс.

— Когда я ее обнаружил? — Она кивнула, не в силах сказать ни слова. — Около половины седьмого. Уже рассвело.

— Что вы здесь делали в такую рань?

— Часов в семь я обычно начинал чистить конюшни. А в то утро меня беспокоила кобыла.

— Ах да, та, что накануне ожеребилась. Значит, вы пришли проведать ее и жеребенка?

— Ну да.

Блестящими от слез глазами она взглянула на него:

— Где вы были накануне вечером?

— В разных местах.

— Весь вечер?

— Да, после ужина.

— Один?

У него даже губы побелели от злости.

— Если вы желаете задать еще вопросы, госпожа прокурор, передайте дело в суд.

— Я так и собираюсь сделать.

Она направилась мимо него к выходу, но он схватил ее за руку и грубо подтащил к себе.

— Мисс Гейтер, — зло и нетерпеливо прорычал он, — вы же неглупая женщина. Бросьте лучше это дело. А не бросите, кое-кто наверняка схлопочет как следует.

— Кто же именно?

— Вы.

— Каким образом?

Он не двинулся с места, лишь слегка наклонился к ней.

— Мало ли как.

Это была едва прикрытая угроза. Физически он был вполне способен убить женщину, но хватит ли у него душевных сил?

О женщинах в целом он был явно невысокого мнения, но, если верить Джуниору, Рид любил Селину Грэм. Одно время она даже хотела выйти замуж за Рида. Возможно, все вокруг, в том числе и сам Рид, не сомневались, что они поженятся, и вдруг Селина вышла замуж за Эла Гейтера и забеременела. Алекс вообще не хотелось верить, что Рид мог убить Селину; и уж тем более ей не хотелось думать, что он убил Селину из-за нее, Алекс.

Он презирал женщин, был заносчив и вспыльчив — чистый порох. Но совершить убийство? Непохоже. А может, просто она питала слабость к русым волосам и зеленым глазам, к выцветшим джинсам в обтяжку и поношенным кожаным курткам с меховым воротником? К тем, кто умеет носить ковбойские сапоги и не выглядеть при этом по-дурацки? К тем, кто ходит, разговаривает, пахнет и действует, как истинный мужчина?

Именно таким и был Рид Ламберт.

Взволнованная не столько угрозой, прозвучавшей в его словах, сколько силой его личности, Алекс высвободила руку и отступила к двери.

— Я не имею ни малейшего намерения прекращать расследование, пока не установлю, кто убил мою мать и почему. Я всю жизнь мечтала это выяснить. Отговаривать меня бесполезно.

Глава 10

Как только Алекс вышла из конюшни, Рид разразился проклятиями. Клейстер Хикам, укрывшийся в деннике поблизости, слышал все до единого слова.

Он не собирался подслушивать их разговор. Он зашел в конюшню задолго до них в поисках укромного местечка, темного и теплого, где можно было бы в полном уединении зализать раны, нанесенные его самолюбию, и, подогревая в себе обиду на бывшего хозяина, припасть, словно к материнской груди, к заветной бутылочке дешевой ржаной водки.

Теперь, однако, его хандра рассеялась, а в голове стал зарождаться гнусный замысел. В трезвом виде Клейстер был безобидным чудиком. Во хмелю же становился мерзок.

Он едва сдержался и не выдал своего присутствия, услышав, что говорила шерифу эта деваха из Остина и что он отвечал. Мать честная, эта бабенка — дочка Селины Гейтер — выясняет, кто укокошил ее родительницу?

Благодаря ей и милости Господа, в которого он и не верил вовсе, ему была дарована бесценная возможность отомстить Ангусу и его никчемному сынку.

Он, Клейстер, надрывал тут пуп, вкалывая за жалкие гроши, а то и вообще задарма, когда Ангус так сел на мель, что нечем было платить Клейстеру за работу. Но он все сносил. Чего только он с этим ублюдком не натерпелся, и как тот его отблагодарил? Уволил, да еще выкинул из барака, который больше тридцати лет служил Клейстеру домом.

Что ж, наконец судьба улыбнулась и Клейстеру Хикаму. Если он с умом пустит в ход свои козыри, то получит неплохие денежки в качестве «выходного пособия». Руби Фэй, его нынешняя сожительница, вечно пристает — отчего это у него сроду нет на нее денег.

«Что толку в любовной связи, если мне от нее никакого навару? Одна радость, что мужа за нос вожу», — любила повторять она.

Впрочем, денежное вознаграждение — это только цветочки. Отомстить — вот в чем сласть. Давно пора дать Ангусу хорошего пинка известно в какое место, да так, чтоб запомнил.

Ожидая, пока Рид осмотрит свою кобылу и уйдет из конюшни, он прямо-таки сгорал от нетерпения. Убедившись, что в сарае наконец никого нет, он вышел из пустого денника, где лежал, затаившись в свежем сене. По сумрачному коридору он двинулся к висевшему на стене телефону. Одна из лошадей заржала, напугав его до смерти, и он выругался. При всем своем нахальстве мужеством он не отличался никогда.

Сначала он позвонил в справочное бюро, потом быстро, пока не забыл, набрал нужный номер. Попросив портье позвонить Алекс, он с беспокойством подумал, что она, может, еще и не успела вернуться в мотель. Но на пятом гудке она сняла трубку, ответила чуть запыхавшись, будто вбежала в номер, когда звонил телефон.

— Мисс Гейтер?

— Да. А вы кто?

— Вам того знать не нужно. Я вас знаю, и довольно.

— Кто говорит? — требовательно и, как решил Клейстер, с напускной храбростью спросила она.

— Я все знаю про убийство вашей матушки.

На том конце внезапно замолчали; Клейстер тихонько хихикнул от удовольствия. Так быстро и бесповоротно он бы не добился от нее внимания, даже если бы подошел и укусил ее за сиську.

— Я слушаю.

— Не могу я сейчас говорить.

— Почему?

— Не могу, и все, вот почему.

Опасно было обсуждать с ней это дело по телефону. Кто-нибудь на ранчо поднимет отводную трубку и услышит их разговор. Тогда добра не жди.

— Я вам позвоню.

— Но...

— Я позвоню еще.

Наслаждаясь ее волнением, Клейстер повесил трубку. Он помнил, как ее мамаша разгуливала здесь, будто королева. Не раз жарким летним днем он похотливо поглядывал на нее, когда она с Джуниором и Ридом резвилась в плавательном бассейне. Они хватали ее за что ни попадя, и называлось это «побеситься». Но она считала ниже своего достоинства даже взглянуть в сторону Клейстера. Вот и допрыгалась до того, что ее убили; он по этому поводу в свое время не сильно волновался. Мало того, он даже и соваться бы не стал, чтобы помешать этому.

Он помнил ту ночь и все, что тогда случилось, словно это было вчера. Тайну свою он хранил все эти годы. А теперь пора ее обнародовать. То-то он потешится, рассказывая прокурорше эту историю.

Глава 11

— Вы ждете, чтобы оштрафовать меня за парковку в неположенном месте? — спросила Алекс и, выйдя из машины, заперла дверцу. На душе у нее благодаря неожиданному вчерашнему звонку было весело. Может быть, звонивший окажется тем самым свидетелем, о котором она так мечтала. Но мог звонить и какой-нибудь псих, трезво одернула она себя.

Если он действительно свидетель, вдруг он назовет Рида Ламберта убийцей Селины? Это будет ужасно. Рид стоял, прислонившись к счетчику парковки, и выглядел необыкновенно притягательно. Вообще говоря, поскольку счетчик имел крен вправо, можно было считать, что это он прислонился к Риду.

— Для такой острячки стоило бы и передумать, но я ведь малый добрый. — Он набросил на счетчик парусиновый чехол. Синими буквами на нем было написано: «ПУРСЕЛЛ — СЛУЖЕБНАЯ МАШИНА». — Заберете его с собой, когда поедете отсюда; можете им пользоваться. Мелочи немножко сэкономите.

Он повернулся и двинулся по тротуару к зданию суда. Алекс догнала его, стараясь шагать в ногу.

— Спасибо.

— Пожалуйста. — Они поднялись по ступеням и вошли внутрь. — Зайдите ко мне, — сказал он. — Хочу вам показать кое-что.

Заинтригованная, она последовала за ним. Накануне они расстались не на самой приятной ноте. Сегодня утром, однако, он очень старался проявить радушие. Решив про себя, что это совсем не в его натуре, Алекс с подозрением стала размышлять о мотивах такой перемены.

Когда они спустились в цокольный этаж, в дежурной комнате все дружно побросали дела и уставились на них. Этакая немая сцена, как на фотографии.

Рид не спеша обвел комнату многозначительным взглядом. Деятельность мгновенно возобновилась. Хотя он не произнес ни единого слова, было очевидно, что он пользуется у подчиненных непререкаемым авторитетом. Его либо боялись, либо уважали. Скорее — первое, подумалось Алекс.

Рид распахнул перед ней дверь на лестницу и отступил, пропуская ее вперед. Она вошла в квадратный мрачный, без единого окна кабинетик. В нем стояла стужа, как в холодильной камере. Стол был в таких царапинах и вмятинах, будто его склепали из металлолома. Столешница из древесно-стружечной плиты была испещрена дырами и пятнами чернил. На ней — полная окурков пепельница и простецкий черный телефон. Возле стола Алекс заметила вращающееся кресло, не внушившее ей большого доверия.

— Вот, можете пользоваться, — сказал Рид. — Впрочем, вы, не сомневаюсь, привыкли к более изысканным помещениям.

— Вовсе нет. Собственно, моя остинская каморка не намного больше. И кого же следует благодарить?

— Город Пурселл.

— Но это ведь чья-то идея. Ваша, Рид?

— Ну, допустим.

— В таком случае, — растягивая слова, проговорила она, решив не обращать внимания на его вызывающий вид, — спасибо.

— Пожалуйста.

Стараясь смягчить взаимную враждебность, она улыбнулась и поддразнила его:

— Теперь, когда мы в одном здании, я буду следить за вами в оба.

Прежде чем плотно закрыть за собой дверь, он ответил:

— Наоборот, госпожа прокурор. Я буду смотреть в оба за вами.

Алекс бросила на стол шариковую ручку и принялась с силой растирать застывшие руки. Купленный ею электрический обогреватель работал на всю катушку, но это мало что меняло. В кабинетике стоял лютый холод — это был, по всей видимости, единственный сырой и промозглый уголок на всю засушливую округу.

Еще раньше она накупила канцелярских принадлежностей: бумагу, карандаши, ручки, скрепки. Удобным кабинет не назовешь, но, по крайней мере, в нем можно было работать. К тому же он находился куда ближе к центру города, чем ее гостиница.

Проверив, действительно ли обогреватель работает на полную мощность, она снова засела за свои заметки об участниках драмы. Полдня ушло на то, чтобы разобрать и рассортировать их.

Начав с досье, собранного ею на Ангуса, она перечитала записи. К сожалению, они не приобрели ни большей конкретности, ни фактической обоснованности с тех пор, как она прочла их предыдущие десять раз.

В основном там были собраны данные и сведения с чужих слов. С немногими имеющимися фактами она ознакомилась еще до отъезда из Остина. Выходило, что ее мероприятие не более чем пустая трата денег налогоплательщиков, а ведь прошла уже целая неделя из того срока, что установил ей Грег.

Она решила какое-то время не затрагивать вопроса об обстоятельствах преступления. Необходимо было выяснить его мотивы. Все трое мужчин обожали Селину — вот и все, что ей удалось пока установить. Но обожание вряд ли может побудить к убийству.

Данных у нее не было никаких — ни улик, ни мало-мальски убедительных оснований подозревать кого-то. Она была уверена, что Бадди Хикс ее матери не убивал, но это ни на йоту не приблизило ее к раскрытию истинного убийцы.

Побеседовав наедине с Ангусом, Джуниором и Ридом, Алекс пришла к выводу, что добровольное признание вины здесь было бы равносильно чуду. Ждать от любого из этой троицы сожаления о совершенном или покаяния не приходилось. И ни один из них не даст показаний против остальных. Их верность друг другу оставалась по-прежнему нерушимой, хотя дружба была не та, что раньше, и одно это уже говорило о многом. Быть может, смерть Селины, расколов их компанию, одновременно повязала их общей тайной?

Алекс все еще надеялась, что звонивший несколько дней назад незнакомец был и правда очевидцем преступления. Изо дня в день она ждала повторного звонка, но от него не было ни слуху ни духу; значит, ее скорее всего просто разыграли.

По всем данным, в ту ночь возле конюшни могли быть только Придурок Бад, убийца и Селина. Придурок Бад умер. Убийца помалкивает. А Селина...

Внезапно Алекс словно озарило. Говорить с ней ее мать не могла — во всяком случае, в прямом смысле слова, — но, может быть, кое-что важное от нее удастся узнать.

При этой мысли у Алекс засосало под ложечкой. Она обхватила ладонями лоб и закрыла глаза. Хватит ли у нее сил на такой шаг?

Она попыталась нащупать другие решения, но ничего путного не придумывалось. Ей нужны были улики, и она знала всего одно место, где их можно было отыскать.

Боясь, что не выдержит и передумает, она поспешно отключила обогреватель и выскочила из кабинетика. Не доверяя лифту, бегом взбежала по лестнице в надежде, что судья Уоллес еще не ушел и она его застанет.

Алекс с беспокойством взглянула на часы. Почти пять. Откладывать до завтра ей не хотелось. Приняв решение, она стремилась действовать немедленно, не давая себе ни времени на раздумья, ни возможности дать задний ход.

Коридоры второго этажа уже опустели. Рабочий день присяжных закончился. Судебные заседания прерваны до завтрашнего дня. Звонкое эхо ее шагов неслось по коридорам, когда она направилась к кабинету судьи рядом с безлюдным залом суда. Секретарша, еще сидевшая в приемной, ничуть не обрадовалась появлению Алекс.

— Мне необходимо немедленно поговорить с судьей. — От бега по лестнице Алекс слегка запыхалась; в голосе ее слышалось отчаяние.

— Рабочий день у него закончился, он уходит, — без всяких извинений и сожалений прозвучало в ответ. — Могу записать вас на при...

— Вопрос чрезвычайно важный, иначе я не стала бы его беспокоить в такое время.

Алекс ничуть не устрашил ни осуждающий взгляд миссис Липском, ни вздох сдержанного возмущения, с которым та встала из-за стола и направилась к двери в соседнюю комнату. Она осторожно постучала и вошла, прикрыв за собой дверь. В нетерпеливом ожидании Алекс зашагала взад-вперед по приемной.

— Он согласен принять вас. Только ненадолго.

— Благодарю вас. — Алекс ринулась в кабинет судьи.

— Ну, что у вас на сей раз, мисс Гейтер? — неприветливо спросил судья Уоллес, как только она переступила порог. Он уже натягивал пальто. — За вами водится пренеприятная привычка являться без предварительной договоренности. Я, как видите, уже ухожу. Моя дочь Стейси очень не любит, когда я опаздываю к обеду, и с моей стороны было бы невежливо заставлять ее ждать.

— Приношу извинения вам обоим, судья. Я сказала вашей секретарше: мне безотлагательно необходимо поговорить с вами именно сегодня.

— Ну? — сварливо обронил он.

— Может быть, мы сядем?

— Я могу разговаривать и стоя. Что вам нужно?

— Мне нужно распоряжение суда на эксгумацию тела моей матери.

Судья сел. Вернее, плюхнулся в кресло, стоявшее позади него. Он смотрел на Алекс снизу вверх с нескрываемым смятением.

— Простите, не расслышал, — просипел он.

— Полагаю, вы меня прекрасно расслышали, судья Уоллес, но, если есть необходимость, я готова повторить свою просьбу.

Он махнул рукой.

— Нет. Господи боже, не надо. От одного-то раза мутит. — Обхватив ладонями колени, он продолжал смотреть на нее снизу вверх, очевидно считая ее невменяемой. — Почему вы хотите осуществить такую чудовищную затею?

— *Хотеть* — это не совсем то. Но я не стала бы просить о таком распоряжении, если б не считала эксгумацию абсолютно необходимой.

Слегка оправившись от шока, судья бесцеремонно ткнул пальцем в стул.

— Тогда уж садитесь. Объясните, на каком основании вы об этом просите?

— Было совершено преступление, но никаких улик я обнаружить не могу.

— И не сможете, я же вам говорил! — воскликнул он. — А вы не слушали. Вломились к нам сюда с разными необоснованными обвинениями, явно желая кому-то отомстить.

— Это неправда, — спокойно возразила она.

— Я воспринял ваши действия именно так. А что Пат Частейн говорит на этот счет?

— Районного прокурора нет на месте. Судя по всему, он неожиданно взял отпуск на несколько дней и уехал на охоту.

Судья хмыкнул.

— Чертовски неглупая мысль, на мой взгляд.

На взгляд Алекс, мысль весьма малодушная, и, когда бесстрастная миссис Частейн сообщила ей о намерении мужа, Алекс готова была себе локти кусать.

— Вы мне все же разрешите поискать улики, судья?

— Никаких улик нет, — отчеканил он.

— Останки моей матери могут кое-что подсказать.

— После убийства было произведено вскрытие. Господи помилуй, это же было двадцать пять лет назад!

— Коронер[1], проводивший тогда дознание, вряд ли искал улики — ведь причина смерти была совершенно очевидна. Я знаю в Далласе одного судебно-медицинского эксперта. Мы часто прибегаем к его услугам. Если там можно хоть что-то обнаружить, он это обнаружит непременно.

— Ничего он не найдет, я вам гарантирую.

— Но попробовать же стоит, правда?

Уоллес, покусывая губу, не отвечал, потом проронил:

— Я рассмотрю вашу просьбу.

Но от Алекс не так просто было отделаться.

— Буду вам очень признательна, если вы дадите ответ сегодня.

— Простите, мисс Гейтер. Самое большее, что я могу вам пообещать, — обдумать вашу просьбу сегодня вечером и дать

---

[1] Особый судебный следователь в Англии, США и некоторых других странах, в обязанности которого входит выяснение причины смерти, происшедшей при необычных или подозрительных обстоятельствах.

ответ завтра утром. Надеюсь, вы к тому времени одумаетесь и возьмете назад свою просьбу.

— Не возьму.

Он поднялся с кресла.

— Я устал, проголодался, а кроме того, смущен тем неловким положением, в которое вы меня поставили. — Он укоряюще ткнул в нее указательным пальцем. — Не люблю пустые хлопоты.

— Я тоже. Я была бы рада, если бы в подобной мере не было надобности.

— Никакой надобности и нет.

— А по-моему, есть, — упрямо возразила она.

— В конце концов вы пожалеете, что попросили меня об этом. Итак, вы отняли у меня достаточно много времени. Стейси будет волноваться. До свидания.

Он вышел из кабинета. Через несколько мгновений в дверях возникла миссис Липском. Веки ее дрожали от возмущения.

— Имоджен говорила мне, что от вас только и жди неприятностей.

Алекс проскользнула мимо нее и забежала на минутку в свое новое служебное пристанище забрать документы и вещи. До мотеля она ехала дольше обычного: попала в «час пик». В довершение пошел мокрый снег, и заторы на улицах Пурселла стали невыносимыми.

Понимая, что выходить из гостиницы ей не захочется, она купила по дороге жареную курицу. К тому времени, когда она накрыла себе ужин в номере на круглом столе возле окошка, все уже остыло и вкусом походило на картон. Алекс дала себе обещание, что купит фруктов и каких-нибудь полезных для здоровья закусок, чтобы подправить свой скудный рацион, а еще, пожалуй, букетик свежих цветов, чтобы немного оживить унылую комнату. Она также подумала, не снять ли ей устрашающее полотно, изображавшее бой быков; оно занимало большую часть одной стены. Развевающийся красный плащ и слюнявый бык отнюдь не радовали взор.

Не желая вновь перечитывать собственные записи, она решила включить телевизор. По кабельному каналу шла комедия, не требовавшая умственного напряжения. К концу фильма Алекс почувствовала себя лучше и решила принять душ.

Едва она вытерлась и замотала мокрые волосы полотенцем, как в дверь постучали. Накинув белый махровый халат и подпоясав его, она посмотрела в глазок.

Дверь она открыла на ширину цепочки.

— Вы что, с благотворительным визитом?

— Откройте дверь, — сказал шериф Ламберт.

— Для чего?

— Мне надо с вами поговорить.

— О чем?

— Скажу, когда войду. — Алекс не шевельнулась. — Откроете вы дверь или нет?

— Я могу с вами и отсюда разговаривать.

— Открывайте, черт побери! — рявкнул он. — А то я себе яйца отморожу.

Алекс сняла цепочку, распахнула дверь и отступила в сторону. Рид стал топать ногами и стряхивать ледышки, облепившие меховой воротник его куртки.

Он окинул ее взглядом.

— Ждете кого-то?

Алекс сложила руки на животе; этот жест выражал у нее раздражение.

— Если это светский визит...

— Не визит.

Уцепившись зубами за палец, он стянул одну перчатку, потом тем же манером вторую. Похлопал фетровой ковбойской шляпой по бедру, стряхивая мокрый снег, провел рукой по волосам.

Он бросил перчатки в шляпу, положил ее на стол и опустился в кресло. Осмотрел остатки ее ужина и откусил кусок от нетронутой куриной ножки. С полным ртом спросил:

— Что, не нравится наша жареная курица?

Он вольготно развалился в кресле с таким видом, будто устроился там на всю ночь. Алекс продолжала стоять. Как ни странно, она чувствовала себя в халате раздетой, хотя он закрывал ее от подбородка до щиколоток. Гостиничное полотенце, намотанное на голову, тоже не добавляло ей уверенности в себе.

Она сделала вид, что ее ничуть не волнует ни его присутствие, ни собственное дезабилье.

— Да, жареная курица мне не понравилась, но пришлась кстати. Ради ужина я выходить не хотела.

— И очень правильно — в такой-то вечерок. Дороги сейчас опасные.

— Это вы могли и по телефону сказать.

Пропустив ее замечание мимо ушей, он перегнулся через ручку кресла и посмотрел мимо нее на экран телевизора, где ничем не прикрытая пара предавалась плотским утехам. Камера крупным планом показывала губы мужчины, прильнувшие к женской груди.

— Понятно, отчего вы разозлились. Я явился и помешал вам смотреть.

Она хлопнула ладонью по выключателю. Экран погас.

— Я не смотрела.

Когда она снова повернулась к нему, он улыбался, глядя на нее снизу вверх.

— А вы всегда открываете дверь всякому, кто ни постучит?

— Я не открывала, но вы же стали ругаться.

— Значит, это все, что требуется от мужчины, — грязно выругаться.

— В этом округе вы старший офицер правоохранительных органов. Если вам нельзя доверять, кому же тогда можно? — Про себя она подумала, что скорее доверится одетому в зеленый полиэстеровый костюм торговцу подержанными машинами, чем Риду Ламберту. — И неужто впрямь было необходимо нацеплять эту штуку, отправляясь с визитом?

Взгляд ее упал на кобуру, висевшую у него на поясе. Вытянув длинные, обутые в сапоги ноги, он скрестил их в щиколотках. Сложив ладони, посмотрел на нее поверх них.

— Никогда не знаешь, когда он может понадобиться.

— А он всегда заряжен?

Рид помедлил с ответом, его взгляд опустился к ее груди.

— Всегда.

Они уже говорили отнюдь не о пистолете. Но еще больше, чем сами слова, ее смутил тон разговора. Переступив с ноги на ногу, она облизнула губы и тут только сообразила, что уже сняла макияж. Она сразу почувствовала себя совсем беззащитной. И от отсутствия косметики, и от его немигающего пристального взгляда.

— Зачем вы, собственно, явились? Отчего нельзя было подождать до завтра?

— От большого желания.

— Желания? — севшим вдруг голосом переспросила она.

Он лениво поднялся с кресла и, подойдя поближе, остановился буквально в нескольких дюймах от нее. Сунув загрубелую руку в вырез халата, он обхватил ладонью ее шею.

— Есть большое желание, — прошептал он. — Придушить тебя.

Разочарованно хмыкнув, Алекс сняла его руку и отступила на шаг. Он ее не удерживал.

— Мне позвонил судья Уоллес и рассказал, какое судебное распоряжение вы у него попросили.

Сердце у нее перестало бешено колотиться, она сердито чертыхнулась себе под нос.

— В этом городе секретов не бывает, что ли?

— Да, пожалуй, что нет.

— Кажется, мне чихнуть нельзя без того, чтобы все в округе не начали совать мне платки и салфетки.

— А как же, вы ведь фигура заметная. А вы чего ожидали, когда потребовали выкопать труп? Что все будет шито-крыто?

— Вас послушать, так это просто моя причуда.

— А разве нет?

— Неужели вы думаете, я стала бы тревожить могилу матери, если б не считала, что это крайне необходимо для разрешения загадки ее убийства? — волнуясь, спросила она. — Боже мой, неужели вы думаете, мне легко было даже выговорить эту просьбу? И с чего это судье понадобилось советоваться с вами, именно с вами, а не с другими?

— А отчего бы и не со мной? Оттого что я под подозрением?

— Да! — воскликнула она. — Крайне неэтично обсуждать данное дело с вами.

— Но ведь я шериф, вы не забыли?

— Помню это постоянно. И все равно это не повод для судьи Уоллеса действовать за моей спиной. Что это он так разволновался по поводу эксгумации тела? Может, он боится, что судебно-медицинская экспертиза выявит то, что он помог в свое время скрыть?

— Своей просьбой вы задали ему трудную задачу.

— Еще бы! Кого же он так защищает, отказываясь приоткрыть крышку гроба?

— Вас.

— Меня?

— Тело Селины эксгумировать невозможно. Ее кремировали.

Глава 12

Рид сам не понимал, почему ему вдруг вздумалось отправиться выпить в самый убогий придорожный кабачок, когда дома его ждала бутылка отличного виски. Возможно, настроение у него было под стать мрачной, угрюмой атмосфере в этой забегаловке.

На душе у него было погано.

Он дал знак бармену, чтобы тот налил еще. Бар «Последний шанс» был из тех, где наливают в использованные стаканы: новую порцию клиенту в чистом стакане не подают.

— Спасибо, — сказал Рид, наблюдая, как ему отмеряют виски.

— Потихоньку послеживаете за нами или как? — пошутил бармен.

Не двинув ни единым мускулом, Рид взглянул на него.

— Пью себе и пью. Нет возражений?

Дурацкая ухмылка исчезла.

— Да, конечно, шериф, пожалуйста.

Бармен отошел подальше, к противоположному концу стойки, и возобновил разговор с двумя постоянными и более дружелюбными посетителями.

Рид заметил, что в углу зала, в укромном месте сидят женщины. Вокруг бильярдного стола толклась троица парней; по виду и повадкам он узнал в них специалистов по тушению нефтяных фонтанов. Это публика скандальная, буйная, в перерывах между своими рискованными операциями они любят шумно гульнуть, но эти пока что вели себя вполне мирно.

В другой кабинке обнимались Клейстер Хикам и Руби Фэй Тернер. Еще утром, в кафе, Рид слышал, что Ангус уволил старого батрака. Конечно, Клейстер сотворил чертовскую глупость, но наказание, на взгляд Рида, было жестоким. Новая пассия сейчас, по всей видимости, утешала Клейстера. Входя в пивнушку, Рид приподнял шляпу, как бы приветствуя их. Они же всячески дали понять, что предпочли бы остаться незамеченными, как, впрочем, и сам Рид.

Вечер в «Последнем шансе» выдался тихий и скучный, что вполне отвечало и профессиональным, и личным интересам шерифа.

Первую порцию он проглотил, не почувствовав вкуса. Вторую отхлебывал не торопясь, ее должно было хватить надолго. Чем дольше он будет растягивать эту порцию, тем позже отправится домой. Домашнее одиночество не очень-то привлекало Рида. Как, впрочем, и пребывание в «Последнем шансе», но здесь было все же лучше. По крайней мере, в этот вечер.

Виски подействовало: по телу медленно разливалось тепло. Праздничные гирлянды, мерцающие над баром огнями круглый год, казались ярче и красивее, чем всегда. Грязь и запустение не так бросались в глаза, затуманенные алкоголем.

Почувствовав, что начал хмелеть, он решил, что сегодня больше пить не будет, — значит, этот стакан надо смаковать подольше. Рид никогда крепко не напивался. Никогда. Слишком часто в свое время приходилось убирать за стариком отцом, когда того прямо-таки наизнанку выворачивало, поэтому Рид не видел особого удовольствия в том, чтобы налакаться, как свинья.

Еще совсем маленьким он, помнится, воображал, что, когда вырастет, станет арестантом или монахом, астронавтом или ямокопателем, владельцем зверинца или охотником на крупную дичь; единственно, кем он стать не собирался, — это пьяницей. Один такой в семье уже имелся, и его хватало с избытком.

— Привет, Рид.

Женский, с придыханием, голос прервал его созерцание

янтарной жидкости в собственном стакане. Он поднял голову и сразу увидел пару пышных грудей.

На ней была обтягивающая тело черная майка, на которой блестящими алыми буквами красовалось: «Гадкая от рождения». Джинсы были ей настолько тесны, что она с трудом взгромоздилась на табурет у стойки бара. Долго тряся грудями и как бы случайно прижимаясь к бедру Рида, она долго устраивалась и наконец села. Улыбка у женщины была ослепительная, не уступавшая блеском цирконию в ее кольце, но куда менее неподдельная. Ее имя Глория, вовремя вспомнил Рид и тут же учтиво сказал:

— Привет, Глория.

— Купишь мне пивка?

— Конечно.

Он крикнул бармену, чтобы подал пива. Обернувшись через плечо, указал ей глазами на сидящую в глубине темного зала компанию ее товарок.

— Не обращай на них внимания, — сказала Глория, игриво похлопав его по лежащей на стойке руке. — После десяти часов каждая девушка — сама по себе.

— Что, дамы вышли погулять?

— Ага. — Она поднесла горлышко бутылки к лоснящимся от помады губам и отпила. — Мы было собрались в Эбилин, посмотреть новую картину с Ричардом Гиром, но погода вдруг испортилась, и мы решили — какого черта, и остались в городе. А ты чем сегодня занимался? Дежуришь?

— Отдежурил. Уже свободен.

Ему не хотелось втягиваться в разговор, и он снова поднял стакан.

Но от Глории так просто не отвяжешься. Она придвинулась к нему поближе, насколько позволял табурет, и обняла его рукой за плечи.

— Бедняжка Рид. Вот тоска-то, наверно, ездить по округе одному.

— Я же работаю, когда езжу по округе.

— Знаю, и все равно. — Ее дыхание щекотало ему ухо. От нее пахло пивом. — Чего ж удивляться, что ты такой насупленный.

Острый ноготок проехал по глубокой морщине между его

бровей. Он отдернул голову. Глория убрала руку и негромко, но обиженно вскрикнула.

— Слушай, извини, — пробормотал он. — У меня настроение не лучше нынешней погоды. Весь день работал. Умотался, видно.

Это ничуть не охладило ее, скорее наоборот.

— А может, я разгоню твою тоску, а, Рид? — робко улыбаясь, сказала она. — Я, во всяком случае, не прочь попытаться. — Она снова придвинулась поближе, зажав его руку по локоть меж своих мягких, как подушка, грудей. — Я же в тебя по уши влюблена аж с седьмого класса. Не притворяйся, что ты не знал. — Она обиженно надула губы.

— Я правда не знал.

— А я втюрилась. Но ты был тогда занят. Как же ее звали? Ту, которую тот псих в конюшне зарезал?

— Селина.

— Да-да. Ты по ней всерьез с ума сходил, правда? А когда я была в старших классах, ты уже учился в Техасском политехническом. Потом я вышла замуж, пошли дети. — Она не замечала, что он не проявляет к ее болтовне ни малейшего интереса. — Мужа, конечно, давно уж нет, дети повырастали, живут своей жизнью. Я понимаю: откуда тебе было знать, что я в тебя влюблена, верно?

— Верно, неоткуда.

Она так сильно наклонилась вперед, что, казалось, вот-вот слетит с высокого табурета.

— Может, самое время узнать, а, Рид?

Он опустил глаза на ее груди, которые дразняще терлись о его руку. Напрягшиеся соски четко вырисовывались под майкой. Этот откровенный призыв почему-то был не столь обольстителен, как босые ноги Алекс, наивно выглядывавшие из-под белого махрового халата. Сознание, что под черной майкой находится Глория и только, не очень-то его волновало; куда меньше, чем стремление выяснить, что именно скрывается под белым халатом Алекс, если там действительно что-то есть.

Он не возбудился ничуть. Отчего бы это, подумал он.

Глория была довольно хорошенькая. Черные кудри обрамляли лицо и подчеркивали темные глаза, которые сейчас искрились призывом и обещанием. Влажные губы приоткрылись, но он не был уверен, что удастся поцеловать их, не соскользнув на щеку или подбородок: их покрывал жирный слой вишневой помады. Он невольно сравнил их с теми губами — и без всякой косметики они все равно были розовые, влажные, притягательные, звавшие к поцелую без особых усилий их обладательницы.

— Мне пора идти, — вдруг заявил он.

Высвободив каблуки сапог из подножки табурета, он встал и начал рыться в карманах джинсов, ища деньги на оплату своего виски и ее пива.

— Но я думала...

— Иди-ка лучше к своим, а то все веселье пропустишь.

Тушители нефтяных фонтанов решили передвинуться поближе к женщинам; те не скрывали, что рады поразвлечься. Компаниям суждено было слиться с той же неизбежностью, с какой под утро ударит мороз. Они лишь немного медлили, предвкушая удовольствие. Впрочем, намеки вполне определенного свойства уже неслись с обеих сторон с задором и частотой, с какими на бирже выкрикивают курсы акций в особо оживленный день.

— Рад был повидать тебя, Глория.

Бросив последний взгляд на ее обиженное лицо, Рид нахлобучил шляпу на самые брови и вышел. Такое же ошеломленное, недоверчивое выражение было у Алекс, когда он сообщил ей, что тело ее матери кремировали.

Не успел он тогда произнести эти слова, как она отшатнулась к стене, судорожно прижимая ворот халата к горлу, словно отгораживаясь от какой-то беды.

— Кремировали?

— Именно. — Он следил, как бледнеет у нее лицо, тускнеют глаза.

— Я не знала. Бабушка никогда не говорила. Я и не думала.

Голос ее замер. Он по-прежнему молчал и не шевелился, полагая, что ей нужно время, чтобы переварить эту отрезвляющую информацию.

Он мысленно костерил Джо Уоллеса за то, что тот свалил на него это паскудное дело. Чертов трус позвонил ему в полном беспамятстве, хоть вяжи, скулил, нес околесицу и все спрашивал, что ему сказать Алекс. Когда Рид предложил сказать правду, судья решил, что Рид берет это на себя, и с готовностью уступил ему столь неприятную обязанность.

Бесчувствие Алекс длилось недолго. Она внезапно очнулась, будто некая поразительная мысль вернула ее к действительности.

— А судья Уоллес знал?

Рид вспомнил, как в ответ он с напускным равнодушием пожал плечами.

— Слушайте, я знаю одно: судья позвонил мне и сказал, что выполнить вашу просьбу невозможно, даже если б он и выдал такое распоряжение; но делать это он бы очень не хотел.

— Если он знал, что тело матери кремировали, почему он мне прямо об этом не сказал?

— Думаю, просто опасался неприятной сцены.

— Да, — смятенно проговорила она, — он не любит пустые хлопоты. Сам говорил. — Алекс взглянула на Рида без всякого выражения. — Он прислал вас выполнить за него грязную работу. Вас пустые хлопоты не беспокоят.

Не обращая внимания на сказанное, Рид натянул перчатки и надел шляпу.

— Известие это вас потрясло. Как, справитесь с шоком?

— Не беспокойтесь, со мной все прекрасно.

— Но вид у вас не самый прекрасный.

Ее голубые глаза были полны слез, губы чуть подрагивали. Она стиснула руками талию, будто силой заставляла себя не рассыпаться. Вот тут его и потянуло обнять ее, прижать к себе всю, с мокрыми волосами, влажным полотенцем, купальным халатом, босыми ногами — всю.

Вот тогда он шагнул вперед и, сам не понимая, что делает, властно опустил ее руки вдоль тела. Она сопротивлялась, будто хотела прикрыть ими кровоточащую рану.

Она не успела воздвигнуть эту преграду: он обхватил ее и привлек к себе. Алекс была влажная, теплая, душистая, ослабевшая от горя. Казалось, она поникла прямо у него на груди. Руки ее безжизненно опустились.

— О Господи, пожалуйста, не вынуждай меня пройти и через это, — прошептала она, и он ощутил, как затрепетали ее груди.

Она бессильно уронила голову, Рид почувствовал на своей груди ее лицо и слезы, смочившие ему рубашку. Он слегка откинул голову, чтобы ей было удобнее. Полотенце у нее размоталось и упало на пол. Возле самого лица поблескивали ее волосы, влажные и ароматные.

Теперь он твердил себе, что не целовал их, но губы его, он знал, скользнули по ним к ее виску и там замерли.

В тот миг жестокое вожделение охватило его с такой силой, что он сам удивился, как это он сумел ему не поддаться.

И он ушел, чувствуя себя последним дерьмом: сначала сообщил ей такое, а потом ускользнул, как змея. О том, чтобы остаться у нее, не могло быть и речи. Его стремление обнять ее отнюдь не было благородным порывом, он и не пытался обманывать себя на сей счет. Он жаждал наслаждения. Ту улыбку страдания и отваги он хотел крепко и жарко зацеловать.

И теперь он сыпал проклятиями над приборной доской своего «Блейзера», мчась по шоссе прочь от дома. Дворники не успевали соскребать мокрый снег, он замерзал на стекле. Для такой погоды Рид ехал слишком быстро — под колесами не дорога, а сплошной каток, — но он не сбавлял скорости.

Все это ему явно не по возрасту. Какого черта он вдруг предается сексуальным мечтам? С ним этого наяву не бывало с тех пор, как они с Джуниором занимались онанизмом, распуская слюни над порнографическими картинками. Но, сколько он помнит, никогда еще не посещали его столь яркие сексуальные видения.

Напрочь позабыв, кто такая Алекс, он представлял себе, как его руки, раздвинув белый халат, скользят по гладкому телу цвета слоновой кости; видел твердые розовые соски, мягкие золотисто-каштановые волосы. Бедра будут шелковистые, раздвинув их, он увидит нежную гладкую плоть.

Чертыхнувшись, он на миг зажмурился. Она ведь не первая встречная, которая оказалась на восемнадцать лет моложе его. Она дочь Селины, и он — бог ты мой — годится ей в папочки. Он ей не отец, но мог бы им быть. Вполне мог бы. От этой мысли его слегка замутило, но напряжение в низу живота, от которого едва не трещала ширинка на джинсах, не ослабло.

Он свернул на пустую стоянку, заглушил двигатель и взбежал по ступенькам к двери. Дернул за ручку и, поняв, что дверь заперта, забарабанил в нее обтянутым перчаткой кулаком.

Наконец дверь открылась; на пороге стояла женщина с широкой, как у голубя, грудью. На ней был длинный белый атласный пеньюар, в котором она вполне сошла бы за невесту, если бы в уголке рта у нее не торчала черная сигарета. Она держала на руках кота, лениво поглаживая его роскошный, абрикосового цвета мех. И женщина, и кот злобно смотрели на Рида.

— Какого черта вам здесь нужно? — грозно спросила она.

— Ну для чего сюда приезжают мужчины, а, Нора Гейл?

Бесцеремонно отодвинув ее, он вошел в дом. Будь на его месте кто угодно другой, он получил бы пулю в лоб из пистолета, который неизменно был засунут у нее за пояс для чулок.

— Ты, видно, не заметил: сегодня клиентов так мало, что мы закрылись пораньше.

— С каких это пор мы с тобой стали обращать на это внимание?

— С тех самых, как ты стал использовать служебное положение в личных интересах. Вот как сейчас.

— Лучше не хами мне сегодня. — Он уже поднялся по лестнице и направился к ее комнате. — Разговоры со мной водить незачем. И развлекать меня тоже ни к чему. Мне нужно потрахаться, ясно?

Упершись кулаком в широкое, но красивой формы бедро, мадам крикнула ему с насмешкой:

— А кота сначала выпустить я успею?

Заснуть Алекс не могла, лежала с открытыми глазами, когда вдруг зазвонил телефон. В такой поздний час? Она забеспокоилась. Не включая ночника, нащупала в темноте трубку и поднесла ее к уху.

— Алло, — хрипло сказала Алекс, она наплакалась, и голос сел. — Алло.

— Здрасьте, мисс Гейтер.

Сердце у нее отчаянно заколотилось от волнения, но она недовольно спросила:

— Опять вы? Надеюсь, сейчас вы намерены хоть что-то сказать, вы ведь меня разбудили, я крепко спала.

От Грега она слышала, что свидетели, не склонные давать показания, становятся более сговорчивыми, если принизить значимость того, что они имеют сообщить.

— Вы со мной нос-то не шибко задирайте. Я кой-чего знаю, что вам пригодится. И очень даже.

— А именно?

— А именно — кто укокошил вашу мамочку.

Алекс изо всех сил старалась дышать ровно.

— По-моему, вы мне голову морочите.

— Не-а.

— Тогда говорите. Кто же это?

— Вы меня, дамочка, за дурака, что ли, держите? Думаете, Ламберт вам «жучка» в телефон не поставил?

— Вы просто кино насмотрелись. — Тем не менее она с подозрением покосилась на зажатую в руке трубку.

— «Последний шанс» где — знаете?

— Найду.

— Завтра вечером. — Он назвал час.

— Как я вас узнаю?

— Я вас сам узнаю.

Она не успела больше ничего сказать, он повесил трубку. Алекс с минуту сидела на краешке кровати, глядя в темноту. Ей вспомнилось предупреждение Рида о том, что в его городке ей может не поздоровиться. Воображение стало рисовать всевозможные ужасы, которые поджидают одинокую женщину. Когда она наконец легла, ладони у нее были влажные и сна — ни в одном глазу.

Глава 13

— Ни за что не догадаетесь, что она теперь затеяла.

Шериф округа Пурселл поднес кружку с дымящимся кофе ко рту, подул и отхлебнул глоток. Кофе обжег язык, но он и внимания не обратил. Ему до зарезу требовалась доза кофеина.

— О ком мы толкуем, — поинтересовался он у помощника, который, глупо ухмыляясь, стоял в дверях кабинета; эта ухмылка чертовски раздражала шерифа. Он вообще не любил, когда ему задают загадки, а в то утро настроение у него было и вовсе не для шарад.

Мотнув головой, помощник указал на другое крыло здания.

— О поселившемся у нас прокуроре с голубыми глазками, нахально торчащими титьками и с ногами, которым конца нет.

Он звонко и смачно чмокнул губами.

Рид медленно опустил на пол ноги, лежавшие на уголке стола. Глаза его сверкнули ледяным огнем.

— Вы имеете в виду мисс Гейтер?

Помощник, хоть и не был обременен излишком серого вещества, все же понял, что зашел слишком далеко.

— Гм, ага. То есть да, сэр.

— И дальше что? — мрачно спросил Рид.

— Звонили из похоронного бюро, сэр, некий мистер Дэвис, ну так он, сэр, жуткий шум из-за нее поднял. Она сейчас там, просматривает архивы и все такое.

— *Что?*

— Да, сэр, он именно так и сказал, шериф. Прямо остервенел весь, потому что...

— Позвони ему, скажи, еду.

Рид уже натягивал куртку. Если бы помощник не отступил от двери, шериф сбил бы его, когда выскакивал из кабинета.

Ненастная погода, из-за которой закрылись школы и многие предприятия, Рида волновала мало. Если б только шел снег, это бы еще полбеды, куда хуже толстая ледяная корка, покрывшая все вокруг. К сожалению, участок шерифа обязан работать в любую погоду, в любое время дня и ночи.

Встретивший его у дверей мистер Дэвис ломал от волнения руки.

— Я уже больше тридцати лет занимаюсь своим делом, и ничего подобного — *ничего* похожего, шериф, со мной прежде не случалось. Ну, пропадали гробы. Ну, грабили меня. Меня даже...

— Где она? — рявкнул Рид, прервав причитания гробовщика.

Тот молча кивнул. Рид затопал к двери, рванул ее. Сидевшая за столом Алекс выжидательно подняла глаза.

— Ну какого черта, что вы тут делаете?

— Доброе утро, шериф.

— Отвечайте на вопрос. — Рид захлопнул дверь и прошел в комнату. — У меня тут гробовщик бьется в истерике, и все из-за вас. Как вас вообще сюда занесло?

— На машине.

— Вам нельзя ездить в такую погоду.

— И тем не менее я приехала.

— А это что такое? — Он раздраженно указал на разбросанные по столу папки.

— Архив мистера Дэвиса за тот год, когда убили мою мать. Он разрешил мне просмотреть его.

— Вы его к этому принудили.

— Ничего подобного.

— Значит, запугали. Он спросил у вас ордер на обыск?

— Нет.

— А есть у вас ордер?

— Нет. Но я могу его получить.

— Без убедительной причины — вряд ли.

— Мне нужны неопровержимые доказательства того, что тело Селины Гейтер не погребено в той кладбищенской могиле.

— Отчего бы вам не действовать разумно: скажем, взять лопату и покопать?

Тут она замолчала. Какое-то мгновение приходила в себя. Наконец проговорила:

— Вы сегодня скверно настроены. Бурно провели ночь?

— Да. Переспать-то переспал, но не очень удачно.

Она опустила глаза на заваленный бумагами стол.

— Вот как. Очень сожалею.

— О чем? О том, что я переспал с бабой?

Она вновь посмотрела на него.

— Нет, о том, что не очень удачно.

Они долго глядели друг другу в глаза. Лицо у Рида было жесткое, бугристое, как горный кряж, но ей не доводилось встречать более привлекательного лица.

Всякий раз, когда они оказывались вместе, она остро ощущала его присутствие, его тело, чувствовала, как ее тянет к нему. Она понимала, что, учитывая ее профессию и положение, тяга эта была безнравственна и опасна и вдобавок компрометировала ее как женщину. Он ведь когда-то принадлежал ее матери.

И все же как часто ей хотелось коснуться его или ощутить его прикосновение! Накануне вечером ей хотелось, чтобы он подольше обнимал ее, плачущую. Слава богу, у него хватило ума уйти.

«К кому же он ездил? — думала Алекс. — Где и когда произошла эта не давшая удовлетворения любовная встреча? До того, как он приехал ко мне в гостиницу, или после? И почему она оказалась неудачной?»

Через несколько мгновений она опустила голову и вновь взялась за папки.

Но Рид не привык, чтобы с ним обращались столь пренебрежительно; наклонившись, он взял ее за подбородок и приподнял голову.

— Я же сказал вам, что Селину кремировали.

Она вскочила на ноги.

— *После* того, как вы с судьей Уоллесом пошушукались и все обсудили. Ловко, нечего сказать.

— Вы склонны давать волю воображению.

— Отчего Джуниор, когда разыскал меня на кладбище, не сказал, что Селину кремировали? Сдается мне, она там *все-таки похоронена*. Потому я и просматриваю эти папки.

— Зачем бы мне лгать?

— Чтобы помешать мне добиться эксгумации тела.

— Опять же — зачем? Мне-то какая разница?

— А пожизненное заключение? — жестко проговорила она. — Если по данным судебно-медицинской экспертизы выяснится, что убийца — вы.

— Ах... — не найдя достаточно сильного слова, он с силой вдавил кулак в загрубевшую ладонь другой руки. — Этому, что ли, вас учат на юридическом: когда ничего не получается, хвататься за соломинку?

— Именно.

Опершись руками о стол, он наклонился к самому ее лицу.

— Вы не юрист, вы охотница за ведьмами.

Рид попал не в бровь, а в глаз: у Алекс тоже было такое ощущение. Ее отчаянный поиск улик слегка отдавал исступлением линчевателей из печально известного «комитета бдительности», вызывая отвращение у нее самой. Она села и положила руки на раскрытые папки.

Отвернувшись к окну, Алекс смотрела на зимний пейзаж. Голые ветви платанов на лужайке покрылись ледяным панцирем. Стекла в окнах чуть слышно позвякивали под ударами смерзшихся хлопьев снега. И небо, и все вокруг было унылым, мертвенно-серым. Контуры предметов размыты. Мир стал одноцветным — без света и теней.

Кое-что, впрочем, осталось черно-белым. И прежде всего закон.

— Возможно, вы были бы и правы, Рид, не будь того преступления. — Она вновь обернулась к нему. — Но преступление-то совершено. Кто-то вошел в конюшню и зарезал мою мать.

— Да. Причем скальпелем, — насмешливо заметил он. — Можете себе представить, чтобы Ангус, Джуниор или я размахивали хирургическим инструментом? Отчего тогда не убить ее голыми руками? Не задушить, например?

— Оттого, что вы слишком хитры. Кто-то из вас постарался создать впечатление, что все совершил психически неполноценный человек. — Положив руку на грудь, она проникновенно спросила: — А вы на моем месте не захотели бы выяснить, кто это сделал и зачем? Вы же любили Селину. Если ее убили не вы...

— Я не убивал.

— Разве вы в таком случае не хотите узнать, чьих это рук дело? Или вы боитесь, что убийцей окажется кто-то, кто вам тоже дорог?

— Нет, не хочу я узнавать, — решительно заявил он. — И пока у вас нет ордера на обыск...

— Мисс Гейтер? — начал мистер Дэвис, неожиданно войдя в комнату. — Вы не это вот разыскиваете? Я нашел ее в архиве, в шкафу с папками.

Алекс прочитала напечатанное на обложке имя. Бросив взгляд на Рида, она нетерпеливо раскрыла папку. Просмотрев несколько лежащих сверху бумаг, Алекс бессильно откинулась на спинку стула и хрипло сказала:

— Здесь написано, что тело было кремировано. — Чувствуя, как стынет сердце, она спросила, ни к кому не обращаясь: — Отчего же бабушка никогда про это не говорила?

— Может быть, она не придавала этому большого значения.

— Она сберегла всю одежду Селины, ее вещи. Почему же не взяла ее прах?

Вдруг она наклонилась вперед и, опершись локтями о стол, обхватила голову руками. Желудок ее резко свело. От набежавших на глаза слез жгло веки.

— Господи, вот кошмар-то, но я обязана выяснить. Обязана.

Алекс несколько раз глубоко вздохнула, открыла папку вновь и принялась листать бумаги. Прочитав одну из них, она тихо ахнула.

— Что это?

Она вынула листок из папки и протянула Риду.

— Это квитанция об оплате похоронных расходов, включая и кремацию.

— Ну и что?

— Посмотрите на подпись.

— Ангус Минтон, — негромко и вдумчиво прочел он.

— А вы об этом не знали? — Он отрицательно покачал головой. — Ангус, очевидно, оплатил расходы, однако втайне от всех. — Алекс прерывисто вздохнула и пытливо взглянула на Рида. — Интересно, почему.

А в другом конце города Стейси Уоллес вошла в комнату, служившую ее отцу домашним кабинетом. Склонившись над столом, он сосредоточенно изучал том судебного дела.

— Раз уж вы взяли выходной, судья, так отдыхайте, — ласково пожурила она.

— Формально это не выходной, — ворчливо отозвался он, с отвращением взглянув на зимний пейзаж за окном. — Давно надо было кое-что прочесть. Сегодня самый подходящий день: в суд-то я попасть не могу.

— Ты слишком много работаешь и принимаешь все чересчур близко к сердцу.

— Ничего нового ты не сказала, это все мне уже сообщила моя язва.

Стейси почуяла, что он сильно расстроен.

— Что случилось?

— Да опять эта юная Гейтер.

— Дочь Селины? По-прежнему донимает тебя?

— Вчера явилась ко мне в суд требовать распоряжение об эксгумации тела.

— О боже, — не веря ушам, прошептала Стейси. Она прижала бледную руку к горлу. — Просто изверг, а не женщина.

— Изверг или не изверг, но просьбу мне пришлось отклонить.

— Молодец.

Он покачал головой:

— У меня не было выбора. Тело же было кремировано.

Стейси помолчала, размышляя.

— Да, кажется, припоминаю. И как она отнеслась к этому известию?

— Не знаю. Рид отправился ей об этом сказать.

— Рид?

— Я вчера вечером позвонил ему. Он вызвался помочь. Сомневаюсь, что она восприняла его сообщение с полным самообладанием.

— А Ангус с Джуниором в курсе дела?

— Уверен, что в курсе. Рид им небось все рассказал.

— Возможно, — пробормотала Стейси. Она помолчала минуту, потом, стряхнув задумчивость, спросила: — Принести тебе чего-нибудь?

— Нет, спасибо, только недавно ведь завтракали.

— Горячего чайку?

— Пока не надо.

— А какао? А может, ты разрешишь мне...

— Я же сказал, Стейси, спасибо, не надо. — Ответ прозвучал резче, чем ему хотелось.

— Извини, что помешала, — удрученно сказала она. — Если понадоблюсь, я буду наверху.

Судья рассеянно кивнул и опять углубился в переплетенный в кожу том. Стейси тихо прикрыла дверь кабинета. Рука ее безжизненно скользила по перилам, когда она поднималась к себе в спальню. Ей нездоровилось. Живот у нее вздулся и болел. Утром у нее начались месячные.

В сорок с лишним лет просто смешно было страдать, словно подросток, от женских колик; Стейси даже полагала что ей надо радоваться этим регулярным кровотечениям: только это еще напоминает о том, что она женщина. Детей нет — никто не требует денег на обед и не просит помочь с уроками. Мужа тоже нет — никто не интересуется, что она приготовила на ужин, взяла ли вещи из чистки и удастся ли сегодня ночью заняться любовью.

Каждый день она горько жаловалась на судьбу, лишившую ее жизнь этой восхитительной суеты. С той же неукоснительностью, с какой иные возносят молитвы, Стейси перечисляла Господу те прелести семейного очага, которыми он ее обделил. Она жаждала услышать детский гомон и топот маленьких ног по дому. Она томилась по мужу, который будил бы ее по ночам, зарывался бы лицом в ее груди и утолял бы голод ее не знающего покоя тела.

Будто церковник, предающийся самобичеванию, Стейси подошла к комоду, открыла третий ящик и вынула альбом с фотографиями в переплете из белой тисненой кожи.

Она благоговейно открыла альбом. С нежностью стала перебирать одну за другой драгоценные реликвии: свою пожелтевшую фотографию, вырезанную из газеты, квадратную бумажную салфеточку, где в уголке серебряными буковками были выведены два имени, осыпающуюся розу.

Она листала альбом, разглядывала снимки под полиэтиленовыми креплениями. Люди, позировавшие перед камерой у алтаря, с годами изменились мало.

Проведя почти час в мазохистских мечтаниях, Стейси закрыла альбом и положила его обратно в заветный ящик. Сбросив туфли, чтобы не запачкать одеяла, она легла, свернулась калачиком и, взяв подушку, прижала ее к себе, как возлюбленного.

Из глаз ее покатились жгучие горькие слезы. Она шептала чье-то имя, настойчиво, без устали. С силой вдавила ладонь в низ живота, чтобы ослабить боль в пустующей утробе, познавшей однажды его тело, но не его любовь.

Глава 14

— Вот так так, черт возьми, вы, да еще и вместе? — озадаченно воскликнул Джуниор, переводя взгляд с Алекс на Рида и обратно.

Потом, пошатнувшись под порывом ветра, отошел от двери и заторопил их:

— Проходите же. Я представить не мог, кого это несет в такую погоду. Тебе, Рид, надо бы сходить к психиатру: виданное ли дело, тащить Алекс невесть куда.

На нем были старенькие джинсы с протертыми до дыр коленями, хлопчатобумажный свитер и толстые белые носки. Было видно, что встал он недавно. В одной руке он держал кружку с дымящимся кофе, в другой — дешевенький роман в бумажном переплете. Волосы трогательно взъерошены. На подбородке темнеет щетина.

Он уже оправился от изумления и улыбнулся Алекс. Потрясающе привлекателен, подумала она, не сомневаясь, что с нею согласилось бы большинство женщин. Этакий богатый, ленивый, сексуальный, растрепанный, домашний и милый мужчина. Хотелось окружить его заботой и уютом; судя по томной улыбке, он как раз предавался ленивой неге, когда они пришли.

— Я ее сюда не тащил, — обиженно сказал Рид. — Все было как раз наоборот.

— Я-то хотела приехать одна, — поспешно вставила Алекс.

— Ну, а я не захотел, чтобы вы пополнили собой сводку дорожных происшествий в моем округе, — громко и резко заявил он.

Повернувшись к Джуниору, который озадаченно наблюдал за их перепалкой, Рид сказал:

— Короче говоря, я привез ее сюда потому, что она твердо вознамерилась ехать, а я боялся, что она разобьется или, хуже того, задавит кого-нибудь — немудрено на нынешних дорогах. Вот мы и приехали вместе.

— Да я вам чертовски рад, — сказал Джуниор. — Я уж приготовился было проскучать весь день в одиночестве. В гостиной у меня вовсю горит камин и все приготовлено для горячего пунша. Прошу. — Он было двинулся вперед, но вдруг обернулся и сказал: — Ой-ой, Рид, ты же знаешь, как мама не любит, когда следят по паркету. Сними-ка лучше сапоги.

— Черт с ними. А Лупе на кухне? Пойду попробую к ней подлизаться, может, соорудит какой-никакой завтрак.

Пренебрегая драгоценным паркетом Сары-Джо, он затопал в заднюю часть дома с таким видом, будто все еще там жил.

Алекс смотрела ему в спину, пока он не вышел из комнаты.

— Он сказал подлизаться? — саркастически спросила она.

— Да, сегодня он в прекрасном настроении, — беспечно отозвался Джуниор. — Вы бы видели его, когда он всерьез разозлится. Предоставьте Рида заботам Лупе. Она знает, как сварить ему яйца по вкусу. А поев, он сразу отойдет.

Алекс позволила ему снять с нее меховой жакет.

— Надеюсь, мы не слишком помешали.

— Какого черта, конечно, нет. Я ничуть не шутил, когда сказал, что рад вам. — Он обнял ее рукой за плечи. — Давайте...

— Собственно говоря, — движением плеч Алекс сбросила его руку, — это вовсе не светский визит.

— Деловой, да?

— Да, и огромной важности. Ангус дома?

— У себя. — Улыбка у него стала напряженной.

— Он занят?

— Вряд ли. Пошли, я вас проведу.

— Не хочется отрывать вас от книги.

Он с сомнением взглянул на обложку с изображением пылкой парочки.

— Ничего. Да к тому же она до того однообразна, что тоска берет.

— А про что роман?

— О путешествиях одного выдающегося самца по голливудским спальням, принадлежащим как женщинам, так и мужчинам.

— Вот как? — с притворным интересом сказала Алекс. — Можно будет взять, когда вы прочтете?

— Ай-ай, стыд какой, — вскричал он. — Да ведь это будет развращение малолетней, а?

— Уж не настолько вы старше меня.

— По сравнению с Ридом или мною вы сущий младенец, — сказал он, распахивая перед ней дверь в отцовский кабинет. — Папа, к нам гости.

Ангус оторвался от газеты. За считанные секунды удивление на его лице сменилось досадой, а затем улыбкой.

— Здравствуйте, Ангус. Я знаю, сегодня все отсыпаются по домам, а я нежданно вторгаюсь — мне очень жаль.

— Ничего, ничего. Особых дел все равно нет. Невозможно даже скакунов вывести на воздух: земля-то замерзла. — Он поднялся из обитого красной кожей кресла с откидной спинкой и подошел к Алекс поздороваться. — Вы как солнечный зайчик в сумрачный день, это уж точно, а, сын?

— Я ей примерно то же самое говорил.

— Но, как я уже сказала Джуниору, — поспешно вставила она, — это вовсе не светский визит.

— Да? Садитесь, садитесь. — Движением руки Ангус указал на кожаный диванчик на двоих.

— Я только...

— Нет, я бы хотела, чтобы вы остались, — сказала Алекс, прежде чем Джуниор успел ретироваться. — Это касается нас всех.

— Ладно, тогда выкладывайте.

И Джуниор оседлал туго набитый подлокотник диванчика.

— Я вчера опять говорила с судьей Уоллесом.

Алекс показалось, что оба ее собеседника напряглись, но впечатление это было столь мимолетным, что могло ей просто почудиться.

— И был на то повод? — спросил Ангус.

— Я хотела, чтобы провели эксгумацию тела моей матери.

На этот раз трудно было ошибиться в том, как они восприняли ее слова.

— Господи, милая, за каким чертом вам это понадобилось? — содрогнулся Ангус.

— Алекс? — Джуниор взял ее руку, положил себе на бедро и стал растирать. — Это уж, пожалуй, слишком, не находите? Прямо ужас какой-то.

— Так и дело ведь ужасное, — напомнила она, убирая руку с его бедра. — Во всяком случае, вам наверняка известно, что просила я о невозможном. Ведь тело матери было кремировано.

— Верно, — произнес Ангус.

— Почему?

В слабо освещенной комнате глаза ее сверкали и казались

ярко-синими. Отражавшееся в них пламя камина придавало им выражение сурового укора.

Ангус вновь уселся в кресло и ссутулился, будто обороняясь от нападок.

— Это казалось тогда наилучшим выходом из положения.

— Как это? Не понимаю.

— Ваша бабушка собиралась уехать с вами из города, как только будут завершены все формальности. Она этого не скрывала. Вот я и решил кремировать тело Селины, полагая, что Мерл захочет взять... гм... останки с собой.

— *Вы* решили? А по какому праву, Ангус? По чьему распоряжению? Отчего именно вам была предоставлена возможность решать, что делать с телом Селины?

Он недовольно насупил брови.

— Вы, верно, полагаете, что я распорядился ее кремировать, чтобы уничтожить улики?

— Не знаю! — воскликнула она, поднимаясь с диванчика.

Она прошла к окну и стала смотреть на пустующие паддоки. Из дверей конюшен пробивался свет; там чистили, кормили, тренировали лошадей. Она досконально изучила деятельность концерна «Минтон энтерпрайсиз». Ангус вложил в него миллионы. Почему он отмалчивается? Потому что многим рискует, если она добьется передачи дела в суд? Или потому, что виновен? А может, из-за того и другого?

В конце концов она повернулась к мужчинам:

— Теперь, задним числом, вы не можете не признать, что этот ваш поступок выглядит весьма странно.

— Я только хотел освободить Мерл Грэм от этих забот. Считал это своим долгом, потому что ее дочь убили на моей земле. Мерл обезумела от горя, а ведь вы остались на ее попечении. Если мои действия вызывают сейчас подозрения, тем хуже, черт побери; но если б сегодня пришлось принимать решение, то я поступил бы точно так же.

— Не сомневаюсь, что бабушка была признательна за все, что вы сделали. Очень бескорыстно с вашей стороны.

Ангус проницательно взглянул на нее и сказал:

— Но вам, к сожалению, не верится, что поступок был совершенно бескорыстным.

Она посмотрела ему прямо в глаза:

— Да, к сожалению, не верится.

— Я уважаю вашу откровенность.

На минуту в комнате воцарилась тишина, слышалось лишь мирное потрескивание горящих поленьев. Алекс нарушила неловкое молчание:

— Не понимаю, почему бабушка не забрала прах с собой.

— Я и сам об этом думал — я ведь предложил ей взять его. Мне кажется, потому, что она не могла примириться со смертью дочери. Урна с прахом — это осязаемое доказательство того, с чем она была не в силах смириться.

Зная одержимость бабушки всем тем, что было связано с жизнью Селины, Алекс сочла его объяснение убедительным. Кроме того, если только Мерл не выйдет из коматозного состояния — и тогда Алекс сможет задать ей свой вопрос, — выбора у нее не было, приходилось принять на веру то, что говорил Ангус.

Он рассеянно потирал сквозь носок большой палец на ноге.

— Мне в голову не пришло захоронить ее пепел в каком-нибудь мавзолее. Я всегда ненавидел всяческие склепы и усыпальницы. Страшненькие, черт побери, заведения. От одной мысли о них мурашки по коже. Ездил я как-то в Новый Орлеан. Все эти бетонные надгробия, возвышающиеся над землей... бр-р-р.

Он затряс головой от отвращения.

— Я не боюсь смерти, но, когда помру, хочу опять стать частицей жизни. Праху место во прахе. Таков естественный ход вещей. Поэтому мне показалось уместным купить участок на кладбище и похоронить прах Селины в земле, на которой она выросла. Вы, Алекс, небось думаете: вот старый чудак, но я тогда так считал и теперь считаю так же. Я никому ничего не рассказывал — неловко было. Такая вот, знаете, вдруг чувствительность,

— А почему было не рассеять прах где-нибудь?

Он потянул себя за мочку уха, обдумывая вопрос.

— Я думал об этом, но решил: а вдруг в один прекрасный день вы явитесь и захотите посмотреть, где похоронили вашу маму.

Алекс почувствовала, что прежняя напористость покидает ее, плечи опускаются. Потупив голову, она не сводила глаз с носков своих замшевых сапожек, еще мокрых от сырого снега.

— Вы, наверно, сочли меня вампиром каким-то за то, что я хотела вскрыть ее могилу. Рид так и заключил.

Ангус только отмахнулся.

— Рид обожает резать правду-матку. Бывает, и ошибается. Она прерывисто вздохнула.

— На сей раз точно ошибся. Поверьте, даже подумать об этом мне было трудно, не то что просить. Просто мне казалось, что тщательная судебно-медицинская экспертиза могла бы пролить свет...

Голос ее замер. Продолжать не хватало силы воли и убежденности. Вчера она думала, что эксгумация, возможно, даст необходимые вещественные улики. Выяснилось, что от истины она, Алекс, по-прежнему далека, а все ее старания свелись к тому, что она лишь разбередила и измучила и себя, и окружающих.

Объяснение Ангуса представлялось чертовски убедительным и бесхитростным. Целиком оплатить похороны, взять на себя все формальности — то был акт неподдельного милосердия, призванный смягчить горькую долю бабушки и облегчить ей бремя материальных расходов.

Алекс искренне хотела поверить в это. Ей, дочери Селины, такой оборот дела был только приятен. Но как следователь она осталась ни с чем, все ее усилия оказались тщетными, и оттого в ней зрело подозрение, что тут что-то нечисто.

— Вы готовы возвращаться в город или как?

Рид стоял в дверях, прислонившись к косяку, и вызывающе перебрасывал зубочистку из одного угла рта в другой. Может быть, он и позавтракал, но по тону вопроса она поняла, что его скверное настроение не переменилось.

— Готова, если вы соблаговолите меня отвезти.

— Прекрасно. Чем скорее я вернусь на работу, тем лучше. Должен же кто-то пасти этих чокнутых сукиных детей, которые ездят в этакую непогоду.

— Но раз уж вы здесь, почему бы не провести денек у камина? — обращаясь к Алекс, предложил Джуниор. — Сделали бы себе воздушной кукурузы. Селина ее очень любила. Может, уговорили бы Лупе дать нам миндаля в сахаре. А потом, когда дороги расчистят, я бы отвез вас в гостиницу.

— Спасибо, это было бы чудесно, но меня ждет работа.

Он стал ее мило упрашивать, но она была непреклонна. Минтоны проводили ее с Ридом к выходу. Сары-Джо Алекс так и не видела. Если та даже и знала о присутствии в доме гостей, спуститься к ним она не пожелала.

Когда они шли по коридору, Ангус взял Алекс под руку и тихо сказал:

— Я понимаю, милая, вам приходится нелегко.

— Да уж.

— Есть что-нибудь новое о здоровье бабушки?

— Я каждый день справляюсь в лечебнице, но пока все без перемен.

— Если что будет нужно, сразу звоните, слышите?

Алекс посмотрела на него с искренним смущением.

— Ангус, почему вы ко мне так добры?

— В память о вашей маме и потому, что вы мне нравитесь, а главное — потому, что нам нечего скрывать.

Когда он ей улыбнулся, Алекс сразу поняла, от кого Минтон-младший унаследовал свое обаяние. Тем временем Джуниор разговаривал с Ридом. Алекс услышала, как Рид сказал:

— Вчера вечером наткнулся в «Последнем шансе» на одну твою старую приятельницу.

Услышав название кабачка, где ей на сегодня была назначена встреча, Алекс навострила уши.

— Правда? — откликнулся Джуниор. — И кто же это?

— Глория, как там ее. Забыл ее фамилию по мужу. Черные кудряшки, темные глаза, большие сиськи.

— Глория Толберт. Как она выглядит?

— Сексуально озабоченной.

Джуниор издал пошлый, чисто мужской смешок.

— Похоже на Глорию. Чтобы ее ублажить, нужен крепкий мужик.

— Тебе виднее, — пошутил Рид.

— Ну и что вчера было, а, шельмец ты везучий? В конце концов милашка Глория засияла довольной улыбкой?

— Ты же знаешь, я своих любовных похождений не обсуждаю.

— Эта твоя особенность меня чертовски бесит.

Алекс обернулась, и в этот момент Джуниор шутливо

ткнул Рида в живот. Кулак его отскочил, будто он ударил в барабан.

— И это все, на что ты способен, старина? — поддел его Рид. — Признайся, Минтон, ты теряешь форму.

— Черта с два, — размахнувшись, тот направил кулак Риду в голову. Рид успел увернуться и попытался ударить Джуниора сапогом под колено. Они повалились на стоявший в холле столик, чуть не сбросив с него керамическую вазу.

— Ладно, ребята, кончайте, пока чего-нибудь не разбили. — Голос Ангуса звучал снисходительно, словно перед ним были малыши из начальной школы.

Алекс и Рид оделись, он открыл дверь. Ледяной вихрь ворвался в холл. Джуниор спросил:

— Вы уверены, что вам никак нельзя остаться у нас, в тепле и уюте?

— Боюсь, никак, — ответила Алекс.

— Вот черт. Что ж, тогда до свидания.

Он сжал ее руку в своих ладонях и поцеловал в щеку.

Отец с сыном наблюдали, как Рид ведет Алекс по обледенелой мощеной дорожке к своему «Блейзеру». Он помог ей сесть в машину, потом обошел автомобиль и легко взлетел на водительское место.

— Бр-р-р! — Джуниор закрыл дверь. — Выпьешь пуншу, папа?

— Пока нет. — Ангус нахмурился. — В такую рань ни к чему.

— С каких это пор ты смотришь на часы, когда хочется выпить?

— Зайди-ка ко мне. Я хочу с тобой поговорить. — Прихрамывая, оберегая больной палец, он повел сына в кабинет. — Подбрось дров в огонь, хорошо?

Когда пламя уже лизало новые поленья, Джуниор повернулся к отцу.

— Так о чем речь? Надеюсь, не о делах. Я официально беру выходной.

Он зевнул и потянулся, как привыкший к неге кот.

— Об Алекс Гейтер.

Джуниор опустил руки и насупился:

— Когда она приехала, то так и кипела по поводу этих похоронных дел, правда? Но ты ее все-таки привел в себя.

— Я всего лишь рассказал ей, как было дело.

— У тебя это прозвучало очень убедительно, не хуже, чем ловкая ложь.

— Можешь ты хоть раз быть серьезным? — взревел Ангус. На лице Джуниора отразилось недоумение.

— Я, по-моему, вполне серьезен.

— Слушай меня, — сурово начал Ангус, наставив на него палец. — Только круглый дурак будет шутки шутить, глядя, как она упорно докапывается до сути. Пускай она красотка — за дело она взялась очень основательно. Алекс только с виду мягкая. Когда речь идет об этом убийстве, она — кремень.

— Понимаю, — угрюмо сказал Джуниор.

— Спроси Джо Уоллеса, если не веришь.

— Верю, верю. Просто из-за внешности мне трудно воспринимать ее всерьез.

— Ах, ему трудно, видали? А я вот что-то не заметил, чтобы ты попытался ее охмурить.

— Я же тогда пригласил ее к нам выпить рюмочку, и она приехала.

— Что ты предпринял потом?

— А что ты хочешь, чтобы я предпринимал? Увивался возле нее, как последний сопляк? С цветочками-шоколадками?

— Да, черт тебя подери!

— Она на это ни за что не клюнет, — фыркнул Джуниор, — даже если я буду совершенно серьезен.

— Слушай, что я тебе скажу, парень. У тебя сейчас не жизнь, а малина. Каждый год на блюдечке подают новый «Ягуар», носишь часы «Ролекс», утыканные бриллиантами, ездишь кататься на горных лыжах, на морскую рыбалку и на скачки, когда только вздумается, да еще играешь по-крупному. Но девочка эта прет напролом, она нас разорит. Да-да, — сказал он, угадав, о чем думает помрачневший сын — очень может быть, что тебе придется первый раз в жизни подыскивать себе работу.

Ангус сдержал гнев и продолжал более дружелюбно:

— У нее нет ни малейших шансов раздобыть улики. Думаю, она это понимает. Вот и мечет стрелы наугад, надеясь попасть кому-то из нас в задницу. Остается верить, что рано или поздно рука у нее устанет.

Джуниор закусил губу и хмуро сказал:

— Довести дело до суда ей, наверное, нужно не меньше, чем нам — построить ипподром. Для нее это был бы большой успех. Карьера ей тогда обеспечена.

— Дьявольщина, — пробурчал Ангус. — Ты же знаешь, как я к таким бабам отношусь. Терпеть не могу эти дерьмовые игры вокруг карьеры. Женщинам не место в суде.

— Куда же ты их всех денешь? В спальни?

— А что в том плохого?

Джуниор издал короткий смешок.

— Я-то с тобой спорить не стану, но, думаю, с тобой охотно поспорили бы миллионы работающих женщин.

— Возможно, Алекс и не задержится в прокуратуре. Не удивлюсь, если выяснится, что ее карьера зависит от исхода этого расследования.

— Что ты хочешь сказать?

— Я Грега Харпера отлично знаю. Честолюбец, спит и видит себя в кресле генерального прокурора штата. Обожает, чтобы его подчиненные добивались обвинительных приговоров. По моим догадкам, он позволил Алекс вести расследование потому, что чует кровь, нашу кровь. И если в этом деле об убийстве нам прищемят хвост, его имя попадет во все газеты и торжеству его не будет конца: они с губернатором ведь друг друга не жалуют. Губернатора же ткнут мордой об стол, так же как и комиссию по азартным играм. Зато если Алекс не удастся докопаться до наших секретов, тогда землю есть придется Харперу. Чем такое терпеть, он лучше выкинет Алекс с работы. А мы тут как тут, с распростертыми объятиями — подхватим, когда будет падать, — говорил он, размахивая для убедительности кулаком.

— У тебя, я смотрю, все уже спланировано, — сухо заметил Джуниор.

Ангус сердито хмыкнул.

— Да, черт возьми, верно. Хоть одному из нас надо думать не только о том, что спрятано у нее под свитером.

— Мне казалось, эту сторону дела ты поручил мне.

— Тут шевелиться надо, а не глазеть издалека да слюни распускать. Сейчас самое лучшее для Алекс — завести любовника.

— Почем ты знаешь, может, у нее уже есть?

— В отличие от тебя я ничего не пускаю на самотек. Специально выяснял. Разузнал про нее все.

— Ну, ты хитрюга! Тебя на мякине не проведешь, — с невольным восхищением прошептал Джуниор.

— Гм. Надо знать, сынок, какие карты на руках у противника, иначе и с козырями проиграешь.

Под веселый треск дров в камине Джуниор обдумывал то, что сказал Ангус. Потом, прищурившись, посмотрел на отца.

— И куда же, по твоему плану, приведет эта связь? К браку? Ангус хлопнул сына по колену и хохотнул.

— Это было бы не так уж и плохо.

— Ты бы одобрил?

— Отчего ж нет?

Джуниор не рассмеялся. Он подвинул стул поближе к камину, словно избегая отцовского прикосновения и поощряющей улыбки. Рассеянно поворошил горящие поленья.

— Удивительно, — тихо произнес он. — Селина не казалась тебе достойной женой для меня. Я же помню, какой шум ты поднял, когда я заявил, что хочу на ней жениться.

— Да ведь тебе тогда было всего восемнадцать! — закричал Ангус. — А Селина была вдовой с ребенком на руках.

— Верно. С Алекс на руках. И смотри, какая девушка выросла. Могла бы быть моей падчерицей.

Брови Ангуса сошлись на переносице. По ним можно было точно определять его состояние духа. Чем острее угол между бровями, тем больше он разозлен.

— Были и другие соображения.

Сын резко обернулся.

— Какие же?

— Все это случилось двадцать пять лет назад в другое время, с другим человеком. Алекс не то, что ее мать. Она красивее и не в пример умнее. Если бы ты хоть наполовину оправдал надежды и был бы настоящим мужиком — например, в виде исключения подумал бы головой, а не пипкой, — ты бы смекнул, как важно нам переманить ее на свою сторону.

Джуниор покраснел от гнева.

— *Это-то* я понимаю. Но прежде чем начать ухаживать, я счел нужным удостовериться, что на сей раз, черт возьми, ты возражать не будешь. Хочешь верь, хочешь нет, но Селину я любил. И если начну волочиться за Алекс, я могу и в нее влюбиться. По-настоящему. Не ради тебя, не ради корпорации, а для себя самого.

Он шагнул к двери, Ангус резко окликнул его. Повинуясь привычке, Джуниор остановился и обернулся.

— Ты обиделся, сынок?

— Да! — крикнул тот. — Я уже не мальчик, я взрослый мужчина. Нечего меня натаскивать. Сам прекрасно знаю, как обращаться с Алекс, да и с любой женщиной.

— Ах вот, значит, как? — вкрадчиво спросил Ангус.

— Да так.

— Тогда почему Алекс сегодня от тебя уехала с Ридом?

Стоя у приоткрытой двери спальни, Сара-Джо подслушивала этот бурный разговор. Когда Джуниор проскользнул в гостиную и оттуда донеслось позвякивание стаканов, она беззвучно прикрыла дверь в свое неприкосновенное убежище и прислонилась к ней спиной. Грудь ее исторгла тяжкий, отчаянный вздох.

Все начиналось заново.

Видимо, нет спасения от этого кошмара. Сыну опять разобьют сердце, теперь уже дочь Селины займется этим: она встанет между Джуниором, его отцом и лучшим другом. История повторялась вновь. Весь дом пошел вразнос, и все из-за этой девчонки.

Сара-Джо сознавала, что второй раз ей такой драмы не вынести. Наверняка не вынести. В тот первый раз ей не удалось уберечь сына от душевной травмы. И теперь тоже не удастся.

Сердце ее разрывалось.

Глава 15

В «Последнем шансе» ее запросто могли избить, изнасиловать или убить — и все это в любых сочетаниях. Не говоря уж о том, как она рисковала, когда ехала туда, а потом обратно в гостиницу по обледенелой дороге. К счастью, она вернулась невредимой, только в страшном раздражении.

Войдя в номер, Алекс швырнула сумку и жакет на кресло. Она злилась на себя за то, что поддалась на явный обман и стала гоняться за фантомом. Узнай Грег Харпер, что она проявила такую доверчивость, насмешкам конца не будет.

Днем она позвонила Грегу. Ее розыски оставили его равнодушным, и он снова попытался уговорить ее оставить прошлое в покое и вернуться в Остин. Она напомнила, что у нее еще не вышел срок, отпущенный им на расследование.

Грег был явно недоволен отсутствием результатов; тем больше надежд она возлагала на тайную вечернюю встречу с незнакомцем. Грег посмотрел бы на дело совсем иначе, если бы ей удалось раздобыть свидетеля убийства.

Поставив машину на стоянку возле бара, она сразу поняла, что ничего хорошего от этой забегаловки ждать не приходится. Над входом то загоралась, то гасла традиционная техасская звезда, но в ней не хватало трех лампочек. Алекс замешкалась на пороге, не решаясь войти внутрь.

Все головы в зале повернулись к ней. Мужчины, грубые и неотесанные, сделали на нее стойку, как койоты на свежатину. Женщины, на вид еще более грубые и неотесанные, смотрели на нее с неприкрытой враждебностью, как на возможную соперницу. Ее подмывало повернуться и убежать, но, вспомнив, зачем она приехала, Алекс смело двинулась к бару.

— Белого вина, пожалуйста.

Заказ вызвал сдержанное хихиканье у всех, кто его слышал. Взяв бокал, она прошла в кабинку и села на скамью, с которой удобнее всего было обозревать зал. Отхлебывая в некотором смущении вино, она переводила взгляд с одного лица на другое, пытаясь определить, какое же из них принадлежит звонившему.

И тут, к своему ужасу, Алекс поняла, что некоторые мужчины истолковали ее внимательные взгляды как приглашение. С той минуты поле обзора ограничилось для нее донцем ее бокала; она мечтала лишь об одном: чтобы ее осведомитель поторопился и, подсев к ней, положил конец томительному ожиданию. Одновременно она и страшилась встречи с ним. Если он сидит среди этой компании, то вряд ли ей будет особенно приятно с ним познакомиться.

Стучали и щелкали бильярдные шары. Она сверх всякой меры наслушалась музыки в стиле «кантри», исполняемой

Джорджем Стрейтом и Вейлоном Дженнингсом. Всласть надышалась табачным дымом, хотя и не курила. И по-прежнему сидела одна.

Наконец мужчина, выпивавший у стойки, когда она вошла, сполз с табурета и двинулся по направлению к ее кабинке. Он не спешил: по дороге остановился у музыкального автомата, выбирая пластинки по вкусу, постоял возле бильярдного стола, чтобы поддразнить промазавшего игрока.

Казалось, он бродит бесцельно, наугад, но взгляд его то и дело останавливался на ней. Она напряглась. Интуиция подсказывала ей, что его блуждания закончатся именно в ее кабинке.

Так и произошло. Он прислонился бедром к спинке расположенной напротив нее скамьи и, поднеся ко рту бутылку пива, улыбнулся ей.

— Ждете кого?

Голос был вроде бы другой, но ведь оба раза, когда он звонил, он разговаривал шепотом.

— Вы же знаете, что жду, — вполголоса холодно ответила она. — Что вы столько времени не шли?

— Храбрости набирался, — сказал он, шумно глотнув еще пива. — Ну, теперь я пришел, может, потанцуем?

— Потанцуем?

— Ага, потанцуем. Знаете, раз, два, три.

Горлышком бутылки он сдвинул ковбойскую шляпу на затылок и оценивающе посмотрел на Алекс.

Она ответила резко и холодно:

— Вы же, кажется, хотели поговорить.

С минуту он ошарашенно молчал, потом на лице медленно возникла хитрая ухмылка.

— Да поговорим, сколько душе угодно, лапочка. — Он поставил бутылку на стол и протянул руку к Алекс. — Мой грузовик у самых дверей стоит.

Да это просто ковбой в поисках приключения! Алекс не знала, плакать ей или смеяться. Поспешно собрав вещички, она направилась к двери.

— Эй, погоди. Куда же ты?

Она оставила его и всех остальных завсегдатаев «Последнего шанса» в полном недоумении. Теперь у себя в номере, шагая взад-вперед по потертому ковру, она последними словами ругала себя за глупость. Алекс не исключала, что Рид или один из Минтонов дал безработному ковбою несколько долларов, чтобы тот позвонил ей и тем сбил ее со следа. Она несколько минут не могла успокоиться, и тут вдруг зазвонил телефон. Она схватила трубку.

— Алло.

— Вы думаете, я спятил, что ли? — просипел знакомый голос.

— Где вы были? — закричала она. — Я чуть не час просидела в этом грязном кабаке.

— А шериф тоже все время был там?

— О чем вы говорите? Не было там Рида.

— Слушайте, дамочка, я знаю, сам видел. Я приехал туда, когда вы входили в бар. Рид Ламберт ехал за вами следом. Он, правда, проскочил и чуть подальше развернулся. Я и останавливаться не стал. Ни к чему, чтобы Ламберт видел, как мы с вами шушукаемся.

— Рид ехал за мной?

— Да, черт возьми. Вот уж не думал, когда звонил вам, что какой-нибудь законник, а тем более Ламберт, будет следить за каждым моим шагом. Его же с Минтонами водой не разольешь. Есть у меня большое желание послать всю эту затею ко всем чертям.

— Нет-нет, не надо, — поспешно сказала Алекс. — Я понятия не имела, что Рид вьется поблизости. Давайте встретимся где-нибудь еще. В другой раз я позабочусь, чтобы меня не выследили.

— Ну тогда...

— Но если то, что вы хотите сообщить, не настолько уж важно...

— Видел я, кто это сделал, так-то.

— Тогда — где встречаемся? И когда?

Он назвал другой бар, видимо, с еще более сомнительной репутацией, чем «Последний шанс».

— На этот раз не входите. С северной стороны будет стоять красный пикап. Я буду там.

— Я приеду, мистер... Гм, не скажете ли хоть, как вас зовут?

— Не-а.

Он повесил трубку. Алекс чертыхнулась. Вскочив с кровати и подойдя к окну, она резким движением опытного тореадора раздвинула шторы.

Увидев под окнами лишь собственную машину, она почувствовала себя очень глупо. Знакомого черно-белого «Блейзера» поблизости не было. Она задвинула шторы, снова подошла к телефону и, сердито тыча пальцем, набрала номер. Она так разозлилась на Рида за то, что он спугнул свидетеля, что ее трясло.

— Участок шерифа.

— Мне нужно поговорить с шерифом Ламбертом.

— Его рабочий день кончился, он уехал, — сообщили ей. — Что-нибудь срочное?

— Вы знаете, где он?

— Дома, наверное.

— Дайте, пожалуйста, номер.

— Его давать не положено.

— Это мисс Гейтер. Мне необходимо сегодня же поговорить с шерифом. Очень важное дело. Я могу узнать номер его телефона и у Минтонов, но мне не хотелось бы их беспокоить.

Имена этих важных лиц сотворили чудо. Ей незамедлительно дали нужный номер. Она намеревалась тотчас же положить конец этой подлой слежке.

Ее решимость растаяла, когда она услышала в трубке женское контральто.

— Какая-то женщина тебя спрашивает.

Нора Гейл протянула трубку Риду. Ее подрисованные брови вопросительно изогнулись. Рид в это время подбрасывал поленья в камин. Он вытер руки о джинсы и, притворяясь, что не замечает написанного на ее лице вопроса, взял трубку.

— Да? Ламберт у телефона.

— Это Алекс.

Рид повернулся к гостье спиной.

— Что вам нужно?

— Мне нужно знать, почему вы преследовали меня сегодня вечером.

— Откуда вам это известно?

— Я... я вас видела.

— Нет, не видели. Какого черта вас занесло в этот притон?

— Заехала выпить рюмочку.

— И для этого выбрали «Последний шанс»? — насмешливо спросил он. — Детка, вы не очень-то похожи на тамошних завсегдатаев. Этот уголок застолбили за собой подонки, крутые ребятки, которые норовят поразвлечься с сексуально неудовлетворенными домохозяйками. Следовательно, либо вы поехали туда, чтобы найти с кем переспать, либо же на тайную встречу. Какая из этих двух версий верна?

— Я туда заехала по важному делу.

— Значит, с кем-то встречались. С кем? Благоразумнее сказать мне, Алекс, потому что тот, кого вы ждали, испугался, завидев меня.

— Тем самым вы признаете, что следили за мной?

Рид упрямо молчал.

— Этим вопросом, в числе многих других, мы займемся завтра же.

— Извините. Завтра у меня выходной.

— Но это очень важно.

— Возможно — с вашей точки зрения.

— Где вы будете?

— Я сказал «нет», госпожа прокурор.

— У вас нет выбора.

— Черта с два. Завтра я не работаю.

— Ну а я работаю.

Он чертыхнулся и раздраженно выдохнул в трубку так, чтобы она слышала:

— Если лед завтра растает, я буду у Минтонов, на тренировочной дорожке.

— Я вас разыщу.

Не ответив, он бросил трубку. Его вопрос застал ее врасплох, это ясно. Он же слышал: у нее аж дух захватило, когда он спросил, откуда ей известно, что он ехал за нею. А тот, с кем она хотела встретиться, дал деру. Кто же это? Джуниор? Рид был неприятно удивлен, осознав, до какой степени его раздражает сама мысль об этом.

— Кто звонил? — спросила Нора Гейл, поправляя роскошную белую норковую шубку. Под ней был вышитый бисером свитер с большим вырезом. Нора так заполняла его, что целиком едва помещалась. В складке между грудями покоился опал размером с серебряный доллар. На этой великолепной подушке его поддерживала золотая цепочка шириной в полдюйма, усеянная сверкающими бриллиантиками. Она вытащила черную сигарету из золотого портсигара довольно высокой пробы. Рид взял со стола такую же золотую зажигалку и поднес ее к кончику сигареты. Нора прикрыла пламя ладонью. На ее пухлой холеной руке блеснули кольца. — Спасибо, золотко.

— Не за что.

Он бросил зажигалку на кухонный стол и опять сел в кресло напротив нее.

— Это звонила дочь Селины, да?

— Допустим, ну и что?

Наморщив рубиново-красные губы, она направила струю дыма к потолку.

— У нее небось уши горят. — Опустив руку, Нора указала сигаретой на лежавшее на столе письмо. — Что ты об этом думаешь?

Рид взял письмо и прочел его заново, хотя и с первого раза смысл его был ясен как дважды два. Александру Гейтер настоятельно просили немедленно и навсегда прекратить свое расследование. Ей решительно рекомендовали воздержаться от любых попыток начать уголовное преследование Ангуса Минтона, Джуниора Минтона и Рида Ламберта.

Каждому из них в письме давалась самая лестная характеристика; в конце стояли подписи группы обеспокоенных граждан города, в том числе и гостьи Рида. Обеспокоены они были не только судьбой своих достойных сограждан, оказавшихся объектами расследования, но и собственной судьбой, а также будущим города — в том случае, если лицензия на строительство ипподрома будет отменена в связи с необоснованными подозрениями мисс Гейтер.

В заключение ей предлагалось незамедлительно покинуть город, дав тем самым горожанам возможность спокойно пожинать плоды финансового расцвета, который сулит их обществу строительство ипподрома.

Прочитав письмо еще раз, Рид сложил его и сунул в незаклеенный конверт. На нем был написан адрес мотеля «Житель Запада» для передачи Алекс Гейтер.

Комментировать содержание письма Рид не стал, только спросил:

— Ты небось организовала?

— Я советовалась с некоторыми из тех, кто подписал письмо.

— Очень похоже на твои «мозговые атаки».

— Я женщина деловая, осторожная. Ты же знаешь. Идея всем понравилась, стали ее разрабатывать. Последний вариант все одобрили. Я предложила напоследок посоветоваться с тобой, а потом уж отправлять.

— Почему?

— Ты провел с ней больше времени, чем кто-либо другой в нашем городе. Мы подумали, тебе легче представить, как она отреагирует.

Он долго смотрел в ее безмятежное лицо. Нора была хитра как лиса. Не глупостью же и не легкомыслием добилась она своего богатства. Риду она всегда нравилась. Он спал с ней регулярно, ко взаимному удовольствию. И тем не менее никогда ей не доверял.

Сообщать ей лишнее было не только неэтично, но попросту глупо. На это у него хватало природной смекалки; чтобы развязать ему язык, эффектной ложбинки между грудями было явно недостаточно.

— Ты не хуже меня знаешь, как она отреагирует, — уклончиво сказал он. — Может, вообще никак.

— То есть?

— То есть я сомневаюсь, что она упакует вещички и отправится в Остин, как только прочтет вот это.

— Смелая, значит, да?

Рид пожал плечами.

— Упрямая?

Он сардонически усмехнулся.

— Можно и так сказать, да. Чертовски упрямая.

— Эта девица меня заинтересовала.

— Почему?

— Потому что, стоит ее упомянуть, ты сразу хмуришься. — Направляя к потолку очередную струйку едкого дыма, она внимательно наблюдала за ним. — Ты и сейчас, золотко, хмуришься.

— Привычка.

— Она на мать похожа?

— Не очень, — коротко ответил он. — Сходство есть, но и только.

Она хитро, по-кошачьи, усмехнулась.

— Беспокоит она тебя, да?

— Черт, да, беспокоит она меня, беспокоит! — крикнул он. — Хочет меня в тюрьму засадить. Тебя бы это не беспокоило?

— Только если бы я была виновата.

Рид стиснул зубы.

— Ладно, письмо твое я прочел, свое мнение высказал. Почему бы тебе не поднять задницу и не убраться восвояси?

Нимало не задетая его злостью, она неторопливо загасила сигарету в оловянной пепельнице и, встав, закуталась в шубку. Взяла со стола сигареты, зажигалку, конверт с письмом Алекс и положила все к себе в сумочку.

— Я по опыту знаю, мистер Рид Ламберт, что, на ваш взгляд, моя задница — это нечто особенное.

Злость у Рида как рукой сняло. Досадливо хмыкнув, он сжал рукой ее попку, насколько это было возможно, и проворчал:

— Это точно, ты права.

— Друзья, значит?

— Друзья.

Они стояли друг перед другом; она провела рукой по его животу вниз, положила ладонь на бугор под ширинкой — крупный, плотный, но не взыгравший до полной силы.

— Вечерок сегодня холодный, Рид. — Ее голос звучал призывно. — Хочешь, я останусь?

Он отрицательно покачал головой.

— Мы же давно уговорились: чтобы нам не раздружиться, я сам буду приезжать к тебе переспать.

Она мило насупилась.

— И почему мы так уговорились?

— Потому что я шериф, а ты держишь бордель.

Она засмеялась гортанным обольстительным смехом.

— Держу, черт возьми, держу. Самый лучший и доходный бордель во всем штате. Ладно уж, позавчера я, как видно, тобой занялась неплохо.

Ее массаж прямо через джинсы не дал никаких результатов.

— Да, спасибо.

Нора, улыбаясь, опустила руку и двинулась к двери. Неожиданно она спросила через плечо:

— А что была за срочность? Не припомню такой спешки с тех пор, как ты услыхал известие о каком-то солдатике из Эль-Пасо, его еще звали Гейтер.

Зеленые глаза Рида угрожающе потемнели.

— Никакой срочности. Потрахаться просто захотелось.

Она понимающе улыбнулась и потрепала его по небритой щеке.

— Надо научиться получше врать, Рид, золотце мое, если хочешь меня провести. Слишком давно и слишком хорошо я тебя знаю. — Голос ее донесся до него, когда она уже шагнула во тьму за дверью. — Смотри, мой сладкий, не забывай друзей.

Глава 16

Мокрый снег уже не лепил, но было по-прежнему очень холодно. Под сапогами Алекс хрустели тонкие льдинки, когда она осторожно пробиралась от машины к тренировочной дорожке. Яркое солнце, не появлявшееся несколько дней, слепило глаза. Небо было пронзительно синим. Реактивные самолеты, казавшиеся не больше булавочной головки, расчерчивали небо пушистыми, время от времени пересекавшимися линиями, наподобие белых изгородей на ранчо у Минтонов; эти изгороди, тянувшиеся целыми милями, разделяли территорию на выгулы и паддоки.

Земля между усыпанным щебенкой проселком и тренировочной дорожкой была неровная. За долгие годы тяжелые грузовики взрыли ее глубокими колеями. Там, где под солнцем уже стаял лед, землю развезло.

Алекс специально надела старые сапоги и джинсы. Хотя на руках у нее и были лайковые перчатки, она то и дело подносила ладони ко рту и дышала на них, чтобы согреть пальцы. Достав из кармана жакета темные очки, она надела их, чтобы солнце не слепило глаза. Под прикрытием дымчатых стекол она наблюдала за Ридом. Он стоял у забора, хронометрируя лошадей, бежавших мимо столбов, которые были расставлены на расстоянии одной шестнадцатой мили друг от друга.

Она на миг остановилась, чтобы спокойно последить за Ридом, пока он ее не увидел. Вместо летней кожаной куртки на нем был длинный светлый плащ. Обутую в сапог ногу он поставил на нижнюю перекладину изгороди; при такой позе особенно заметно было, какие у него узкие бедра и длинные ляжки.

Стоявший на виду сапог был поцарапан и потерт. Джинсы чистые, но на швах обтрепались, ткань сносилась до белизны. Ширинки на всех его джинсах одинаково сильно изношены, мелькнуло у нее в голове, и Алекс поразилась, что обратила на это внимание.

Рид стоял, опершись о верхнюю перекладину изгороди, свободно свесив кисти рук. На них были те же кожаные перчатки, как в тот вечер несколько дней назад, когда он притянул ее, плачущую, к себе и сжал. Странное и восхитительное волнение охватывало ее при воспоминании о том, как его руки скользили по ее спине и наготу ее отделял от них лишь махровый халат. В ладони, которой он тогда обхватил ее голову и прижал к груди, сейчас лежал секундомер.

На самые брови была надвинута та же ковбойская шляпа, в которой она впервые увидала его. Русые волосы падали на воротник плаща. Рид повернул голову, и она увидела его четкий, ясный профиль. В нем не было ничего размытого, незаконченного. От дыхания облачко пара возникало возле губ, которыми он поцеловал ее влажные волосы и сказал о кремации Селины.

— Пускайте! — крикнул он жокеям.

Голос шерифа Ламберта был такой же мужественный, как и черты лица. Выкрикивал ли он команды или говорил колкости, она неизменно всем телом, как бы нутром своим, реагировала на него.

Из-под тяжелых копыт пробегающих коней — их было четыре — с дорожки, которую загодя, утром, взборонил тренер, летели комья земли. Клубы пара вырывались из раздувавшихся ноздрей.

Попридержав лошадей, всадники заставили их перейти на шаг и направили к конюшням. Рид крикнул одному:

— Джинджер, как он сегодня?

— Даже сдерживать приходится. Он сегодня в порядке.

— Выпусти его. Он бежит с желанием. Проведи один круг и выпусти.

— Ладно.

Тщедушный жокей, в котором Алекс только теперь распознала молодую женщину, поднесла арапник к козырьку шапочки и, слегка дав шенкель своему великолепному коню, направила его назад на дорожку.

— Как его зовут?

Рид резко обернулся. Алекс пронзил взгляд его прищуренных глаз, затененных полями шляпы; у внешних уголков разбегались симпатичные морщинки.

— Это она.

— Нет, коня?

— А-а. Коня зовут Быстрый Шаг.

Алекс подошла поближе и оперлась руками о забор.

— Ваш?

— Да.

— Призер?

— На карманные расходы хватает.

Алекс смотрела, как всадница пригнулась в седле.

— Она, видно, дело знает, — заметила Алекс. — Такая крошка и управляется с этим гигантом.

— Джинджер у Минтона одна из лучших объездчиков — их так называют. — Он вновь переключил внимание на коня и всадницу, приближавшихся по дорожке стремительным галопом. — Молодчина, молодчина, — шепотом приговаривал он. — Идет так, будто всю жизнь призы брал.

Он гикнул, когда Быстрый Шаг пронесся мимо. Его согласованно работающие мышцы, удивительная ловкость и невероятная сила производили впечатление.

— Отлично прошел, — сказал Рид наезднице, когда та подвела к нему коня.

— Лучше?

— На целых несколько секунд.

Рид ласково и одобрительно заговорил с жеребцом; нежно потрепал его, приговаривая что-то, и казалось, конь его прекрасно понимает. Жеребец резво перебирал ногами, раздувая хвост: он знал, что в конюшне его ждет вкусный завтрак в награду за то, что он так угодил хозяину.

— У вас с ним, очевидно, полное взаимопонимание, — заметила Алекс.

— При мне его родитель покрывал кобылу. Присутствовал я и тогда, когда она ожеребилась и он появился на свет. Все думали, он задохлик, хотели даже усыпить.

— Как вы его назвали?

— Задохликом называют жеребенка, который при родах испытывает недостаток кислорода. — Он покачал головой, не отрывая глаз от скакуна, входившего в конюшню. — А я думал иначе. И оказался прав. С такой родословной, как у него, из коня по всем статьям должен выйти толк; так оно и получилось. Ни разу он не обманул моих ожиданий. Всегда выкладывается до последнего, настоящий боец.

— Имеете полное право им гордиться.

— Пожалуй, да.

Его притворное равнодушие не обмануло Алекс.

— А что, лошадей всегда так сильно гоняют?

— Нет, сегодня просто вывели пробежаться на короткую дистанцию, чтобы посмотреть, как они поведут себя на дорожке рядом друг с другом. Четыре раза в неделю их пускают пробежать один-два круга галопом. Это как у людей бег трусцой. А после такого бега, как сегодня, их два дня просто вываживают.

Он повернулся и направился к оседланной лошади, стоявшей на привязи у столба.

— Куда вы едете?

— Домой. — Он вскочил в седло со свободной грацией настоящего ковбоя.

— Мне нужно поговорить с вами! — испуганно крикнула Алекс.

Он наклонился и протянул руку:

— Забирайтесь.

Из-под шляпы на нее с вызовом смотрели зеленые глаза.

Она поправила на переносице очки и направилась к лошади, изображая уверенность в себе, которой отнюдь не испытывала.

Самое трудное оказалось уцепиться за руку Рида. Он

почти без усилий поднял ее, предоставив ей самой устраиваться на отлогой части седла позади него.

От одного этого можно было потерять самообладание, но, когда он, сжав коленями бока лошади, погнал ее вперед, Алекс швырнуло на его широкую спину. Руки ее сами невольно обхватили его талию. Она старалась держать их значительно выше пояса. С воображением справиться было труднее. Мысли ее то и дело возвращались к его распроклятой потертой ширинке.

— Вам тепло? — спросил он через плечо.

— Да, — соврала она.

Она ведь поначалу решила, что длинный белый плащ с глубокой складкой на спине был надет лишь для шику. Такой плащ она видела только в одном вестерне с Клинтом Иствудом. Теперь же ей стало ясно, что его надевают для того, чтобы согревать ляжки наездника.

— С кем же вы вчера вечером встречались в баре?

— Это мое дело, Рид. Почему вы за мной следили?

— А это мое дело.

Это был тупик. Но она пока настаивать не станет. У нее был заготовлен для него целый список вопросов, однако сосредоточиться было трудно, так как при каждом толчке она особенно остро чувствовала его возбуждающую близость. И она выпалила первый пришедший в голову вопрос:

— А как это вы с мамой так тесно сдружились?

— Мы же вместе росли, — сказал он небрежно. — Началось все на площадке для игр младшеклассников, а с годами крепло.

— И никогда никакой неловкости не возникало?

— Нет. У нас не было друг от друга секретов. Даже в доктора несколько раз играли.

— «Я тебе покажу свою, если ты мне свою покажешь».

Он усмехнулся:

— Вы, видно, тоже играли в доктора.

Но Алекс на эту приманку не поддалась: она понимала, что он хочет отвлечь ее от темы разговора.

— Но, надо думать, вы оба в конце концов из этого выросли.

— Да, в доктора мы больше не играли, но говорили мы

обо всем на свете. Никаких запретных тем между мной и Селиной не было.

— Но ведь такие отношения у девочки обычно складываются с подружкой, правда?

— Обычно — да, но у Селины было мало подружек. Большинство девочек ей завидовали.

— Почему?

Но Алекс уже знала ответ. Она знала его до того даже, как он пожал плечами и его лопатки задели ее грудь. Алекс едва не потеряла дар речи. Следующий вопрос потребовал от нее больших усилий.

— Из-за вас, да? Из-за вашей с ней дружбы?

— Возможно. И кроме того, она была и впрямь самая красивая девочка на всю округу. Большинство девчонок считали ее соперницей, а не подружкой. Держитесь, — предупредил Рид, направляя лошадь в сухую балку.

Силой инерции ее толкнуло вперед, на него. Инстинктивно она сильнее прижалась к нему. Он глухо охнул.

— Что случилось? — спросила она.

— Ничего.

— Я так поняла, что вам не очень удобно.

— Если б вы были мужчиной и на лошади, идущей круто под уклон, и вас швыряло бы на луку седла так, что ваши мужские достоинства чуть не вылетали бы из штанов, вам бы тоже было не очень удобно.

— Ох!

— Черт! — буркнул он.

Пока они не выехали на равнину, их неловкое молчание нарушало лишь тяжелое постукивание копыт лошади, которая осторожно ступала по каменистой земле. Чтобы не показывать свое смущение и укрыться от холодного ветра, Алекс уткнулась лицом в подбитый фланелью воротник его плаща. Наконец она произнесла:

— Значит, со всеми своими трудностями мама обращалась к вам.

— Да. А когда не обращалась, я, зная, что дело плохо, сам шел к ней. Однажды она не пришла в школу. Я забеспокоился и в обед пошел к ней домой. Ваша бабушка была на работе. Селина сидела одна. И плакала. Я испугался и заявил, что не уйду, пока она мне не скажет, что случилось.

— И в чем было дело?

— У нее были первые месячные.

— А...

— Как я понял, миссис Грэм наговорила ей такого, что Селина сама себя стыдилась. Нарассказала ей всяких жутких историй про проклятие, которое пало на Еву, и прочую чушь. — В голосе его звучало осуждение. — Она и с вами так же обходилась?

Алекс отрицательно покачала головой, не отрывая лица от его воротника. От шеи Рида шло тепло, она ощущала его запах.

— Со мной она была не так сурова. Наверно, к тому времени, как я достигла половой зрелости, бабушка и сама уже сильно просветилась.

Только когда Рид осадил лошадь и спрыгнул на землю, Алекс заметила, что они подъехали к маленькому каркасному домику.

— И что же мама?

— Я ее утешал, сказал, что это нормально, нечего тут стыдиться, что она стала настоящей женщиной.

Он накинул поводья на коновязь и закрепил их.

— Помогло?

— Наверное. Она перестала плакать и...

— И?.. — настаивала Алекс, чувствуя, что он хочет опустить самую важную часть рассказа.

— Ничего. Перекиньте ногу.

Помогая ей сойти с коня, он уверенно взял ее сильными руками за талию и опустил на землю.

— И все-таки, Рид?

Она уцепилась за рукава его плаща. Губы у него сжались в тонкую упрямую складку. Обветренные мужские губы. Она вспомнила фотографию, на которой Рид целует Селину, когда она стала королевой вечера выпускников. И Алекс снова ощутила, как у нее внутри как бы поднимается и опадает теплая волна.

— Вы ее поцеловали, да?

Он неловко повел плечом.

— Я ее и раньше целовал.

— Но в тот раз впервые по-настоящему, правда?

Он отпустил ее и, поднявшись на крыльцо, распахнул дверь.

— Хотите — заходите, хотите — нет, — бросил он через плечо, — дело ваше.

Он исчез в доме, оставив дверь открытой. Подавленная, но снедаемая любопытством, Алекс пошла за ним. Парадная дверь вела сразу в гостиную. Слева арка, сквозь нее виднелась кухня, она же столовая. Коридор напротив вел, надо полагать, в спальню; ей было слышно, как там возится, ища что-то, Рид. Она рассеянно закрыла дверь, сняла очки, перчатки и огляделась.

Видно было, что это холостяцкое жилище. Мебель подбиралась для отдыха и удобства, а отнюдь не для украшения. Шляпу он положил на стол, а плащ и перчатки бросил на стул. На остальных предметах обстановки не стояло и не лежало ничего, зато полки были забиты всякой всячиной — как будто уборка сводилась к тому, чтобы засунуть все до последней мелочи. У потолка в углах висела паутина, сверкавшая на солнце, которое пробивалось сквозь пропыленные жалюзи.

Он вернулся с летными очками в руках и поймал ее взгляд, устремленный на паутину.

— Раз в несколько недель Лупе присылает одну из своих племянниц. Пора уж ей, пожалуй, прийти, — объяснил он просто, не оправдываясь и не извиняясь. — Кофе хотите?

— Да, спасибо.

Он пошел на кухню. Алекс продолжала бродить по комнате, притоптывая, чтобы восстановить кровообращение в замерзших ступнях. Ее внимание привлек высокий кубок в одном из встроенных в стену шкафов. «Лучшему игроку» — печатными буквами было выгравировано на нем, потом имя и фамилия Рида и дата.

— По цвету — то, что нужно?

Он подошел к ней сзади. Когда она обернулась, он протянул ей кружку с кофе. И молока не забыл добавить.

— Прекрасно, спасибо.

Указав кивком головы на кубок, она спросила:

— Это в старшем классе, да?

— Угу.

— Очень почетный приз.

— Наверно.

Алекс уже заметила, что он пользуется этим, годящимся на все случаи жизни словом, когда хочет закончить разговор. Во всех других отношениях Рид оставался загадкой.

— Вы не уверены, что он очень почетный?

Он опустился в мягкое кресло и вытянул ноги перед собой.

— Я тогда понимал, да и теперь понимаю: за моей спиной стояла отличная команда. Выдвигали и других игроков, не хуже меня.

— Джуниора?

— Да, и его тоже, — ответил он, уже готовый к обороне.

— Однако награду получили вы, а не Джуниор.

Он зло посмотрел на нее.

— Это необыкновенно важно, надо понимать?

— Не знаю, важно ли?

Он саркастически рассмеялся.

— Хватит играть со мной в следовательские игры, говорите, что у вас на уме.

— Ладно. — Притулившись к подлокотнику дивана, она внимательно посмотрела на него и спросила: — А Джуниора задело, что вас назвали лучшим игроком команды?

— Спросите его.

— Может, и спрошу. Спрошу и Ангуса, как он к этому отнесся.

— На банкете по поводу вручения призов Ангус просто лопался от гордости.

— Он бы еще больше возгордился, если бы не вы, а его сын был признан лучшим игроком команды.

Лицо Рида застыло.

— Голова у вас просто набита дерьмом, понятно?

— Вами, я уверена, Ангус тоже гордился, но не пытайтесь меня убедить, будто он не предпочел бы, чтобы этот приз достался Джуниору.

— Думайте, как вам заблагорассудится, черт побери. Мне-то какая разница. — Он в три глотка опорожнил свою кружку, поставил ее перед собой на низенький кофейный столик и встал. — Готовы?

Она тоже поставила кружку на стол, но не двинулась с места.

— Почему вы так болезненно к этому относитесь?

— Да не болезненно, просто надоело. — Он наклонился так, что их лица оказались рядом. — Этот приз двадцатипятилетней давности — всего-навсего потускневшая железяка, ни на что не годная, разве только пыль собирать.

— Тогда почему вы храните его все эти годы?

Он провел пальцами по волосам.

— Слушайте, сейчас это уже не имеет значения.

— Но тогда же имело.

— Ничтожно малое. Я даже не получил стипендии как спортсмен, а ведь я рассчитывал на нее учиться в колледже.

— И что вы сделали?

— Все равно поступил.

— Как?

— Взял ссуду.

— Государственную?

— Нет, частную, — уклончиво ответил он.

— Кто дал вам деньги? Ангус?

— А хоть бы и он? Я все вернул, до последнего цента.

— Когда работали на него?

— Еще до того, как ушел из «Минтон энтерпрайсиз».

— А почему вы ушли?

— Потому что расплатился с долгами и хотел заняться кое-чем другим.

— Это произошло, как только вы окончили колледж?

Он покачал головой.

— Когда я служил в авиации.

— Вы служили в авиации?

— Четыре года военной подготовки в колледже, потом, после окончания, служил офицером непосредственно в войсках. Шесть лет оттрубил на дядю Сэма. Из них два года во Вьетнаме, бомбили там этих косоглазых.

Алекс и не подозревала, что он участвовал в войне, а могла бы догадаться: в разгар войны он был как раз призывного возраста.

— Джуниор тоже служил?

— Джуниор — да на войне? Вы можете себе такое представить? — Он язвительно расхохотался. — Нет, не служил. Ангус нажал на кое-какие педали, и его зачислили в резерв.

— А вас почему не зачислили заодно?

— Я не захотел. Хотел пойти в воздушные войска.

— Чтобы научиться летать?

— Летать я уже умел. Права летчика получил раньше, чем шоферские.

С минуту Алекс внимательно смотрела на него. Информация поступала безудержно быстро, она не успевала ее переваривать.

— Вы не устаете удивлять меня сегодня. Я знать не знала, что вы умеете летать.

— Не с чего вам это знать, госпожа прокурор.

— Почему же здесь нет ваших фотографий в военной форме? — спросила она, указывая на книжный шкаф.

— Я ненавидел то, чем занимался на войне. Никаких напоминаний о боевом прошлом — спасибо, увольте.

Он отодвинулся от нее, взял шляпу, перчатки и плащ, подошел к входной двери и самым невежливым образом распахнул ее.

Алекс продолжала сидеть.

— Наверно, вы с Джуниором очень скучали друг без друга, пока вы шесть лет служили в воздушных войсках?

— А теперь куда вы клоните? Вы что, думаете, мы с ним педики?

— Нет. — Она чувствовала, что терпение у нее на исходе. — Я всего лишь хотела сказать, что вы крепко дружили и до той поры проводили массу времени вместе.

Он захлопнул дверь и швырнул на стол все, что держал в руках.

— К той поре мы уже привыкли быть врозь.

— Но вы ведь четыре года вместе учились в колледже, — уточнила она.

— Нет. Мы одновременно учились в Техасском политехническом, но поскольку он был женат...

— *Женат?*

— Снова сюрприз? — поддел он. — А вы и не знали? Джуниор женился через несколько недель после окончания школы.

Нет, этого Алекс не знала. Она понятия не имела, что Джуниор вступил в первый брак, едва успев кончить школу; следовательно, почти сразу после убийства Селины. Выбор времени для свадьбы представлялся очень странным.

— Стало быть, довольно долго вы с Джуниором виделись редко.

— Верно, — подтвердил Рид.

— Смерть моей матери сыграла в этом какую-то роль?

— Возможно. Мы ее не касались в разговорах — не было сил.

— Почему?

— Дьявольски тяжело было. А вы как думали, черт побери?

— Отчего же все-таки вам трудно было общаться с Джуниором и говорить о смерти Селины?

— Оттого что раньше нас всегда было трое. И вдруг одного не стало. Встречаться вдвоем — что-то в этом было не то.

Алекс мысленно прикинула, стоит ли добиваться более подробного ответа, и рискнула:

— Хорошо, вас было трое, но если среди вас и затесался третий лишний, то это был Джуниор, не Селина же. Верно? Вы с ней были неразлучной парой еще до того, как стали неразлучной троицей.

— Не лезьте, черт побери, в мою жизнь, — проскрежетал он. — Ни черта вы в ней не смыслите и во мне тоже.

— Не с чего злиться, Рид.

— Ах, не с чего? А почему бы мне и не злиться. Вы желаете воскресить прошлое, все, от моего первого настоящего поцелуя до дерьмового спортивного трофея, которому красная цена — кучка конского навоза, и мне после этого не злиться.

— Люди в большинстве своем любят предаваться воспоминаниям.

— А я не люблю. Я хочу оставить свое прошлое в прошлом.

— Потому что вспоминать больно?

— Отчасти.

— Больно вспоминать и то, как вы впервые по-настоящему поцеловали мою мать?

Он шагнул к дивану и, упершись кулаками в сиденье возле ее бедер, негромко, вкрадчиво произнес:

— Тот поцелуй вас чертовски заинтриговал, правда, госпожа прокурор?

Рид совершенно ошеломил ее. Она потеряла дар речи.

— Что ж, если вас интересует, каким именно образом я целую, может быть, вам стоит узнать это на личном опыте?

Он сунул руки под ее меховой жакет, сцепив их у нее на

спине, чуть пониже талии. Одним рывком поднял ее с дивана. Беззвучно охнув, Алекс упала ему на грудь, но устояла на ногах; и тут он наклонил голову и накрыл ее губы своими.

Сначала она была так поражена, что даже не шевельнулась. Поняв, что происходит, она решительно уперлась ему в грудь кулаками. Попыталась отвернуть голову, но Рид ухватил ее рукой за подбородок и держал крепко. Губами он умело раздвинул ее губы и просунул между ними язык. Поцелуй был глубоким, полным; его язык скользил по ее рту и резкими ритмичными движениями устремлялся к гортани. Губы у него были обветренные. Она чувствовала на своих губах их шершавость и одновременно восхитительную гладкость его рта.

Быть может, она чуть слышно взвизгнула от удивления и желания. Быть может, ее тело стало податливым, уступая ему. Быть может, у него из груди вырвался низкий рык вожделения. Впрочем, все это ей могло и почудиться.

Но ей не почудилось острое покалывание между ног, не почудилось, как затрепетали груди, и жар, разлившийся по телу от живота, словно тающее масло, тоже не почудился. Она точно помнит необыкновенный, удивительный вкус его губ, запах ветра и солнца, исходивший от его волос и одежды.

Он поднял голову и заглянул в ее потрясенные глаза. В его взгляде отражалось не меньшее смущение. Однако уголок его рта приподнялся в язвительной усмешке.

— Это чтобы вы не чувствовали себя обделенной, — пробормотал Рид.

И покрыл ее влажные губы мягкими, легкими поцелуями, потом дразняще, чуть касаясь, обвел их языком. Кончиком языка тронул уголок ее рта, и эта многозначительная ласка словно выпустила на волю копившийся где-то у нее в животе ворох новых ощущений.

А он снова плотно прижался раскрытым ртом к ее губам. Его язык погрузился в ее рот, и она непроизвольно отзывалась на его дерзкое вторжение. Он ласкал ее рот неторопливо, и было это несказанно приятно, а руки его скользили по ее спине, по бокам — к груди. Он легонько потер ладонями ее груди, и ей нестерпимо захотелось, чтобы он коснулся их вершин.

Но руки соскользнули по спине назад и, охватив ее снизу,

толкнули к нему. Язык его двигался в такт бедрам, как прилив и отлив, разжигая ее желание, лишая способности сопротивляться.

Она уже готова была поддаться восхитительной слабости, незаметно затоплявшей ее тело, но он вдруг выпустил ее. И над самым ее лицом прошептал:

— Хочешь узнать, что я обычно делаю дальше?

Алекс отшатнулась, подавленная и уязвленная тем, как близка она была к полному поражению. Тыльной стороной ладони она стерла с губ его поцелуй. Он лишь самодовольно ухмыльнулся.

— Да нет, я на это и не рассчитывал.

Он надел очки и шляпу, надвинув ее на лоб.

— С этих пор, госпожа прокурор, предлагаю перенести все расспросы в зал суда. Это куда безопаснее.

Бар «Буровая вышка» оказался еще хуже «Последнего шанса». Алекс подъехала с южной стороны и, завернув за угол здания, увидела там потрепанный, ржавый красный пикап. У нее вырвался вздох облегчения. Она уже заранее решила, что, если свидетеля в условленном месте не будет, она не станет болтаться там в ожидании.

Выезжая из мотеля, она сначала убедилась, что слежки за ней нет. Нелепо играть в эти кошки-мышки, но она пошла бы на что угодно, лишь бы переговорить с человеком, утверждавшим, что он был свидетелем убийства ее матери. И если в результате сегодняшней встречи она познакомится с обычным любителем телефонных проказ, ищущим очередного развлечения, это будет достойным финалом совершенно кошмарного дня.

Невыносимо, невероятно долгой показалась ей поездка верхом, когда Рид поскакал с ней обратно к тренировочной дорожке, где стояла ее машина.

— Всего вам наилучшего, — издевательски пожелал он, когда она сползла с седла.

— Пошел к черту, — зло отозвалась она.

Он развернул лошадь, и до Алекс долетел его сдавленный смех.

— Наглец паршивый, — шептала себе под нос Алекс, выходя из машины и направляясь к пикапу. Она увидела, что водитель сидит за рулем, и, хотя обрадовалась, что он все-таки приехал, у нее мелькнула мысль: а что, если он назовет Рида убийцей ее матери? На душе стало тревожно.

Она обошла машину спереди, под туфлями громко хрустел гравий. «Буровая вышка» не тратилась на освещение территории, поэтому даже возле здания стояла полная тьма. Других машин на стоянке не было.

Алекс потянулась к ручке дверцы, и на миг ее охватил трепет. Подавив волнение усилием воли, она скользнула в кабину и закрыла за собой дверь.

Свидетель оказался мерзким маленьким человечком. У него были выступающие, как у индейца, скулы, щеки под ними изрыты оспинами. Он был космат и, судя по запаху, душем не злоупотреблял. Тощий, морщинистый, седой.

К тому же он был мертв.

Глава 17

Когда до Алекс дошло, почему он сидит и смотрит на нее с таким неопределенным, бессмысленным и чуть озадаченным выражением, она хотела закричать, но не смогла издать ни звука. Рот был словно набит ватой. Шаря позади себя рукой, Алекс попыталась открыть дверцу пикапа. Та упрямо не поддавалась. Алекс бешено дергала ручку, потом налегла на дверь плечом. Она распахнулась так неожиданно, что Алекс почти вывалилась из машины. Торопясь изо всех сил убраться подальше от окровавленного трупа, она зацепилась каблуком за камень, споткнулась и упала, ушибив ладони и поцарапав колени.

Она вскрикнула от боли и страха и попыталась встать. Потом стремглав рванулась в темноту, и вдруг ее ослепили фары и оглушила автомобильная сирена.

Она непроизвольно прикрыла глаза рукой и на фоне яркого света увидела силуэт человека, направлявшегося к ней. Не успела она броситься в сторону или хоть пискнуть, как он произнес:

— Всюду-то вы бываете, да?

— Рид! — воскликнула она со смешанным чувством облегчения и ужаса.

— Какого черта вы здесь делаете?

В его голосе не было и намека на сочувствие. Это разъярило ее.

— Я могла бы задать вам тот же вопрос. Там человек, — добавила она, дрожащим пальцем указывая на пикап, — он мертв.

— Да, знаю.

— Знаете?

— Его зовут, гм, звали Клейстер Хикам. Батрак, работал раньше у Ангуса. — Заглянув в пикап сквозь лобовое стекло, залепленное разбившимися насекомыми, он покачал головой. — Господи, ну и дела.

— Это все, что вы можете сказать?

Он обернулся к ней.

— Нет, но мог бы и добавить: я вас не забираю по подозрению в убийстве по одной-единственной причине — тот, кто сообщил, что Клейстер сидит в своей машине с перерезанным горлом, ни словом не обмолвился, что с ним баба.

— Вам уже кто-то сообщил?

— Именно. Кто, как вы думаете?

— Думаю, тот, кто знал, что я с ним тут встречаюсь! — крикнула она. Потом ее поразила другая мысль, она замерла и тихо спросила: — Как вы так быстро сюда добрались, Рид?

— Вы что же, думаете, я его обманом завлек и перерезал глотку? — Он недоверчиво рассмеялся.

— Вполне возможно.

Спокойно выдержав ее взгляд, он подозвал одного из помощников. До этого момента Алекс и не подозревала, что с ним приехал кто-то еще. Теперь она услышала вой сирены приближающегося автомобиля, увидела, как из бара выскакивают любопытные посетители посмотреть, из-за чего шум.

— Проводи ее назад в мотель, — кратко распорядился Рид. — Проследи, чтобы она вошла в номер.

— Да, сэр.

— Пригляди за ней до утра. Смотри, чтобы она куда-нибудь не отправилась.

Обменявшись с шерифом неприязненными взглядами, Алекс позволила помощнику проводить себя к машине.

— Шериф?

Помощник робко постучал в дверь, не решаясь открыть. С утра в участке говорили, что Рид в сволочном настроении, причем не только из-за убийства Клейстера Хикама. Все ходили на цыпочках.

— Что у тебя?

— Несколько бумаг вам на подпись.

— Давай сюда.

Рид поднялся с вращающегося кресла, в котором сидел, вальяжно откинувшись на спинку, и протянул руку к пачке документов и писем. Нацарапал, где положено, свою подпись.

— Как сегодня Руби Фэй?

Когда шериф подъехал к фургону, в котором обитала любовница Клейстера, чтобы допросить ее, она лежала там, избитая до полусмерти. Руби успела лишь сказать, что это дело рук ее обманутого мужа, и потеряла сознание.

— Лайл отделал ее почти так же, как Клейстера. Ей с неделю, не меньше, придется проваляться в больнице. Ребятишек отправили к ее матери.

Лицо у Рида еще больше помрачнело. Он не переносил мужчин, применявших к женщинам физическую силу — не важно, по какому поводу. Слишком много ему досталось в детстве колотушек от отца, и он не терпел ни малейшего насилия.

Он протянул бумаги помощнику.

— По рации что-нибудь передавали?

— Нет, сэр. Я вам сразу доложу. И вы мне велели напомнить, что сегодня днем вы даете показания по делу, которое проходит у судьи Уоллеса.

— Черт, совсем выскочило из головы.

Помощник с облегчением удалился, но Рид забыл о нем еще прежде, чем за ним закрылась дверь.

Сегодня утром он не мог сосредоточиться ни на одной мысли дольше нескольких секунд. Все вытеснил образ Алекс.

Кляня все и всех на чем свет стоит, он поднялся и подошел к окну. День опять стоял солнечный. Ему вспомнилось, как вчера, когда он сажал Алекс рядом с собой на лошадь, волосы ее на солнце стали густого красновато-коричневого оттенка, будто красное дерево. Об этом он небось и думал, когда стал трепаться про тот дурацкий футбольный приз.

Господи ты боже, с какой стати он вообще его хранил все это время? Каждый раз, когда он смотрел на кубок, его раздирали противоречивые чувства, как и в тот вечер, на вручении призов. Тогда его радость была омрачена тем, что Джуниора не выбрали лучшим игроком команды. Это может показаться полным идиотизмом, но ему хотелось извиниться перед Ангусом и Джуниором за то, что награду получил он, Рид. А он ведь ее заслужил: как спортсмен, он был сильнее друга, но оттого, что он как бы обошел Джуниора, ему и приз был не мил.

Алекс сама все это вычислила. Умна, ничего не скажешь. Но отнюдь не такая уж несгибаемая, какой хочет казаться. Вчера вечером она чуть не померла со страху, и немудрено. На Клейстера и раньше-то без дрожи нельзя было взглянуть, но тут, мертвый, в куртке, заляпанной застывшей кровью, он стал еще страшнее.

Может быть, и к лучшему, что она все это видела. Может быть, перестанет рваться раскрывать тайны, которые ее не касаются. Может быть, наводящее ужас убийство Клейстера отвадит ее от расследования убийства Селины. Может быть, она уедет из Пурселла и больше никогда не вернется.

Вероятность такого исхода должна была бы его обрадовать. Но он еще больше разозлился на нее и на себя самого.

И надо же было вчера поцеловать ее. Он поддался на ее подстрекательские речи. Вышел из себя. Потерял самообладание. Так он оправдывался перед собственной совестью, чтобы она не грызла его за происшедшее. И тем не менее он сам был чертовски перепуган. Алекс вынудила его потерять голову. Только один человек на свете был способен такое с ним сотворить — Селина.

Какой морок напустила на него эта хитрющая маленькая ведьмочка, что он заговорил про тот поцелуй, удивлялся он. Он сам про него и думать забыл, а тут ни с того ни с сего он всплыл в памяти, словно все было вчера.

Помнится, стоял жаркий сентябрьский день, и, когда Селина не явилась в школу, он пошел ее проведать. В окне трудился старый кондиционер, безуспешно пытаясь охладить спертый воздух. В доме было не тепло и сухо, а, наоборот, жарко и влажно.

Селина была сама не своя. Она открыла ему дверь, но выглядела подавленной, будто тот первый признак перехода в женское сословие лишил ее девической живости. Глаза ее опухли от слез. Он испугался, что произошло нечто ужасное.

Когда она сказала ему про месячные, он испытал такое облегчение, что чуть не расхохотался. Впрочем, удержался все-таки. При виде ее унылого лица всякое веселье пропадало. Он обнял ее, нежно прижал к себе, гладил ей волосы, приговаривая, что это совсем не стыдно, а, наоборот, замечательно. Ища утешения, она обвила руками его талию и уткнулась лицом в его плечо.

Они долго стояли так, прильнув друг к другу, как не раз бывало и прежде, когда им казалось, что мир ополчился против них. На сей раз он ощутил потребность торжественно закрепить ее переход из детства в юность.

Сначала он поцеловал ее в щеку. Щека была влажной и соленой от слез. Его губы, не отрываясь, скользнули ниже. Она вдруг затаила дыхание и замерла, и он крепко прижался губами к ее губам. Это был пылкий, но целомудренный поцелуй.

Других девочек он уже целовал и языком. Сестры Гейл с большим знанием дела целовались по-французски и жаждали поделиться с ним секретами мастерства. Не реже раза в неделю он встречался с ними тремя в пустовавшем зале Клуба ветеранов зарубежных войн и целовал по очереди, тискал им груди и, просунув руку под резинку хлопчатобумажных трусиков, трогал волосы между ног. А они ссорились, решая, кому из них первой расстегнуть ему брюки и ласкать его.

Эти пошловатые, пропитанные запахом пота эпизоды помогали ему сносить жизнь с отцом. Только их он и скрывал от Селины. Узнай она, чем он занимается с сестрами Гейл, она пришла бы в большое смущение. А возможно, и разозлилась бы. В любом случае лучше было ей не знать об этом проклятом зале и что он там делает.

Но когда он ощутил губами рот Селины, услыхал, как она тихонько ахнула, ему захотелось поцеловать ее как следует — прекрасным, волнующим, запрещенным способом. Не в силах противиться искушению, его тело взяло верх над разумом.

Едва он кончиком языка коснулся ее сжатых губ, как почувствовал, что они раскрываются. Сердце у него гулко забилось, кровь закипела, он притянул ее к себе еще ближе и вдвинул язык ей в рот. Она не отпрянула, и он провел языком по ее рту. Она стиснула его талию. Ее маленькие острые груди огнем жгли его тело.

О боже, он думал, что умрет от блаженства. Бескрайнего блаженства. Это ощущение до самых основ потрясло его юношескую душу. Вулканическая энергия сотрясала его тело. Он жаждал целовать Селину Грэм вечно. Но когда его член, налившись кровью, уперся ей в живот, он оттолкнул ее и стал бормотать извинения.

Несколько мгновений Селина, задыхаясь, смотрела на него широко открытыми глазами, потом бросилась к нему на шею — она счастлива, сказала она, что он так ее целовал. Она его любит. Он любит ее. Когда-нибудь они поженятся, и ничто и никогда их не разлучит...

Устало потирая глаза, Рид вернулся к столу и шлепнулся в скрипучее кресло. Он был зверски зол на Алекс за то, что она разбудила воспоминания, которые он столько лет старался забыть. И тем своим поцелуем он намерен был наказать и оскорбить ее.

Но, черт возьми, он никак не ожидал, что это будет так приятно — прижать ее к себе, чувствовать мех шубки, мягкую шерсть костюма, ее теплую кожу. Он не предполагал, что губы ее будут так чертовски сладки. До сих пор ощущает на языке их сладость. Откуда ему было знать, что у нее такие мягкие полные груди?

Проклятие, он совсем не предполагал, что Селинина дочь так ошеломительно быстро возбудит его чувственность. Вожделения такой силы он никогда не испытывал с сестрами Гейл — вообще никогда не испытывал, и точка. Дьявольщина, он и сейчас еще не остыл.

Уже по одной этой причине он был зол как черт на Алекс, да и на себя самого за это бурное объятие. Ведь Алекс Гейтер, женщина, которую он вчера целовал как безумный, готова обвинить его в убийстве двух человек, во-первых, Селины, а теперь еще и Клейстера. Даже если она не найдет доказательств, она все равно способна сорвать ему все планы на будущее.

Он так близок к осуществлению своей мечты. Вот-вот достигнет той цели, к которой шел всю жизнь. А она может подложить ему большую свинью. Ей даже не нужно тыкать в него пальцем. Если она предъявит обвинения любому из них троих, не видать ему вымечтанного будущего как своих ушей, уйдет оно из-под носа. За это он готов был ее удушить.

Стоило ему, однако, представить, как он кладет ладони на ее тело, перед его мысленным взором возникала отнюдь не сцена удушения.

— Мне сказали, что вы у себя.

— А вам сказали, что через несколько минут я должен быть в суде, а сейчас слишком занят и никого не принимаю?

Алекс вошла в кабинет шерифа и прикрыла за собой дверь.

— Да, упомянули.

— С чего это вы взяли, что пользуетесь особыми привилегиями?

— Я подумала, вы захотите расспросить меня про убитого.

— Вы, в общем-то, вне подозрений. Просто оказались не там, где надо, причем очень не вовремя, но вам вообще свойственна эта дурная привычка.

— Так вы считаете, связи между мною и этим убийством нет?

— Считаю, нет; но вы, очевидно, считаете иначе. — Закинув ноги на угол стола и заложив руки за голову, он сказал: — Что ж, послушаем.

— Полагаю, главное вы уже знаете. Клейстер Хикам присутствовал при убийстве Селины.

— С чего вы взяли?

— Он сказал мне по телефону.

— Он был завзятый врун. Спросите кого хотите.

— Я ему поверила. Он очень нервничал и жутко трусил. Мы договорились встретиться в «Последнем шансе», но когда он увидел, что вы едете за мной по пятам, то струхнул и удрал.

— Получается, Селину убил я, так, что ли?

— Или же покрываете убийцу.

— Разрешите, я вам покажу, где в вашей теории ошибка. — Он опустил ноги на пол. — На днях Ангус уволил

Клейстера. Вот он и надумал отомстить — это-то вам должно быть понятно, госпожа прокурор. Сочинил эту небылицу, в которую вы решили поверить, поскольку ваше расследование не выявило ни единой паршивенькой улики. Вы считаете, существует взаимосвязь между этими убийствами, верно? Неверно, — твердо сказал он. — Сами посудите. Вчерашнее убийство совершенно иного рода, нежели убийство Селины. У вас ошибочен сам метод. Тот, кто перерезал Клейстеру глотку, просто-напросто узнал, что Клейстер трахает его жену, пока он вкалывает в Карсбаде на содовом заводе. У нас на него уже есть данные.

Это звучало так правдоподобно, что Алекс поежилась под его открытым взглядом.

— Но разве исключено, что батрак видел, как убивали мою мать? Опасаясь кары, он до сих пор помалкивал — возможно, просто потому, что никто так и не провел досконального расследования. И убили его за то, что он знал, — пока он не успел назвать убийцу. Вот во что я решила поверить.

— Как вам угодно. Но только занимайтесь этим за счет вашего времени, а не моего.

Рид собрался было встать.

— Это еще не все, — сказала она, и он, смирившись, остался сидеть.

Алекс вынула из сумочки конверт и протянула ему.

— Пришло сегодня утром по почте. На мой гостиничный адрес.

Рид быстро просмотрел письмо и вернул ей. Она в изумлении уставилась на него.

— Вас это, видимо, не сильно волнует, шериф Ламберт.

— Я его уже читал.

— *Что?* Когда?

— Позавчера, если не ошибаюсь.

— И вы разрешили его отправить?

— А почему нет? В нем не сыскать ничего непристойного. Даже министр почт, полагаю, не нашел бы в нем никаких нарушений правил почтового ведомства. Почтовый сбор оплачен полностью. Насколько я могу судить, госпожа прокурор, письмо составлено в рамках закона.

Алекс так и тянуло наклониться и увесистой оплеухой сбить с его лица злорадную ухмылку. Порыв был настолько силен, что ей пришлось сжать пальцы в кулак, чтобы не дать руке воли.

— А вы прочли то, что между строк? Подписавшие, все, — она замолчала, считая подписи, — все четырнадцать человек, угрожают изгнать меня из города.

— Ну что вы, мисс Гейтер, вовсе нет, — с показным возмущением сказал он. — У вас развился синдром преследования, после того как вы наткнулись на зарезанного Клейстера. В этом письме просто подчеркнуто все то, о чем я вам и так без конца толкую. Ангус с сыном очень многое значат для нашего города. И ипподром тоже. Известно же: куда легче обратить на себя внимание, если вдарить человеку не по яйцам, а по его счету в банке. Вы поставили под угрозу весьма значительные капиталовложения. И думали, люди будут стоять и спокойно смотреть, как из-за вашей мстительности их мечты летят псу под хвост?

— Дело совсем не в мести. Я веду законное и давно назревшее расследование судопроизводства, в котором была допущена серьезная ошибка.

— Хватит, увольте.

— Прокурор округа Трэвис дал санкцию на это расследование.

Он с недвусмысленным намеком оглядел ее и, растягивая слова, произнес:

— В обмен на что?

— О, вот это замечательно. И куда как профессионально, шериф. Когда запас корректных аргументов у вас истощается, вы принимаетесь обстреливать мою репутацию булыжниками чисто мужских оскорблений.

Трясущимися от злости руками она сунула письмо обратно в конверт, положила его в сумочку и решительно защелкнула замок.

— Я не обязана объяснять вам свои резоны, — сказала она. — Поймите только, я дела не брошу, пока не приду к каким-то удовлетворительным выводам относительно убийства матери.

— Ну а я на вашем месте не стал бы опасаться нападения на свою особу, — со скучающим видом заметил Рид. — Как я уже объяснял, убийство Клейстера не имеет к вам ни малейшего отношения. Письмо подписали столпы местного общества — банкиры, бизнесмены, преподаватели и врачи. Вряд ли они вздумают навалиться на вас в темном переулке. Впрочем, — продолжал он, — я бы не советовал вам мотаться по злачным местам, как вы делали последние два вечера. Если вам так уж приспичило, могу порекомендовать пару неплохих парней.

Она презрительно посмотрела на него и вздохнула.

— Вы всех деловых женщин не любите или мой случай особенный?

— Ваш случай особенный.

Его грубость была вызывающе оскорбительна. Ее подмывало напомнить ему, что вчерашний поцелуй едва ли свидетельствовал о неприязни, но она удержалась. Решила не напоминать. Она и сама надеялась забыть о нем, притвориться, что его не было вовсе, но не могла. Ей стало казаться, что после него в ней самой что-то решительно и бесповоротно переменилось.

Нет, забыть его она не могла, но надеялась научиться справляться с воспоминаниями о нем и с навязчивым желанием, которое он разжег.

Его слова глубоко ранили ее. Она услышала собственный голос:

— Почему вы меня так не любите?

— Потому что вы лезете не в свое дело. Не люблю людей, которые суются не в свое дело.

— Но это *мое* дело.

— Каким же это образом? Вы еще в пеленки писали, когда убили Селину! — крикнул он.

— Я рада, что вы об этом заговорили. Мне, значит, было всего два месяца от роду. Что же она в таком случае делала ночью на ранчо?

Вопрос его ошеломил, но он быстро оправился.

— Забыл совсем. Слушайте, я же должен...

— Сомневаюсь, что вы когда-нибудь что-нибудь забываете, Рид Ламберт, хотя и притворяетесь очень старательно. Что она там делала? Пожалуйста, ответьте.

Он встал. Алекс тоже встала.

— Джуниор пригласил ее на ужин, вот и все.

— По какому-то особому случаю?

— Спросите у него.

— Я спрашиваю вас. По какому случаю? И не говорите, что не помните.

— Может, он ее пожалел.

— Пожалел? Почему?

— Потому что сидела в четырех стенах с ребенком и никуда не выходила. От ее светской жизни остался один пшик. Господи помилуй, ведь ей было всего-то восемнадцать.

Он обогнул Алекс и направился к двери.

Но Алекс ставить на этом точку не собиралась. Он хотел отделаться банальным объяснением. Не выйдет. Она ухватила его за руку и заставила повернуться к ней.

— А вы в тот вечер тоже у них ужинали?

— Да. — Он резко выдернул руку.

— И пробыли там весь вечер?

— Ушел перед десертом.

— Почему?

— Не люблю вишневый пирог.

Она застонала с досады.

— Ответьте, Рид. Почему вы ушли?

— У меня было свидание.

— С кем? Она по-прежнему живет в этом городе?

— Какая, черт возьми, разница?

— Она — это ваше алиби. Я хотела бы с ней поговорить.

— Забудьте. Я ее в это дело втягивать не стану ни за что.

— Возможно, все-таки придется; или же вы откажетесь от дачи показаний, сославшись на Пятую поправку, и тогда станет ясно, что вы что-то скрываете.

— Вы что, не отступаете никогда? — оскалившись, спросил он.

— Никогда. В ту ночь вы вернулись на ранчо?

— Нет.

— Совсем не вернулись?

— Совсем.

— Даже поспать?

— Я же сказал вам, у меня было свидание. — Он придвинул свое лицо так близко, что она ощутила на губах его дыхание. — А она была — огонь.

Он кивнул головой, словно подтверждал сказанное, и повернулся к двери.

— Мне пора в суд. Закройте дверь, когда будете уходить, ладно?

Глава 18

— Мисс Гейтер?

— Да. В чем дело?

Алекс не испытывала потребности в гостях. Последняя стычка с Ридом лишила ее сил. После вчерашнего нервы у нее были на взводе. Хотя Рид правдоподобно объяснил убийство этого Хикама, хотя она тоже пыталась рассуждать здраво — ничто не могло убедить ее, что ей не грозит опасность.

Поэтому, когда в дверь ее номера постучали, она, крадучись, подошла и посмотрела в глазок. На пороге стояла незнакомая, но с виду как будто безобидная пара. Алекс открыла дверь и выжидающе взглянула на них.

Мужчина внезапно протянул руку. Алекс, вздрогнув, отскочила.

— Преподобный Фергус Пламмет, — представился тот.

Чувствуя себя преглупо, Алекс пожала ему руку.

— Я вас напугал? Простите, пожалуйста. Я не хотел.

Манеры преподобного отца были исполнены такого уважения, а голос — такого сочувствия, что нельзя было представить, будто он может кому-то угрожать. Тщедушный, ростом ниже среднего, он держался прямо, почти с военной выправкой. Его черный костюм залоснился и был явно не по сезону. Пальто при нем не было, волнистые темные, довольно длинные, вопреки моде, волосы не прикрыты шляпой. В городке, где почти каждый человек мужского пола с двенадцати лет носит либо ковбойскую шляпу, либо кепку с козырьком, странно было видеть мужчину без шляпы.

— Это моя жена Ванда.

— Здравствуйте, миссис Пламмет, здравствуйте, преподобный отец.

Миссис Пламмет была крупной женщиной с обширной грудью, размеры которой она пыталась преуменьшить, прикрывая ее просторной вязаной серовато-оливковой кофтой на пуговицах. Волосы ее на затылке были стянуты в узел, голова смиренно потуплена. Муж уделял ей внимания не больше, чем какому-нибудь фонарному столбу.

— Откуда вам известно мое имя? — спросила Алекс, заинтригованная этой парой.

— Его все знают, — ответил он с мимолетной улыбкой. — О вас в городе много говорят.

Под мышкой у священника была зажата Библия. Алекс терялась в догадках, зачем священнику понадобилось к ней являться. Или он надеялся с ее помощью увеличить число прихожан?

— Вы, наверное, удивляетесь, почему я вдруг посетил вас, — сказал он, разгадав озадаченное выражение ее лица.

— По правде говоря, да. Заходите, пожалуйста.

Они вошли в комнату. Миссис Пламмет чувствовала себя неловко, не зная, куда ей присесть, пока муж не указал ей на край кровати. Сам он сел в единственное кресло. Алекс тоже села на кровать, но в отдалении от миссис Пламмет, чтобы не стеснять друг друга. Преподобный оглядел комнату. Он явно не торопился раскрывать причину своего появления здесь. Наконец, с чуть слышным нетерпением в голосе, Алекс спросила:

— Могу я вам чем-нибудь помочь, преподобный отец?

Закрыв глаза, тот воздел руку к небесам и призвал Господне благословение.

— Да прольется щедрая благодать небес на любезную Господу дщерь его, — нараспев произнес он низким вибрирующим голосом.

И принялся громко и усердно молиться. Алекс разбирал неудержимый смех. В свое время Мерл Грэм позаботилась о том, чтобы внучка выросла в традиционной протестантской вере. Они регулярно ходили в церковь. И хотя Алекс не принимала тех жестких догм, которых твердо придерживалась бабушка, христианская вера была заложена в ней основательно.

— Извините, преподобный отец, — начала она, чувствуя, что молитва невыносимо затянулась, — у меня сегодня был очень тяжелый день. Может быть, мы перейдем к предмету вашего визита?

Он явно был задет тем, что она прервала его моления; однако произнес с таинственным видом:

— Я могу помочь вам в расследовании деятельности «Минтон энтерпрайзиз».

Алекс застыла, ошеломленная. Она меньше всего ожидала, что преподобный Пламмет каким-то образом окажется причастен к ее расследованию. Впрочем, надо действовать очень осторожно, напомнила она себе. Эта история вызывала у нее все больше сомнений. Какие страшные тайны мог знать этот чудной человечек о Селине, Риде Ламберте или о Минтонах? Конечно, священникам поверяют секреты, но она по опыту знала, что профессиональная этика обычно не позволяет им разглашать услышанное. Они неуклонно соблюдают тайну исповеди и могут что-то сообщить только в том случае, если чья-то жизнь оказывается под угрозой.

Маловероятно, чтобы Ангус или его сын раскрыли душу такому робкому, серенькому человечку, как Пламмет. А если исходить из чисто внешних данных, то вряд ли он имеет большое влияние на всемогущего. А мысль о том, что Рид Ламберт вздумает исповедоваться в грехах, казалась сущей нелепицей.

Голос ее, как у опытного юриста, звучал спокойно и бесстрастно. Грег был бы доволен, услышав, как она невозмутимо спрашивает:

— Неужели? И как вы можете это сделать? Вы знали мою мать?

— К несчастью, не знал. Но я все равно могу ускорить ваше расследование. Мы — мои праведные прихожане и я — верим, что вы на нашей стороне. А с нами Бог.

— С-спасибо, — с запинкой выговорила она, надеясь, что ответила правильно.

Очевидно, правильно, поскольку от миссис Пламмет, беззвучно молившейся все это время, долетело тихое «аминь».

— Преподобный отец, — нерешительно начала Алекс, — я не уверена, что вы вполне в курсе дела. Я здесь по распоряжению окружной прокуратуры.

— Господь направляет деяния людские, они лишь исполняют его священную волю.

— ...для расследования убийства моей матери, которое произошло в Пурселле двадцать пять лет назад.

— *Хвала тебе*, Господи, за то, что сие неправедное дело скоро будет *исправлено!* — возглашал он, потрясая кулачками.

Алекс диву давалась. У нее вырвался нервный смешок.

— Да, гм, я тоже на это надеюсь. Однако не могу взять в толк, какая связь между моим расследованием и делами вашего прихода? У вас есть никому не ведомые данные об убийстве?

— Ах, если бы, мисс Гейтер, — возопил Пламмет. — Ах, если бы! Тогда мы ускорили бы это богоугодное дело и наказали бы неправедных.

— Неправедных?

— Грешников! — пылко воскликнул он. — Тех, кто готов совратить этот город и всех невинных чад Господних, проживающих здесь. Они хотят построить сатанинское игрище, заполнить драгоценные вены детей наших наркотиками, их нежные рты — отвратительными напитками, а их животворный ум — похотью.

Алекс искоса взглянула на миссис Пламмет; та сидела, опустив голову, руки ее лежали на коленях, ноги плотно стиснуты от бедер до пят, словно склеенные.

— Вы имеете в виду пурселлские бега? — осторожно спросила Алекс.

Как она и опасалась, в ответ на ее слова забил целый фонтан протестантского благочестия. Пророчества рвались с уст священника, будто вышедший из берегов поток. Алекс выдержала целую проповедь, посвященную тому, что несут с собой ипподром, бега и прочее беспутство, с ними связанное. Но когда Пламмет принялся восхвалять ее как посланца Господня, призванного уничтожить сатанинское отродье, она почувствовала необходимость прервать пламенные речи.

— Позвольте, преподобный отец...

После нескольких ее безуспешных попыток он наконец замолчал и посмотрел на Алекс бессмысленным взглядом. Она облизнула пересохшие от волнения губы, обижать его не хотелось, но нужно же было объясниться.

— От меня совершенно не зависит, получат Минтоны лицензию на открытие тотализатора на бегах или нет. Собственно, они уже получили «добро» от комиссии по скачкам. Остались сущие формальности.

— Но Минтоны ведь под следствием по поводу их участия в убийстве.

Тщательно выбирая слова и не упоминая Минтонов впрямую, она сказала:

— Если в результате моего расследования обнаружится достаточное количество улик и мотивов убийства, чтобы предъявить им обвинение, дело, возможно, будет передано на рассмотрение большого суда присяжных. А они уже вынесут свой вердикт. Во всяком случае, до тех пор все так или иначе связанные с этим преступлением лица считаются, в соответствии с конституцией, невиновными.

Она подняла руку, чтобы он ее не прерывал.

— Будьте добры, разрешите мне закончить. Что же касается предполагаемого открытия ипподрома, то по окончании данного расследования это всецело будет зависеть от комиссии по скачкам. К ее решению по этой или иной заявке на лицензию я никакого касательства иметь не буду. Собственно говоря, — продолжала она, — Минтоны оказались замешаны одновременно и в том, и в другом деле совершенно случайно. Я возобновила расследование убийства моей матери потому, что как прокурор была не удовлетворена решением суда и считала, что дело требует пересмотра. Личной вражды к этому городу или к какому-либо из его жителей я не питаю.

Пламмет ерзал и дергался, стремясь вставить слово, и она замолчала.

— Но вы же не хотите, чтобы и в Пурселле начали играть в азартные игры, правда? Вы ведь тоже против этих злоухищрений дьявола, от которых дитя лишается куска хлеба, браки распадаются, а слабые духом сбиваются на пути, ведущие в ад и к вечному проклятию?

— Мое мнение о тотализаторе — как, кстати, и обо всем прочем — вас, преподобный Пламмет, не касается. — Алекс поднялась с кровати. Она устала. Этот тип — просто чокнутый. Она и так потратила на него больше времени, чем он заслуживает. — Я вынуждена попросить вас и миссис Пламмет уйти.

Этот священник, что и говорить, не отличался ни образованностью, ни красноречием; он даже не потрудился досконально изучить вопрос и сделать соответствующие выводы. Можно ведь было привести обоснованные доводы и за и против. Но будут или нет играть в Пурселле на тотализаторе — Алекс не касалось.

— Мы не сдадимся, — заявил Пламмет, идя за нею к двери. — Мы готовы на любые жертвы, лишь бы свершилась воля Божия.

— Воля Божия? Если воля Божия в том, чтобы Минтоны

не получили этой лицензии, то тогда все ваши усилия тщетны, они не подкрепят его волю и не помешают ей, верно?

Но поймать его в логическую ловушку было не просто.

— Господь через нас творит волю свою. И через вас тоже, хотя вы этого, возможно, еще не осознаете. — Глаза его пылали фанатичным огнем. У Алекс даже мурашки побежали по телу. — Вы и есть ответ на наши молитвы. О, да, мисс Гейтер, ответ на наши молитвы. Так призовите же нас. Вы — помазанница Божия, а мы — ваши смиренные и усердные слуги.

— Я, гм, буду иметь это в виду. До свидания.

Теологическая система преподобного Пламмета была чудовищно искаженной. Алекс от него просто коробило. Она поскорее захлопнула дверь. И сразу же зазвонил телефон.

Глава 19

— Как вы смотрите на то, чтобы поужинать и потанцевать? — без предисловий спросил Джуниор Минтон.

— Как на сказку.

— Только скажите «да».

— Вы приглашаете меня поужинать и потанцевать?

— Приглашаю на ежемесячное празднество в Охотничьем клубе Пурселла. Умоляю, скажите, что пойдете со мной. Иначе я умру там со скуки.

Алекс рассмеялась:

— Что-то не верится, что вы, Джуниор, когда-нибудь скучаете. Особенно если рядом женщины. Они небось все, как одна, клюют на ваш треп?

— Клюют — почти без исключения. А если сегодня вы со мной пойдете в клуб, тогда, выходит, все поголовно.

— *Сегодня?*

— Разумеется, сегодня вечером. Что, я разве не сказал? Извините, что не смог пригласить заранее.

— Вы серьезно?

— Неужто я стал бы шутки шутить о таком важном событии, как вечер в Охотничьем клубе?

— Нет, конечно, не стали бы. Уж простите мое легкомыслие.

— Все прощу, если пойдете.

— Я правда не могу. У меня нет сил. Вчера вечером...

— Да, я слышал. Бог мой, это, наверное, было ужасно, так вот наткнуться на Клейстера Хикама. Жажду помочь вам развеяться.

— Очень ценю вашу заботу, но пойти не могу.

— Отказа я не приму.

Разговаривая, Алекс не без труда стянула с себя платье; теперь, в одной комбинации и чулках, зажав телефонную трубку между плечом и ухом, она пыталась накинуть на себя халат. После уборки горничная неизменно выключала в номере отопление. Каждый вечер Алекс со страхом думала о возвращении в выстуженную комнату.

Она бросила взгляд на нишу, где висела ее одежда.

— Я в самом деле не могу пойти, Джуниор.

— Это почему же?

— Мои модные платья остались в Остине. Мне нечего надеть.

— Неужто даже такая острая на язык дама, как вы, тоже прибегает к этой избитой отговорке?

— Но это, между прочим, правда.

— Да там и не требуется особого парада. Наденьте кожаную юбку, в которой приезжали на днях. Вы в ней смотритесь обалденно.

Мучительно извиваясь, Алекс все-таки сумела влезть в халат, не уронив телефонной трубки. Она присела на край кровати и поплотнее завернулась в махровую ткань.

— И тем не менее придется сказать «нет».

— Почему? Я знаю, неприлично так припирать человека к стенке, но любезности от меня и дальше не ждите: не отпущу, пока вы не назовете веской причины отказа.

— Просто, на мой взгляд, нам не стоит бывать в обществе вместе.

— Потому что вы надеетесь, что я вскоре стану обитателем Хантсвиллской тюрьмы?

— Нет.

— Тогда в чем дело?

— Я вовсе не хочу отправлять вас в тюрьму, но ведь в деле об убийстве главные подозрения падают на вас.

— Алекс, у вас было время составить мнение обо мне. Вы

на самом деле полагаете, что я мог совершить такое тяжкое преступление?

Ей вспомнилось, как рассмеялся Рид при мысли, что Джуниора отправили бы на войну. Этого ленивого, лишенного честолюбия бабника? Нет, с ним приступы агрессивности никак не вязались.

— Не думаю, — тихо сказала она. — И все же вы под подозрением. Вряд ли уместно нам появляться вдвоем, показывая, что между нами есть какая-то связь.

— Вот славное словечко, — проворчал он. — Грязное такое, кровосмесительством отдает. А для вашего душевного спокойствия скажу, что связи я осуществляю в укромных местах. Не считая нескольких случаев, но то было в юности. Мы с Ридом, бывало...

— Умоляю, — простонала она. — Я об этом знать не хочу.

— Так и быть, избавлю вас от устрашающих подробностей, но при одном условии.

— Каком?

— Скажите, что сегодня пойдете со мной. Я заеду за вами в семь.

— Ну не могу я.

— Алекс, Алекс, — театрально застенал он, — посмотрите на это с другой стороны. За вечер я выпью стаканчик-другой, а может, и больше. Ударюсь вдруг в воспоминания, разнюнюсь, неосторожно что-нибудь ляпну. А вы тут как тут, все и услышите. Кто знает, какие поразительные сведения могут у меня вырваться во хмелю. Считайте этот вечер просто растянувшимся допросом. Вам же положено притуплять бдительность подозреваемых, правда? Если вы не воспользуетесь такой возможностью докопаться до истины, — продолжал он, — вы, значит, манкируете своими обязанностями. Как вы можете предаваться безделью в мотеле «Житель Запада» в то время, как один из подозреваемых пьет и треплется себе в Охотничьем клубе? Позор! Вы в долгу перед налогоплательщиками, которые несут бремя расходов на ваше расследование. Вы обязаны сделать это ради отечества, Алекс.

Теперь уже она театрально застенала:

— Если я соглашусь пойти, вы обещаете больше таких речей не произносить?

— Значит, в семь часов.

В его голосе она услышала торжество.

Войдя в клуб, Алекс тотчас обрадовалась, что приехала. Отовсюду неслись музыка и смех. До нее долетали обрывки разговоров, но никто не упоминал имени Селины Гейтер. Уже это было приятно. Она радовалась, предвкушая несколько часов полного отдыха, уверенная, что заслужила передышку.

В то же время она пыталась оправдать свой приезд в клуб. Алекс ни минуты не верила, что Джуниор способен, подвыпив, устроить в обществе сцену. Едва ли ей доведется выслушать сенсационные признания.

И все же вечер мог оказаться небесполезным. Охотничий клуб — закрытое фешенебельное заведение, следовательно, в нем состоят лишь самые сливки пурселлского общества. Рид сказал, что то письмо, которое она при нем получила, подписали местные воротилы и почтенные высокообразованные граждане. Весьма вероятно, что она сегодня кое с кем из них познакомится и сама увидит, так ли уж враждебно к ней относятся.

И что еще важнее, она сможет пообщаться с горожанами, которые прекрасно знают Минтонов и Рида; а вдруг они откроют ей нечто новое в их характерах?

Джуниор заехал за ней на новеньком красном «Ягуаре». Он мчался по шоссе, не обращая никакого внимания на ограничения скорости. Его праздничное настроение оказалось заразительным. Неважно, в каком качестве она сюда явилась: как следователь или как свободная женщина; приятно было стоять рядом с самым красивым мужчиной в зале и чувствовать, как его рука легко, по-хозяйски придерживает ее сзади за талию.

— Бар вон там, — сказал он ей в самое ухо, потому что гремела музыка. Они двинулись сквозь толпу.

Клуб не поражал особым блеском. Он не был похож на роскошные, в неоновых огнях клубы, которые, словно новые звезды, вспыхивают в больших городах; те клубы рассчитаны прежде всего на молодых, получивших отличное образование честолюбцев; и приезжают туда на «БМВ», в костюмах от лучших модельеров.

«Конь и ружье» был в высшей степени техасским клубом. Бармен словно выпрыгнул из какого-нибудь вестерна. Усы у него торчали в стороны наподобие велосипедного руля; на нем был жилет и галстук-бабочка, а на рукавах, как и положено, алые атласные подвязки. Над затейливым резным баром прошлого века красовались рога техасского быка, и расстояние между их отполированными остриями достигало шести футов.

Стены украшали картины с изображением скаковых лошадей, выдающихся быков-производителей с яичками не меньше боксерской груши, а также пейзажи с изобилием васильков либо юкки. И почти на каждом полотне — непременная ветряная мельница, в суровом одиночестве возвышающаяся на фоне залитых солнцем далей. Будучи истинной техаской, Алекс нашла бар уютным и милым. Но, обладая умом и тонким вкусом, она не могла не заметить его аляповатости.

— Белого вина, — сказала она бармену, который самым беззастенчивым образом разглядывал ее.

— Везучий, сукин ты сын, — пробурчал тот Джуниору, подавая напитки. Под роскошными усами змеилась похотливая улыбка.

Джуниор приветствовал его, подняв бокал с разбавленным водой виски.

— А то? — Опершись локтем о стойку, он повернулся к Алекс, усевшейся на табурет. — На мой вкус, есть некоторый перебор с музыкой «кантри» и «вестерн», но, если хотите потанцевать, я готов.

Она отрицательно покачала головой:

— Да нет, спасибо. Я лучше посмотрю.

После нескольких музыкальных номеров Джуниор наклонился к ней поближе и прошептал:

— Большинство здесь училось танцевать на пастбище. У них и сейчас еще такой вид, будто они боятся наступить на коровью лепешку.

Вино уже начало оказывать свое действие. Глаза у Алекс сияли, щеки разгорелись. Чувствуя, как в голове приятно зашумело, она откинула волосы и засмеялась.

— Пошли-ка, — взяв ее под локоть, он помог ей сойти с табурета. — Мама с папой уже сидят за своим столиком.

Обойдя танцплощадку, Алекс подошла с ним к группе столов, накрытых к ужину. За одним из них сидели Сара-Джо и Ангус. Он пыхтел сигаретой. Сара-Джо лениво отмахивалась от едкого дыма.

Алекс не без опасений надела на вечер красновато-коричневую кожаную юбку и в тон ей отделанный кожей свитер, но чувствовала себя в этом костюме куда спокойнее, чем если бы, как Сара-Джо, вырядилась в темно-красное, цвета бургундского вина, атласное платье: едва ли оно уместно в зале, где люди самозабвенно топают в такт песенке «Джо с осоловелыми глазами», крича в нужных местах «Дерьмо!» и потягивая пиво прямо из непрозрачных янтарных бутылок.

— Здравствуйте, Алекс, — сказал Ангус, не вынимая сигареты изо рта.

— Здравствуйте. Джуниор радушно пригласил меня сюда, — сказала она, усаживаясь в кресло, которое Минтон-младший отодвинул для нее.

— Пришлось немножко повыворачивать руки, — заметил тот, садясь рядом с Алекс. — Она изображает недоступную женщину.

— Чем ее мать определенно не увлекалась.

Сухое, язвительное замечание Сары-Джо мгновенно прервало разговор. А легкое опьянение у Алекс как рукой сняло. Возбуждение улеглось, выветрилось — как газ из давно открытой бутылки лимонада. Она кивнула Саре-Джо и сказала:

— Здравствуйте, миссис Минтон. Вы сегодня очаровательны.

Она и впрямь была очаровательна, несмотря на чересчур изысканное платье. *Но какая-то безжизненная*, подумалось Алекс. Сара-Джо не способна выглядеть оживленной и бодрой. В красоте ее чудилось нечто бесплотное, словно ее пребывание на земле было мимолетным и ничтожным. Она одарила Алекс неопределенной, сдержанной улыбкой и, пробормотав «благодарю», пригубила вина.

— Я слышал, это вы нашли тело Клейстера.

— Папа, мы пришли отдохнуть, — сказал Джуниор. — Алекс не хочется обсуждать эти ужасы.

— Нет-нет, ничего. Рано или поздно я бы сама об этом заговорила.

— Вряд ли вы встретили его в том притоне случайно, да еще и в кабину к нему забрались, — заметил Ангус, перекатывая сигарету из одного угла рта в другой.

— Не случайно.

Она пересказала им свои телефонные переговоры с Клейстером.

— Батрак этот был врун, бабник, а что хуже всего, еще и жульничал в покер, — с некоторой горячностью заявил Ангус. — За последние годы он и вовсе напрочь отупел и обезумел. Потому мне и пришлось его выгнать. Надеюсь, у вас хватило здравого смысла не поверить его россказням.

Посреди этой речи Ангус махнул официанту, чтобы тот принес всем выпить.

— Конечно же, Клейстер вполне мог видеть, кто прошел в конюшню с Селиной, но увидел-то он кого? Придурка Бада.

Выложив это, он, не давая Алекс возможности усомниться в сказанном, принялся расписывать достоинства жокея из Руидосо, которого хотел переманить к себе. Поскольку хозяевами стола были Минтоны, воспитание не позволило Алекс сразу возобновить разговор о Клейстере Хикаме.

Когда все выпили по бокалу, Ангус и Джуниор предложили сходить к общему столу и принести дамам закусок и жареной на вертеле дичи. Алекс охотнее выстояла бы очередь к столу сама. Ей было нелегко поддерживать светскую беседу с Сарой-Джо, но, когда мужчины отошли, она храбро начала разговор:

— Вы давно в этом клубе?

— Ангус был в числе основателей, — рассеянно ответила Сара-Джо. Она не отрываясь смотрела на бесконечный хоровод пар, отплясывавших на танцевальной площадке тустеп.

— И в чем только он у вас не участвует, — обронила Алекс.

— Он любит быть в курсе того, что происходит в городе.

— И прикладывать к этому руку.

— Да. Он многое затевает и очень разбрасывается. — Она учтиво вздохнула. — Понимаете, у Ангуса потребность нравиться людям. Вечно он кого-то уговаривает, за что-то агитирует — как будто это очень важно.

Алекс сложила руки под подбородком, опершись локтями о стол.

— Вы считаете, неважно, что они думают?

— Нет. — Ее завороженность танцующими рассеялась. Впервые за весь вечер она посмотрела Алекс прямо в глаза. — Не придавайте большого значения ухаживаниям сына.

— Вот как?

— Он заигрывает с каждой новой знакомой.

Алекс медленно опустила руки на колени. В ней поднималась мутная волна гнева, но, овладев собой, она тихо и ровно сказала:

— Мне неприятен ваш намек, миссис Минтон.

Сара-Джо безучастно пожала плечом.

— Мои мужчины оба очаровательны, и оба это хорошо знают. Женщины, как правило, не понимают одной простой вещи: ухаживания что того, что другого ровным счетом ничего не означают.

— Не сомневаюсь, что с Ангусом дело именно так и обстоит, но что касается Джуниора, то не уверена. Три бывших жены могут и не согласиться с вашим утверждением.

— Они все для него не подходили.

— А моя мать? Она бы тоже ему не подошла?

Сара-Джо вновь остановила на Алекс свой лишенный выражения взгляд.

— Абсолютно не подходила. А вы, знаете ли, очень на нее похожи.

— Да?

— Вам нравится вносить разлад. Вашей матери непременно надо было встревать в такие дела, от которых одно беспокойство. Разница между вами и ею лишь в том, что вы еще большая мастерица причинять неприятности и вызывать враждебность. Вы прямолинейны до бестактности; это, очевидно, за счет плохого воспитания.

Она подняла глаза: позади Алекс кто-то подошел к их столу.

— Добрый вечер, Сара-Джо.

— Судья Уоллес! — Лицо Сары-Джо засияло нежной улыбкой. Невозможно было даже заподозрить, что она только что выпускала жало. — Здравствуйте, Стейси.

Алекс обернулась; лицо ее еще горело от несправедливых нападок Сары-Джо. Судья Уоллес смотрел на нее сверху вниз с явным неодобрением, словно само ее присутствие нарушало клубные порядки.

— Здравствуйте, мисс Гейтер.

— Здравствуйте, судья.

Стоявшая возле него женщина смотрела на Алекс с не

меньшим осуждением, но почему? Этого Алекс понять не могла. Очевидно, среди этих людей один лишь Джуниор относится к ней дружелюбно.

Судья подтолкнул свою спутницу под локоть, и они направились к другому столу.

— Это его жена? — спросила Алекс, наблюдая за ними.

— Господи помилуй, нет, что вы. Это его дочь. Бедняжка Стейси. Неизменно безвкусно одета.

Стейси Уоллес все еще не сводила с Алекс исполненного злобы взгляда и прямо-таки заворожила ее. Алекс отвела от Стейси глаза, только когда вернувшийся к столу с двумя тарелками еды Джуниор, усаживаясь, задел коленом ее ногу.

— Надеюсь, вы любите грудинку с фасолью. — Он проследил за направлением ее взгляда. — Привет, Стейси. — Он подмигнул и дружески помахал ей рукой.

Губы ее раздвинулись в неуверенной улыбке. Покраснев, она прикрыла рукой вырез платья, будто смущенная девочка, и застенчиво отозвалась:

— Привет, Джуниор.

— Так как же?

Хотя судья и его дочь-хамелеон по-прежнему занимали Алекс, этот краткий вопрос Джуниора заставил ее обернуться.

— Простите?

— Любите грудинку с фасолью?

— Сейчас увидите, — засмеялась она, расстилая на коленях салфетку.

В нарушение великосветских приличий она уничтожила большую часть того, что лежало у нее на тарелке, и ее здоровый аппетит вызвал одобрение Ангуса.

— А вот Сара-Джо ест, как птичка. Не нравится тебе грудинка, да, солнышко? — спросил он, заглядывая в тарелку жены, оставшуюся почти нетронутой.

— Немного суховата.

— Хочешь, я закажу тебе чего-нибудь еще?

— Нет, благодарю.

Когда они отужинали, Ангус вытащил из кармана новую сигару и закурил. Помахав спичкой, предложил:

— А отчего бы вам не потанцевать?

— Хотите? — осведомился Джуниор.

— Конечно. — Алекс отодвинула стул и встала. — Правда,

в подобных танцах я не сильна, так что, пожалуйста, что-нибудь не слишком экстравагантное.

Джуниор привлек ее к себе и, вопреки ее просьбе, исполнил несколько замысловатых поворотов и наклонов.

— Очень мило, — улыбнулся он, глядя на нее сверху вниз, и перешел на более спокойный тустеп. Рукой, лежавшей у нее на талии, он притянул ее к себе поближе. — Очень, очень мило.

Алекс не возражала: ей нравилось ощущать себя в крепких мужских объятиях. Ее партнер был хорош собой, обаятелен и умел внушить женщине, что она прекрасна. Она поддавалась его чарам, но, отлично это сознавая, как бы натянула страховочную сетку.

По правде говоря, она не способна была увлечься таким обольстительным болтуном, как Джуниор, но приятно время от времени пользоваться его вниманием, тем более что в обществе Рида ее личность, ее уверенность в себе всякий раз терпели поражение.

— А Рид член клуба? — как бы между прочим поинтересовалась она.

— Вы шутите?

— Его не пригласили вступить в клуб?

— О, конечно, пригласили — как только он был избран шерифом. Просто он чувствует себя уютнее совсем в другом обществе. На хрена ему — простите меня — вся эта светская чушь. — Он погладил ее по спине. — Чувствуется, вы сейчас не так напряжены, как когда я за вами заехал. Отдыхаете?

— Да, но вы ведь меня сюда обманом заманили, — осуждающе проговорила она. — Что-то непохоже, чтобы вы напились и дали волю языку.

В его улыбке не было и намека на раскаяние.

— Спрашивайте все, что угодно.

— Хорошо. Кто тот мужчина, вон, с седыми волосами?

Джуниор назвал его имя. Интуиция не обманула Алекс. Его подпись тоже стояла под тем письмом.

— Познакомьте нас, когда оркестр сделает перерыв.

— Он женат.

Она быстро взглянула на него.

— У меня к нему отнюдь не романтический интерес.

— Ах, вот как, тем лучше, тем лучше.

Он исполнил ее просьбу. Мужчина, которого она углядела в толпе, оказался банкиром. Когда Джуниор знакомил их, вид у банкира был смущенный. Пожав ему руку, Алекс сказала:

— Я получила ваше письмо, мистер Лонгстрит.

Ее прямота изумила его, но он справился с собой великолепно.

— Я вижу, вы отнеслись к нему серьезно. — Он понимающе указал глазами на Джуниора.

— Пусть мое присутствие здесь в обществе Минтона-младшего не введет вас в заблуждение. Я прекрасно понимаю, что он, его отец и мистер Ламберт значат для Пурселла, для экономического процветания города, но у меня и в мыслях нет отказываться от расследования по этой причине. Чтобы меня запугать, одним письмом не обойдетесь.

Когда через несколько минут Джуниор опять вывел ее на танцевальную площадку, он, не скрывая раздражения, сказал, едва шевеля губами:

— Вы бы хоть предупредили меня.

— О чем?

— О том, что вы вооружены и опасны. Лонгстрит — большая шишка, нападать на него вряд ли стоит. И вообще, что за сыр-бор вокруг письма?

Она объяснила, приведя все имена, которые смогла припомнить.

— Я надеялась кое-кого из них сегодня встретить здесь.

Он нахмурился и сурово посмотрел на нее. Но вскоре пожал плечами и обольстительно улыбнулся.

— А я-то думал, что вскружил вам голову. — И добавил, смиренно вздохнув: — Что ж, хотя бы помогу вам выпутаться. Хотите, познакомлю с остальными вашими недоброжелателями?

Стараясь, чтобы все выглядело вполне непринужденно, Джуниор повел ее по залу, представляя тем, кто поставил свою подпись под посланием с тонко замаскированной угрозой.

Полчаса спустя они уже беседовали с супружеской четой, владевшей в Западном Техасе целой сетью магазинов полуфабрикатов. Супруги вложили в постройку ипподрома большие деньги и не скрывали своей враждебности к Алекс. Поговорив с ними, Алекс и Джуниор двинулись дальше. Впрочем, к этому времени все присутствующие уже знали, кто такая новая спутница Джуниора, и ждали знакомства с нею во всеоружии.

— Ну вот, теперь все, — сказал он.

— Слава богу, — прошептала Алекс. — Ножи у меня из спины еще торчат?

— Неужто вы эту злоязычную курицу всерьез восприняли? Слушайте, она же просто старая скукоженная мегера; особенно ненавидит женщин, у которых нет усов той же густоты, что у нее самой.

Алекс невольно улыбнулась.

— Она чуть ли не прямо мне заявила: «Собирай манатки и первым же автобусом мотай из города... иначе...»

Он сжал ее руку.

— Ну-ка пошли танцевать. Хватит думать о всяких неприятностях.

— После этого налета мне надо почистить перышки, — сказала она, выскальзывая из его объятий. — Прошу меня извинить.

— Хорошо. Комната для маленьких девочек во-он там. — Он указал на узкий коридор.

Когда она вошла, в дамской комнате никого не было, но когда она вышла из кабинки, перед туалетным столиком стояла дочь судьи и рассматривала свое отражение в зеркале. Она обернулась к Алекс.

Алекс улыбнулась.

— Здрасьте.

— Здравствуйте.

Алекс подошла к раковине и вымыла руки.

— Нас не представили друг другу. Меня зовут Алекс Гейтер.

Она вытянула из автомата два шершавых бумажных полотенца.

— Да, знаю.

Алекс бросила использованные полотенца в корзину.

— Вы дочь судьи Уоллеса? — попыталась она разрядить обстановку, но атмосфера накалялась. И следа не осталось от той робкой, неуверенной девицы, с которой здоровался Джуниор. Лицо окаменело, на нем читалась непримиримая враждебность. — Вас зовут Стейси, не так ли?

— Да. Стейси. Но моя фамилия не Уоллес. А Минтон.

— Минтон?

— Именно. Я жена Джуниора. Его первая жена.

Глава 20

— Для вас, я смотрю, это новость? — сухо рассмеялась Стейси, видя, как ошарашена Алекс.

— Да, — глухо отозвалась она. — Мне никто не говорил.

Самообладание, никогда не изменявшее Стейси, вдруг покинуло ее. Положив ладонь на тощую грудь, она вскричала:

— Вы хоть понимаете, какой вред вы наносите?

— Кому?

— Мне! — крикнула Стейси, ударяя себя кулачком в грудь. Но тут же уронила руку и поджала губы, словно испугавшись собственной вспышки. Она на миг прикрыла глаза. А когда вновь открыла, они горели ненавистью, но она уже вполне владела собой. — Двадцать пять лет я пытаюсь заставить себя и людей забыть то, в чем в свое время все были убеждены. Джуниор якобы потому женился на мне, что получил отставку у вашей матери.

Для Алекс это было очевидно, но она лишь виновато опустила глаза.

— Я вижу, вы придерживаетесь того же мнения.

— Извините, мисс Стейси. Можно мне называть вас Стейси?

— Разумеется, — чопорно ответила она.

— Я очень сожалею, что мое расследование причиняет вам боль.

— А разве могло быть иначе? Вы же копаетесь в прошлом. И выставляете всему городу напоказ мое грязное белье. Опять все сначала.

— Да я понятия не имела, кто первая жена Джуниора, мне и невдомек, что она из Пурселла.

— Будто, знай вы об этом, вы действовали бы иначе.

— Возможно, и нет, — удрученно, но честно ответила

Алекс. — Мне, однако, непонятно, какое отношение ваш брак с Джуниором имеет к делу об убийстве. Разве что косвенное, но сие уж от меня не зависит.

— А как же мой отец? — спросила Стейси, меняя тему разговора.

— Что ваш отец?

— Это затеянное вами, никому не нужное расследование приведет к немалым неприятностям для него. И уже привело.

— Каким образом?

— Чего стоит одно то, что вы ставите под сомнение решение суда, которое вынес он.

— Извините. Тут я тоже ничем не могу помочь.

— Не можете или не хотите? — Прижав прямые руки к туловищу, Стейси передернулась от отвращения. — Ненавижу людей, которые ради личной выгоды готовы втоптать в грязь репутацию других.

— Вы считаете, я именно так и поступаю? — обиженно спросила Алекс. — Вы полагаете, я придумала это расследование, чтобы побыстрее сделать карьеру?

— А разве нет?

— Нет. — Алекс решительно покачала головой. — Мою мать убили в той конюшне. Я не верю, что обвиненный в убийстве человек был способен на такое преступление. Я хочу знать, что произошло на самом деле. И я узнаю, что там произошло. И виновный заплатит за то, что сделал меня сиротой, я добьюсь этого.

— Я готова была поверить в ваши добрые намерения, но теперь вижу, что вы жаждете лишь мести, и больше ничего.

— Я жажду справедливости.

— И неважно, во что она обойдется людям, так?

— Я ведь уже принесла извинения за доставляемые вам неприятности.

Стейси насмешливо фыркнула.

— Вы хотите публично распять моего отца. Не отрицайте, — обрезала она, когда Алекс попыталась было возразить. — Сколько бы вы это ни отрицали, ясно же: вы выставляете его на посмешище. Самое меньшее, вы обвиняете его в тяжкой судебной ошибке.

Опровергать это было бы криводушием.

— Да, я считаю, что в случае с Бадди Хиксом он вел дело плохо.

— У папы позади сорок лет безупречной службы; это ли не подтверждение его мудрости и неподкупной честности?

— Если мое расследование, как вы выразились, никому не нужно, оно не заденет его репутации, не так ли, миссис Минтон? Благородного судью с незапятнанной репутацией не под силу свалить какому-то жалкому следователю, вооруженному лишь злобой и жаждой мести. Чтобы подкрепить мои обвинения, потребуются улики.

— У вас их нет.

— В конце концов, полагаю, появятся. Если же в результате пострадает доброе имя вашего отца... — Алекс глубоко вздохнула и устало приложила руку ко лбу. Лицо ее было серьезно, голос звучал искренне. — Стейси, я вовсе не стремлюсь погубить карьеру вашего отца или опорочить его многолетнюю службу. Я не хочу никого обижать, не хочу причинять неприятности или горе ни в чем не повинному человеку, случайно оказавшемуся где-то рядом. Я только хочу, чтобы восторжествовала справедливость.

— Справедливость, — с издевкой повторила Стейси, злобно щурясь. — Вы не имеете права даже произносить это слово. Вы в точности как ваша мать: хорошенькая, но пустая и вздорная. Такая же эгоистка, знающая лишь одно — свою выгоду. Чувства других людей вам безразличны. Вы не способны видеть дальше собственных ничтожных желаний.

— Как я понимаю, вы мою мать не слишком жаловали, — саркастически заметила Алекс.

Стейси восприняла это замечание серьезно.

— Я ее ненавидела.

— Почему? Потому что Джуниор был в нее влюблен?

«Если Стейси бьет ниже пояса, — решила про себя Алекс, — мне тоже нечего миндальничать». Прием сработал. Стейси отступила на шаг, пытаясь нащупать туалетный столик и опереться на него. Алекс непроизвольно протянула ей руку, но дочь судьи отпрянула с выражением гадливости.

— Стейси, мне известно, что Джуниор женился на вас через считанные недели после убийства моей матери. Вы же понимаете, это не могло не удивить меня.

— Возможно, этот шаг и казался неожиданным, но мы ведь встречались до того много лет.

— Встречались? — изумилась Алекс.

— Да. И довольно давно уже были любовниками.

Это сообщение Стейси швырнула в Алекс словно стрелу: резко, предвкушая победу. Оно тем не менее вызвало у Алекс только жалость. Теперь ей все стало ясно: некрасивая девочка, безответно влюбленная в любезного и красивого футбольного кумира, готова пожертвовать чем угодно, включая и собственную гордость, ради намека на внимание с его стороны. Она пойдет на все, лишь бы удержать его подле себя.

— Понимаю.

— Вот уж сомневаюсь. Вы, как и Джуниор, в упор не видите истины.

— А в чем же истина, Стейси?

— В том, что Селина ему не подходила. Она, как и все вокруг, постоянно сравнивала его с Ридом. И Джуниор был вечно вторым. А для меня не имело значения, уступает он кому-то или нет. Я любила его самого. Он не хотел в это поверить, но, несмотря на вашего отца и на вас, Селина всегда любила бы только Рида.

— Если она его так сильно любила, почему вышла замуж за моего отца?

Алекс мучилась этим вопросом уже много дней.

— Весной, когда мы были в предпоследнем классе, Селина с Ридом поссорились. И как только начались каникулы, она уехала к родне в Эль-Пасо.

— Там она и познакомилась с моим отцом. — Это Алекс знала по рассказам бабушки. — Он был в Форт-Блиссе, в лагере для новобранцев. Вскоре после женитьбы его отправили во Вьетнам.

— А когда он погиб, — злорадно подхватила Стейси, — она хотела снова закрутить с Ридом, а он-то и не пожелал. Вот тогда она и стала разжигать надежды у Джуниора. Она знала, что он всегда ее хотел, но добиваться ее ему и в голову не приходило — из-за Рида. Она его завлекала самым постыдным образом, играя даже на собственной беременности. Возможно, подумывала и о том, чтобы выйти за него, но при жизни Рида Ламберта это было немыслимо. Вот и болтался Джуниор в руках у вашей матери на ниточке надежды, —

горько продолжала Стейси. — Она отравила ему жизнь и, будь она жива, отравляла бы и дальше. — Бывшая миссис Минтон прерывисто вздохнула, отчего ее бесформенная грудь затрепетала, вздымаясь и опадая. — Я обрадовалась, когда Селина умерла.

В глазах Алекс вспыхнула искорка подозрения.

— Где вы были в ту ночь?

— Дома, распаковывала вещи. Провела неделю в Галвестоне и только-только вернулась.

Решится ли она на ложь, которую так легко проверить?

— И вы сразу вышли за Джуниора.

— Да. Он нуждался во мне. Я знала, что я для него лишь лекарство от горя; и раньше, когда он со мной спал, я всегда знала, что на самом деле он желает Селину. Он просто пользовался мной, но мне было все равно. Я даже хотела, чтобы пользовался. Я готовила ему еду, заботилась о его одежде, ухаживала за ним днем и ночью.

Она предалась интимным воспоминаниям, и лицо ее переменилось.

— Когда он изменил мне в первый раз, я посмотрела на зло сквозь пальцы. Разумеется, я была подавлена — и в то же время понимала, как это произошло. Где бы мы ни появлялись, женщины так и липли к нему. Какой мужчина устоит перед столь сильным искушением. Связь была недолгой, он быстро потерял интерес. — Она стиснула руки и, внимательно глядя на них, тихо сказала: — Но потом опять. И опять. Я бы стерпела всех его любовниц, если бы он оставался моим мужем. Но он попросил развода. Сначала я отказалась. А он продолжал настаивать, говорил, что не хочет ранить меня своими похождениями. Деваться мне было некуда, я согласилась на развод. И хотя сердце у меня разрывалось, я дала ему то, что он просил, сознавая, *сознавая*, — подчеркнула она, — что никакая другая женщина не подходит ему так, как я. Думала, я просто умру от этой любви, причинявшей мне только муки.

С лица ее исчезла задумчивость, и она в упор посмотрела на Алекс.

— И теперь я вынуждена со стороны наблюдать, как он бродит от одной женщины к другой в поисках того, что могу и хочу дать ему я. Сегодня вот вынуждена была глядеть, как он танцует и кокетничает с вами. С вами, боже мой, — зарыдала она, подняв лицо кверху и прижав кулачок ко лбу над зажмуренными глазами. — Ведь вы же хотите его погубить, а он ничего не видит, кроме вашего хорошенького личика и фигуры.

Она опустила руку и злобно воззрилась на Алекс.

— Вы же отрава, мисс Гейтер. Я испытываю к вам сегодня те же чувства, которые терзали меня двадцать пять лет назад. — Приблизив к Алекс свое узкое костистое лицо, она прошипела: — Жаль, что вы вообще появились на свет.

Все попытки Алекс взять себя в руки после ухода Стейси оказались тщетными. Она вышла из дамской комнаты бледная и дрожащая.

— А я уж собрался пойти вызволить вас. — Джуниор поджидал ее в коридоре. Поначалу он не заметил ее взволнованного лица. Но, заметив, тут же обеспокоился: — Алекс? Что случилось?

— Я хотела бы уехать.

— Вам нехорошо? Что же?..

— Пожалуйста. Поговорим по дороге.

Ни о чем больше не расспрашивая, Джуниор взял ее под руку и повел в гардероб.

— Подождите здесь.

Алекс видела, как он вошел в зал и, обойдя танцевальную площадку, остановился у стола, где они сегодня ужинали. Обменявшись несколькими фразами с Ангусом и Сарой-Джо, он вернулся как раз в ту минуту, когда гардеробщик принес их пальто.

Он быстро вывел ее из клуба и посадил в красный «Ягуар». Подождав, пока они отъехали на приличное расстояние от клуба, а отопитель нагрел воздух в обитой бархатом машине, он обратился к ней:

— Ну-с, так что же стряслось?

— Почему вы мне не сказали, что были женаты на Стейси Уоллес?

Он уставился на нее и не сводил глаз, пока машина не начала угрожающе вилять, потом отвернулся и устремил взгляд на дорогу.

— Вы не спрашивали.

— Очень благородная причина.

Она прислонила голову к холодному боковому стеклу. Было такое чувство, будто ее измолотили цепью, а теперь надо снова выходить на арену на новый раунд. Она-то решила, что распутала все ниточки в клубке пурселлских связей, ан нет, вот еще один тугой узелок.

— А это так важно? — поинтересовался Джуниор.

— Не знаю. — Она повернулась к нему, прижавшись затылком к боковому стеклу. — Вам виднее, важно ли это.

— Брак длился меньше года. Мы расстались друзьями.

— Это вы так считаете. А она вас любит по-прежнему.

Он поморщился.

— В этом тоже причина разладов между нами. Стейси любит самозабвенно и властно. Она меня прямо в кандалы заковала. Дыхнуть не мог. Мы...

— Бросьте, Джуниор, вы же спали тут со всеми подряд, — нетерпеливо прервала она. — Избавьте меня от пошлых подробностей. Мне это и вправду неинтересно.

— В таком случае зачем вы об этом заговорили?

— Потому что она напала на меня в дамской комнате с обвинениями, будто своим расследованием я гублю жизнь ее отцу.

— Помилуй бог, Алекс! Джо Уоллес обожает поплакаться. Стейси носится с ним, как полоумная мамаша. Ни минуты не сомневаюсь, что он разнюнился и наговорил ей про вас бог знает чего. Просто чтобы она ему посочувствовала. Они потворствуют неврозам, которыми страдают оба. Не волнуйтесь вы об этом.

В эту минуту Джуниор вызывал у Алекс почти неприязнь. На ее взгляд, такое пренебрежение женской любовью — *любовью какой бы то ни было женщины* — отнюдь не является достоинством. Она наблюдала за ним сегодня вечером; он вел себя именно так, как говорила Стейси: переходил от одной женщины к другой. Молодые и старые, привлекательные и невзрачные, замужние и одинокие — все казались ему желанной добычей. Он был обаятелен с каждой, как ряженый зазывала в торговых рядах на Пасху — заводит толпу, раздает конфетки падким до сладостей ребятишкам, а они и не понимают, что лучше бы им этих сластей не есть.

Женскую лесть и заискивание он явно принимал как

должное. Такая самовлюбленность никогда не вызывала у Алекс ни одобрения, ни сочувствия. Джуниор не сомневался, что способен пробудить нежные чувства у любой женщины, стоит лишь ему заговорить с нею. Он флиртовал непроизвольно — так же естественно, как дышал. Ему и в голову не приходило, что кто-то может неверно истолковать его намерения и получить эмоциональную травму.

Не будь разговора со Стейси, Алекс лишь снисходительно улыбнулась бы, как улыбались в подобных случаях другие женщины, сочтя его вкрадчивую обходительность просто свойством характера. Теперь же Джуниор ее раздражал; ей хотелось, чтобы он понял: она такого беспечного пренебрежения не допустит.

— Стейси говорила не только о судье. Она сказала, что я воскрешаю воспоминания о вашем с нею браке и тем самым выставляю напоказ ее грязное белье. У меня сложилось впечатление, что развод с вами стал для нее многолетней каторгой.

— Но я-то тут при чем, а?

— А должны бы быть при чем.

Ее резкая реакция удивила его.

— Вы никак сердитесь на меня. За что?

— Не знаю. — Эта краткая вспышка была ей почему-то приятна. Теперь же она почувствовала изнеможение. — Извините. Может, все дело в том, что меня всегда тянет поддержать обездоленного.

Он протянул руку и накрыл ее колено ладонью.

— Превосходное свойство, оно не ускользнуло от моего внимания.

Алекс взяла его руку и положила на кожаное сиденье между ними.

— О-хо-хо, значит, подозрение с меня не снято.

Она не поддалась очарованию его улыбки.

— Зачем вы женились на Стейси?

— Вы в самом деле хотите это обсудить? — Подъехав к мотелю «Житель Запада», он выключил передачу.

— Да.

Нахмурившись, он заглушил двигатель и, опершись локтем о спинку сиденья, повернулся к ней.

— В тот момент казалось, что иного не дано.

— Вы же ее не любили.

— Какая, к черту, любовь.

— Однако спали с ней. — Он вопросительно поднял бровь. — Стейси сказала, что вы были любовниками задолго до того, как поженились.

— Да не любовниками, Алекс. Я иногда водил ее куда-нибудь.

— Как часто?

— Хотите начистоту?

— Валяйте.

— Я приходил к Стейси, когда припирало, а сестры Гейл были заняты, или у них были месячные, или...

— Кто-кто?

— Сестры Гейл. Это к делу не относится.

Он заранее отклонил вопросы, которые, как он понимал, уже роились у нее в голове.

— У меня вся ночь впереди. — Она поудобнее пристроилась к дверце.

— Вы что же, никакой мелочи не пропускаете?

— Разве самую малость. Так что же это за сестры?

— Их было три — тройняшки, собственно говоря. И всех звали Гейл.

— Это понятно.

— Нет, фамилия у них была другая. Девочек назвали Ванда Гейл, Нора Гейл и Пегги Гейл.

— Это что, шутка?

Он перекрестился.

— Вот вам крест. Рид их уже, так сказать, приобщил к основам, а уж потом на сцене появился я. — Джуниор фыркнул, видимо вспомнив особенно непристойный эпизод из юношеских похождений. — Короче, сестры Гейл всем давали. Им это нравилось. Каждый парень из нашей школы хоть раз да трахнул их.

— Ладно, все ясно. Ну а когда их под рукой не было, вы шли к Стейси Уоллес, потому что она тоже давала.

Он спокойно взглянул на нее.

— Я женщин никогда ни к чему не принуждал. Она сама этого хотела, Алекс.

— Но только с вами.

Он пожал плечами: возражать не было смысла.

— А вы этим пользовались.

— Назовите мне мужчину, который поступил бы иначе.

— Очко в вашу пользу, — сухо сказала она. — Я лишь позволю себе заметить, что у Стейси вы были единственным мужчиной.

У него хватило такта принять несколько пристыженный вид.

— Да, пожалуй, верно.

— Мне сегодня стало ее жаль, Джуниор. Она разговаривала со мной отвратительно и тем не менее вызвала у меня жалость.

— Я никогда не мог понять, чего она ко мне прицепилась; она же ходила за мной по пятам с того самого дня, как я пришел в пурселлскую школу. И, знаете, башковитая была девчонка. Любимица всех учителей. Еще бы — старательная, ни в какие истории никогда не попадала. — Он хихикнул. — Но что она с готовностью выделывала на заднем сиденье моего «Шевроле» — они *в жизни* не поверили бы.

Алекс, почти не слушая, рассеянно смотрела в пространство.

— Стейси презирала Селину.

— Она ей завидовала.

— Главным образом потому, что, когда вы были в постели со Стейси, она знала, что мечтаете-то вы о моей матери.

— Черт, — тихонько выругался он, и улыбка сползла с его лица.

— Так она сказала. Это правда?

— Селина всегда была при Риде. Так уж сложилось. Против фактов не попрешь.

— Но вы же ее все равно хотели, даже при том, что она принадлежала вашему лучшему другу. Так?

После продолжительного молчания он сказал:

— Чего уж отпираться, это было бы вранье.

— Стейси мне еще кое-что сказала, — очень тихо произнесла Алекс. — Так, случайное замечание, а вовсе не намеренная откровенность. И сказала об этом вскользь, словно это и без того всем известно — и мне, само собой, тоже.

— Что?

— Что вы хотели жениться на моей матери. — Она снова

посмотрела ему прямо в лицо и спросила сдавленным голосом: — Правда?

Он на миг отвернулся, потом произнес:

— Да.

— До или после того, как она вышла замуж и родила меня?

— И до, и после. — Заметив ее явную озадаченность, он сказал: — По-моему, всякий, кто видел Селину, непременно хотел, чтобы она всегда была с ним. Еще бы: красивая, веселая, к тому же умела дать почувствовать, что она создана только для тебя. В ней было... — он подыскивал подходящее слово, — что-то... — он как бы зажал ускользающее слово в кулаке, — что-то такое, отчего вы жаждали обладать ею.

— Вы хоть раз обладали ею?

— Физически?

— Вы хоть раз спали с моей матерью?

На его лице застыло выражение глубокой грусти.

— Нет, Алекс. Никогда.

— А вы пытались? Она бы согласилась?

— Вряд ли. Я и не пытался. Не очень, по крайней мере.

— Почему же, раз вы так ее хотели?

— Потому что Рид убил бы нас обоих.

Опешив, она молча смотрела на него.

— Вы серьезно так считаете?

Он пожал плечами, и на лице его вновь засияла обезоруживающая улыбка.

— Ну, образно выражаясь.

Алекс не очень в это поверила. Он произнес «убил бы» явно в буквальном смысле слова.

Джуниор подвинулся к ней поближе. Взъерошив ей сзади волосы, он стал большим пальцем поглаживать ее шею.

— Но это очень мрачная тема. Давайте ее сменим, — прошептал он, легонько касаясь губами ее губ. — Может, оставим пока прошлое и займемся настоящим? — Он разглядывал ее лицо, скользя по нему кончиками пальцев. — Я очень хочу спать с тобой, Алекс.

Она настолько поразилась, что на миг потеряла дар речи.

— Вы шутите?

— Нет, спорим?

И он поцеловал ее всерьез. Во всяком случае, попытался.

Наклонив голову, он прильнул губами к ее губам, пытаясь разомкнуть их, и прижался к ней еще крепче. Не ощутив никакого отклика с ее стороны, отодвинулся и озадаченно посмотрел на нее.

— Нет?

— Нет.

— Почему?

— Вы сами знаете, тут нечего и объяснять. Это было бы безумно глупо. Неправильно!

— Я делал и куда большие глупости. — Опустив руку, он стал теребить пальцами отделку из мягкой замши на ее свитере. — И еще какие неправильные!

— Ну а я нет.

— Нам будет хорошо вместе, Алекс.

— Этого мы никогда не узнаем.

Он медленно провел большим пальцем по ее нижней губе, не отрывая от нее взгляда.

— Никогда не говори «никогда».

Наклонив голову, он поцеловал ее снова — ласково, не страстно, — потом передвинулся на свое сиденье и вылез из машины.

У двери Джуниор сдержанно чмокнул ее и пожелал спокойной ночи; на лице его, однако, было снисходительно-веселое выражение. Алекс понимала; он думает, что она просто ломается и победа над нею — всего лишь вопрос времени.

Она была настолько ошарашена его натиском, что минуты две-три не замечала моргающей красной лампочки на телефоне: ей что-то хотели передать. Алекс позвонила портье, ей дали телефон, по которому просили позвонить; она набрала номер. Еще не слыша голоса врача, она уже знала, что он скажет. И все равно его слова потрясли ее.

— Мне очень жаль, мисс Гейтер. Сегодня вечером, совсем недавно, миссис Грэм, не приходя в сознание, скончалась.

Глава 21

Алекс постучала в дверь, дождалась, пока Рид крикнет: «Войдите!» — и лишь тогда шагнула в кабинет.

— Здравствуйте. Спасибо, что сразу приняли меня.

Она села в кресло напротив его стола. Он, не спрашивая, налил кофе по ее вкусу и поставил перед нею. Она кивком головы поблагодарила его.

— Мне очень жаль, что ваша бабушка умерла, Алекс, — сказал он, вновь усаживаясь в свое скрипучее вращающееся кресло.

— Благодарю вас.

Алекс на неделю уезжала, чтобы заняться похоронами. В маленькой церкви при лечебнице на панихиде присутствовали, кроме Алекс, лишь горсточка бывших сослуживцев бабушки да несколько больных из той же лечебницы. После похорон Алекс приступила к малоприятной обязанности: надо было убрать все бабушкины вещи из ее палаты. Персонал отнесся к Алекс очень доброжелательно, однако другие пациенты уже ждали места в палате, и поэтому ее нужно было освободить немедленно.

Психологически ей было очень тяжело это делать. В церкви под тихую органную музыку она смотрела на скромный гроб и чувствовала, что потерпела сокрушительное поражение. Она не сдержала слова, данного бабушке и себе самой. Не успела вовремя разыскать убийцу Селины.

Что еще хуже, не сумела добиться поощрения и любви бабушки. А ведь это был ее последний шанс, другого не будет.

Она всерьез подумывала о том, чтобы признать себя побежденной: позвонить Грегу и сказать, что он был прав и ей надо было сразу послушаться его совета. Такая смиренность доставила бы ему большое удовольствие, и он тут же поручил бы ей другое дело.

Насколько все стало бы проще! Ей никогда бы не пришлось вновь пересекать границы города под названием Пурселл и терпеть враждебность горожан, ей не пришлось бы смотреть в лицо этому человеку, который вызывал в ней бурю самых противоречивых чувств.

С юридической точки зрения, у нее по-прежнему было недостаточно оснований передавать дело в суд. Но по-человечески она просто не могла бросить все как есть. Ей очень хотелось разобраться в характерах мужчин, любивших ее мать. Она *обязана* выяснить, кто из них ее убил, а также — повинна она сама или нет в смерти собственной матери. Либо она отведет от себя это обвинение, либо ей придется жить с чувством вины всю оставшуюся жизнь; так или иначе, но она не могла оставить этот вопрос нерешенным.

И она вернулась в Пурселл. Алекс смотрела в зеленые глаза Рида, которые всю неделю не давали ей покоя; наяву они так же, как и в мечтах, будоражили ее и подавляли волю.

— Я сомневался, что вы вернетесь, — сказал он без обиняков.

— Напрасно. Я же сказала, что не сдамся.

— Да, как же, помню, — угрюмо произнес он. — Как потанцевали в тот вечер?

Вопрос был крайне неожиданным, и она отреагировала автоматически:

— А вы откуда знаете, что я там была?

— Слух прошел.

— Да вам Джуниор сказал.

— Нет.

— Не томите меня, а то не выдержу, — сказала Алекс. — Как вы узнали, что я ездила в Охотничий клуб?

— Один из моих помощников засек Джуниора, когда тот выжимал на шоссе восемьдесят одну милю. Около одиннадцати вечера, — доложил он. — Он-то вас и увидел в машине. — И, глядя не на нее, а на носки своих сапог, заметил: — Что-то вы чертовски торопились назад в мотель.

— Просто хотела уехать из клуба, вот и все. Неважно себя почувствовала.

— Что, мясо на вертеле не по вкусу пришлось? Или люди? От некоторых меня тоже воротит.

— Дело не в еде и не в людях. Все из-за... ну... одного человека, Стейси Уоллес... Минтон. — Алекс внимательно наблюдала, ожидая реакции. Но лицо его оставалось бесстрастным. — Почему мне никто не сказал, что Стейси была замужем за Джуниором?

— Вы не спрашивали.

Каким-то чудом ей удалось не взорваться.

— Неужели никому не пришло в голову, что их поспешный брак мог означать очень многое?

— Ничего он не означал.

— Я оставляю за собой право решать, что он на самом деле означал.

— Да сделайте одолжение. Вы, стало быть, считаете, он что-то такое значил?

— Да, считаю. Мне всегда казалось странным, что Джуни-ор выбрал такой момент для женитьбы. Не менее странно, что невестой оказалась дочка судьи.

— Ничего в этом странного нет.

— Разумеется, чистое совпадение.

— Даже и того нет. Стейси Уоллес любила или, вернее, обмирала по Джуниору с того дня, как увидела его впервые. Это все знали, включая Джуниора. Она ничуть не скрывала своего обожания. Когда Селина умерла, Стейси поняла, что ей выпал счастливый случай, и не упустила его.

— Мне не показалось, что Стейси склонна гнаться за сиюминутной удачей.

— Не будьте ребенком, Алекс. Мы все согласны на сию-минутную удачу, если нам чего-то очень хочется. Она же его любила, — повторил Рид уже громче, начиная раздражать-ся. — Он тяжело переживал смерть Селины. Стейси, видимо, решила, что ее любовь облегчит его страдания, что этого будет для него достаточно.

— Однако она ошиблась.

— Очевидно, да. Стейси не могла пробудить у Джуниора ответной любви. Держать его в узде было ей не по силам. — Он досадливо прикусил губу. — А кто вам об этом наболтал?

— Сама Стейси. Она налетела на меня в дамской комнате и обвинила в том, что я, добиваясь пересмотра дела, порчу ей жизнь.

— Отчаянная дамочка. — Рид одобрительно кивнул. — Она мне всегда нравилась.

— Вот как? Вы, может, с ней тоже спали? Или вам хватало сестер Гейл?

— Сестер Гейл, значит? — Он издал хриплый смешок. — Стейси-то, я точно знаю, не стала бы вам рассказывать про тройняшек, пользовавшихся в Пурселле дурной славой.

— Джуниор восполнил пробел.

— Ничего себе, видно, был вечерок.

— Да уж, много нового мне открыл.

— Неужто? И что же он вам открыл? — сказал он, растя-гивая слова.

Она пропустила мимо ушей этот точно рассчитанный намек.

— Рид, к чему такая спешка? Джуниор не любил Стейси. Предположим, он просто уговорил себя жениться на ней. Но почему они поженились именно тогда?

— Может, она захотела выйти замуж, как большинство девушек, в июне.

— Не смейтесь надо мной. — Она вскочила с кресла и подошла к окну.

Он негромко присвистнул.

— Вот это да, настроение, прямо скажем, никудышное.

— Я только что похоронила последнего своего родственника, вы не забыли? — вспыхнула она.

Он тихо чертыхнулся и взъерошил пальцами волосы.

— И правда, забыл на минуту. Слушайте, вы уж извините меня, Алекс. Я же помню, как тошно было на душе, когда я похоронил моего старика.

Она обернулась к нему, но он смотрел куда-то в сторону.

— Из всего этого распроклятого городишки только Ангус и Джуниор пришли на похороны. И панихиды не было ни в церкви, ни в похоронном бюро — так только, у самой могилы. Ангус сразу поехал обратно на работу. Джуниор вернулся в школу, чтобы не пропустить контрольную по биологии. А я пошел домой.

Вскоре после обеда ко мне пришла Селина, — задумчиво продолжал он. — Она сбежала с уроков, просто чтобы побыть со мной. Она знала, что мне несладко, хоть я и ненавидел при жизни этого сукиного сына. Мы легли рядом на мою кровать и лежали так дотемна. Она знала, что мать ее будет волноваться, если она не придет домой. Она даже плакала за меня, а я не мог.

Он замолчал, и в комнате повисла тяжелая тишина. Алекс по-прежнему неподвижно стояла у окна, завороженная его рассказом. Сердце ныло в груди от сострадания к тому осиротевшему юноше, оставшемуся в далеком прошлом.

— И тогда вы впервые овладели Селиной?

Он посмотрел ей в лицо и, встав с кресла, подошел поближе.

— Ну раз уж вы заговорили о постельных делах, как у вас-то с ними?

Напряжение лопнуло, и ее терпение тоже.

— Может, хватит вам ходить вокруг да около? Возьмите да спросите напрямик.

— Ладно, — с усмешкой сказал он. — Как, Джуниор уже залез к вам под юбку?

— Негодяй!

— Так залез или нет?

— Нет!

— Но держу пари, что пытался. Он всякий раз пытается. — Его гортанный смех странно волновал ее. — Точно. — Он поднял руку и погладил ее по щеке тыльной стороной ладони. — Покраснели, госпожа прокурор.

Она резко отвела его руку.

— Идите к черту!

Она злилась за себя за то, что покраснела перед ним, как школьница. Какое ему дело, с кем она спит? Но больше всего раздражало ее, что ему было явно все равно. Его глаза на мгновение вспыхнули, но она назвала бы это искрой веселья или, быть может, презрения, но уж никак не ревности.

В отместку ему она внезапно спросила:

— Из-за чего вы с Селиной поссорились?

— Мы с Селиной? Когда?

— В предпоследнем классе, весной. Почему она уехала в Эль-Пасо и стала встречаться с моим отцом?

— Может, ей надо было сменить обстановку, — беспечно сказал он.

— Вы знали, как сильно любит ее ваш лучший друг? Бесившая ее усмешка сползла с его лица.

— Это вам Джуниор сообщил?

— Я знала и до того, как он сообщил. А вы — тогда еще — знали, что он ее любит?

Он передернул плечами.

— Чуть не каждый парень в школе...

— Рид, я говорю не об увлечении девочкой, которая пользуется популярностью. — Она схватила его за рукав; было заметно, как важен для нее этот разговор. — Вы знали, как Джуниор к ней относится?

— Ну и что, если знал?

— Он сказал, что вы бы его убили, если бы он хотя бы дотронулся до нее. Сказал: вы бы их обоих убили, если бы он вас предал.

— Он просто так выразился.

— Джуниор сказал то же самое, но я сомневаюсь, — ровным голосом произнесла она, — тут кипели страсти. Отношения между вами были сложными, запутанными.

— Чьи отношения?

— Вы и моя мать любили друг друга, но вы оба любили и Джуниора. Чем не любовный треугольник в самом строгом смысле слова?

— Куда это вы, черт побери, клоните? Или вы думаете, мы с Джуниором — пара педиков? — Он внезапно схватил ее руку и прижал к своей ширинке. — Чувствуешь, крошка? Он куда чаще не мягкий, а вот этакий, но на «голубого» отродясь не вставал.

Ошарашенная и потрясенная, она с трудом выдернула руку и машинально вытерла ладонь о бедро, словно стирая клеймо.

— У вас психология деревенского хама, шериф Ламберт, — сказала она, волнуясь. — По-моему, у вас с Джуниором такая же любовь, как бывает у индейцев между побратимами. Но вы с ним одновременно и соперничаете.

— Я с Джуниором не соревнуюсь.

— Неосознанно, быть может, но люди вас друг на друга всегда натравливали. Угадайте, кто неизменно выходил победителем? *Вы.* Это вас беспокоило. До сих пор беспокоит.

— Опять завели свою психологическую волынку?

— Это не только мое мнение. Стейси в тот вечер тоже об этом говорила, и без всякой моей подсказки. Люди вас обоих вечно сравнивали, сказала она, и Джуниор всегда оказывался вторым.

— Мало ли что люди думают, я тут ни при чем.

— Ваше соперничество достигло высшей точки, когда дело коснулось Селины, верно?

— А чего меня спрашивать? Вы и сами все знаете.

— У вас и тут был перевес. Джуниор лишь мечтал стать любовником Селины, а вы им были на самом деле.

Повисло продолжительное молчание. Рид глядел на нее с сосредоточенностью охотника, который поймал наконец свою добычу в перекрестье оптического прицела. Солнечный свет, струившийся сквозь жалюзи, играл в его глазах, на волосах и бровях, которые сошлись на переносице, не предвещая ничего хорошего.

Едва слышно он произнес:

— Неплохо задумано, Алекс, только я ведь ни в чем не признался.

Он шагнул было прочь, но она ухватила его за руки.

— Ну, а разве вы не были ее любовником? И если вы сейчас в этом признаетесь, разве что-то от этого изменится?

— Просто я никогда не рассказываю, с кем и как я целуюсь. — Его взгляд скользнул по ее шее, на которой билась жилка, потом остановился на лице. — А вам, черт побери, следовало бы этому только радоваться.

Желание затопило ее золотистым теплом, словно солнышко поутру. Она жаждала вновь ощутить на своих губах его жесткие губы, дерзкую, властную сноровистость его языка. Тело покрылось легкой испариной, на глаза навернулись слезы: она стыдилась того, чего хотела и не могла получить.

Неотрывно глядя друг другу в глаза, они не замечали, что с противоположной стороны улицы за ними наблюдают. Солнце высвечивало их не хуже прожектора.

Усилием воли уйдя из неразрешимого настоящего в бередящее душу прошлое, она сказала:

— Джуниор говорил, что у вас с Селиной была не просто детская влюбленность. — Она брала его на пушку, решив рискнуть — а вдруг сработает. — Он мне все рассказал о ваших отношениях, так что неважно, признаете вы все это или нет. Когда вы с ней в первый раз ну, вы понимаете?

— Трахались?

Грубое слово было произнесено негромко, хрипловатым монотонным голосом, но у нее словно струи огня побежали по телу. Никогда прежде это слово ее не возбуждало. Она проглотила ком в горле и едва заметно кивнула.

Он вдруг обхватил ее шею сзади ладонью и притянул к себе, так что лицо ее оказалось у самого его подбородка. Впился взглядом в ее глаза.

— Ни хрена вам Джуниор не говорил, госпожа прокурор, — прошептал он. — Бросьте свои следовательские хитрости, меня на мякине не проведешь. Я на восемнадцать лет старше вас да и с рожденья умом не обижен. У меня на каждый случай припасено такое, что вам и не снилось. Не полный же я, к дьяволу, болван, чтобы попасться на крючок.

Он сжал в кулаке волосы на ее затылке. Она чувствовала, как горячо и часто он дышит.

— Никогда больше не встревайте между Джуниором и мной, слышите? Либо деритесь с нами обоими, либо с обоими же трахайтесь, только не суйтесь туда, где ни шиша не смыслите.

Глаза его зловеще сузились.

— У вашей мамочки, Алекс, была дурная привычка: она любила стравливать людей. Кому-то это до смерти надоело, вот он и укокошил ее еще до того, как она извлекла для себя урок. Так пусть это послужит уроком вам, а не то и с вами случится подобное.

* * *

Утро выдалось пустое: никаких новых зацепок в своих записях она не нащупала и вдобавок не могла забыть неприятный разговор с Ридом. Если бы в дверь тогда не постучал помощник и не прервал их, неизвестно, что бы она сделала: вцепилась бы Риду в глаза или, наоборот, уступила бы властному порыву прижаться к нему и поцеловать.

Днем она оставила попытки сосредоточиться и пошла в кафе напротив пообедать. Как у большинства людей, работающих в центре, это вошло у нее в привычку. Никто уже не прерывал разговора при ее появлении. Иногда ее удостаивал приветствием сам Пит, когда не был слишком занят на кухне.

Она растягивала обед сколько возможно: возила по столу желтую керамическую пепельницу в виде броненосца, листала брошюрку Пита о том, как правильно готовить «гремучую змею».

Она убивала время, страшась возвращаться в грязный кабинетик в полуподвале здания суда, чтобы сидеть там и смотреть в пространство, перебирая тревожные мысли и вновь анализируя версии, которые с каждым часом казались все менее убедительными. Одна мысль не давала ей покоя: была ли все-таки связь между гибелью Селины и поспешной женитьбой Джуниора на Стейси Уоллес?

Она вышла из кафе, целиком погруженная в свои размышления. Наклонив голову под порывами холодного ветра, подошла к углу. Как раз в этот момент в светофоре, одном из немногих в центре, зажегся зеленый свет. Алекс уже приготовилась сойти со щербатой, растрескавшейся бровки тротуара на мостовую, как кто-то схватил ее сзади за руку.

— Преподобный Пламмет! — удивленно воскликнула она. Вереница событий быстро вытеснила из ее памяти священника с его робкой женой.

— Мисс Гейтер, — укоризненно сказал тот, — сегодня утром я видел вас с шерифом. — Он, видимо, уже обвинил ее во всех мыслимых и немыслимых грехах — таким осуждением горели его глубоко посаженные глаза. — Вы меня разочаровали.

— Никак не могу понять...

— Более того, — прервал он с напором уличного проповедника, — вы разочаровали и Всевышнего. — Глаза его округлились, затем сузились в щелочки. — Предупреждаю вас, Господь не потерпит насмешки.

Алекс облизнула в волнении губы и оглянулась, надеясь как-то, еще непонятно как, но ускользнуть от него.

— Я не хотела обидеть ни вас, ни Бога, — сказала она, чувствуя, что несет ахинею.

— Вы до сих пор не упрятали неправедных за решетку.

— Я не нашла для этого никаких оснований. Расследование мое еще не окончено. И, чтобы внести ясность, должна сказать, преподобный отец, что я сюда приехала вовсе не для того, чтобы сажать кого-то за решетку.

— Вы чересчур снисходительны к нечестивцам.

— Если под этим вы подразумеваете, что я веду расследование беспристрастно, то да, так оно и есть.

— Я сегодня утром видел, как вы якшались с этим отродьем дьявола.

Его безумный взгляд приковывал к себе, хотя и вызывал отвращение. Она поймала себя на том, что неотрывно смотрит ему в глаза.

— Вы имеете в виду Рида?

Он зашипел, словно одно это имя способно было вызвать злых духов.

— Смотрите не попадитесь на его бесовские проделки.

— Не попадусь, уверяю вас.

Он приблизился на шаг.

— Дьявол знает слабости женщины. Он использует их мягкое, податливое тело для своих нечистых дел. Все женщины порочны, им надо очищаться регулярным кровопусканием.

Он не просто чокнутый, он больной, с ужасом подумала Алекс.

Пламмет хлопнул рукой по Библии, и Алекс от неожиданности подпрыгнула. Воздев указательный палец, он крикнул:

— Не поддавайся никакому искушению, дочь моя! Повинуясь моему приказу, да оставит всяческая похоть душу твою, ум и тело. Теперь же! — проревел он.

И вдруг весь разом опал, словно это заклинание лишило его сил. Алекс застыла на месте, не веря глазам и ушам. Придя в себя, она смущенно оглянулась, надеясь, что никто не наблюдал за этой вспышкой сумасшествия и ее невольным участием в ней.

— Насколько мне известно, особой похотливостью я не страдаю. А теперь мне пора. Я опаздываю.

Она сошла с тротуара, хотя в светофоре горел сигнал, запрещающий переход.

— Бог рассчитывает на вас. Он суров. Если вы обманете Его доверие...

— Да, хорошо, я буду стараться. До свидания.

Он ринулся с тротуара и схватил ее за плечи.

— Благослови тебя Бог, дочь моя. Благослови Господь и тебя, и твою святую миссию.

Он вложил в ее руку дешевенькую брошюрку.

— Благодарю.

Алекс высвободила руку и побежала через улицу; два потока машин тут же отделили ее от священника. Вспорхнув по ступенькам, она пулей влетела в здание суда.

Оглянулась через плечо, чтобы убедиться, не преследует ли ее Пламмет, и врезалась прямо в Рида.

— Что с вами, черт возьми, происходит? Где вы были?

Ей захотелось прислониться к нему, ощутить его спасительную силу, хотя бы пока не успокоится бешеное сердцебиение, но она не позволила себе такой роскоши.

— Нигде. То есть я выходила. Обедать. В это, как его, в кафе. Прошлась пешком.

Он внимательно смотрел на нее, отметив и растрепавшиеся на ветру волосы, и разгоревшиеся щеки.

— Что это? — Он кивком головы указал на брошюрку, которую она стискивала так, что побелели суставы.

— Ничего. — Она попыталась сунуть книжонку в карман жакета.

Рид выхватил ее. Скользнув глазами по обложке, он открыл брошюру и прочел предвестие конца света.

— Вы в это верите?

— Нет, конечно. Один проповедник сунул на улице. Вам и правда надо бы заняться тем, чтобы освободить улицы города от всевозможных попрошаек, шериф, — с некоторым высокомерием заявила она.— От них спасу нет.

Она обогнула его и пошла вниз по лестнице.

Глава 22

Нора Гейл села и потянулась за своим тончайшим пеньюаром, в котором пришла в комнату.

— Спасибо, — сказал Рид.

Она укоризненно взглянула на него через молочно-белое плечо и насмешливо пропела:

— Как романтично.

Сунув руки в пышные рукава пеньюара, она встала с кровати и направилась к двери.

— Надо кое-что проверить, но я вернусь, и тогда поговорим.

Поправив пышную прическу, она вышла.

Рид наблюдал за нею. Тело ее было еще упругим, но через несколько лет заплывет жиром. Массивные груди обвиснут. Огромные соски будут казаться нелепыми, когда мышцы перестанут их поддерживать. Гладкий, чуть выпуклый живот сделается рыхлым. На ягодицах и бедрах появятся ямки.

И хотя они были друзьями, в эту минуту он ее ненавидел. Но еще больше ненавидел себя. Ненавидел физическую потребность, которая понуждала его соглашаться на это жалкое подобие близости с женщиной.

Они спаривались, наверное, еще более бездумно и бездушно, чем иные животные. Освобождаясь от напряжения, он должен был бы чувствовать себя очищенным, просветленным. Великолепное должно было быть ощущение. Но ничего такого он не испытывал. Ему вообще редко выпадало испытывать такое, тем более в последнее время.

— Дерьмо, — пробормотал он.

Вероятно, он будет спать с ней до глубокой старости. Это было удобно и просто. Каждый из них знал, что способен дать другой, и сверх того ничего не требовал. Если говорить о Риде, то он был убежден: страсть возникает из потребности, а не от желания и уж, конечно, черт побери, не от любви.

Он достигал оргазма. Она тоже. Она частенько говорила, что он — один из немногих, с кем ей удавалось кончить. Он не сильно обольщался на свой счет: возможно, и даже очень возможно, то была ложь.

Испытывая омерзение к самому себе, он спустил ноги с кровати. Рядом, на столике, лежала пачка сигарет — заведение заботилось о клиентах. Но за тщательно свернутые сигареты с наркотиком полагалось платить. Он закурил одну, что позволял себе редко, и глубоко затянулся. Ему особенно не хватало сигареты именно после соития, может, потому, что табак загрязнял и тем наказывал тело, которое время от времени подводило Рида, требуя удовлетворения своей здоровой сексуальной потребности.

Взяв со столика бутылку, он налил себе в стакан — это тоже добавят к его счету, пускай он даже имел саму мадам, — и залпом осушил его. Пищевод запротестовал и сократился. На глазах выступили слезы. От виски по животу до самого паха неторопливо, медленно разливалось тепло. Риду стало чуть-чуть лучше.

Он лег на спину и стал смотреть в потолок, надеясь, что заснет; он радовался этим желанным минутам отдыха, когда не нужно было ни говорить, ни двигаться, ни думать.

Глаза его закрылись. Перед ним тут же, словно нарисованное на внутренней стороне век, возникло залитое солнцем лицо, обрамленное растрепанными рыжевато-каштановыми волосами. Его член, опавший было от изнеможения, набух и вытянулся, доставив ему больше удовольствия, чем все, что он испытал за вечер.

На этот раз, против обычного, Рид и не думал отмахиваться от видения. Пусть остается и живет своей жизнью. Он охотно отдался игре воображения. Он видел, как ее голубые глаза заморгали, изумляясь чувственности своей хозяйки, заметил, как язык нервно скользнул по нижней губке.

Он ощутил, как она прижимается к нему и ее сердце бьется в такт его сердцу, чувствовал под пальцами ее спутанные волосы.

Он вновь ощутил вкус ее губ, языка, который робко заигрывал с его языком.

Он не заметил, как у него вырвался негромкий стон, а пенис непроизвольно дернулся и на кончике выступила капелька влаги. Желание душило его.

— Рид!

Дверь в комнату распахнулась, вбежала мадам, растерявшая все свое хладнокровие и элегантность.

— Рид! — повторила она, едва дыша.

— Какого черта? — Одним движением он опустил ноги на пол и встал. Он и не собирался смущаться своего очевидного чувственного возбуждения. Случилось, видимо, нечто очень скверное.

За все годы знакомства он ни разу не видел, чтобы Нора потеряла самообладание, но сейчас глаза ее расширились от страха. Она еще и рта не раскрыла, а он уже натягивал трусы.

— Только что позвонили.

— Кто?

— Из твоего участка. Что-то срочное.

— Где? — Он уже стоял в джинсах и расстегнутой рубашке, засовывая ноги в сапоги.

— На ранчо.

Он замер и повернул к ней голову:

— На ранчо *Минтонов?* — Она кивнула. — Что за происшествие?

— Помощник не сказал. Ей-богу, не сказал, — поспешно добавила она, видя, что он готов усомниться в ее правдивости.

— Происшествие касается какого-то лица или всего ранчо?

— Не знаю, Рид. Мне показалось — и то и другое сразу.

Он сказал только, что тебе нужно поскорее быть там. Могу я чем-то помочь?

— Позвони им и скажи, что я уже выехал. — Схватив куртку и шляпу, он оттолкнул Нору и выбежал в коридор. — Спасибо.

— Дай мне знать, что там стряслось! — крикнула она вдогонку, пока Рид сбегал по лестнице.

— Если удастся.

Через несколько секунд, бухнув входной дверью, он перескочил через перила крыльца и пустился бежать.

* * *

Алекс спала глубоким сном и не отреагировала на стук в дверь. Она решила, что стук ей снится. Громкий голос вывел ее из забытья.

— Вставайте! Откройте дверь.

Она с трудом села на постели и принялась неуверенно нащупывать выключатель ночника, который, как нарочно, всякий раз куда-то девался. Когда лампа наконец загорелась, Алекс заморгала от света.

— Алекс, черт подери! *Вставайте!*

Дверь сотрясалась под ударами его кулака.

— Рид? — охрипшим спросонья голосом спросила она.

— Если через десять секунд вы не встанете...

Она взглянула на электронные часы, стоявшие на тумбочке у кровати. Было почти два часа ночи. Шериф либо напился, либо спятил. В любом случае ей незачем открывать дверь, когда он в таком расположении духа.

— Что вам нужно?

Звук ударов изменился; причину Алекс поняла лишь тогда, когда дверная филенка треснула и разлетелась. Рид пинком распахнул дверь и ворвался в комнату.

— Что вы, черт возьми, себе позволяете! — крикнула Алекс; она села, прижав простыню и одеяло к самому подбородку.

— За вами приехал.

Он схватил ее, вместе с постельным бельем сдернул с кровати и поставил на пол, затем вырвал простыню и одеяло из ее судорожно сжатых рук. Дрожа, она стояла перед ним в одних трусиках и майке — ее обычном ночном туалете. Трудно сказать, кто из них двоих был больше разъярен.

Алекс первой обрела дар речи:

— Надеюсь, у вас имеется достаточно веская причина для того, чтобы вышибить мне дверь, шериф.

— Имеется.

Он подошел к туалетному столику, рывком открыл один из ящиков и стал рыться в лежащем там белье.

— Хотелось бы узнать, что за причина.

— Узнаете.

Еще один ящик пал жертвой его нетерпеливых рук. Она подошла поближе и бедром задвинула ящик, едва не прищемив ему пальцы.

— Что вы ищете?

— Одежду. Если только вы не намерены выходить в таком виде.

Он указал на ее трусики, вырезанные высоко, по французской моде. То место, где тонкая кружевная вставка мысиком уходила между ног, на несколько напряженных мгновений приковало к себе его внимание; он усилием воли перевел взгляд на нишу, где висела ее одежда.

— Надевайте джинсы, — хрипло сказал он.

— Никуда я не пойду. Вы знаете, который час?

Он сдернул джинсы с вешалки. Та закачалась и свалилась на пол.

— Да. — Он бесцеремонно швырнул ей джинсы. — Надевайте. И это тоже. — Он бросил к ее ногам сапоги, которые она обычно носила, и, руки в боки, с мрачным видом уставился на нее. — Ну? Может, мне вас одеть?

Она не могла представить себе, чем вызвала подобное обращение. Но было совершенно очевидно, что он чем-то страшно взбешен. Если ему хочется разыгрывать из себя пещерного человека, пускай себе. Перечить она не станет и отнесется к нему снисходительно.

Повернувшись к Риду спиной, она влезла в джинсы и натянула их на бедра. Вытащила из разворошенного ящика пару носков, встряхнула и надела. Затем сунула ноги в сапоги. Наконец повернулась и сердито посмотрела на него снизу вверх.

— Ну вот, я оделась. Теперь вы мне скажете, из-за чего весь сыр-бор?

— По дороге скажу.

Он сдернул с вешалки свитер и, собрав его у ворота, накинул Алекс на голову, сунул ее руки в рукава и натянул свитер до бедер. Волосы ее застряли в узкой горловине. Он быстро вытащил их.

Но рук не убрал; напротив, плотно обхватил ее голову пальцами и резко вздернул вверх и назад. Его трясло от ярости.

— Шею бы тебе сломать.

Но не сломал. Он ее поцеловал — очень крепко.

Ртом смял ее губы, больно прижав их к зубам. Язык его проник в ее рот без малейшего намека на нежность. То был поцелуй, рожденный страстью гнева.

Он и оборвался внезапно. Ее меховой жакет лежал на кресле. Рид бросил его Алекс.

— Вот.

Потрясенная, Алекс и не думала возражать. Она надела жакет. Рид подтолкнул ее к выходу.

— А как же дверь? — довольно глупо спросила она.

— Пришлю кого-нибудь, починят.

— Глубокой ночью?

— Выкиньте эту чертову дверь из головы! — рявкнул он.

Подхватив Алекс ладонью под зад, он пихнул ее в кабину «Блейзера», мотор он даже не глушил. Проблесковый маячок на крыше подавал трехцветный сигнал тревоги.

— Сколько же мне ждать объяснений? — спросила она, когда «Блейзер», чудом не перевернувшись, вырулил на шоссе. Ее ремень безопасности помогал мало. Алекс швырнуло на Рида, и ей пришлось ухватиться за его бедро, чтобы не удариться головой о панель приборов.— Ради бога, Рид, объясните, что случилось?

— Кто-то поджег ранчо Минтонов.

Глава 23

— Поджег? — едва слышно повторила она.

— Кончайте разыгрывать святую невинность, ясно?

— Не понимаю, о чем вы.

Он саданул по рулю.

— Как же вы такое проспали?

Она смотрела на него в полном ужасе.

— Вы хотите сказать, что я имею к этому отношение?

Рид снова переключил внимание на дорогу. В зеленоватом свете приборов было видно его застывшее, суровое лицо. Из рации доносился треск разрядов, сквозь которые то и дело назойливо и громко прорывались сообщения. На шоссе, кроме их джипа, не было ни единой машины, поэтому включать сирену не было необходимости, но маячок на крыше вращался, мигая. Алекс казалось, что она попала в какой-то нелепый калейдоскоп.

— Да, я полагаю, вы имеете к происшествию самое прямое отношение, и вы, и ваш близкий друг и сподвижник. — Судя по всему, ее недоумение приводило его в еще большее бешенство. — Преподобный Фергус Пламмет! — заорал он. — Проповедник-то — ваш хороший дружок.

— Пламмет?

— «Пламмет»? — язвительно передразнил он. — Когда же вы это задумали: в тот вечер, когда он пришел навестить вас в мотеле, или на днях прямо на улице, возле кафе?

Она молча хватала ртом воздух.

— Как вы узнали?

— Знаю, и все, ясно? Кто к кому обратился первым?

— Он с женой явился ко мне в номер. Я о нем до того и слыхом не слыхала. Он же одержимый.

— Но это не помешало вам заручиться его поддержкой.

— И не думала даже.

Тихо чертыхаясь, он поднес рацию ко рту и сообщил одному из помощников, находившемуся на месте происшествия, что прибудет через несколько минут.

— Вас понял, Рид. Как приедете, идите к сараю номер два.

— С чего это?

— Не знаю. Велено вам передать.

— Вас понял. Я уже у ворот.

Они свернули с шоссе на частную дорогу. Алекс стало не по себе, когда она увидела столб дыма, вздымавшийся над одной из конюшен. Пламени уже не было, но крышу этого сарая и соседних построек все еще поливали из брандспойтов. Пожарные в непромокаемых накидках и резиновых сапогах изо всех сил старались не дать огню перекинуться на другие строения.

— Сразу стали тушить, а то огонь натворил бы дел еще почище, — сурово заметил Рид.

Кареты «Скорой помощи» стояли возле дымящейся конюшни и у подъезда дома. На первом этаже были выбиты почти все окна. На стенах красовались устрашающие предостережения о грядущем Страшном суде, выведенные краской из баллонов с распылителем.

— Явились на трех машинах. Несколько раз, видимо, объехали всю территорию — швыряли камни в окна, а потом подожгли. Торговля краской в универмаге «Кэй-март» шла сегодня, как видите, очень бойко. — Его губы изогнулись в презрительной гримасе. — В поилки наложили дерьма. Отличные у вас приятели, госпожа прокурор.

— Кто-нибудь пострадал?

Зрелище было жуткое. Ей никак не удавалось вдохнуть полной грудью.

— Один из жокеев. — Алекс повернулась к нему, ожидая продолжения. — Услышав шум, выскочил из дома, споткнулся, упал и сломал руку.

Сарай номер два оказался тем самым, где еще тлела крыша. Рид остановил машину перед ним и, оставив Алекс в кабине, вошел внутрь. Руки и ноги Алекс вдруг налились свинцовой тяжестью, казалось, каждая весит тысячу фунтов; с неимоверным трудом она толкнула дверцу, вышла и направилась в конюшню, плечом раздвигая суетящихся вокруг пожарных.

— В чем дело? — услышала она требовательный голос Рида, бежавшего по центральному проходу.

Пронзительно кричала лошадь, очевидно, от боли. Ужаснее крика Алекс в жизни не слышала. Рид побежал быстрее.

Возле одного из денников стояли, сбившись в кучку, мрачные, в одних пижамах Минтоны. Сара-Джо рыдала в три ручья. Ангус нежно гладил ее по спине, но она ничего не замечала. Джуниор держал ее за руку, другой ладонью прикрывая зевок. Рид оттолкнул их в сторону, но на пороге денника встал как вкопанный.

— Бог ты мой!

Он длинно и замысловато выругался, потом издал такой рев страдания, что Алекс, съежившись, отступила в тень.

Тут ее взгляд упал на невесть откуда взявшегося пузатого человека в очках. Он явно только что вскочил с постели. Вельветовая куртка была накинута поверх пижамы. Положив руку Риду на плечо, он печально покачал лысеющей головой.

— Я ничем не могу помочь ему, Рид. Придется его усыпить.

Рид тупо смотрел на него, не произнося ни слова. Грудь его поднималась и опускалась, словно его вот-вот вывернет наизнанку.

Рыдания Сары-Джо стали громче. Она закрыла лицо руками.

— Мама, пожалуйста, позволь, я отведу тебя в дом.

Джуниор обнял ее за талию, и они направились к выходу. Ангус опустил руку. Мать с сыном медленно двинулись по проходу. Они почти поравнялись с Алекс и лишь тогда заметили ее. Увидев девушку, Сара-Джо испустила пронзительный вопль и осуждающе ткнула в нее пальцем:

— *Ты*. Ты это устроила.

Алекс отпрянула.

— Я...

— Все из-за тебя, сучка ты злобная, всюду свой нос суешь!

— Мама, — не укоризненно, а сочувственно произнес Джуниор. Он бросил на Алекс острый взгляд, скорее, впрочем, озадаченный, нежели осуждающий. Не говоря больше ни слова, он пошел дальше с Сарой-Джо, голова ее горестно склонилась на грудь сына.

— Что произошло, Илий? — спросил Рид, не замечая ничего вокруг.

— Наверно, балка упала прямиком ему на хребет. Он свалился и сломал лопатку, — спокойно ответил человек, которого Рид назвал Илием. Это, видимо, был ветеринар.

— Ради бога, дай ему болеутоляющее.

— Уже дал. Довольно сильное, но снять такую боль оно не может. — Он посмотрел на страдающее животное. — Бедро у него тоже раздроблено. Могу только догадываться о повреждении внутренних органов. Даже если я его подлатаю, он на всю жизнь останется хворым, а производитель из него теперь никудышный.

Они помолчали минуту, слушая жалобные стоны коня. Наконец Ангус сказал:

— Спасибо, Илий. Мы знаем, ты сделал все, что мог.

— Ангус, Рид, мне очень жаль, — с чувством произнес ветеринар. — Теперь уходите. Я сбегаю в кабинет, возьму лекарство, потом приду и сделаю ему укол.

— Нет, — прохрипел Рид. — Я сам.

— Не надо, Рид. Укол...

— Я не могу, чтобы он ждал так долго.

— Это займет меньше десяти минут.

— Я сказал, сам справлюсь! — нетерпеливо крикнул Рид.

Вмешался Ангус: он сильно хлопнул доброго ветеринара по плечу, чтобы пресечь спор.

— Езжай домой, Илий. Извини, что вытащил тебя из постели понапрасну.

— Чертовски жаль. Я ведь лечил Быстрого Шага с самого рождения.

Алекс поднесла ладонь ко рту. Быстрый Шаг был любимым скакуном Рида... Ветеринар вышел в другую дверь. Алекс он не заметил.

Снаружи перекрикивались пожарные. Лошади храпели от страха, беспокойно топотали в своих денниках. Но все звуки, казалось, долетали откуда-то издалека и не имели отношения к этому напряженно затихшему деннику.

— Рид, сынок, ты управишься?

— Да. Идите к Саре-Джо. Я все сделаю сам.

Ангус хотел возразить, но промолчал и отвернулся. Проходя мимо Алекс, он сурово и жестко взглянул на нее, однако ничего не сказал и, громко топая, вышел.

Ей захотелось плакать, глядя, как Рид опускается в сено на колени. Он погладил раненого коня по морде.

— Ты был молодец — лучше всех, — тихо прошептал он. — Делал все, что мог, и даже больше.

Конь заржал, и в его ржанье слышалась мольба.

Рид медленно встал и потянулся к кобуре. Он вытащил пистолет, проверил патронник и прицелился в жеребца.

— Нет! — Алекс выскочила из полумрака и повисла у него на руке. — Нет, Рид, не надо. Пусть лучше кто-то другой.

Ей доводилось видеть, как закоренелые преступники, выслушав смертный приговор, обрушивают поток проклятий на судью, присяжных и с бранью клянутся отомстить им, даже за гробовою доской. Но ей еще не доводилось видеть такой грозной решимости, какую она прочла на лице Рида, глянувшего на нее сверху вниз. В глазах его застыли слезы и ненависть. Он быстро схватил ее за талию и, повернув к себе спиной, прижал к груди. Она сопротивлялась. Он выругался и еще сильнее стиснул ее поперек живота.

Левой рукой он взял ее правую руку и насильно вложил пистолет ей в ладонь, так что фактически оружие держала она, когда Рид нацелил его коню в лоб и спустил курок.

— Нет! — закричала она, когда пистолет выстрелил в ее руке. Казалось, этот жуткий звук будет отражаться от каменных стен и слышаться до скончания веков. В денниках заржали и затопали перепуганные лошади. Снаружи раздалась команда, и в дверь вбежали несколько пожарных — узнать, кто и почему стрелял.

Рид отпихнул Алекс от себя. Прерывающимся от бешенства голосом сказал:

— Лучше бы сразу с ним покончили, чем мучить-то.

— Пожар полностью потушен, мистер Минтон, — доложил начальник пожарной бригады. — Мы проверили всю крышу, включая проводку и изоляцию. Ущерб незначительный. — Он сожалеюще причмокнул губами. — Чертовски жаль только чистокровного жеребца Рида Ламберта.

— Спасибо за все. Я всегда говорил: наша пожарная часть — лучшая в Западном Техасе.

Ангус понемногу приходил в себя, хотя лицо его оплыло от усталости. Он крепился изо всех сил, не желая уступать обстоятельствам. Его стойкость и оптимизм восхищали Алекс.

Он сидел с сыном за кухонным столом с таким видом, будто заканчивал партию в покер, а не справлял тризну по погибшему скакуну и варварски разгромленному поместью.

— Ну, мы тогда, пожалуй, поедем. — Взяв каску, пожарник направился к двери. — Завтра кто-нибудь из наших наведается, чтобы выяснить причину возгорания. Здесь, ясное дело, поджог.

— Готовы содействовать всем, чем можем. Очень благодарен, что вы так быстро приехали и не дали огню разгореться.

— До свидания.

Выходя в заднюю дверь, пожарник столкнулся на пороге с

Ридом. Не обращая никакого внимания на Алекс, смущенно стоявшую у стены, Рид налил себе чашку кофе из кофейника, который Лупе оставила на столе.

— Поилки очищены. Теперь лошади не отравятся собственными экскрементами, — без всякого выражения произнес он. — Все окна мы забили досками, так что сегодня вы тут не вымерзнете. Но уборки еще хватит.

— Что ж, — вздохнул Ангус и встал. — До утра мы этим все равно заняться не сможем, поэтому я иду спать. Спасибо, Рид. Ты сделал куда больше, чем обязан по долгу службы.

Рид коротко кивнул в ответ.

— Как Сара-Джо?

— Джуниор дал ей успокоительного.

— Она сейчас спит. — Джуниор тоже встал. — Алекс, хотите, я отвезу вас назад, в город? Ни к чему вам торчать здесь глубокой ночью.

— Я хотел, чтобы она полюбовалась на дело рук своих, — сказал Рид.

— Я не имею к этому никакого отношения! — воскликнула Алекс.

— Впрямую, может быть, и нет, — сурово заметил Ангус, — но ваше, черт возьми, дурацкое расследование нарушило равновесие в городе. Мы уж сколько лет сражаемся с этим горластым проповедником, вопящим о геенне огненной и вечных муках. Он только искал предлога, чтобы сыграть такую вот злую шутку. А вы дали ему для этого прекрасную возможность.

— Мне очень жаль, если вы так считаете, Ангус.

В воздухе нарастало напряжение. Никто не шевелился. Даже экономка перестала мыть чашки из-под кофе. Наконец Джуниор сделал шаг вперед и взял ее под руку.

— Поехали. А то уже поздно.

— Я сам отвезу ее обратно, — отрывисто произнес Рид.

— Да я готов съездить.

— Все равно я туда еду.

— Ты же ей житья не дашь по дороге, будешь бубнить про то, что здесь случилось.

— А тебе какая, к чертям, разница, что я ей скажу?

— Да пожалуйста, забирай ее на здоровье, — вспылил Джуниор. — Ты ведь сам ее привез.

Он повернулся и вышел из комнаты.

— Спокойной ночи, Рид, Алекс. — Не улыбнувшись, Ангус вышел вслед за сыном. Рид выплеснул остатки кофе в раковину.

— Пошли, — приказал он.

Подхватив жакет, она с удрученным видом двинулась за ним и забралась в кабину. Ее подмывало сказать что-нибудь, лишь бы прервать тягостное молчание, но язык не поворачивался. Рид был явно не расположен беседовать. Его глаза были неизменно устремлены на разделительную полосу дороги.

Груз тревоги и напряжения все нарастал, и она вдруг выпалила:

— Не имею я никакого отношения к тому, что стряслось сегодняшней ночью.

Он лишь повернул голову и посмотрел на нее с откровенным недоверием.

— А вот Джуниор, по-моему, мне верит! — воскликнула она, пытаясь обороняться.

— Да он же ни черта не знает. Вы его обворожили. Стоило разок посмотреть в ваши голубенькие глазки — и все, пошел ко дну как топор. Он уже по шейку увяз в этой слащавой хреновине: «Ах, это дочка Селины!» Вспоминает, как тютюшкался тогда с вами, и готов снова заняться тем же — только совсем другим способом. И игрушечку для вас припас, только эта уж греметь не будет.

— До чего вы омерзительны.

— То-то млели небось, когда из-за вас мы чуть до рукопашной не дошли.

Она заскрежетала зубами.

— Насчет моих видов на Джуниора или его видов на меня вы вольны думать, как вам заблагорассудится, но я не потерплю, чтобы вы считали меня ответственной за произошедшее этой ночью.

— А вы и впрямь ответственны. Вы побудили Пламмета пойти на такое.

— Совершенно ненамеренно. Пламмет вбил себе в голову, будто я и есть ответ на его молитвы: Бог-де прислал меня, чтобы очистить Пурселл от грешников, от Минтонов, ото всех, кто связан с организацией тотализатора или выступает в поддержку этого предприятия.

— Он еще больший псих, чем я думал.

Алекс стала растирать плечи и руки, словно от воспоминаний о Пламмете ей стало зябко.

— Да вы себе просто не представляете, что такое этот Пламмет. Бог гневается, утверждает он, оттого что я до сих пор не посадила всех вас под замок. Обвинил меня в том, что я якшаюсь с дьяволом, имея в виду вас.

Она не стала рассказывать ему, к каким сексуальным сравнениям прибег Пламмет.

Рид остановил машину перед ее номером. Разбитая в щепы дверь по-прежнему была открыта нараспашку.

— Если не ошибаюсь, вы обещали починить дверь.

— Подоприте ее стулом. Ничего с вами до утра не случится. Незаглушенный двигатель работал на холостом ходу. В рации однообразно потрескивало, сообщений никаких не поступало. Весь этот шум действовал ей на нервы.

— Мне очень жаль Быстрого Шага, Рид. Я ведь знаю, как вы были к нему привязаны.

Он равнодушно пожал плечами, и его кожаная куртка скрипнула, коснувшись обивки кабины.

— Он был застрахован.

У Алекс вырвался возглас злости и муки. Он не принимал ее извинений. Не нужны ему ее печаль и сожаление — он и себе самому не разрешал подобных чувств. А ведь она своими глазами видела, как он терзался, прежде чем пустить коню пулю в лоб. С не меньшей болью он рассказывал о жалких похоронах своего отца.

Вот этого-то Рид и не мог простить ни себе, ни Алекс. Ослабив привычную бдительность, он несколько раз продемонстрировал ей, что и ему не чужды обычные человеческие чувства.

Алекс сжала кулаки, свела их вместе и протянула к нему. Сурово нахмурясь, он вопросительно посмотрел на нее.

— И что это значит?

— Наденьте на меня наручники, — сказала она. — Заберите меня. Арестуйте. Предъявите обвинение. Вы же говорите, я за это ответственна.

— Именно, — процедил он в новом приступе ярости. —

Ангус был прав. Если б вы сюда не приехали и не стали лезть во все дыры, ничего бы не случилось.

— Я не желаю брать на себя вину за то, что произошло ночью. То был поступок психически неуравновешенного человека и его сбитых с толку сподвижников. Не мое расследование, так что-нибудь другое толкнуло бы их на то же самое. Я уже просила прощения за лошадь. Чего вы еще от меня хотите?

Он бросил на нее пронзительный взгляд. Она убрала руки с такой поспешностью, будто неосторожно поднесла их к пасти страшного зверя и лишь в самый неподходящий момент поняла это.

Она ощутила во рту поцелуй — с привкусом виски и табака. Как бы переживая все заново, она чувствовала, как кружит и шарит во рту его язык, как его пальцы крепко сжимают ей голову, а бедра тесно прижимаются к ее бедрам.

— Идите-ка лучше в дом, госпожа прокурор, — сказал он тихо и хрипло.

Он включил задний ход. Алекс послушно вышла из машины.

Глава 24

Алекс наугад потянулась к трезвонящему телефону. На пятом звонке она сняла трубку и сонно сказала:

— Алло?

— Мисс Гейтер? Я вас не разбудила? Если да, то простите, пожалуйста. — Алекс отвела падавшие на глаза пряди волос, облизала пересохшие губы, поморгала сонными глазами и с усилием села на кровати.

— Нет, я как раз, гм, кое-чем занималась. — Часы на тумбочке показывали десять часов. Она и не предполагала, что уже столько времени, но ведь и легла она почти на рассвете. — Простите, я что-то не узнаю...

— Это Сара-Джо Минтон.

Алекс, не сдержавшись, удивленно ахнула. Человек сто из ее знакомых могли бы сюда позвонить, но Сара-Джо в их число не входила.

— А вы... все в порядке?

— Я чувствую себя хорошо, но мне ужасно стыдно тех жутких слов, которые я вам вчера наговорила.

Эти полные раскаяния слова поразили Алекс.

— Вы были расстроены по вполне понятным причинам.

— Не соблаговолите ли выпить со мной чаю?

Может быть, она все еще спит и видит сон? В наше время люди говорят: «Давайте пообедаем», или «А что, если по пивку?», или «Давайте соберемся и дерябнем». Но никто никогда не предлагает: «Не соблаговолите ли выпить чаю?»

— Очень... очень заманчиво.

— Прекрасно. В три часа.

— А где?

— Да здесь, разумеется, на ранчо. Итак, я вас жду, мисс Гейтер. До свидания.

Несколько мгновений Алекс тупо созерцала телефонную трубку, потом тихонько опустила ее. С чего бы это вдруг Саре-Джо вздумалось приглашать ее на чай?

Более забитой вещами комнаты, чем кабинет ветеринара Илия Коллинза, Алекс, пожалуй, отродясь не видала. Там царил полный кавардак, но при этом было чисто и скромно, в духе хозяина кабинета.

— Спасибо, что согласились принять меня, доктор Коллинз.

— Отчего же нет. Я сегодня днем свободен. Заходите. Садитесь.

Он убрал с простого деревянного стула пачку журналов по ветеринарии, освободив его для Алекс. Сам уселся за стол, заваленный горами бумаг.

— Я ничуть не удивился вашему звонку, — без обиняков начал он.

— Почему?

— Звонил Пат Частейн, сказал, что вы, вероятно, пожелаете задать мне несколько вопросов.

— Я думала, он уехал.

— Он уезжал недели две назад, сразу после вашего прибытия.

— Понятно.

Алекс решила не терять времени, которое оставалось у

нее до встречи с Сарой-Джо, и подробно расспросить ветеринара. Когда она ему позвонила, он охотно согласился встретиться.

— Вам известно про убийство Селины Гейтер? — начала Алекс, сознательно не подчеркивая своей причастности к делу.

— Само собой, известно. Славная была девушка. Все тогда очень расстроились.

— Благодарю вас. В тот день на ранчо Минтонов ожеребилась кобыла; жеребенка принимал ваш отец, да?

— Верно. После того, как он умер, его клиенты перешли ко мне.

— Хотелось бы получить от вас кое-какие сведения общего характера. Вы работаете только у Минтонов?

— Нет, я на ранчо не живу. У меня есть и другие клиенты. Впрочем, должен вам честно признаться: Минтоны так загружают, что я мог бы работать у них одних. Езжу туда чуть ли не каждый день.

— И ваш отец так же был у них загружен?

— Да. Но если вы намекаете, что я, боясь потерять свой кусок хлеба с маслом, стал бы Минтонов покрывать, то вы ошибаетесь.

— Я этого вовсе не имела в виду.

— В здешних местах люди живут разведением коров да лошадей. Так что только поворачивайся; со всеми просьбами и справиться-то невозможно. Приходится многим отказывать. Я человек порядочный. Как и мой отец.

Алекс снова извинилась, хотя у нее мелькнула мысль, что едва ли он охотно сообщил бы сведения, изобличающие его щедрых клиентов.

— Ваш отец говорил с вами об убийстве Селины?

— Он плакал, как маленький, узнав, что ее убили его инструментом.

— Доктор Коллинз определенно опознал в орудии убийства собственный скальпель?

— В этом никогда не возникало сомнений. На двадцатипятилетие свадьбы мама подарила ему набор инструментов из чистого серебра. На ручках были выгравированы его инициалы. Его скальпель, что там говорить. Отец все переживал, что по небрежности обронил его.

Алекс сползла на краешек стула.

— Странная все же небрежность: скальпель-то ведь был подарком жены, правда?

Доктор поскреб щеку.

— Папа очень дорожил этим набором, держал его в футляре, обитом бархатом. До сих пор не могу понять, как это скальпель выпал у него из сумки. Разве что в тот день все внимание было приковано к кобыле? Вывалился, наверно, в суматохе.

— Вы тоже там были?

— Я думал, вы знаете. Да, я поехал вместе с отцом — посмотреть и, если надо, помочь ему. Там, конечно, был и Рид. Он и раньше помогал при родах.

— Рид был там?

— Весь день.

— Ваш отец оставлял его хоть раз одного возле сумки?

Илий Коллинз прикусил губу. Она видела, что ему не хочется отвечать.

— Может, и оставлял, не подумав, — наконец сказал он. — Только не вздумайте считать, что я обвиняю Рида.

— Да нет, конечно, нет. Кто еще был в тот день в конюшне?

— Так, сейчас припомним. — Он в задумчивости подергал нижнюю губу. — В разное время почти все перебывали: Ангус, Джуниор, Рид, все конюхи и жокеи.

— И Клейстер Хикам?

— Ясное дело. На ранчо все за ту кобылу болели. Даже Стейси Уоллес заехала. Я припоминаю, она только что вернулась с побережья.

У Алекс все внутри замерло. Она с большим трудом сохранила на лице невозмутимое выражение.

— И долго она пробыла там?

— Кто, Стейси? Нет. Сказала, что ей надо ехать домой распаковывать вещи.

— А Придурок Бад? Он тоже там был?

— Он шлялся повсюду. Не помню, чтобы я его там видел, но это не значит, что его не было.

— Но раз вы его не видели, неужто вас не удивило, что потом он вдруг объявился с тем самым скальпелем, покрытым кровью Селины?

— Не очень. Папа ведь не заметил пропажи, пока она не

обнаружилась у Придурка Бада. Мы поверили тому, что нам сказали: скальпель выпал из папиной сумки, а Придурок Бад увидел его, подобрал и убил им вашу мать.

— Но можно ведь предположить и такое: в разгар суматохи и забот о кобыле с жеребенком кто-то тайком вытащил нож из сумки вашего отца.

— Предположить, ясное дело, можно.

Он произнес это с видимой неохотой, чувствуя, что бросает тень подозрения на людей, на которых работал. Алекс вспомнила, как накануне он огорчился из-за Ридова скакуна. Илий Коллинз был приятелем всех троих подозреваемых. Алекс вынуждала его сделать выбор между привычной добропорядочностью и преданностью людям, благодаря щедрости которых он мог позволить себе носить дорогие сапоги ручной работы. Задача неприятная, но необходимая.

Пора было уходить; она встала и протянула доктору руку. Он пожал ее, и Алекс попрощалась.

— Да, еще одно, доктор Коллинз. Вы не возражаете, если я взгляну на скальпель?

Он опешил.

— Ничуть, если бы он был у меня.

— У вас его нет?

— Нет.

— А ваша мама?..

— Она его так и не получила обратно.

— Даже после того, как Придурка Бада арестовали?

— Они с папой особенно и не настаивали, чтобы скальпель вернули, — после того, что было тем скальпелем сотворено.

— То есть он все еще где-то валяется?

— Мне неизвестно, что с ним произошло.

* * *

На ранчо Минтонов кипела работа. Команды уборщиков разбирали завалы обломков и увозили мусор. Пожарные инспекторы тщательно обследовали обугленные балки и обгоревшие провода, чтобы установить причину возгорания.

Вокруг дома гудели пескоструйные машины, счищая с каменных стен апокалиптические угрозы. Целая бригада обмеряла окна, готовясь вставлять стекла.

Рид был в гуще событий, выполняя одновременно самые разнообразные функции. Он был небрит и грязен; глядя на него, можно было подумать, что он собственноручно просеивал золу и пепел в поисках улик поджога. Выбившаяся из брюк рубаха была расстегнута, рукава закатаны. Простоволосый, на руках рабочие кожаные рукавицы.

Он заметил Алекс, выходящую из машины, но тут его отозвал пожарный инспектор.

— Не хотите ли взглянуть вот на это, шериф?

Рид круто повернулся и пошел к сараю номер два. Алекс направилась за ним.

— Камень? Черт, камень-то какое отношение имеет к пожару? — услышала она вопрос Рида.

Пожарник, не снимая бейсбольной кепки с эмблемой «Хьюстон астрос», почесал в затылке.

— Сдается мне, пожар-то возник случайно. Тот, кто все это творил, использовал что-то наподобие пращи, когда выбивал окна и прочее.

— Как Давид, выступивший против Голиафа, — пробормотала Алекс. Рид, поджав губы, согласно кивнул.

Пожарник сказал:

— По-моему, дело было так: камень этот, когда его пульнули, влетел в одну из отдушин на крыше конюшни и закоротил там проводку. Вот вам и причина пожара.

— Вы считаете, намеренного поджога не было?

Инспектор насупился.

— Нет, что-то непохоже. Если б я затеял поджог, я бы бросил «коктейль Молотова» или пустил горящую стрелу. — Насупленность сменилась глуповатой ухмылкой. — Чего ж камнями-то бросаться?

Рид подкинул тяжелый булыжник на ладони.

— Спасибо.

Пожарник неторопливо зашагал прочь, а Рид сказал Алекс:

— Не вышло взять Пламмета за поджог.

День был не по-зимнему теплым, от Рида пахло потом и солью, по-своему даже приятно, Алекс нравился этот запах. Грудь его, особенно в верхней части, густо поросла волосами;

к животу эта растительность сужалась до темной полоски, сбегавшей под ремень брюк. Подойдя поближе, она заметила, что волосы от пота повлажнели и закурчавились. Их завитки лежали на мышцах, торчали вокруг сосков, напрягшихся под холодным ветром.

Она скользила по нему внимательным взглядом, и у нее теплело в груди. Из-под растрепанных волос Рида выбежала капелька пота и скатилась на бровь. Алекс не удержалась от соблазна поймать ее кончиком пальца. Суточная щетина очень шла к его чумазому потному лицу.

Алекс с трудом заставила себя думать о деле.

— Вы арестовали Пламмета?

— Пытались, — ответил Рид. — Но он исчез.

— А его семья?

— Они все дома, сидят с чертовски виноватыми физиономиями, но делают вид, будто понятия не имеют, куда он подевался. Впрочем, это меня не сильно волнует. Далеко ему не уйти. Мы проверим всех его прихожан — по списку. Кто-то же его прячет. Ничего, рано или поздно найдется.

— Мне хотелось бы присутствовать, когда вы будете его допрашивать.

Он швырнул камень на землю.

— А вы-то что здесь делаете?

— Я приехала к Саре-Джо на чай. — Перехватив его удивленный взгляд, она сказала: — Это была ее идея, не моя.

— Что ж, желаю повеселиться, — язвительно откликнулся он. И, повернувшись к ней спиной, неторопливо зашагал к сараю.

На крыльце дома, широко расставив ноги, стоял Ангус и наблюдал за бурной деятельностью вокруг. Подходя к нему, Алекс старалась не показать охватившего ее опасливого беспокойства. Она не знала, как ее теперь примут.

— А вы точны, — сказал он.

Значит, ему было известно, что ее ждут.

— Здравствуйте, Ангус.

— Пунктуальность — большое достоинство. Так же как и мужество. А этого у вас, барышня, не отнять. — Он одобрительно кивнул. — Вам потребовалось немалое мужество, чтобы снова здесь появиться. — Его прищуренные глаза смотрели на нее оценивающе. — В этом отношении вы очень похожи на свою мамочку. Она тоже была не робкого десятка.

— Правда?

Он хмыкнул.

— Я сколько раз видел, как она стояла на своем, не уступая этим двум оглоедам — Риду и Джуниору.

С улыбкой глядя вдаль, он предался приятным воспоминаниям.

— Останься она жива — вот была бы женщина! — Он снова взглянул на Алекс. — Вроде вас, наверное. Если б у меня была дочь, я бы хотел, чтобы она походила на вас.

Смущенная таким неожиданным заявлением, она сказала:

— Прошу прощения, Ангус, что каким-то, пусть самым отдаленным образом, я причастна к этому. — Она обвела рукой кучи стекла и мусора и прочие следы разбоя. — Надеюсь, Рид выяснит, кто все это сотворил. Надеюсь, им предъявят иск, и они получат по заслугам.

— Да уж, я тоже очень надеюсь. Я бы многое мог простить. — Он поглядел на битое стекло, усыпавшее крыльцо. — Но потерять ни за понюшку табаку прекрасного конягу — вот что жутко обидно. Чертовски жаль, что Рид его лишился. Он ведь долго откладывал деньги и был страшно горд, что купил его на свои кровные.

— Он крайне расстроился, — сказала Алекс, глядя, как Рид подходит к своему джипу и что-то говорит в передатчик.

— Скорее, разъярился. Когда речь заходит о чем-то принадлежащем ему, он становится ревнив, как медведица. Ничего удивительного, если вспомнить, как он рос. Да у него горшка своего не было, чтобы пописать, что уж о пригляде говорить. Жил одними обносками и подачками. А если человеку пришлось подбирать на помойке крохи, чтобы не помереть с голоду, то потом от такой привычки тяжело отделаться. А если он вредничает или злобствует, так это оттого, что от этих крох нередко зависела его жизнь.

Тут в дверь влетел, сияя своей знаменитой улыбкой, Джуниор. Вопреки обстоятельствам, настроен он был очень весело. В отличие от замызганных Рида и Ангуса на нем не было ни пятнышка. Если он даже разок и вспотел, заподозрить это, глядя на него, было невозможно.

Тепло поздоровавшись с Алекс, он сказал:

— Вы не поверите, какой у меня только что был телефонный разговор. Позвонила одна дама, у нас ее жеребая кобыла; хотела узнать, как поживает ее лошадка. Среди любителей скаковых лошадей дурные вести не лежат на месте, — сообщил он Алекс. — Словом, звонит она и этаким писклявым голоском говорит: «Малышка моя, наверно, перепугалась до потери сознания». Я ее заверил, что кобыла совсем в другой конюшне, но она продержала меня на телефоне полчаса, заставив поклясться, что ее малышка и малышкин малыш в полном порядке.

Он изобразил высокий щебечущий голос хозяйки кобылы. Ангус и Алекс расхохотались. Уголком глаза Алекс вдруг заметила, что Рид наблюдает за ними. Он стоял совершенно неподвижно; хотя на таком расстоянии трудно было сказать наверняка, она не сомневалась, что ему эта сцена не по душе. Казалось, его неприязнь, передаваясь по воздуху, волнами бьет в нее с почти ощутимой силой.

— Мне, пожалуй, пора, а то я опоздаю к чаю, — сказала она.

Джуниор положил ей на плечо руку.

— Мама хочет загладить свою вчерашнюю вспышку. Она несказанно рада, что вы приняли ее приглашение. Она вас очень ждет.

Глава 25

Лупе взяла у нее жакет и повела наверх. У двери она помедлила, затем тихонько постучала.

— Войдите.

Лупе распахнула дверь, но не вошла. Поняв это как приглашение, Алекс переступила порог и очутилась в комнате, похожей на кинодекорацию.

— Как красиво! — искренне вырвалось у нее.

— Спасибо, мне тоже нравится. — Сара-Джо взглянула на стоявшую позади служанку. — Лупе, закройте, пожалуйста, дверь. Вы же знаете, я не выношу сквозняков, к тому же рабочие подняли невообразимый шум. И принесите нам сразу чай.

— Слушаюсь, мадам. — Экономка ушла, оставив их наедине.

Стоя у двери, Алекс вдруг почувствовала себя неловко в своей длинной шерстяной юбке и замшевых сапогах на низком каблуке. Нет, ее черный костюм был неплох, но выглядел вызывающе современно и абсолютно неуместно среди изысканно-женственного убранства этой обставленной в викторианском стиле комнаты, где пахло, как в дорогом парфюмерном магазине.

В отличие от Алекс, хозяйка вписывалась в эту обстановку так же естественно, как кружащаяся фигурка балерины в музыкальную шкатулку. Ворот ее белой блузки был отделан рюшами, такие же рюши охватывали ее тонкие запястья. Сара-Джо сидела у окна на диване, обтянутом нежно-голубым дамастом, мягкая бежевая юбка веером раскинулась вокруг нее. В лучах послеполуденного солнца ее волосы сверкали, как нимб.

— Входите и садитесь, — Сара-Джо указала на изящный стул подле себя.

Обычно не терявшая самообладания, Алекс, ступая по устланному ковром полу, чувствовала себя смущенно.

— Спасибо за приглашение. Как замечательно, что вы надумали меня позвать.

— Мне необходимо было как можно скорее извиниться перед вами за то, что я наговорила вчера.

— Пустяки. Я уже все забыла.

Джуниор и Ангус вроде бы простили ее за то, что она нечаянно спровоцировала разгром на ранчо. Теперь ее очередь проявить великодушие по отношению к Саре-Джо.

Алекс с любопытством огляделась.

— И в самом деле прелестная комната. Вы ее сами обставляли?

Смех Сары-Джо был таким же хрупким, как и рука, теребившая рюши на вороте блузки.

— Разумеется. Я бы и на порог не пустила этих ужасных декораторов. Собственно, я просто скопировала свою комнату в родительском доме, всю, до мельчайших деталей. Ангус находит ее слишком вычурной.

Исподволь Алекс старалась найти в комнате хоть какие-то признаки мужского присутствия, какую-нибудь мелочь, свидетельствующую, что мужчина здесь все-таки появляется. Но не находила никаких следов. Как бы прочитав ее мысли, Сара-Джо сказала:

— Его вещи в другой комнате, вон там.

Проследив за ее взглядом, Алекс увидела закрытую дверь.

— Входи, Лупе, — отозвалась Сара-Джо на негромкий стук в дверь. — Вот и наш чай.

Пока Лупе расставляла серебряный сервиз на чайном столике, Алекс начала светскую беседу.

— Вы упомянули родительский дом, миссис Минтон. Это в Кентукки?

— Да, в краю табунов. В краю охотников. Я его обожала.

Ее задумчивый взгляд, скользнув по комнате, остановился на окне. Открывавшийся вид не очень-то радовал глаз: нескончаемо тянущаяся на много миль до самого горизонта серовато-коричневая степь. Они наблюдали, как подгоняемый ветром шарик перекати-поля пересек мощенный камнем внутренний дворик и упал в плавательный бассейн. Пейзаж вокруг бассейна был унылым и безжизненным, как хлопковое поле после уборки.

— Земля здесь такая голая. Я скучаю по зелени. Конечно, у нас есть орошаемые пастбища для лошадей, но все это не то. — Она медленно повернула от окна голову и кивком поблагодарила служанку. Лупе удалилась. — Что вам положить в чай?

— Кусочек лимона и сахар, пожалуйста. Одну ложечку.

Сара-Джо все делала согласно ритуалу, который, как считала Алекс, зачах еще два поколения назад. И выполняла его тщательно и неспешно. Ее бледные прозрачные руки плавно двигались. Теперь Алекс понимала, почему этот обычай угас в современной Америке. Просто ни у кого нет времени.

— Бутерброды, пожалуйста. Они с огурцом и сливочным сыром.

— В таком случае, непременно, — улыбнулась Алекс.

Положив на маленькую тарелочку бутерброд и два пирожных, Сара-Джо передала ее Алекс, которая уже расстелила на коленях кружевную салфетку.

— Спасибо.

Алекс отпила чаю и объявила, что он выше всяких похвал. Бутерброд представлял собой тонюсенький ломтик хлеба без корки, на котором было намазано что-то прохладное и маслянистое. Она боялась, что желудок ее грубо заурчит, жадно поглощая крохотную порцию. Ведь завтрак она проспала, а обедать перед тем, как идти в гости, ей показалось излишним.

Попробовав пирожного, она спросила:

— Вы часто навещаете родных в Кентукки?

Хозяйка налила себе чаю по собственному вкусу и медленно помешивала его.

— Я была там только дважды — на похоронах родителей.

— Простите, я не хотела затрагивать такую грустную тему.

— У меня никого не осталось, кроме Ангуса и Джуниора. Но ведь любой человек с маломальским характером рано или поздно свыкается с утратами. — Она поставила чашку с блюдцем на стол так осторожно, что фарфор даже не звякнул. Не поднимая головы, она исподлобья посмотрела на Алекс. — А вы никак не можете, да?

Алекс положила обратно на тарелку недоеденное пирожное, чувствуя, что разговор подошел к тому, ради чего ее и пригласили на чай.

— Никак не могу чего?

— Никак не поймете, что мертвых лучше не тревожить.

Линия фронта была определена. Алекс поставила чайный прибор обратно на серебряный поднос, даже убрала с колен тонкую, как паутина, салфетку.

— Вы имеете в виду мою мать?

— Именно. Ваше расследование, мисс Гейтер, расстроило жизнь моей семьи.

— Приношу извинения за беспокойство. Однако причинять его меня вынуждают обстоятельства.

— Какие-то подонки бесчинствовали в нашем имении, жизнь и здоровье всех лошадей, и наших, и чужих, а значит, и самое наше существование, были в опасности.

— Очень неприятное происшествие. Не могу передать вам, как мне жаль, что это произошло, — сказала Алекс в надежде, что Сара-Джо ее поймет. — Но поверьте, я не имела к этому никакого отношения.

Стараясь подавить неприязнь и негодование, Сара-Джо глубоко вздохнула. При этом заколыхались обрамлявшие ее шею рюши. Ее враждебность ощущалась так явно, что Алекс вновь подумала, какая же причина побудила ее устроить этот чай? Желание извиниться было всего лишь уловкой. Очевидно, Сара-Джо хотела выплеснуть давно копившееся раздражение.

— Что вы знаете о своей матери и ее отношениях с Джуниором и Ридом Ламбертом?

— Только то, что рассказывала мне бабушка, да еще кое-что я узнала здесь, в Пурселле, из разговоров с людьми.

— Они были не разлей вода, — сказала Сара-Джо тихим, задумчивым голосом, и Алекс поняла, что та погружается в мир своих личных воспоминаний. — Маленькая тесная компания. Увидишь одного, значит, и двое других рядом.

— Да, я заметила это на любительских снимках в школьных альбомах, где они были застигнуты врасплох. Там много фотографий этой троицы.

Алекс провела немало времени, рассматривая фотографии на глянцевых страницах школьных ежегодников, надеясь найти хоть какую-нибудь ниточку, хоть что-нибудь, что могло бы помочь расследованию.

— Я не хотела, чтобы Джуниор дружил с ними, — рассказывала Сара-Джо. — Рид был хулиганом и к тому же сыном известного в городе пьяницы. А ваша мать... ну, в общем, мне по многим причинам не хотелось, чтобы он с ней сближался.

— Назовите хотя бы одну.

— В основном из-за того, что было между нею и Ридом. Я знала, что Джуниор всегда будет на вторых ролях. Меня раздражала сама мысль о том, что она будет выбирать. Она была недостойна права на выбор, — сказала Сара-Джо с горечью. — Но что бы я ни говорила, Джуниор обожал ее. Случилось то, чего я так боялась, — он влюбился. — Она вдруг проницательно взглянула на гостью. — И у меня есть неприятное предчувствие, что теперь он влюбится в вас.

— Вы ошибаетесь.

— О, я уверена, вы-то уж позаботитесь, чтобы так и случилось. Вероятно, Рид тоже влюбится. И снова выстроится треугольник, не правда ли? Разве вам не хочется, подобно ей, натравить их друг на друга?

— Это неправда!

Глаза Сары-Джо злобно сузились.

— Ваша мать была распутной.

До этого момента Алекс старалась подбирать слова осторожно. Но, поскольку хозяйка дома оскорбила ее покойную мать, она отбросила все светские условности.

— Это клевета, миссис Минтон, и я ее решительно отвергаю.

Сара-Джо пренебрежительно махнула рукой.

— Тем не менее это правда. С первой встречи я поняла, что она заурядна и груба. Да, она была недурна собой, такая яркая, броская, вроде вас. — Она окинула Алекс критическим взглядом. Алекс так и подмывало встать и уйти. Единственное, что удерживало ее на этом тонконогом стуле, была надежда, что Сара-Джо нечаянно проговорится и она узнает что-нибудь важное.

— Ваша мать смеялась слишком громко, играла слишком азартно, любила слишком сильно. Для нее чувства были все равно что бутылка для пьяницы. Она чрезмерно поддавалась им и не умела себя контролировать.

— Значит, она была искренней, — с гордостью сказала Алекс. — Мир, наверное, стал бы лучше, если бы люди открыто выражали свои чувства.

Сара-Джо пропустила ее замечание мимо ушей.

— Уж она-то знала, как расположить к себе мужчину, — продолжала Сара-Джо. — Селина была кокетлива от природы. Все мужчины влюблялись в нее. Благодаря ее стараниям, конечно. Ведь ради этого она была готова на все.

Это было уж слишком.

— Я не позволю вам унижать женщину, которая уже не может себя защитить. Это отвратительно и жестоко с вашей стороны, миссис Минтон. — В комнате, где вначале, казалось, веяло оранжерейной свежестью, теперь вдруг стало невыносимо душно. Надо было выбираться оттуда, и поскорее. — Я ухожу.

— Нет, подождите. — Сара-Джо поднялась вслед за Алекс. — Селина любила Рида со всей страстью, с которой была способна любить кого-то еще, кроме себя.

— А вам-то что до этого?

— Она хотела заполучить и Джуниора и дала ему это понять. У вашей бабушки — вот уж глупая женщина — просто голова кружилась при мысли о возможном браке наших детей. Как будто я позволила бы Джуниору жениться на Селине, — усмехнулась она. — Мерл Грэм даже однажды позвонила мне, ей хотелось, чтобы мы, будущие родственники, почаще встречались и поближе познакомились друг с другом. Господи, да я бы скорее умерла! Она же была телефонисткой. — Сара-Джо презрительно рассмеялась. — Ни под каким видом не могла Селина Грэм стать моей невесткой. Я прямо сказала об этом и вашей бабушке, и Джуниору. Он дулся и хныкал из-за этой девчонки, пока не вывел меня из терпения. — Она подняла свои маленькие кулачки, как будто и сейчас еще не могла успокоиться. — Ну почему он не видел, что она всего лишь эгоистичная расчетливая сучка? А теперь еще *вы!*

Она обошла чайный столик и встала перед Алекс. Алекс была выше, но Саре-Джо придавала силы кипевшая в ней долгие годы ярость. Ее хрупкое тело сотрясалось от злости.

— С недавнего времени он только и говорит, что о вас, как раньше о Селине.

— Я не завлекала Джуниора, миссис Минтон. Между нами не может быть никакой любовной связи. Не исключаю, мы могли бы стать друзьями, но только после завершения расследования.

— Да ведь то же самое было и с ней! — воскликнула Сара-Джо. — Она злоупотребляла его дружбой, потому что он все время цеплялся за напрасную надежду, что дружба перерастет в нечто большее. Для вас он всего лишь подозреваемый в убийстве. Вы используете его так же, как ваша мать.

— Ну это просто неправда.

Сара-Джо покачнулась, как будто вот-вот упадет в обморок.

— Зачем вы явились сюда?

— Я хочу выяснить, почему убили мою мать.

— Вы — вот причина. — Ее указательный палец был направлен прямо в сердце Алекс. — Незаконнорожденный ребенок Селины.

Алекс отшатнулась, у нее перехватило дыхание.

— Что вы сказали? — с трудом выдохнула она.

Сара-Джо пришла в себя. Краска отхлынула от ее лица, и оно приняло свой обычный фарфоровый оттенок.

— Вы были незаконнорожденной.

— Это ложь, — задыхаясь, возразила Алекс. — Моя мать

была замужем за Элом Гейтером. Я видела свидетельство о браке. Бабушка Грэм сохранила его.

— Да, они поженились, но только после того, как она обнаружила, вернувшись из Эль-Пасо, что беременна.

— Вы лжете! — Алекс ухватилась за спинку стула. — Почему вы лжете?

— Это не ложь! Причина, по которой я все это рассказываю, очень проста. Я пытаюсь защитить свою семью от вашей разрушительной мстительности. С этим дрянным отвратительным городишком меня примиряет только то, что я здесь самая богатая. Мне нравится быть замужем за самым влиятельным человеком округа. И я не позволю вам уничтожить все, что Ангус создал для меня. Я не позволю вам внести раздор в мою семью. Селине удалось сделать это. Но больше я такого не допущу.

— Дамы, дамы! — В комнату, снисходительно посмеиваясь, вошел Джуниор. — Что тут за шум? Может, паука увидели?

Тон его совершенно изменился, когда он почувствовал возникшую между дамами враждебность. Она ощущалась в воздухе так же явственно, как запах озона после близкого удара молнии.

— Мать! Алекс! Что случилось?

Алекс смотрела не мигая на Сару-Джо, лицо которой теперь было спокойно и невозмутимо, как камея. Опрокинув стул, Алекс рванулась к двери. Выскочила из комнаты, побежала, спотыкаясь, вниз по лестнице.

Джуниор посмотрел с немым вопросом на мать. Отвернувшись от него, она вернулась на диван, взяла чашечку с чаем и сделала маленький глоток.

Джуниор помчался вдогонку за Алекс и настиг ее у выхода, где она судорожно пыталась попасть рукой в рукав жакета.

Он схватил ее за плечи.

— Что здесь, черт возьми, произошло?

— Ничего. — Алекс отвернулась, чтобы он не увидел ее слез. Попыталась высвободиться из его рук.

— Что-то непохоже, чтобы вы просто пили чай!

— Чай? Ха-ха, — откинув голову, усмехнулась Алекс. — Она пригласила меня не за тем, чтобы пить чай. — Пытаясь удержать слезы, она часто моргала и шмыгала носом. — Наверное, мне нужно поблагодарить ее за то, что она рассказала.

— Что рассказала?

— Что я была биологической случайностью.

От замешательства лицо Джуниора утратило всякое выражение.

— Значит, так оно и было, да? — Опустив ее руки, Джуниор попытался отвернуться. Теперь уже Алекс схватила его за руку и заставила повернуться к ней. — Да? — Из глаз ее потекли слезы. — Скажите хоть что-нибудь, Джуниор!

Его смущенный вид говорил о нежелании что-либо подтверждать. Пришлось самой Алекс описать, как все произошло.

— Селина вернулась из Эль-Пасо. Она погуляла с солдатом, перебесилась и была готова помириться с Ридом. Наверное, так и случилось бы, если бы не я, да? — Она закрыла лицо руками. — Господи, неудивительно, что он так меня ненавидит.

Джуниор убрал ее руки от лица и посмотрел на Алекс своими искренними голубыми глазами.

— Рид не ненавидит вас, Алекс. Ни у кого из нас не было ненависти ни тогда, ни сейчас.

Она с горечью рассмеялась.

— Зато уж Элберг Гейтер точно терпеть меня не мог. Его ведь заставили жениться. — Глаза ее округлились, прерывисто дыша, она говорила быстро и громко: — Теперь мне многое понятно. Многое. Почему бабушка так строго относилась к моим свиданиям; с кем я иду, когда вернусь, где была. Я обижалась на ее суровость, потому что никогда не давала повода не доверять мне. Наверное, ее строгость была оправдана, да? — Она была близка к истерике. — Ее дочь обрюхатили, а двадцать пять лет назад это было большим позором.

— Алекс, перестаньте.

— Теперь ясно, почему бабушка никогда меня особенно не любила. Я сломала Селине жизнь, и бабушка мне этого не простила. Селина потеряла вас, потеряла Рида, потеряла будущее. И все из-за меня. О господи! — Вопль прозвучал не то проклятием, не то молитвой. Алекс отвернулась от него и толчком распахнула дверь. Бегом бросилась через веранду вниз по ступенькам к своей машине.

— Алекс! — Джуниор ринулся было за ней.

— Черт побери, что тут происходит? — воскликнул Ангус, увидев промчавшуюся мимо него Алекс.

— Оставьте ее в покое, оба. — Сара-Джо стояла на верхней площадке, откуда она все слышала и видела.

Джуниор резко повернулся к ней:

— Мама, как ты могла? Как ты могла так больно ранить Алекс?

— Я не хотела ее ранить.

— А что ты ей сказала? — спросил Ангус. Он стоял, заполнив собой весь дверной проем, ничего не понимая и раздражаясь оттого, что никто не отвечает на его вопросы.

— Конечно, это ранило ее, — сказал Джуниор. — И ты знала, каков будет результат. Зачем тебе вообще понадобилось это рассказывать?

— Потому что ей нужно знать. Единственный, кто может ранить Алекс, это сама Алекс. Она ведь гоняется за призраками. Селина Гейтер вовсе не была такой матерью, которую ищет Алекс. Мерл вбила в голову внучки много чепухи о том, какой якобы замечательной была Селина. Она забыла рассказать девочке, какой та была беспутной. Пора уже Алекс узнать об этом.

— Какого хрена! — взъярился Ангус. — Может, кто-нибудь соблаговолит объяснить мне, что здесь все-таки происходит, черт возьми?

Глава 26

Ангус вошел в спальню и тихо прикрыл за собой дверь. Сидевшая в кровати, облокотясь на подушки, Сара-Джо отложила книгу и взглянула на него поверх сползших на кончик носа очков.

— Что это ты так рано сегодня?

На вид она, казалось, и мухи не обидит, но Ангус знал, что за хрупкой внешностью скрывается железная воля. От-

ступать она могла — из безразличия, но потерпеть поражение — никогда.

— Я хочу поговорить с тобой.

— О чем?

— О том, что произошло сегодня.

Она прижала пальцы к вискам.

— У меня из-за этого так разболелась голова! Поэтому я и
не спустилась к обеду.

— Приняла что-нибудь?

— Да, сейчас уже лучше.

Они обменивались этими фразами по поводу ее головной
боли почти каждый день.

— Не садись на покрывало, — сделала замечание Сара-
Джо, когда он присел на краешек кровати. Он привстал, подождал, пока она отвернет стеганое атласное покрывало, и
снова сел, придвинувшись поближе к ее бедру.

— Боже, у тебя такой удрученный вид, Ангус, — сказала
она обеспокоенно. — В чем дело? На наше имение, надеюсь,
больше никакие психи не нападали?

— Нет.

— Слава богу, что пострадала только одна лошадь, да и та
принадлежала Риду.

Ангус ничего на это не сказал. Сара-Джо недолюбливала
Рида, и Ангус знал почему. Ее отношение не переменится никогда, поэтому бранить ее за эти злые слова бесполезно.

К тому же он пришел поговорить с ней на другую, очень
щекотливую тему. Выждав паузу, он начал, осторожно подбирая слова:

— Сара-Джо, насчет сегодняшнего...

— Я очень расстроилась, — сказала она, складывая губы в
милую гримасу.

— *Ты* расстроилась? — Ангус с трудом подавил раздражение. Не стоило спешить с выводами, не выслушав, что скажет
об этом она сама. — А что же тогда чувствовала Алекс?

— Она, естественно, тоже расстроилась. А ты бы не расстроился, если бы узнал, что ты незаконнорожденный?

— Нет. — Он невесело усмехнулся. — Я бы этому даже и
не удивился. В жизни никогда не проверял, есть ли у моих
родителей свидетельство о браке, да хоть бы и не было, мне
все равно. — Брови его нахмурились. — Но я-то ведь старый

стреляный воробей, а Алекс чувствительная молодая женщина.

— Я считала, ей хватит сил пережить это.

— Очевидно, не хватило. Она промчалась мимо, даже не заметив меня. Была чуть ли не в истерике.

Улыбка сошла с губ Сары-Джо.

— Ты винишь меня за то, что я ей сказала? Считаешь, я поступила неправильно?

Всякий раз, когда она смотрела на него вот таким испуганным взглядом маленькой заблудившейся девочки, сердце его таяло. Ангус взял ее руку. Своими грубыми лапами он мог бы легко раздавить ее, как цветок, но с годами он научился, лаская ее, сдерживать свою силу.

— Я вовсе не виню тебя, родная, за то, что ты ей сказала. Я просто сомневаюсь в благоразумии этого шага. Жаль, что ты прежде не посоветовалась со мной или Джуниором. Она ведь вполне могла прожить и не зная тайны своего рождения.

— А я считаю иначе, — резко возразила Сара-Джо.

— Ну что с того, что ее мама и папа поженились только после того, как сделали ее? Сейчас это случается сплошь и рядом, уже и за грех-то никто не считает.

— Зато теперь она по-другому представляет себе Селину. Алекс ведь возвела мать на пьедестал.

— Ну и что?

— Селина едва ли заслуживает пьедестала, — резко заметила Сара-Джо. — Хватит уж нам сдувать пылинки с Алекс, я решила, что пора выложить ей всю правду о ее матери.

— Зачем?

— *Зачем?* Затем, что она хочет уничтожить нас, вот зачем. Я решила, что пора перестать потакать ей, пора начать борьбу. И воспользовалась единственным имевшимся у меня оружием. — Во время подобных сцен Сара-Джо обычно очень возбуждалась. — Я всего лишь пытаюсь защитить тебя и Джуниора.

В самом деле, подумал Ангус, Саре-Джо потребовалось огромное мужество, чтобы сразиться с такой уверенной в себе женщиной, как Алекс. Он по-прежнему считал, что Саре-Джо не обязательно было рассказывать Алекс о ее родителях, но ведь сделала она это из благих побуждений. Она защищала свою семью. Можно ли осуждать ее за такой храбрый поступок? Он наклонился и поцеловал жену в лоб.

— Я ценю твой боевой дух, но никто из нас не нуждается в твоей защите, родная. Как может такая крошка защитить нас, таких больших и сильных парней? — Он засмеялся при этой мысли. — У меня хватит и денег, и опыта, чтобы уладить любые трудности. А из-за этой рыженькой, росточком всего-то в шесть футов, и вовсе не стоит беспокоиться.

— Если бы воскрес этот гнусный Клейстер Хикам, он бы, я уверена, с тобой не согласился, — сказала Сара-Джо. — Смотри, что с ним случилось. В отличие от тебя и Джуниора и, очевидно, всех других мужчин, я не подвластна чарам этой девицы. — В ее голосе зазвучало отчаяние. — Ангус, неужели ты не видишь? Джуниор начинает терять из-за нее голову.

— Не вижу в этом ничего ужасного, — сказал он с простодушной улыбкой.

— Да это было бы просто катастрофой! — воскликнула Сара-Джо слабым голосом. — Ведь в свое время ее мать уже разбила ему сердце. Неужто тебе все равно?

— Ну, это было много лет назад. И потом, Алекс не такая, как ее мать, — нахмурившись, напомнил Ангус.

— Я в этом не уверена, — сказала Сара-Джо, глядя в пространство.

— Алекс не такая пустышка и ветреница, как ее мать, — возразил Ангус. — Она немножко любит покомандовать, но, может, это как раз то, что нужно Джуниору. Все его жены позволяли ему помыкать собой, и он ни в грош их не ставил. Может, ему нужна как раз такая жена, которая заставит его считаться с собой.

— А кстати, где он? Он еще сердится на меня? — с тревогой спросила Сара-Джо.

— Он расстроился, но это пройдет, он ведь отходчив. Сказал, что поедет куда-нибудь и напьется.

Они оба рассмеялись. Первой посерьезнела Сара-Джо.

— Надеюсь, он доедет домой благополучно.

— Он, э-э, наверное, не вернется ночевать.

— Вот как?

— Что ж тут удивительного. Алекс нужно какое-то время, чтобы успокоиться. Даже если Джуниор и сгорает от любви, он ведь, в конце концов, живой человек. И найдет себе женщину, которая его утешит, ему это сегодня необходимо. — Его взгляд остановился на декольте жены, кожа ее была бархатистой и гладкой благодаря пудре, которой она пользовалась после ванны. — У него здоровый мужской аппетит, точь-в-точь как у его папочки.

— Ох, Ангус, — устало вздохнула она, когда его рука, пробравшись через кружевные оборки, нащупала ее грудь.

— Меня и самого хорошо бы немножко утешить.

— Все вы, мужчины, одинаковы. У вас всегда лишь одно на уме. Из-за тебя...

— Из-за тебя у меня встал.

— Что за выражение! Так грубо. И потом, мне сегодня не хочется. У меня снова начинает болеть голова.

Его поцелуй оборвал все дальнейшие возражения. Она покорилась, в чем он и не сомневался. Она всегда возражала на словах, но на деле никогда ему не отказывала. Ее с колыбели приучили к мысли, что она всегда должна выполнять супружеские обязанности, точно так же, как и уметь правильно сервировать чай.

То, что она отдавалась ему скорее из чувства долга, чем из-за страсти, не умаляло его желания, может, даже еще усиливало его. Ангус любил брать препятствия.

Он быстро разделся и лег на нее. Немного повозившись с пуговицами, он в конце концов справился с ними без ее помощи и распахнул пеньюар. Ее груди были такими же упругими и высокими, как и в ночь их свадьбы, когда он впервые дотронулся до них.

Ангус поцеловал их с вежливой сдержанностью. У нее были маленькие соски. Ему редко удавалось, лаская языком, заставить их стать твердыми. Да знала ли она вообще, что соски уплотняются от желания? Сомнительно. Разве только те романы, которые она читает, были более откровенны в вопросах пола, чем он полагает.

Она слегка поморщилась, когда он вошел в нее. Ангус сделал вид, что не заметил ее гримасы. Он старался не потеть, не издавать никаких звуков, не делать ничего такого, что она сочла бы некрасивым или неприятным. Свою похоть он приберегал для одной вдовушки, которую содержал в соседнем округе. Ее-то не коробил его грубый язык. Напротив, она покатывалась со смеху от некоторых его красочных выражений.

И она не меньше его была охоча до любовных утех. У нее были крупные, темные, пахнущие молоком соски, которые она разрешала ему теребить сколько угодно. И не возражала против того, чтобы попробовать другие, разные способы. Каждый раз, как он ложился на нее, ее круглые бедра обхватывали его сзади, как тиски. Оргазм у нее всегда сопровождался громким криком, и только она одна умела радостно смеяться, когда занималась любовью.

Они встречались уже более двадцати лет. Она никогда не требовала от него большего, да на большее она и не рассчитывала. Им было чертовски хорошо вместе, и Ангус не мог себе представить жизни без нее, но любить ее он, конечно же, не любил.

Он любил Сару-Джо. Или, вернее, любил ее изящество, чистоту, утонченность и красоту. Он любил ее, как коллекционер любит бесценную статуэтку, до которой можно дотрагиваться только в особых случаях, да и то с крайней осторожностью.

По ее требованию он неизменно надевал презерватив и потом, осторожно снимая его, старался не испачкать ее шелковые простыни. И сейчас, проделывая эту операцию, он наблюдал, как Сара-Джо оправила ночную рубашку, застегнула все пуговицы и разгладила покрывало.

Ангус снова лег в постель, чмокнул ее в щечку и обнял. Он любил держать в объятиях ее маленькое тело, любил прикасаться к ее гладкой благоухающей коже. Ему хотелось лелеять ее. Но, к его огорчению, она убрала его руки и сказала:

— Теперь спи, Ангус. Я хочу дочитать эту главу.

Она снова открыла роман, наверняка такой же сухой и безжизненный, как и сама она в постели. Устыдившись этой предательской мысли, Ангус повернулся на другой бок, чтобы свет лампы не падал ему на лицо.

Ему почему-то никогда не приходило в голову стыдиться своих поездок за тридцать пять миль к любовнице, которую он решил навестить завтра же к вечеру.

Керамическая кружка выскользнула у Стейси из рук, упала на кафельный пол кухни и разбилась.

— Боже мой, — прошептала Стейси, судорожно сжимая отвороты бархатного халата.

— Стейси, это я.

Стук в заднюю дверь так сильно напугал ее, что кружка просто выскользнула у нее из рук. Но при звуке знакомого голоса, произносившего ее имя, сердце Стейси забилось еще сильнее. Несколько мгновений она стояла, уставившись на дверь, затем бросилась к ней и отодвинула накрахмаленную занавеску.

— Джуниор?

Ей не хватило воздуха, чтобы громко произнести его имя. Губы беззвучно шептали его. Она не сразу справилась с замком, торопясь изо всех сил, будто боялась, что Джуниор исчезнет раньше, чем она откроет дверь.

— Привет! — Он улыбался так бесхитростно и открыто, будто стучал в эту дверь каждый вечер. — У тебя что-то разбилось или мне послышалось?

Она подняла было руку, чтобы дотронуться до его щеки и убедиться, что это действительно он, но, застеснявшись, отдернула.

— Что ты здесь делаешь?

— Пришел повидать тебя.

Она посмотрела мимо него, ища взглядом во дворе какое-нибудь объяснение, какую-нибудь причину, приведшую ее бывшего мужа к этому крыльцу.

Он рассмеялся.

— Я пришел один. Просто не хотелось звонить в парадную дверь: вдруг судья уже лег спать.

— Да, лег. Он... Ах, но ты заходи, заходи! — Опомнившись, она пропустила его в дом. Джуниор вошел. Они стояли, глядя друг на друга в ярком свете кухонной лампы, довольно безжалостном для Стейси, уже снявшей косметику перед сном.

Она часто представляла себе, как он придет к ней однажды вечером, но сейчас, когда это случилось, Стейси оцепенела и онемела, отказываясь верить собственным глазам. Тысячи слов любви и нежности пронеслись в ее голове, но она знала, что они ему неинтересны. И поэтому выбрала более безопасную тему:

— Папа сегодня лег рано. У него что-то с желудком. Я подогрела ему молока. А из оставшегося решила приготовить какао. — Не в силах отвести от него взгляд, Стейси нервно махнула рукой в сторону плиты, где молоко уже готово было убежать из кастрюли.

Джуниор подошел к плите и выключил конфорку.

— Какао, говоришь? Что может быть лучше твоего какао! А на две чашки хватит?

— Да... Ко... конечно. Значит, ты останешься?

— Ненадолго. Если ты не против.

— Нет, — сказала она, едва дыша. — Нет.

Обычно ловкая, Стейси неуклюжими движениями налила две чашки какао. Она не могла понять, с чего он вдруг решил навестить ее сегодня. Впрочем, это неважно. Главное, он здесь.

Когда она подала ему чашку с какао, Джуниор обезоруживающе улыбнулся и спросил:

— У тебя есть что-нибудь выпить?

Он пошел за ней в гостиную, где в шкафчике стояло несколько бутылок, вынимавшихся только в особых случаях.

— Ты уже пил сегодня, да? — спросила она, наливая ему в чашку коньяку.

— Пил, — он понизил голос до шепота, — я и закрутку марихуаны выкурил.

Она осуждающе поджала губы.

— Ты ведь знаешь, Джуниор, как я отношусь к наркотикам.

— Марихуана не *наркотик*.

— Нет, наркотик.

— Ах, Стейси, — жалобно сказал он, наклоняясь, чтобы поцеловать ее в ухо. — Бывшая жена не имеет права браниться.

От прикосновения его губ внутри у нее все затрепетало. Ее недовольство растаяло, как мороженое в августовскую жару.

— Я и не думала бранить тебя. Просто мне интересно, почему ты вдруг пришел сегодня после стольких лет.

— Захотелось.

Она знала, что для Джуниора это действительно причина. Он развалился на диване и, потянув ее за руку, усадил рядом с собой.

— Нет, не включай лампу, — сказал он, когда она потянулась к выключателю. — Давай просто посидим рядом и попьем какао.

— Я слышала о беде на ранчо, — сказала она после небольшой паузы.

— Все уже расчистили. Даже следов не осталось. Еще легко отделались.

Она нерешительно коснулась его рукой.

— Тебя могло ранить.

Он поставил пустую чашку на журнальный столик и вздохнул.

— Тебя все еще заботит моя безопасность?

— Конечно.

— Никто не относился ко мне так, как ты, Стейси. Мне не хватает тебя. — Он взял ее руку и сжал в своих ладонях.

— У тебя усталый и озабоченный вид.

— Ничего не поделаешь.

— Это из-за нападения?

— Нет. — Он еще глубже погрузился в подушки дивана, положил голову на его спинку. — Вся эта каша, которая заварилась вокруг убийства Селины. Неприятно до чертиков. — Он наклонил голову, так что она оказалась у нее на плече. — М-м, как от тебя хорошо пахнет. Именно этого запаха мне и не хватало. Такой чистый. — Он уткнулся ей в шею.

— А что тебя так тревожит в этом расследовании?

— Да ничего особенного. Просто у Алекс вышел сегодня с матерью скандал. Мать проговорилась, что Селина нагуляла ее и поэтому ей пришлось выйти замуж за того солдата. Сцена была не из приятных.

Он обнял ее за талию. Стейси машинально подняла руку, чтобы погладить его по щеке, и прижала его голову к своей груди.

— Я солгала ей, — тихо призналась она, — не сказала всей правды.

Джуниор пробормотал что-то, не проявив никакого интереса.

— Я не сказала ей, что была в конюшне в тот день, когда убили Селину.

— Почему?

— Я не хотела, чтобы она набросилась на меня с вопросами. Я ее не выношу, Джуниор, у тебя ведь снова неприятности из-за нее.

— Алекс тут ни при чем. Она не виновата.

Знакомая песня. Стейси от нее прямо передернуло. То же самое Джуниор говорил и о Селине. Как бы подло она с ним ни поступала, он ни разу не сказал о ней ни единого резкого слова.

— Ненавижу эту девчонку Селины так же, как и ее мать! — прошептала Стейси.

Алкоголь и крепкая мексиканская травка уже притупили мысли Джуниора.

— Забудь сейчас об этом. Так хорошо, да? — бормотал он, скользя рукой, а вслед за ней и губами к ее груди. Его влажный язык коснулся ее соска. — Тебе раньше нравилось, когда я делал так.

— И сейчас нравится.

— Правда? А так? Вот так тебе еще нравится? — спросил он, втянув в рот ее сосок и погружая руку в пушистую влажную теплоту между ногами.

Она со стоном произнесла его имя.

— Если ты не хочешь, я настаивать не буду. — Он слегка отстранился.

— Нет-нет, — быстро сказала она, снова притягивая к себе его голову и зажимая ногами его руку. — Я хочу. Пожалуйста.

— Стейси, Стейси, как нужна мне сегодня твоя нежная, заботливая любовь. Ты всегда помогала мне, когда мне бывало несладко. — Он поднял голову от ее груди и поцеловал в губы долгим, медленным, глубоким поцелуем. — А помнишь, что мне нравилось больше всего? — спросил он, не отнимая губ.

— Помню. — Она серьезно посмотрела на него снизу вверх. Он улыбнулся ей блаженной ангельской улыбкой. Когда он смотрел на нее вот так, она ни в чем не могла отказать ему — ни тогда, когда они были еще подростками, ни когда были женаты, ни сейчас, никогда.

И Стейси Уоллес Минтон, добропорядочная и высоконравственная дочь судьи, проворно опустилась перед ним на колени, поспешно расстегнула ширинку и взяла вожделенный предмет своим голодным ртом.

— Мисс Гейтер, мэм! Мисс Гейтер? Вы здесь?

Алекс дремала. Ее разбудил стук в уже отремонтированную дверь, она проснулась и обнаружила, что лежит поверх покрывала. Тело онемело и замерзло. Глаза распухли от слез.

— Что вам нужно? — хрипло спросила она. — Уходите.

— У вас снята телефонная трубка, мэм?

— Черт! — Она спустила ноги с кровати. Одежда ее помялась и сбилась в комок. Она одернула ее, подошла к окну и отодвинула занавеску. У двери стоял ночной дежурный мотеля.

— Я сняла трубку, чтобы меня не беспокоили, — объяснила она через окно.

Он смотрел на нее, радостно улыбаясь, очевидно, тому, что она жива.

— Тогда извините, что побеспокоил вас, мэм. Все потому, что этот парень никак не мог до вас дозвониться. Все доказывал, мол, не может быть, чтобы вы так долго говорили по телефону.

— Какой парень?

— То ли Харпер, то ли Харрис, — бормотал он, заглядывая в зажатую в руке бумажку. Он поднес ее поближе к лампе над дверью. — Никак не могу разобрать, что я тут нацарапал. С письмом у меня плоховато.

— Харпер? Грег Харпер?

— Похоже, он, мэм.

Алекс опустила занавеску, сняла цепочку и открыла дверь.

— Он сказал, что ему нужно?

— А как же. Просил передать, что вы должны быть в Остине завтра в десять часов утра на совещании.

Алекс в недоумении уставилась на дежурного.

— Наверно, вы неправильно записали. Завтра в десять утра?

— Так и сказал. Какое неправильно, вот, гляньте-ка, здесь все записано. — Он показал ей клочок бумаги с карандашными каракулями. — Он названивал вам весь день, а потом его соединили с дежурным, потому что он не мог дозвониться до вас. В конце концов он сказал, что должен куда-то идти вечером, а мне велел сходить к вам и передать все лично, ну я так и сделал. Так что спокойной ночи!

— Подождите!

— Знаете, мне ведь положено сидеть на коммутаторе.

— А он не сказал, что за совещание и почему так срочно?

— Не-е, только, что вам надо быть там.

Он выжидательно медлил. Когда же она, бормоча слова благодарности, сунула ему в руку доллар, резво помчался в сторону вестибюля.

Алекс задумчиво закрыла дверь и вновь перечитала записку. Бессмыслица какая-то. Такая загадочность совсем не в духе Грега. И не в его духе назначать совещания, на которые практически невозможно успеть.

Когда она несколько оправилась от изумления, перед ней встала вся чудовищная трудность этой задачи. Ей надо быть в Остине завтра в десять утра. Сейчас уже темно. Если выехать немедленно, придется ехать всю ночь, и приедешь в Остин ни свет ни заря.

Если же подождать до утра, то выезжать надо в страшную рань, и еще неизвестно, поспеешь ли вовремя. Оба варианта никуда не годятся, да и сама она в таком состоянии, что не может решить, что ей все-таки делать.

Затем ее осенило. Не давая себе времени пойти на попятную, она набрала номер.

— Отделение шерифа.

— Будьте добры, шерифа Ламберта.

— Его нет. Позвать кого-нибудь из сотрудников?

— Нет, спасибо. Мне нужно поговорить с ним лично.

— Простите, это мисс Гейтер?

— Да.

— Откуда вы звоните?

— Из своего номера в мотеле. А что?

— Именно туда и поехал Рид. Он вот-вот приедет. — И, помолчав, спросил: — Скажите, а с вами все в порядке?

— Разумеется. Кажется, шериф подъехал. Спасибо. — Алекс повесила трубку и подошла к окну как раз в тот момент, когда Рид, выскочив из машины, бросился к ее двери.

Она распахнула ее. Он резко остановился, чуть не потеряв равновесие.

— Пожалуйста, не выбивайте ее снова.

— Мне не до шуток, — сказал он, хмуро глядя на Алекс. — Что, черт побери, происходит?

— Ничего.

— А это? — Он указал на стоявший на тумбочке телефон. Трубка лежала на месте, и это, очевидно, еще больше возмутило его. Рид осуждающе ткнул в аппарат пальцем.

— Я несколько часов пытался дозвониться вам, и все время было «занято».

— Я сняла трубку. А что, случилось что-нибудь важное?

— Мне стало известно, что произошло между вами и Сарой-Джо.

У нее опустились плечи, она тяжело вздохнула. Ошеломленная внезапным вызовом к Грегу, она почти уже забыла о разговоре.

Алекс никогда не обращала внимания на дату в родительском свидетельстве о браке. К тому же дата может быть и неверной. Как юрист, она знала, что даже на так называемых юридических документах даты могут быть фальсифицированы. Но по тому, как все реагировали на слова Сары-Джо, она поняла, что это правда. Ее зачали вне брака.

— Жаль, что вас там не было, шериф. Ну и видок у меня был! То-то вы повеселились бы.

Ее легкомысленный тон не смягчил его настроения.

— Зачем вы сняли трубку?

— Чтобы отдохнуть. А вы подумали, что я наглоталась таблеток или перерезала себе вены?

— Мало ли что бывает, — серьезно ответил он на ее саркастический вопрос.

— Ну, тогда вы меня совсем не знаете, — сердито бросила она. — Я так легко не сдамся. Да и не стыжусь я вовсе, что мои родители поженились по необходимости.

— Я и не говорил, что вы стыдитесь или должны этого стыдиться.

— Ошибку эту совершили они. И ко мне как таковой она не имеет никакого отношения. Так?

— Так.

— Поэтому не думайте, что... Черт побери, да мне плевать, что вы там себе думаете! — воскликнула она, потирая виски. Больше всего она досадовала не на него, а на себя. Ее грубость свидетельствовала лишь о том, как сильно она на самом деле расстроена. — Мне нужна ваша помощь, Рид.

— Какая помощь?

— Не могли бы вы отвезти меня на самолете в Остин?

Просьба застала его врасплох. Он даже выпрямился, отвалившись от недавно починенной двери, к косяку которой вальяжно прислонился.

— На самолете в Остин? Зачем?

— Меня вызывает Грег Харпер. Мне нужно быть там на совещании в 10 часов утра.

Глава 27

Менее часа спустя они уже были в воздухе и летели на юго-восток, держа курс на столицу штата. Четверть этого часа у Алекс ушло на то, чтобы привести себя в божеский вид. Она умылась холодной водой, накрасилась, причесалась, переоделась в шерстяные брюки и свитер. Дома отыщется что-нибудь в гардеробе, в чем пойти на утреннюю встречу. В Пурселле по дороге к городскому аэродрому Рид остановился у кафе, чтобы забрать заказанные по телефону гамбургеры. Когда они приехали на аэродром, одномоторная «Сессна» уже дожидалась их на взлетной полосе. Шериф знал, на какие пружины надо нажать, чтобы все устроить. Когда Пурселл был уже далеко — всего лишь пятнышко сверкающих огней на черном ковре, простиравшемся внизу, — она наконец догадалась спросить:

— Это ваш самолет?

— Нет. Компании «Минтон энтерпрайсиз». Ангус разрешил мне им воспользоваться. Передайте мне, пожалуйста, гамбургер с сыром.

Алекс с жадностью проглотила половину своей порции еще по дороге; бутерброда с огурцом, съеденного у Сары-Джо, хватило ненадолго.

— Когда вы научились водить самолет?

Рид прожевал ломтик жареной картошки.

— Мне было около восьми.

— Восьми?!

— На свалке я нашел старый поломанный велосипед и отремонтировал, ездить на нем было можно. Вот и крутил педали по дороге на аэродром, как только выдавалась свободная минута.

— Но это же мили три от города, — удивилась она.

— А мне было все равно. Я бы мог проехать и вдвое больше. Меня увлекли самолеты. Старик, который всем там заправлял, был вспыльчив, как порох, типичный бобыль, но для меня он всегда хранил в своем допотопном холодильнике бутылку земляничного лимонада. Наверное, я доставал его до печенок своими вопросами, но он никогда не злился. Однажды он окинул меня взглядом и сказал: «Надо бы испытать этот самолет. Ты не прочь прокатиться?» Я чуть не описался от счастья.

Рид, наверное не осознавая, счастливо улыбался своим воспоминаниям. Алекс молчала, чтобы не напоминать о своем присутствии. Ей очень нравилась его улыбка. Она подчеркивала симпатичные морщинки в уголках глаз и вокруг рта.

— Господи, ну и здорово же было, — сказал он так, как будто вновь ощутил прилив той радости. — Секс я тогда еще для себя не открыл, так что летать было для меня самым приятным занятием на свете. Оттуда, сверху, все казалось таким мирным, таким чистым.

«Бегство от ужасной действительности детства», — сочувственно подумала Алекс. Ей захотелось дотронуться до него, но она не посмела. Ей предстояло спуститься по опасной скалистой тропе. Одно неверное слово или фраза были бы губительны для нее, поэтому она осторожно нащупывала каждый шаг.

— Рид, почему вы не сказали мне, что мама была беременна, когда вернулась из Эль-Пасо? — спросила она негромко.

— Потому что это не имеет значения.

— Сейчас нет, а двадцать пять лет назад очень даже имело. Она не собиралась выходить замуж за моего отца. Ее вынудили обстоятельства.

— Ну ладно, теперь вы все знаете, и что это меняет? Ни черта!

— Возможно, — уклончиво сказала она. И после небольшой паузы добавила: — Я и была причиной ссоры, да?

Он резко повернулся к ней.

— Что?

Откинув голову на подголовник, она со вздохом сказала:

— Меня удивляло, почему, когда она вернулась домой в

то лето, вы не помирились с ней. Зная, как давно и как сильно вы ее любили, я не понимала, что могло помешать вам помириться после глупой размолвки. Теперь-то я знаю. Это был не пустяк. Больше, чем просто размолвка. Все из-за меня. Я разлучила вас. Я стала причиной разрыва.

— Нет, не вы.

— Нет, я.

Бабушка Грэм говорила ей, что Селину убили по ее, Алекс, вине. И все, что Алекс теперь узнала, подтверждало это. Может, Селина, родив ребенка от другого, довела своего пылкого, ревнивого любовника до того, что он убил ее?

— Рид, вы убили мою мать из-за меня?

— Черт. — Он зло выругался. — Я бы удавил Сару-Джо за то, что она вам сказала. С Селиной я поссорился вовсе не из-за вас, во всяком случае, сначала.

— Тогда из-за чего?

— Из-за секса. — Он повернулся и посмотрел на нее. — Устраивает?

— Секса?

— Да, секса.

— Вы уговаривали, а она не соглашалась?

У него напряглось лицо.

— Наоборот, госпожа прокурор.

— *Что?* — удивилась Алекс. — Вы хотите, чтобы я поверила...

— Да наплевать мне, поверите вы или нет. Это правда. Селине хотелось опередить события, а мне нет.

— Ну да, вы еще станете утверждать, что вами руководили благородные бескорыстные побуждения, так? — В голосе Алекс звучала насмешка.

— Дело в моих собственных родителях, — сказал он спокойно. — Мой папаша сделал матери ребенка, когда ей едва исполнилось пятнадцать. Им пришлось пожениться. Сами видите, ничего хорошего из этого не вышло. Я не мог допустить, чтобы то же самое произошло между мной и Селиной.

Сердце Алекс колотилось от радости, сомнения и других, слишком сложных, чтобы в них разобраться, чувств.

— Значит, вы никогда...

— Никогда.

Она поверила ему. В его словах не было лжи, только горечь и, может быть, чуть-чуть сожаления.

— Разве вы не знали о способах предохранения?

— С другими я пользовался презервативами, но...

— Значит, были другие?

— Да, господи, не монах же я. Сестры Гейл, — он пожал плечами, — многие другие. Всегда находились девушки, которые были не прочь.

— Особенно с вами.

Он бросил на нее хмурый взгляд.

— Почему вас не беспокоило, что какая-нибудь из них забеременеет?

— Они спали со всеми подряд. Я был лишь один из многих.

— А Селина спала бы только с вами.

— Верно.

— Но тут она поехала в Эль-Пасо и встретила Эла Гейтера, — размышляла вслух Алекс. — Она просто хотела заставить вас поревновать, да? — И добавила с горьким смехом: — Но немного перестаралась и произвела на свет меня.

Они погрузились в молчание. Алекс даже не заметила этого. Она вся была во власти тревоживших ее сумбурных мыслей о своей матери, Риде и их несостоявшейся любви.

— Красиво в небе ночью, да? — сказала она мечтательно, словно только что прервала разговор, хотя прошло уже полчаса.

— Я думал, вы спите.

— Нет. — Она проследила взглядом за группой облаков, проплывавших между ними и луной. — Вы когда-нибудь брали в полет мою мать?

— Несколько раз.

— Ночью?

Он помедлил, припоминая.

— Один раз.

— Ей понравилось?

— Насколько я помню, ей было страшно.

— Ну и досталось же ей, наверное?

— От кого?

— От всех. Когда стало известно, что Селина Грэм беременна, то от сплетен, должно быть, деваться было некуда.

— Вы же знаете, как оно бывает в маленьких городках.

— Я помешала ей закончить школу.

— Послушайте, Алекс, ничего вы не помешали, — сердито возразил он. — Ну ладно, она совершила ошибку. Потеряла голову с этим солдатом, а может, он воспользовался ее неопытностью. Как бы там ни было, черт побери, но это произошло. — Он рубанул воздух ребром ладони, как бы ставя на этом точку. — К последствиям вы не имели никакого отношения. Вы же сами так сказали несколько часов назад. Забыли?

— Рид, я не виню свою мать и не грызу себя. Мне просто ее жаль. Ей пришлось бросить школу, хотя она была в законном браке.

Алекс обхватила себя руками, как бы обнимая.

— Я думаю, она была с характером. Могла ведь отдать меня кому-нибудь, чтобы меня удочерили, однако же не отдала. Даже когда погиб отец, не рассталась со мной. Она любила меня и жертвовала собой ради меня. У нее хватало мужества показываться со мной на руках на улицах городка, где все судачили о ней. Не спорьте. Я знаю, косточки ей хорошо перемыли. Она ведь пользовалась успехом, а потом оступилась. То-то обрадовались все, кто затаил на нее злобу. Такова уж человеческая природа.

— Даже если и так, никто не смел обижать ее.

— Потому что вы оставались ее рыцарем, да?

— Джуниор и я.

— Вы встали на ее защиту.

— Можно сказать и так.

— Вот тогда, вероятно, ваша дружба стала для нее куда важнее, чем когда-либо прежде.

Он неопределенно пожал плечами.

Минуту она молча рассматривала его профиль. Скалистая тропа привела ее к обрыву, и сейчас она прыгнет.

— Рид, если бы Селина не умерла, вы бы поженились?

— Нет.

Он ответил, ни на секунду не задумавшись. Алекс это удивило. Она не совсем поверила ему.

— Почему?

— Много причин, но в основном из-за Джуниора.

Этого она не ожидала.

— А почему из-за него?

— Когда Селина была беременна, они очень сблизились. Он почти уже уговорил ее выйти за него замуж, когда ее... когда она умерла.

— Вы думаете, она бы вышла за него?

— Не знаю. — Он бросил на Алекс насмешливый взгляд. — Джуниор сердцеед. Он умеет уговаривать.

— Послушайте, Рид, я уже сказала Саре-Джо и вам скажу, что...

— Тсс-с. Нас передают на радар Остина.

Рид заговорил в головной микрофон. Когда со всеми формальностями было покончено, он уговорил кого-то из диспетчеров вызвать для него машину напрокат. К концу переговоров самолет уже приближался к освещенной посадочной полосе.

— Пристегнулись?

— Да.

Он произвел посадку безупречно.

Алекс потом думала, что тут она, наверное, впала в какое-то оцепенение, потому что почти не помнила, как выбралась из самолета и оказалась в нанятой машине. Очевидно, совершенно автоматически объяснила Риду, как проехать к ее дому.

Она жила в модном районе, населенном молодыми, успешно делающими карьеру людьми, где любимым напитком была минеральная вода «Эвиан», в каждой кухне стояла уок — кастрюля для приготовления китайских блюд, а быть членом клуба здоровья было так же обязательно, как иметь водительские права.

Собиравшаяся гроза не помешала их полету, она обрушилась на город, когда они уже подъезжали к дому. По ветровому стеклу застучали капли дождя. Загрохотал гром.

— Вон туда, где по двору разбросаны газеты, — сказала ему Алекс.

— Вы государственный прокурор, зачем же вы оповещаете воров, что вас нет в городе? Или вы таким образом обеспечиваете себе большую практику?

— Я забыла предупредить, чтобы почту не приносили.

Он остановился у обочины, но не заглушил мотора. Еще несколько дней назад Алекс была бы счастлива при одной только мысли, что вернется хоть ненадолго домой, настолько надоел ей мотель «Житель Запада», но сейчас, глядя на входную дверь, она не испытывала особого нетерпения. Слезы, застилавшие ей глаза, не были слезами радости.

— Меня не было почти три недели.

— Тогда я лучше провожу вас. — Он выключил зажигание и вышел из машины, не обращая внимания на дождь. Прошел рядом с ней по дорожке, подбирая старые газеты. Когда она отперла дверь, он бросил их в углу открытой веранды.

— Не забудьте выбросить их завтра, — сказал он.

— Не забуду. — Она просунула руку и выключила систему охраны, которая начала жужжать, как только Алекс открыла дверь. — Видимо, надо понимать, что внутри никого нет.

— Хотите, чтобы мы встретились в аэропорту, или как?

— Э-э... — Она ни о чем не могла думать кроме того, что сейчас он уедет и оставит ее одну. — Я еще об этом не подумала.

— Тогда около полудня я заеду в окружную прокуратуру и найду вас там, идет?

— Прекрасно. К тому времени я уже освобожусь.

— Ну, тогда пока. — Он повернулся, чтобы идти.

— Рид? — Она инстинктивно протянула к нему руку, но, когда он обернулся, тут же отдернула ее. — Может, выпьете сначала кофе?

— Нет, спасибо.

— Куда вы сейчас поедете?

— Там посмотрим.

— Ну, а все же?

— Так, поболтаюсь по городу.

— Ну тогда...

— Идите лучше в дом.

— Я еще не расплатилась с вами.

— За что?

— За самолет, за ваше время.

— Это бесплатно.

— Но я настаиваю.

Он чертыхнулся.

— О деньгах я вообще не собираюсь с вами говорить. Ясно? А теперь спокойной ночи.

Он повернулся и широкими шагами направился прочь,

но она снова окликнула его. Рид обернулся и пристально взглянул на нее.

— Я не хочу оставаться сегодня одна, — поспешно призналась Алекс. Несмотря на то что она проплакала весь день, запас слез у нее еще не иссяк. Они покатились по щекам, обильные, как летний ливень. — Пожалуйста, Рид, не уходите. Побудьте со мной.

Он вернулся под навес веранды, но волосы и плечи у него уже промокли. Упершись руками в бока, он резко спросил:

— Зачем?

— Я ведь сказала зачем.

— Причина, должно быть, все-таки в другом, иначе вы бы так не просили.

— Ладно, — крикнула она, — паршиво мне! Такая причина подходит?

— Нет.

— Мне больно оттого, что моя мать столько вытерпела из-за меня, — сказала она, вытирая слезы.

— Я не врач.

— Мне нужна поддержка.

— Извините, но у меня другие планы.

— Вам что же, совсем безразлично, что я умоляю вас о помощи?

— В общем, да.

Она ненавидела его за то, что ей приходится его упрашивать. Тем не менее, отбросив остатки гордости, она сказала:

— Моя бабушка Грэм до самой смерти не простила мне того, что я сломала Селине жизнь. Она хотела, чтобы Селина вышла замуж за Джуниора, и считала мое несвоевременное появление на свет виной тому, что этого не случилось. И теперь, черт побери, мне нужно знать, что хоть вы не презираете меня. Неужели вы не понимаете, как ужасно я себя чувствую оттого, что из-за меня моя мать вышла за другого, хотя любила вас. Если бы не я, вы бы поженились, имели бы детей и прожили бы всю свою жизнь в любви. Пожалуйста, Рид, побудьте сегодня со мной.

Он подошел к ней вплотную, приперев ее к стене, и тряхнул за плечи.

— Хотите, чтобы я погладил вас по головке и сказал, что

все хорошо, что завтра солнце выглянет снова и все образуется?

— Да.

— К вашему сведению, госпожа прокурор, я не гожусь для того, чтобы рассказывать перед сном сказки. Когда я остаюсь на ночь с женщиной, то не для того, чтобы утешать ее, потому что ей больно, и не затем, чтобы подбадривать ее, потому что ей взгрустнулось. — Он придвинулся еще ближе. — И уж, конечно, не за тем, черт возьми, чтобы изображать из себя *папочку*.

Глава 28

Грегори Харпер, прокурор округа Трэвис штата Техас, определенно был в ярости. За последние пять минут он курил уже третью сигарету. Его гнев был направлен против помощника прокурора, сидевшей с довольно помятым видом по другую сторону стола.

— Ты с кем спала сегодня, с Дракулой? У тебя такой вид, как будто тебя до дна выпили, — бросил ей Грег в своей обычной резкой манере.

— Такие чувствительные удары нельзя наносить подряд. Не валите все в одну кучу, пожалуйста.

— Чувствительные удары? А-а, ты имеешь в виду то, что я велел передать тебе, что с твоим расследованием покончено, а тебе надо дуть в Остин срочно, сломя голову, во весь опор, что есть мочи, без задержки, одна нога здесь, другая там?

— Да, это сокрушительный удар. — Алекс положила ладони на край стола. — Грег, вы не можете просить меня все бросить сейчас.

— Я и не прошу, я приказываю. — Он встал со своего вращающегося кресла и направился к окну. — Какого хрена ты там натворила, Алекс? Мне вчера звонил губернатор, он был буквально взбешен. Именно взбешен.

— Он всегда так на всех реагирует.

— Сейчас это к делу не относится.

— Сомневаюсь. Ведь все, что вы делаете, Грег, имеет политический прицел. И не притворяйтесь, что это не так. Я не осуждаю вас, но и вы перестаньте изображать из себя святую невинность только потому, что вам дали по рукам.

— Губернатор считает, что его комиссия по конным бегам не может ошибаться. Признать, что комитет ошибся, выдав лицензию «Минтон энтерпрайсиз», для губернатора равносильно признанию в том, что он сам совершил большой промах.

— Ну, если речь идет о лицензии, то репутация компании «Минтон энтерпрайсиз» вполне безупречна.

— Ясное дело. Закавыка только в том, что ты подозреваешь в убийстве одного из Минтонов, а если не их, то блюстителя порядка. Вот как славно оно обернулось, а я-то, дурак, было забеспокоился.

— Ваш сарказм сейчас неуместен.

Он потер затылок.

— Ты бы послушала вчера губернатора: Ангус Минтон у него — ну просто помесь доброй феи с молодцом-ковбоем.

Алекс улыбнулась неожиданной точности его сравнения.

— Оценка справедливая, но совсем не означает, что он не способен на убийство.

— Что там стряслось позавчера ночью с его конюшней?

— Откуда вам известно?

— Что же там все-таки произошло?

Без особой охоты она рассказала ему о Фергусе Пламмете и об ущербе, причиненном ранчо. Когда она закончила, Грег провел рукой по лицу.

— До чего же крутую и горячую кашу ты заварила. — Продолжая говорить, он сунул в рот сигарету. Она прыгала вверх-вниз при каждом его слове, и он никак не мог прикурить. — Это дело мне не нравилось с самого начала.

— Да вы были в восторге от него. — Нервы Алекс были порядком измотаны, и ее особенно задело то, что он готов свалить всю вину на нее. — Вы рассчитывали этим досадить губернатору, вы же просто упивались этой мыслью.

Он облокотился руками на стол.

— Ты говорила, что собираешься возобновить расследование убийства своей матери. Откуда же мне было знать, что ты все устроишь так, что ненормальный священник впадет в бешенство, что чуть не дотла сгорит конюшня, что пристрелят дорогую скаковую лошадь и в придачу ты еще оскорбишь уважаемого судью с абсолютно незапятнанной репутацией.

— А-а, значит, это Уоллес.

— Уоллес. Очевидно, он позвонил нашему дражайшему губернатору и пожаловался на твое непрофессиональное поведение, неправильные методы расследования и необоснованные обвинения. — Грег сильно затянулся и резко выдохнул дым. — Разрешите продолжать?

— Пожалуйста, — устало ответила она, зная, что он все равно не остановится.

— Ладно. Частейн до смерти боится Уоллеса.

— Частейн всего до смерти боится. Даже не отвечает на мои звонки.

— Он отрекся от тебя, умыл руки. Не желает иметь с тобой дела. Говорит, что видели, как ты развлекалась с подозреваемыми.

— Развлекалась? Я встречалась с ними несколько раз по необходимости.

— Опасное получается дело, Алекс. Мы имеем трех подозреваемых мужчин и одну женщину-прокурора, и с каждым из них ее связывают какие-то давние истории. Тут все мутно, как в тумане.

Она постаралась выдержать его пристальный взгляд и не выдать своего смущения.

— Вот те раз — новый поворот. — Встав, она обхватила руками спинку стула. — Убийство ведь осталось нераскрытым. И расследование необходимо, кто бы его ни проводил.

— Ладно, — благодушно сказал он, сцепив руки на затылке и откидываясь на спинку стула. — Посмотрим, что у тебя есть. Тела нет. Орудия убийства нет.

— Его украли из сумки ветеринара.

— Что?

— Орудие убийства. — Она рассказала ему то, что узнала от доктора Илия Коллинза. — Скальпель старому доктору Коллинзу так и не вернули. Я хотела посмотреть среди хранящихся в суде вещественных улик — вдруг скальпель там? — а только вряд ли.

— Итак — орудия убийства у тебя как не было, так и нет. Может, объявился свидетель преступления?

Она вздохнула.

— Скажите, а во время телефонного разговора губернатор случайно не упомянул рабочего ранчо по имени Клейстер Хикам?

— Значит, это правда.

— Правда. И пожалуйста, не расставляйте мне снова свои оскорбительные ловушки. Я сама собиралась рассказать вам об этом.

— Когда? Когда именно ты собиралась невзначай обмолвиться о том, что представительница нашей прокуратуры была связана с ковбоем, которого позже нашли убитым?

— Может, все-таки выслушаете меня?

Она рассказала ему о Клейстере. Выслушав ее, Грег помрачнел еще больше.

— Если все это действительно так, то продолжать расследование не только глупо и политически неблагоразумно, но и опасно. Трудно предположить, что кто-то из них сознается.

Она поморщилась с досады.

— Нет, но тем не менее один из них убил Селину и, вероятно, Хикама.

Бормоча проклятия, он раздавил окурок.

— Не все сразу, давай разберемся сначала хотя бы с одним убийством. Если тебе нужно будет завтра арестовать кого-то из них за убийство твоей матери, кого ты арестуешь?

— Не знаю.

— Зачем бы старику Минтону укокошивать ее, а?

— Ангус вспыльчив и хитер. У него в руках огромная власть, и ему нравится ею пользоваться.

— Чего это ты улыбаешься?

— Надо признать, он очень располагает к себе. — Слова Минтона о том, что он хотел бы иметь такую дочь, как она, Алекс опустила. — Он невероятно груб и несдержан с Джуниором. Но чтобы зарезать человека? — задала она риторический вопрос, покачивая при этом головой. — Нет, не думаю! Это с ним не вяжется. К тому же у Ангуса не было мотива преступления.

— А у Джуниора?

— Возможно. Он разговорчив и обаятелен. Все, что он мне рассказал, — безусловно правда, только он не все рассказывает. Я знаю, что он любил Селину. Хотел жениться на ней, когда погиб мой отец. Может, она переборщила, слишком часто говоря ему «нет»?

— Сплошные предположения. Таким образом, остается Ламберт. Как насчет него?

Алекс опустила голову, уставившись на свои побелевшие пальцы.

— Я думаю, он наиболее вероятный убийца.

Грег качнулся вперед вместе со стулом.

— Почему ты так считаешь?

— У него были и мотив, и возможность совершить убийство. Он почувствовал, что его лучший друг скоро займет его место, и, чтобы помешать этому, убил ее.

— Мотив довольно убедительный. А возможность?

— В тот вечер он был на ранчо, но потом уехал.

— Точно? Есть у него алиби?

— Говорит, что был у женщины.

— Ты ему веришь?

Она горько рассмеялась.

— Вот этому я могу поверить. Ни у него, ни у Джуниора проблем с женщинами нет.

— Значит, твоя мать была исключением?

— Да, — тихо согласилась она.

— А что говорит та женщина Ламберта?

— Ничего. Он не хочет называть ее имя. Если она все же существует, то наверняка живет где-то поблизости. Иначе какой смысл скрывать ее? Постараюсь нащупать ее след, как только вернусь в Пурселл.

— А кто сказал, что ты вернешься?

До этих слов Алекс, разговаривая, ходила по комнате. Но тут она снова опустилась на стул.

— Грег, я должна вернуться, — умоляюще сказала она. — Я не могу бросить все на середине. Мне нужно довести расследование до конца, даже если убийцей окажется сам губернатор.

Кивком головы Грег указал на телефон.

— Он будет звонить мне сегодня, чтобы узнать, прекратила ли ты расследование. Ждет, что я скажу «да».

— Даже если это означает, что убийство останется нераскрытым?

— Судья Уоллес убедил его, что тебя просто муха какая-то укусила и что это всего лишь твоя личная вендетта.

— Но это не так.

— Не уверен.

Сердце ее замерло.

— Значит, вы тоже так считаете?

— Ага, считаю. — Он говорил тихо, скорее как друг, чем начальник. — Кончай с этим, Алекс, пока мы еще разговариваем друг с другом спокойно и пока я окончательно не изгадил отношения с губернатором.

— Но вы ведь дали мне месяц.

— Это можно и отменить.

— Да у меня осталось всего чуть больше недели.

— За этот срок ты можешь столько дров наломать!

— Но могу и докопаться до правды.

На лице у него было написано сомнение.

— То ли да, то ли нет. А у меня тут лежат дела, которым нужен твой глаз специалиста.

— Я сама оплачу расходы. Считайте, что я в отпуске.

— В таком случае я не могу санкционировать то, что ты там предпримешь.

— Что ж, прекрасно.

Он упрямо покачал головой.

— Не могу я разрешить тебе этого, как не разрешил бы несовершеннолетней дочери пойти на свидание без презерватива в сумочке.

— Ну пожалуйста, Грег.

— Господи, до чего же ты упряма. — Он вынул из пачки сигарету, но не зажег ее. — Знаешь, кто особенно занимает меня в этом деле? Судья. Если бы выяснилось, что он так же невинен, как волк в овечьей шкуре, хорошую свинью мы бы подложили губернатору.

— Что-то ваши метафоры плохо сочетаются.

— Какой у тебя компромат на судью?

— Неприязнь и ничего более весомого. Этакий суетливый человечек, нервный, с бегающими глазками. — Она с минуту подумала. — Впрочем, кое-что показалось мне очень странным.

— А что именно?

— Стейси, его дочь, вышла замуж за Джуниора Минтона всего через несколько недель после смерти Селины.

— Это не преследуется законом, если только они не брат и сестра.

Она бросила на него пронзительный взгляд.

— Стейси не... ну, не тот тип, что нравится Джуниору, понимаете? Она ведь все еще любит его. — Алекс вспомнила случай в туалетной комнате Охотничьего клуба. — Джуниор очень хорош собой. Стейси ему явно не пара.

— Может, у нее это место золотое.

— Об этом, признаться, я как-то не подумала, — сухо заметила Алекс. — Чтобы спать с ней, ему незачем было жениться. Но раз он женился, значит, у него была на то очень веская причина. Вдобавок Стейси мне солгала: сказала, что в тот день вернулась из Галвестона и распаковывала дома вещи, однако и словом не обмолвилась о том, что в конюшне в тот день тоже была.

Грег в раздумье покусывал нижнюю губу, затем сунул в рот сигарету и щелкнул зажигалкой.

— И все же этого слишком мало, Алекс. — Он выдохнул сигаретный дым. — Я вынужден послушаться своего внутреннего голоса и отозвать тебя.

Минуту они молча смотрели друг на друга, затем она не торопясь открыла сумочку и, достав два белых конверта, толчком пододвинула их в его сторону.

— Что это?

— Моя просьба об увольнении и заявление в суд о намерении возбудить гражданский иск против Минтонов и Рида Ламберта.

Он чуть не проглотил сигарету.

— Что? Не может быть!

— Может. Я непременно сделаю это. У меня достаточно улик, чтобы начать против них гражданский иск о возмещении ущерба за убийство моей матери. Я сдеру с них столько денег, что вопрос об открытии ипподрома уже не будет их волновать. Карьера Рида Ламберта тоже полетит к чертовой матери. В тюрьму они не сядут, но потеряют все.

— Если ты выиграешь.

— А это уже не будет иметь значения. В гражданском иске они не могут, сославшись на Пятую поправку, отказаться от дачи показаний, чтобы избежать изобличения. Ведь, что бы они ни утверждали, всем будет ясно, что они лгут. И комитету по бегам придется отменить свое решение и аннулировать лицензию на ипподром и тотализатор.

— Значит, все дело сводится к деньгам? — воскликнул он. — Так ты этого все время добивалась?

Ее бледные щеки вспыхнули красными пятнами.

— Как вы смеете говорить мне подобное? Это низость. Я требую извинений.

— Ладно, извини. Но ты всерьез решила?

— Да.

Он размышлял минуту-другую, потом буркнул:

— По-моему, с головой у меня что-то не в порядке. — И, строго погрозив Алекс пальцем, добавил: — Не лезь на рожон, черт побери. Сначала хорошенько заряди оба ствола, а потом уж выходи на охоту, особенно на такого зверя, как Уоллес. Если промажешь и меня ухватят за задницу, я скажу, что ты просто непослушная девчонка и к твоим действиям я никакого отношения не имею. А конечный срок остается прежним. Поняла?

— Поняла, — сказала она, вставая. — Я свяжусь с вами, как только узнаю что-нибудь новое.

— Алекс!

Она была уже у двери. Когда она обернулась, Грег спросил:

— Что с тобой происходит?

— Вы о чем?

— У тебя такой вид, будто тебя только что сняли с креста.

— Просто устала.

Он не поверил, но промолчал. После ее ухода он придвинул к себе конверты, которые она бросила на стол. Вскрыл один, затем поспешно другой.

И тут Грег Харпер буквально выпрыгнул из-за стола и рванулся к двери.

— Алекс, сука! — загремел в пустом коридоре его голос.

— Она только что ушла с мужчиной, — испуганно сказала секретарша.

— С каким мужчиной?

— С ковбоем в кожаной куртке с меховым воротником.

Грег вернулся к столу, скомкал два пустых конверта и с размаху бросил их в корзину.

Солнце почти село, когда Рид направил свой «Блейзер» к месту парковки у мотеля «Житель Запада».

— Высадите меня, пожалуйста, у подъезда, — сказала ему Алекс. — Мне нужно посмотреть, нет ли для меня писем.

Рид молча повиновался. Они почти совсем не разговаривали с тех пор, как неловко встретились в приемной окружного прокурора. Обратно долетели без приключений. Почти всю дорогу Алекс дремала.

Рид коротал время, разглядывая спящую девушку. Ночью он тысячу раз собирался вернуться к ее дому. И теперь, глядя на темные круги у нее под глазами, он не понимал, как мог оставить ее. Ей так нужна была поддержка этой ночью. И помочь ей мог только он.

Впрочем, в примерные мальчики он сроду не годился. Останься он у Алекс, так наверняка бы дал волю рукам, языку и всему остальному. Потому и ушел. Их желания не совпадали.

Алекс в нерешительности медлила перед открытой дверцей машины.

— Спасибо.

— Пожалуйста.

— Может, все-таки позволите мне заплатить?

Он не удостоил ее ответом. Вместо этого спросил:

— А из-за чего был весь сыр-бор?

— Это касалось дела, которым я занималась до приезда сюда. Коллеге-прокурору нужно было выяснить кое-какие факты.

— А по телефону их нельзя было выяснить?

— Дело довольно сложное.

Он понимал, что она лжет, но не счел нужным продолжать разговор.

— Пока.

Она вышла из машины и, повесив на плечо тяжелую сумку, вошла в вестибюль мотеля, где дежурный, поздоровавшись, вручил ей пачку писем. Рид подал машину назад и развернулся. Он уже собирался отъехать, когда заметил, что Алекс замедлила шаг, читая одно из писем. Ее и без того бледное лицо совсем побелело. Он переключил скорость на нейтральную и вышел из машины.

— Что там?

Она, прищурившись, взглянула на него, поспешно сложила письмо и засунула обратно в конверт.

— Так, письмо.

— Дайте посмотреть.

— Но это мое письмо.

Он трижды щелкнул пальцами и протянул руку. Алекс шлепнула письмом по его ладони с откровенным возмущением. Он быстро пробежал письмо глазами. Оно было коротким и недвусмысленным. Рыжеватые брови Рида сошлись на переносице.

— Отвращение Господне?

— Так он меня называет.

— Это, без сомнения, Пламмет. Не возражаете, если я оставлю его у себя?

— Ничуть. — У Алекс дрогнул голос. — Я его запомнила.

— Обязательно заприте дверь.

— Неужели вы принимаете его угрозу всерьез?

Риду захотелось хорошенько ее встряхнуть. С ее стороны это было либо глупостью, либо наивностью, но и то и другое могло довести девушку до беды.

— Черт, именно всерьез. И вы должны отнестись к этому серьезно. Если он сделает попытку связаться с вами, позвоните мне, понятно?

Она собиралась возразить, но передумала и кивнула головой. Вид у нее был измученный. Казалось, что она вот-вот упадет прямо на стоянке. Рид знал, что в этом частично и его заслуга, но это не тешило его тщеславия, наоборот, он чувствовал себя прескверно.

Приказав себе не думать об этом, он вернулся к машине. Но отъехал от мотеля только после того, как Алекс вошла в номер и заперлась изнутри.

Глава 29

Когда рифленая жестяная дверь ангара с шумом распахнулась, Рид обернулся. Алекс стояла в дверном проеме на фоне заходящего солнца, лицо ее было в тени, но, и не видя ее лица, он понял, что она в ярости и дрожит, как натянутая струна. Яркий свет падал на ее волосы, и казалось, они потрескивают, словно пламя.

Рид спокойно домыл руки в металлическом умывальнике, ополоснул их и вытащил из автомата бумажное полотенце.

— Чему обязан столь неожиданным удовольствием? — любезно спросил он.

— Вы лжец и, очевидно, мошенник, а может быть, и убийца.

— Ну, такое мнение у вас сложилось обо мне с самого начала. Скажите что-нибудь новенькое.

Он опустился на табуретку и зацепился каблуками сапог за ее нижнюю перекладину. Его руки машинально скользили вверх и вниз по бедрам. Ни разу в жизни у него не было столь сильного желания прикоснуться к женщине.

Она воинственно двинулась на него — сгусток трепещущей энергии. Внешне хрупкая, она излучала столько жизненной силы, что он почти физически ощущал ладонями ее упругую кожу. Ему хотелось схватить ее за волосы, губами смять этот изрекающий умные слова рот и целовать, целовать без конца.

На Алекс был меховой жакет, вид которого всегда вызывал у него эротическое возбуждение. Джинсы, как перчатки, обтягивали ее бедра, которым он мог бы придумать работенку поинтереснее, чем служить опорой для женщины, готовой разразиться гневной тирадой.

Когда между ними оставалось всего несколько дюймов, она сунула ему в лицо листок бумаги. Рид узнал письмо от обеспокоенных горожан, которое она получила вскоре после приезда в Пурселл.

Ярость просто распирала ее. В общем-то, он этого ждал. Как только она все вычислила, разговор начистоту стал неизбежен.

— Я знала, что здесь что-то не то, — процедила она сквозь зубы, — но сегодня, просматривая материалы в поисках каких-либо зацепок, я наконец поняла, что тут не стыкуется.

Он сложил руки на груди, делая вид, что не чувствует ее дразнящего запаха, который просто сводил его с ума.

— И что же?

— В этом письме упоминается аэродром Моу Блейкли, —

сказала она, тыча пальцем в машинописный текст. — Но сам Моу Блейкли письма не подписал.

— Ему трудновато было это сделать, поскольку он умер почти семь лет назад.

— Моу Блейкли — это тот самый старик, о котором вы мне рассказывали, да? Тот, что учил вас летать и угощал клубничным лимонадом?

— Попали в самое яблочко.

— Этот аэродром принадлежит вам, мистер Ламберт.

— Да, со всеми его тарантулами и перекати-поле, Моу завещал его мне. Вы удивлены?

— Поражена.

— Да здесь почти все были поражены. Некоторые были просто вне себя — те, кому очень хотелось прибрать к рукам эту недвижимость. В то время везде бурили дырки в земле, под каждой скалой искали нефть.

— Мы с вами уже обсуждали это письмо, — продолжала она резким тоном. — Вы сказали, что письмо уже видели, но при этом забыли упомянуть, что ваше предприятие тут тоже указано.

— Люди, составлявшие письмо, со мной не посоветовались. А то бы я им велел не впутывать меня в это дело.

— Почему? Вы ведь настроены точно так же, как они.

— Верно, только я не сторонник скрытых угроз. Я сказал вам в лицо, чтобы вы поскорей убирались в Остин. К тому же я не люблю коллективных акций, отродясь их не любил. Коллективные выступления не в моем духе.

— И все же это не объясняет, почему вы от меня утаили, что этот аэродром принадлежит вам, ведь у вас было столько возможностей сказать об этом.

— Не сказал, потому что знал, что вы сделаете из мухи слона.

Она выпрямилась.

— Не собираюсь делать никакого слона, но мне известно, что этот аэродром законно принадлежит вам и вы строите большие планы по его расширению и модернизации.

С его лица исчезла улыбка; он медленно слез с табурета и встал, возвышаясь над ней. Его глаза холодно смотрели на Алекс.

— Как вы узнали об этом?

— А я прилежно поработала сегодня. Представившись вашей секретаршей, я позвонила в три пассажирские авиакомпании и спросила, рассмотрели ли они *наше* заявление. Если бы они ничего о вас не слышали, я бы поняла, что мое подозрение необоснованно. — Она сухо рассмеялась. — Они прекрасно знают о вас. Расточали свои поздравления по поводу того, что «Минтон энтерпрайзиз» получила лицензию на строительство ипподрома. Всем им очень понравилась ваша идея начать чартерные рейсы, и они готовят свои предложения. Свяжутся с вами, как только закончат изучение рынка спроса. Кстати, вы должны мне десять долларов за междугородные переговоры.

Он схватил ее за руку.

— По какому праву вы лезете в мои дела? Они не имеют никакого отношения к вашему чертову расследованию.

— Я имею полное право вести расследование так, как считаю нужным.

— Если мне принадлежит аэродром, который станет очень прибыльным, когда построят бега, то отсюда еще не следует, что Селину зарезал скальпелем я.

— Но вполне может следовать, что вы защищаете того, кто это сделал! — крикнула она.

— Кого? Ангуса? Джуниора? Чушь собачья, и вы это сами прекрасно знаете.

Она вырвала руку.

— С самого начала вы постоянно мешаете расследованию. Вы носите звезду шерифа, и предполагается, что служите закону. Ха-ха! Вот *это* уж действительно чушь собачья! Вы не хотите, чтобы я нашла убийцу, кто бы он ни был, потому что в любом случае для вас это будет означать одно: прощай, ипподром, и адью всем вашим планам быстрого обогащения. Что ж удивляться, что ваша преданность Минтонам столь непоколебима. — В ее голосе звучало презрение. — Она не имеет ничего общего с дружбой или благодарностью за прошлое добро. Вы просто эгоистически защищаете собственные финансовые интересы.

Она прерывисто вздохнула, отчего грудь ее под тонким свитером затрепетала.

— Могу даже сказать вам: считаю, что это сделали вы.

— Что, я — убийца? — зловеще прохрипел он.

Он припер ее к фюзеляжу самолета, над которым возился до ее прихода.

— Да, я считаю, вы убили ее. И догадываюсь почему.

— Я весь внимание.

— Вы безумно любили Селину, но она предала вашу любовь. К тому же я постоянно напоминала о ее предательстве, еще даже до рождения. Вы не могли ни простить, ни забыть. А Джуниор смог. Он ухватился за возможность занять ваше место. Стал ухаживать за ней, и его усилия возымели успех. Вы заметили, что она готова полюбить его, вы просто не могли вынести того, что она уходит к вашему лучшему другу и главному сопернику, и убили ее. Если она не досталась вам, то пусть не достанется никому, особенно Джуниору.

Он одобрительно подмигнул ей.

— Очень хорошо, прокурор. Но в этой куче чепухи не хватает одной маленькой детали. — Он шагнул к ней и, наклонившись, заглянул прямо в лицо. — Вы ничего не можете доказать, хрен вы найдете доказательства. Одни только предположения. У вас нет улик ни против меня, ни против кого-то другого. Так что не лучше ли вам закрыть это дело, и всем нам станет намного спокойнее.

— Нет, я не могу.

В ее словах он услышал отчаяние и понял, что почти сломил ее.

— Почему не можете? — насмешливо спросил он.

— Потому что я хочу наказать того, кто ее убил.

— Ага, — сказал он, покачивая головой. — Значит, вы делаете это не ради Селины. Вы это делаете ради себя самой.

— Нет!

— Ваша бабушка создала в ваших глазах недосягаемый образ Селины, и вы не можете себе простить, что появились на свет в неудачный для Селины момент и испортили ей жизнь.

— Ну и кто теперь несет психологическую ерунду? — сердито спросила она. — Я достаточно узнала вас, Рид Ламберт, и знаю, что вы эгоист. Сама мысль о том, что женщину, которую вы считали своей, будет ласкать другой, была бы невыносима для вас.

Она смотрела на него торжествующе и с вызовом.

— Кого вы не могли простить, Рид? Селину за то, что переспала с другим? Или себя за то, что не спали с ней?

— Почему вам не дает покоя вопрос, с кем я спал и с кем не спал? — Он слегка подтолкнул ее бедром, затем подался вперед и прижался к ней животом. — Я ведь предупреждал тебя не давать воли своему любопытству, — прошептал он. — Ты этим занималась с Джуниором — удовлетворяла свое любопытство, желая узнать, чем именно он нравился твоей мамочке.

Рид увидел, как кровь отхлынула от ее лица, и это было ему приятно.

— Нет, — хрипло сказала она.

— Думаю, что да.

— Вы явно нездоровы.

— Не я, малышка. — Она чувствовала его дыхание на своих губах. — Это ведь ты все любопытствуешь.

Он наклонил голову и поцеловал ее. Она сопротивлялась, упрямо сжала рот, но в конце концов ему удалось раздвинуть ей губы. Она почувствовала его язык на своих зубах, внутренней поверхности губ.

Алекс перестала сопротивляться. Он почувствовал, как она прерывисто выдохнула. Ощутил своим ртом этот влажный, теплый, нежно пахнущий выдох. Почувствовал нарастающее напряжение в паху, ему стало тесно в джинсах. Он сунул руку ей под жакет, положил ладонь на грудь. Под его большим пальцем сосок отвердел, а когда он легонько погладил его, она издала тихий стон.

Он поднял голову и посмотрел ей в лицо. Запрокинув голову и обнажив шею, она опиралась затылком на корпус самолета и тяжело дышала. Грудь быстро поднималась и опускалась. Он чувствовал, как билось под рукой ее сердце, маленький дикий испуганный зверек, попавший в ловушку его ладони. Ее влажные блестящие губы были слегка раскрыты. Веки опущены. Она медленно подняла их и взглянула на Рида. Они смотрели друг на друга ошеломленно, словно не веря самим себе.

«*О господи*», — было последней отчетливой мыслью Рида. Он снова припал к ней своим еще более ненасытным ртом. Уже с большим самообладанием он целовал отдавая, не беря. И ласкал ее грудь еще нежнее и искуснее.

Наконец, потеряв терпение в борьбе с ее одеждой, он поднял ее свитер и оттянул вниз чашечку бюстгальтера, ее теплая мягкая плоть заполнила его ладонь. Непроизвольно выгнув спину, она теснее прижалась к его шершавой руке. Он ласкал ее грудь, продолжая поглаживать твердый сосок подушечкой большого пальца.

Целуя так, словно это было в первый и последний раз в его жизни, он коленом раздвинул ей ноги и прильнул к ее телу. Смутно, сквозь томную пелену, он услышал, как она что-то тихо и беспомощно пробормотала, обнимая его за шею. Но он уже был не в состоянии сосредоточиться на чем-либо, кроме ее рта, и — черт возьми! — как же ему хотелось остаться там навсегда.

Свободной рукой он скользнул вниз по спине, затем подхватил ее ногу под коленом, положил к себе на бедро и еще теснее прижался к Алекс, ритмично раскачиваясь и постепенно ускоряя темп. Вдруг она быстрым шепотом выдохнула его имя, и от этого звука желание вспыхнуло в нем еще сильнее.

Несколько секунд спустя он снова услышал свое имя, оно прозвучало приглушенно и издалека. Он рассеянно удивился тому, что она способна разговаривать, когда их языки неразрывно сплелись.

Он вновь услышал свое имя и на этот раз понял, что голос принадлежит не Алекс.

— Рид! Ты где?

Он резко поднял голову. Алекс моргала, приходя в себя. Он поспешно выдернул руку из-под ее свитера. Она запахнула жакет.

— Тут, — отозвался он хрипло.

В дверь, которую Алекс оставила открытой, вошел Ангус. Рид заметил, что солнце село.

Глава 30

Надо отдать Алекс должное, она на удивление быстро оправилась, подумал Ангус. И если бы не затуманенный взгляд да слегка припухшие губы, то на вид ничего и не заподозришь.

— Здравствуйте, Ангус, — сказала она.

— Привет, Алекс. Закончили свои дела в Остине?

— Да. Спасибо, что одолжили свой самолет.

— Не стоит.

— Э-э, а я как раз собиралась уходить. — И, обращаясь к Риду, сказала: — Мы потом еще поговорим об этом.

Она поспешно ушла. Рид взял гаечный ключ и склонился над открытым мотором маленького самолета.

— А теперь что у нее на уме? — спросил Ангус, садясь на табурет, на котором раньше сидел Ламберт.

— Она узнала, что этот аэродром принадлежит мне. Я никогда не держал этого в секрете, но и не афишировал. Она считает, что, кто бы ни убил ее мать, я в любом случае много потеряю, если она направит дело в суд.

— Так оно и есть, — заметил Ангус. Рид в ответ только пожал плечами, бросил на стол гаечный ключ и закрыл крышку мотора.

— Илий сказал мне, что она приходила к нему на работу и расспрашивала об отцовском скальпеле и о том, кто был в конюшне в день убийства.

— О скальпеле, значит?

— Да. А ты о нем что-нибудь знаешь?

— Нет, черт подери, а вы?

— Ни черта.

Рид подошел к шкафчику, в котором хранил спиртное и пиво.

Налил себе изрядную порцию виски «Джек Дэниэлс» и залпом выпил. Подтолкнул бутылку Ангусу:

— Хотите?

— Конечно, спасибо.

Потягивая виски, он наблюдал, как Рид налил себе еще и сразу выпил.

Поймав на себе вопросительный взгляд Ангуса, Ламберт сказал:

— Тот еще выдался денек.

— Что, Алекс?

Рид провел руками по волосам с видом человека, которого преследует наваждение.

— Да, чертовски упрямая баба.

— Подумать только, сколько всякой чепухи вбила ей в голову Мерл Грэм.

— Неудивительно, что она так жаждет мести. — Тяжелый вздох выдал его сильное волнение. — Если компания «Минтон энтерпрайзиз» не получит лицензии на ипподром, то рухнут все мои планы на будущее.

— Вот, значит, как это для тебя важно?

— А вы думали, я всю жизнь хочу работать вонючим шерифом?

— Не надо так волноваться, сынок, — с теплотой в голосе сказал Ангус. — Контракт мы получим, так что твоему будущему ничто не угрожает. Как раз об этом я и пришел поговорить.

Рид посмотрел на него с удивлением.

— О моем будущем?

Одним большим глотком Ангус допил виски и смял в кулаке бумажный стаканчик. Он сдвинул на затылок ковбойскую шляпу и, заговорщически улыбаясь, посмотрел на Рида снизу вверх.

— Я хочу, чтобы ты вернулся и снова стал работать в «Минтон энтерпрайзиз».

На минуту Рид даже оцепенел от неожиданности. Затем рассмеялся и, отступив на шаг, сказал:

— Шутите?

— Нет, — Ангус поднял мозолистую ладонь. — Ничего пока не говори, выслушай меня сначала.

Мысленно он уже наметил, что скажет Риду. После того как два обеспокоенных члена комитета по бегам, узнав из остинской газеты о расследовании Алекс, позвонили Ангусу, он решил, что пора перейти к решительным действиям и прекратить наконец это расследование. Видно, вопреки его ожиданиям, оно само по себе не заглохнет.

Междугородные разговоры закончились на оптимистической ноте. Он в дым развеял все утверждения Алекс, рассказал им парочку неприличных анекдотов, так что, прощаясь, они уже весело смеялись. Пока что он не сильно тревожился, однако чувствовал потребность укрепить ряды защитников «Минтон энтерпрайзиз». И положительным шагом в этом направлении было бы снова заполучить Рида для корпорации.

Поэтому его отрепетированная речь лилась гладко.

— Ты разбираешься в беговых лошадях не хуже моего и, уж конечно, лучше Джуниора, которому не хватило ни времени, ни старания, чтобы чему-то научиться. А в компанию ты вернешься уже исполнительным директором. Я поделю руководство в равной степени между тобой и Джуниором, но у вас будут разные функции.

Я знаю, как много значит для тебя этот аэродром. С ним тебя связывает много воспоминаний, но в то же время ты хочешь, чтобы он стал прибыльным. Я тоже этого хочу. Я бы присоединил его к «Минтон энтерпрайсиз». Тогда корпорация смогла бы финансировать его расширение и модернизацию, о которых ты так мечтаешь. И авиакомпании считались бы с нами гораздо больше.

Его улыбка стала еще шире.

— Черт побери, я даже подброшу тебе для затравки несколько акций «МЭ». Такой сделки, парень, упускать нельзя.

Реакция Рида его разочаровала. Он рассчитывал на радостное удивление, но вместо этого увидел удивление, смешанное с подозрительностью.

— С чего бы это вдруг?

Ангус, воплощенное спокойствие, невозмутимо пояснил:

— Ты ведь нам как родной и всегда был родным. Благодаря своему положению я могу помочь тебе наладить дело. Так что не валяй дурака и воспользуйся моим предложением.

— Ангус, я ведь уже не мальчик и больше не нуждаюсь в вашей благотворительности.

— Разве я когда-нибудь считал, что ты в ней нуждаешься?

— Знаю, — сказал Рид ровным голосом, — но, какими красивыми словами мы это ни назовем, все же это была бы благотворительность. — Он пристально посмотрел Ангусу в глаза. — Не думайте, что я не испытываю благодарности за все, что вы сделали для меня.

— Я никогда не ждал от тебя благодарности. Ты всегда честно отрабатывал все, что тебе перепадало.

— Вряд ли я сумел бы пробиться, если бы не вы. — Помолчав, он продолжал: — Но, думаю, я вернул вам все сполна. А ушел я из компании потому, что хотел быть независимым. И сейчас хочу.

Ангус огорчился и не скрывал этого.

— Что, хочешь, чтоб тебя хорошенько попросили, да? Ладно. — Он тяжело вздохнул. — Скоро мне пора на покой. Иные сочтут, что давно уж пора. И компании, чтобы выжить, будет необходимо твое умение руководить. — Он широко развел руками. — Вот так. Теперь твое проклятое самолюбие удовлетворено?

— Не надо меня умасливать, Ангус, вы же знаете это, черт побери. Меня беспокоит еще кое-чье самолюбие.

— Джуниора?

— Джуниора. Вы ему говорили об этом?

— Нет. Не вижу причины, пока...

— Пока он ничего уже не сможет изменить.

Молчание Ангуса было равноценно признанию.

Рид принялся ходить взад-вперед.

— Ангус, ваш наследник — Джуниор, а не я. Его-то и надо готовить к тому, чтобы возглавить компанию. И когда придет срок, ему нужно быть в полной форме.

Собираясь с мыслями, Ангус тоже зашагал по ангару.

— Ты боишься, что Джуниор не подготовится, если ты будешь рядом, станешь все за него делать да и промахи его заодно прикроешь?

— Ангус, я не имел в виду...

— Ладно, ладно. — Он поднял руку, чтобы прервать его возражения. — Я его отец. Ты его лучший друг. Кто-кто, а уж мы-то можем говорить о нем прямо, без всяких дурацких обиняков. Джуниор слабее тебя.

Рид отвернулся. От этих слов у него потеплело в груди. Он понимал, как трудно было Ангусу высказать такое.

— Мне всегда хотелось, чтобы Джуниор больше походил на тебя — активного, напористого, честолюбивого, но... — Ангус выразительно пожал плечами. — Ты ему необходим, Рид. И мне тоже, черт побери. Не для того я бился все эти годы, чтобы увидеть, как все созданное мной полетит к чертям. Я человек гордый, но вместе с тем я практичный делец. И умею смотреть фактам в лицо, какими бы неприятными они ни были. Так вот: ты в делах разбираешься, а Джуниор нет — это факт.

— Вот что я вам скажу, Ангус. Он научится. Заставьте его действовать. Расширьте круг его обязанностей.

— А когда он наломает дров, знаешь, что произойдет?

Я выйду из себя и начну орать на него. Ну, а он надуется и побежит к мамочке искать утешения.

— Может быть, сначала и побежит. Но скоро Джуниор сам начнет орать на вас. Он поймет, что с вами можно вести себя только по принципу «око за око». Я же это понял.

— Может, ты и сейчас по этому принципу действуешь — бьешь за какую-то обиду, о которой я даже понятия не имею?

— Черт, да нет же, — сердито ответил Рид. — С каких это пор я стал бояться высказывать вам или кому угодно другому, если что-то не по мне?

— Ладно, напомню, с каких пор! — рявкнул Ангус. — С тех пор, как убили Селину. Все тогда изменилось, верно? — Он подошел ближе. — По-моему, с того дня мы так ни разу друг с другом откровенно и не поговорили. Ведь я больше всего боялся, что она встанет между тобой и Джуниором. — Он горько рассмеялся. — И все равно так оно и вышло. Даже мертвая она разрушила вашу дружбу.

— Селина тут ни при чем. Я отказываюсь от вашего предложения, потому что предпочитаю, чтобы мое было только моим. Целиком. А не частью вашего конгломерата.

— Значит, причина чисто экономическая?

— Именно так.

В мозгу Ангуса рождались новые аргументы.

— А что, если мне вздумается построить свой собственный аэродром?

— Тогда мы станем конкурентами, — невозмутимо ответил Рид. — Впрочем, двоим тут негде развернуться, так что мы оба прогорим.

— Ну, я-то могу себе позволить иметь убыточный аэродром, а ты нет.

— Вряд ли вам доставит удовольствие мое банкротство.

Ангус, смягчившись, рассмеялся.

— Ты прав. Черт побери, сынок, мы все равно что одна семья.

— Вот именно, все равно что, да только не семья. И вы отец Джуниору, а не мне.

— Значит, это ради него ты отказываешься от моего предложения, да? — Судя по реакции Рида, Ангуса осенила верная догадка.

Рид ни с того ни с сего взглянул на часы.

— Смотри-ка, надо бежать.

— Рид, — Ангус схватил его за руку, — ты думаешь, Джуниор когда-нибудь оценит твою преданность?

Рид попробовал отшутиться:

— А мы ему не скажем. Он и так слишком заносчив.

Для Ангуса дело пахло поражением, а этого он не мог перенести.

— Я ведь от тебя не отстану, сынок.

— Да у вас нет другого выбора.

— Нет, я заставлю тебя согласиться. Ты у меня не отвертишься, — пообещал Ангус, хитро поблескивая голубыми глазами.

— Вас заедает не то, что вы не справитесь без меня. Вас заедает, что не выходит по-вашему.

— Нет, Рид, сейчас ты мне и вправду нужен. И Джуниору нужен. И компании.

— С чего бы? Столько лет уж прошло, а сейчас будущее компании зависит от того, вернусь я или нет? — На осунувшемся лице Рида мелькнула догадка. — А-а, вы боитесь.

— Боюсь? — переспросил Ангус с притворным удивлением. — Чего? Кого?

— Алекс. Боитесь, что она может выхватить леденец из ваших рук. И хотите собрать вокруг себя все силы для отпора.

— Разве мы все не устоим против нее, если сплотимся?

— Мы и так сплочены.

— Разве?

— Я вас, Ангус, никогда не предам, так же как и вы меня.

Ангус сделал шаг к Риду.

— Надеюсь, черт побери. Но не могу забыть выражения твоего лица, когда я вошел сегодня в эту дверь, — прошептал он. — Ты, парень, был похож на разгоряченного жеребца. А она была вся красная и с мокрым ртом.

Рид промолчал. Другого Ангус и не ожидал. Сбивчивые оправдания и извинения он бы счел признаком слабости. А в Риде он всегда ценил силу духа.

Ангус заговорил спокойнее:

— Мне самому она нравится. Пикантна, эдакий розанчик. Только больно уж умна. Тут добра не жди. — Он строго погрозил Риду пальцем. — Смотри, войдешь в любовный раж и не заметишь, чего она тут натворит. Она ведь хочет поставить нас на колени, заставить искупить вину за убийство Селины. Можешь ты допустить, чтобы все, тобой заработанное, пошло прахом? Я лично не могу. И не допущу.

Закончив разговор таким мрачным зароком, Ангус вышел из ангара.

— Где мой сын? — набросился он на бармена спустя почти час после того, как расстался с Ридом. За это время он объездил почти все любимые места Джуниора.

— Там, — ответил бармен, указывая на закрытую дверь в дальнем конце бара.

Это была убогая сырая дыра, но здесь делались самые высокие в городе ставки. Круглые сутки в задней комнате шла игра в покер. Ангус рывком распахнул дверь, чуть не сбив с ног официантку, несшую на плече полный поднос высоких бутылок из-под пива. Сквозь густое облако дыма он прошел туда, где свисавшая с потолка лампа освещала круглый покерный стол.

— Мне нужно поговорить с Джуниором! — рявкнул он.

Джуниор повернул к отцу улыбающееся лицо с зажатой в углу рта сигарой.

— Нельзя ли подождать до конца партии? У меня на кону пять сотен, и, кажется, мне везет.

— Твоя собственная задница на кону, а везение все вышло, вот что я тебе скажу.

Игроки, большинство из которых так или иначе работали на Ангуса, быстро сгребли свои ставки и выскочили из комнаты. Как только последний из них скрылся за дверью, Ангус с силой захлопнул ее.

— Что, черт побери, произошло? — спросил Джуниор.

— А вот что произошло. Пока ты прожигаешь жизнь в этой вонючей дыре, твой друг Рид опять тебя обскакал.

Джуниор смиренно погасил сигарету.

— Не понимаю, о чем ты.

— Это потому, что голова у тебя забита всяким дерьмом, но только не делом.

Усилием воли Ангус заставил себя успокоиться. Если он будет кричать, Джуниор надуется, только и всего. Руганью от него никогда толку не добьешься. Хоть и трудно, а надо скрывать свой гнев и раздражение.

— Алекс была сегодня на аэродроме с Ридом.

— Ну и что?

— А то, что если бы я появился там десятью секундами позже, то увидел бы, как они трахаются возле самолета, — прорычал он, забыв о своем решении сдерживаться.

Джуниор вскочил.

— Что ты несешь?

— Я сразу вижу, когда у животных гон. Если помнишь, я отчасти зарабатываю себе на жизнь тем, что развожу лошадок. Я носом чую, когда они хотят друг друга, — заявил он, дотрагиваясь до кончика носа. — Рид занимался тем, чем ты должен был заниматься, вместо того чтобы проигрывать здесь деньги, которых ты даже не заработал.

Джуниор передернул плечами и сказал, оправдываясь:

— Но я слышал, что Алекс уехала.

— Ну так вернулась.

— Ладно, вечером позвоню ей.

— Придумай что-нибудь получше. Назначь свидание, навести ее.

— Хорошо.

— Я серьезно тебе говорю.

— Я сказал, хорошо! — огрызнулся Джуниор.

— И вот еще что: лучше, если ты об этом узнаешь от меня. Я пригласил Рида вернуться в «МЭ».

— Что?

— Что слышал.

— И он согласился?

— Нет, но отказался, надеюсь, не окончательно. — Ангус вплотную подошел к сыну, они стояли лицом к лицу. — Скажу тебе больше, если он согласится, то еще не знаю, кто у кого будет в подчинении.

Гнев и боль отразились в глазах Джуниора.

Ангус сильно ткнул его в грудь.

— Лучше займись тем, что я сказал, а не то либо Рид сядет на твое место и будет давать тебе наряды на работу, чистить конюшни, к примеру, либо мы все займемся изготовлением номеров для машин в Хантсвиллской тюрьме. В любом случае времени на покер у тебя уже не останется.

Ангус отступил на шаг и яростно пнул по столу узким носком ботинка из кожи игуаны. Стол перевернулся, и карты, покерные чипы, пепельницы и бутылки с пивом — все грохнуло на пол. Затем он вышел решительным шагом, оставив Джуниора наводить порядок.

Глава 31

Официантка подала украшенный веточками мяты куриный салат в чашках из свежих ананасов с вынутой сердцевиной. Она спросила Джуниора Минтона, не принести ли ему и его гостье еще чаю со льдом.

— Спасибо, пока достаточно, — сказал он, просияв ей лучезарной улыбкой.

Из окон ресторана загородного клуба открывался вид на поле для игры в гольф. Это был один из немногих залов в округе Пурселл, от которого за версту не несло Техасом. Спокойное, пастельных тонов убранство хорошо смотрелось бы в любом месте. Кроме Джуниора и Алекс, в зале обедало еще несколько человек.

Алекс подцепила вилкой миндальный орешек.

— Так красиво, что даже есть жалко. Фирменное блюдо, которое подается на синей тарелочке в кафе «Би-энд-Би», не идет ни в какое сравнение с этим, — сказала она, жуя орешек. — Если бы я хоть раз попала к ним на кухню, то уж точно больше не пошла бы туда обедать. Там, наверное, тараканы кишмя кишат.

— Да нет, они ведь их жарят и подают на закуску, — улыбнулся Джуниор. — Вы часто туда ходите?

— Довольно часто. Там все поливают одним и тем же соусом, который просто насквозь прожигает.

— Тогда я рад, что проявил настойчивость и привез вас сюда пообедать сегодня, раз уж вы вчера отказались. Мне часто приходится спасать работающих в центре дам от высококалорийной хватки этого кафе. Его меню опасно для женской талии.

— От этого тоже не очень-то похудеешь, — заметила Алекс, пробуя жирную и густую приправу салата.

— Вам на этот счет не стоит беспокоиться. Вы такая же стройная, как и ваша мама.

Алекс положила вилку на край тарелки.

— И осталась стройной даже после того, как произвела меня на свет?

Белокурая голова Джуниора склонилась над тарелкой. Он поднял ее, заметил в ее глазах серьезное любопытство и, промокнув рот накрахмаленной льняной салфеткой, ответил:

— Со спины вас обеих приняли бы за близнецов, разве что у вас волосы потемнее и больше отдают в рыжину.

— И Рид говорил то же самое.

— Вот как? Когда? — Улыбка его потускнела. Вопрос был задан нарочито небрежно, и это выдало его. Между бровями пролегла предательская складка.

— Вскоре после того, как мы познакомились.

— А-а.

Складка между бровями разгладилась.

Алекс не хотела думать о Риде. Когда она была рядом с ним, то ее трезвое, профессиональное мышление, которым она втайне гордилась, изменяло ей. Прагматизм уступал место эмоциям.

Сперва она обвиняла его в убийстве с отягчающими обстоятельствами, а потом стала как сумасшедшая с ним целоваться. С ее точки зрения, он был опасен для нее не только как для прокурора, но и как для женщины. И обе — прокурор и женщина — были одинаково уязвлены, обе подверглись нападению.

— Джуниор, — спросила она, когда они закончили есть, — почему Рид не мог простить Селину за то, что родилась я? Его гордость была так сильно задета?

Он пристально смотрел на зеленое поле за окном. Почувствовав на себе ее взгляд, сказал с грустью:

— Я огорчен.

— Чем?

— Я думал, надеялся, что вы приняли мое приглашение, чтобы повидаться со мной. — Он огорченно вздохнул. — Но вам хочется поговорить о Риде.

— Не о Риде, а о Селине. О моей матери.

Он протянул через стол руку и сжал ее ладонь.

— Ничего. Я привык. Селина тоже все время звонила, чтобы поговорить о Риде.

— Что же она говорила, когда звонила, чтобы поговорить о нем?

Джуниор прислонился плечом к окну и стал теребить галстук, медленно протягивая его между пальцами.

— Обычно я выслушивал, какой он замечательный. Сами знаете, Рид и это, Рид и то. А когда ваш отец погиб на войне и Селина опять стала свободной, она все боялась, что Рид к ней уже не вернется.

— Так оно и случилось.

— Да.

— Но ведь не могла же она рассчитывать на то, что его обрадует история с Элом Гейтером и моим появлением на свет?

— Конечно, это она отлично понимала. Мы с Ридом оба не хотели, чтобы она уезжала в то лето, но разве ее остановишь, если она что-то решила, — сказал Джуниор. — Уехала. И вот — она там, а мы — здесь, за триста с лишним миль от нее. Однажды вечером Рид решил взять потихоньку самолет и слетать за ней. Этот сукин сын убедил меня, что мы спокойно успеем обернуться, прежде чем самолета хватятся. К тому же заметить пропажу мог только Моу Блейкли, а в его глазах Рид был непогрешим.

— Господи, надеюсь, вы не сделали этого?

— В тот раз — нет. Один конюх — тот самый Клейстер Хикам — услышал, как мы договаривались, и сказал отцу. Тот устроил нам жуткую взбучку и еще пригрозил, что шкуру спустит, если вздумаем выкидывать подобные фокусы. Прекрасно понимая, что Селина просто хочет подразнить Рида, отец советовал нам не мешать ей — пусть, мол, позабавится. Он уверил нас, что ей это скоро наскучит, она вернется, и все будет по-прежнему.

— Однако Ангус ошибся. Когда мама вернулась в Пурселл, она была беременна мной. И ничего уже не было по-прежнему.

Они долго молчали, поигрывая чайной ложечкой в стакане чая.

— Что вы знаете о моем отце, Джуниор?

— Почти ничего. А вы?

Она пожала плечами.

— Только то, что звали его Эл Гейтер, и что он родился в шахтерском городке в Западной Вирджинии, и что его отправили во Вьетнам через несколько недель после свадьбы с моей матерью, а там он наступил на мину и погиб задолго до моего рождения.

— Я даже не знал, откуда он родом, — виновато сказал Джуниор.

— Когда я достаточно повзрослела, я хотела поехать в Западную Вирджинию и повидаться с родней, но потом передумала. Они ни разу не пытались разыскать меня, поэтому я решила, что лучше их не беспокоить. Останки отца переправили семье и похоронили на родине. Я даже не знаю, ездила мать на похороны или нет.

— Нет. Она было собралась, но миссис Грэм не дала ей на поездку денег. Отец предложил оплатить билеты, однако миссис Грэм и слышать об этом не хотела.

— Тем не менее она позволила Ангусу оплатить похороны матери.

— Она, видимо, считала, что это совсем другое дело.

— Мать, пожалуй, не меньше Эла Гейтера была виновата в том скоропалительном браке.

— Не думаю, — возразил Джуниор. — Солдат, отправляющийся на войну, сами понимаете, как настроен. А тут Селина, хорошенькая девушка, жаждущая доказательств своей женской привлекательности.

— И все оттого, что Рид отказывался с ней спать?

— Значит, он рассказал вам об этом?

Алекс кивнула.

— Н-да, вообще-то некоторые девушки, с кем он спал, хвастались Селине. Вот она и ринулась доказывать, что тоже способна завлечь мужчину. Несомненно, Гейтер этим и воспользовался.

Вашей бабушке было ненавистно даже его имя. Ведь из-за него ваша мать в последнем классе бросила школу. А это совсем не входило в планы вашей бабушки. Нет, она просто не выносила мистера Гейтера.

— Жаль, что она не сохранила ни единой его фотографии. В доме были тысячи карточек Селины и ни одной — моего отца.

— Для миссис Грэм он, очевидно, был воплощением зла: понимаете, появился в жизни Селины и искорежил ей судьбу.

— Да, — согласилась она, подумав про себя, что то же самое бабушка чувствовала, видимо, и по отношению к ней самой. — Я даже не знаю, как он выглядел. Ничего, кроме имени.

— Господи, Алекс, нелегко вам, должно, быть, пришлось.

— Иногда мне кажется, я выросла где-то на грядке. — И добавила, пытаясь шуткой развеять печаль: — Быть может, я — первый ребенок, которого нашли в капусте.

— Нет, — сказал Джуниор, снова беря ее за руку, — у вас была мать, и очень красивая.

— Правда красивая?

— Спросите кого угодно.

— А внутренне она была такой же красивой, как внешне?

Он чуть заметно нахмурился.

— Не хуже других. Она была женщиной. Со своими достоинствами и недостатками.

— А она любила меня, Джуниор?

— Любила ли вас? Еще бы, черт побери. Она считала вас самым потрясающим младенцем на свете.

Алекс вышла вместе с Джуниором из клуба, на душе у нее было тепло от его слов. Открыв дверцу «Ягуара», он шагнул к Алекс и погладил ее по щеке.

— Неужели вы хотите вернуться в этот старый душный суд?

— Боюсь, придется. Меня ждет работа.

— Сегодня такой роскошный денек.

Она показала на небо.

— Ах вы, обманщик. Посмотрите, вот-вот пойдет либо дождь, либо снег.

Он быстро наклонился и поцеловал ее. Не отнимая губ, прошептал:

— Тогда есть идея еще более приятно провести время в доме.

Он целовал ее все настойчивее и искусно разомкнул ее губы. Но, почувствовав его язык, она отпрянула.

— Не надо, Джуниор.

Этот неуместный поцелуй рассердил ее, не пробудив в ней никаких чувств.

Его поцелуй не расширил ее вен и не погнал по ним кровь в новом лихорадочном темпе. Он не заставил ее матку сократиться с такой страстью, которую, кажется, невозможно утолить. У нее не возникло мысли: «Боже, если он не сольется со мной, я умру».

Ей просто стало очевидно, что Джуниор неверно истолковал ее дружеское отношение, — вот и все, чего он добился своим поцелуем. Если сейчас же не положить этому конец, то будет заложен фундамент опасных отношений, тревожно напоминающих о прошлом.

Она откинула назад голову.

— Мне нужно на работу, Джуниор. Уверена, что и у вас полно дел.

Джуниор тихо чертыхнулся, однако проявил покладистость.

Он отступил, пропуская ее, и, только сев в машину, она заметила «Блейзер». Он неслышно подъехал почти вплотную и теперь был всего в нескольких ярдах от эмблемы на капоте «Ягуара».

Сквозь ветровое стекло виднелся водитель; сложив руки на руле, он наблюдал за ними через дымчатые авиационные очки. Он был угрожающе неподвижен и смотрел на них без улыбки.

Рид толкнул дверь и вышел из машины.

— Я вас искал, Алекс. Мне сказали, что вы ушли из суда вместе с Джуниором, поэтому, поразмыслив, я приехал сюда.

— Зачем? — с вызовом спросил Джуниор и обнял Алекс за плечи.

— Мы нашли Фергуса Пламмета. Один из помощников везет его сейчас в отделение.

— И это дает тебе право испортить нам свидание?

— Наплевать мне на ваше свидание, — отрезал Рид, едва шевеля губами. — Она сказала, что хочет присутствовать, когда я буду допрашивать Пламмета.

— Будьте добры, перестаньте говорить обо мне так, словно меня здесь нет.

Ей была невыносима возникшая между ними напряженность. Это слишком напоминало тот треугольник: Рид, Джуниор, ее мать. Алекс стряхнула с себя руку Джуниора.

— Рид прав, Джуниор. Я хочу послушать, что скажет Пламмет.

— Сейчас? — жалобно спросил Джуниор.

— Уж извините.

— Я поеду с вами, — снова воспрянул он.

— Но я на работе. Мне платит жалованье правительство штата, и в отделение я еду по служебному делу. Спасибо за обед.

— На здоровье. — Он чмокнул ее в щеку и сказал так, чтобы слышал Рид: — Я позвоню попозже.

— Пока.

Она бросилась к «Блейзеру», с трудом забралась в него из-за узкой юбки и высоких каблуков. Рид сделал вид, что ее трудности его не волнуют. Он сидел за рулем, хмуро взирая на Джуниора, а тот устремил сердитый взгляд на Рида. Алекс опустилась на сиденье, и в тот же миг Рид до отказа нажал на педаль газа.

Доехав до шоссе, машина так резко свернула на скоростную полосу, что Алекс отбросило к двери. Сжав зубы, она сидела, привалившись к двери, пока он не закончил выезд на трассу, и машина наконец-то помчалась по центральной полосе.

— Хорошо пообедали?

— Очень, — сухо ответила она.

— Прекрасно.

— Вы расстроены, потому что видели, как Джуниор целовал меня?

— Вот еще. С чего бы?

— Вот именно, не с чего.

Втайне она была рада, что он подъехал именно в ту минуту. Его появление освободило ее от откровенного объяснения с Джуниором. Испытывая некоторые угрызения совести, Алекс сделала попытку перейти на профессиональную тему:

— Где же нашли Пламмета?

— Там, где я и подозревал. Прятался в доме одного дьякона. Вышел подышать свежим воздухом, тут его мой помощник и сграбастал.

— Он не сопротивлялся?

— Не идиот же он. Речь ведь идет всего лишь о допросе. Для ареста у нас пока нет оснований. Они приедут в суд на несколько минут раньше нас.

Настроение у Джуниора было хуже некуда. Напрасно с невероятной скоростью носился его «Ягуар» по городу в поисках места, где он мог бы отдохнуть душой. Нигде ему не было покоя.

На него наседал Ангус. И мать наседала тоже, потому что наседал отец. Вчера вечером она строго велела ему поднять наконец задницу — ну, не в таких, конечно, выражениях — и сделать хоть что-нибудь, чтобы отец мог им гордиться.

Сара-Джо нашла совершенно неприемлемой идею вернуть Рида Ламберта в лоно «Минтон энтерпрайсиз» и сказала сыну непривычно резким тоном, что этого просто нельзя допустить.

— Ангусу нужен не Рид, а ты.

— Тогда зачем он предложил ему работу?

— Чтобы разбудить тебя, милый. Он пользуется Ридом только затем, чтобы подстегнуть тебя.

Джуниор обещал постараться. Когда он позвонил Алекс и пригласил ее обедать, она отказалась, сославшись на головную боль. Но все же согласилась встретиться с ним сегодня. И вот, когда все шло так превосходно, вдруг откуда ни возьмись появился Рид и выхватил ее прямо у него из рук.

— Работа, черт бы ее подрал, — бормотал он, сворачивая на широкую подъездную аллею, дугой ведущую к дому судьи, и резко тормозя возле дома. Он перепрыгнул через клумбу и громко забарабанил в дверь кулаком.

Ему показалось, что Стейси слишком долго отпирает дверь, и, когда она наконец открыла, он был уже буквально вне себя от злости.

— Джуниор, — радостно воскликнула она, — какой сюр...

— Заткнись, лучше заткнись.

Он с такой силой захлопнул за собой дверь, что в доме зазвенела посуда. Он схватил Стейси за плечи, прижал к стене прямо в прихожей и жадно впился в ее удивленно раскрытый рот.

В то же время руки его отчаянно сражались с пуговицами на ее блузке. А когда ему надоело с ними возиться, он с силой дернул за полочку блузки, и пуговицы запрыгали по мраморному полу, подобно шарикам витаминов.

— Джуниор, — с трудом переведя дух, сказала она, — что...

— Я хочу тебя, Стейси, — бормотал он, зарываясь лицом в ее грудь. — Пожалуйста, не ругайся. Меня все кругом ругают. Просто помолчи и дай мне тебя трахнуть.

Он задрал ее юбку и комбинацию, стянул колготки, потом расстегнул свои брюки. Она вскрикнула, когда он грубо вошел в нее.

Он делал ей больно. Понимал это и ненавидел себя, ведь она такого совсем не заслуживала; но втайне он был доволен, что кто-то еще, помимо него, страдает. Почему во всем этом мерзком мире должен страдать только он один?

Ему достается от всех подряд. Пусть теперь кому-то достанется и от него. Стейси была легкой добычей... здесь, он знал, ему все простят.

Ее испуг и унижение помогли ему почувствовать себя сильным. Разрядка наступила не благодаря сексу, а благодаря ее полному порабощению.

Кончив, он без сил привалился к Стейси, так что она оказалась зажатой между ним и обоями в цветочек.

Дыхание у него постепенно выровнялось, он приходил в себя. Отодвинувшись, погладил ее по щеке.

— Стейси?

Она медленно открыла глаза. Он улыбнулся своей обезоруживающей улыбкой и нежно поцеловал ее. Заметив, что она нарядно одета, спросил:

— Я тебя задержал? Ты куда-то шла?

— В церковь на собрание.

Улыбка его стала еще шире, а ямочка на щеке глубже. Он игриво потрепал ее голую грудь.

— В таком виде ты вряд ли пойдешь в церковь. — Как он и ожидал, она отозвалась на его все более смелые ласки.

— Джуниор, — прошептала она, когда он, стянув с ее плеч блузку и сдернув лифчик, впился ртом в ее набухший сосок. Она шептала его имя, перемежая его с чувственными восклицаниями.

Он скользнул губами вниз по ее телу, отбрасывая мешающую одежду.

— Джуниор! — пугливо воскликнула она, когда он опустился перед ней на колени.

Он обольстительно улыбался, а его большие пальцы раздвигали плоть ее лона.

— Джуниор, не надо. Нет. Я не могу. Нельзя...

— Можно, милая, можно. Тебе ведь самой до смерти этого хочется.

Он слегка коснулся ее языком, с удовольствием ощущая вкус собственного семени, мускусный запах возбужденной женщины, наслаждаясь ее смущением.

— Тебе все еще хочется в церковь? — прошептал он, лаская ее губами. — А, Стейси?

Когда пустой дом огласился ее криками, он лег спиной на мраморный пол и посадил ее на себя верхом. Он снова излился в нее. Потом, когда она, свернувшись калачиком, словно тряпичная кукла, лежала рядом с ним, ему было так хорошо, как давно уже не бывало.

Он попытался сесть, но Стейси приникла к нему.

— Не уходи.

— Смотри-ка, Стейси, — сказал он, поддразнивая ее, — во что я превратил твой наряд. Ты должна срочно привести себя в порядок, а то судья догадается, чем ты тут занималась, пока он был на работе.

Он встал, оправил одежду, пригладил волосы.

— К тому же мне самому нужно на работу. А то, если хоть на минуту задержусь, затащу тебя в постель и проваляюсь весь день. И денек не пройдет тогда впустую.

— Ты еще придешь? — грустно спросила она, провожая его до двери и стараясь на ходу прикрыть свою наготу.

— Конечно.

— Когда?

Чтобы скрыть насупившееся лицо, он отвернулся и стал отпирать дверь.

— Не знаю. Ты же ведь не думаешь, что я надолго исчезну — после той ночи и после сегодняшнего.

— Ах, Джуниор, я так люблю тебя.

Он взял в ладони ее лицо и поцеловал.

— Я тоже.

Стейси закрыла за ним дверь. Она машинально поднялась наверх и приняла теплую пенистую ванну. Все тело у нее болело. Завтра оно, наверное, покроется синяками. Но ей был дорог каждый синяк, оставленный им.

Джуниор любит ее. Он так и сказал. Может быть, он вырос наконец. Может, опомнился и понял, что ему на самом деле нужно. Может быть, он наконец выбросил Селину из своего сердца.

Но тут Стейси вспомнила Алекс и какими телячьими глазами смотрел на нее Джуниор в Охотничьем клубе. Она вспомнила, как прижимался он к Алекс, когда они, весело смеясь, кружились в танце. От ревности Стейси затопило горечью. Как и ее мать, Алекс встала на ее пути к полному счастью с любимым человеком.

Глава 32

Приехав в суд, Рид и Алекс сразу прошли в следственную комнату, за ними следом судебный репортер. Там за квадратным деревянным столом уже сидел Фергус Пламмет. Крепко сжав ладони, он склонил в молитве голову над Библией.

Миссис Пламмет тоже была там. И тоже сидела со склоненной головой, но, когда они вошли, она тут же вскочила и посмотрела на них, словно испуганная лань. Как обычно, на ее лице не было и следа косметики, волосы гладко зачесаны назад и собраны в строгий узел на затылке. На ней было какое-то бесформенное платье.

— Здравствуйте, миссис Пламмет, — вежливо сказал Рид.

— Здравствуйте, шериф.

Если бы Алекс не видела, как шевельнулись ее губы, она и не расслышала бы, что женщина что-то сказала. Казалось, она до смерти напугана. Пальцы ее рук были крепко сцеплены на коленях. Она сжимала их с такой силой, что они побелели до синевы.

— Вы хорошо себя чувствуете? — спросил Рид тем же доброжелательным тоном.

Она кивнула и бросила испуганный взгляд на мужа, который продолжал исступленно молиться.

— Вы имеете право пригласить адвоката, чтобы он присутствовал, когда мы с мисс Гейтер будем задавать вам вопросы.

Прежде чем миссис Пламмет успела что-то ответить, Фергус завершил свою молитву громким и протяжным «А-а-минь!» и поднял голову. Он устремил на Рида немигающий взгляд фанатика.

— У нас уже есть самый лучший в мире адвокат. Я буду следовать советам Господа Бога ныне и присно и во веки веков.

— Прекрасно, — усмехнулся Рид, — но я внесу в протокол, что вы отказались от присутствия вашего адвоката при допросе.

Взгляд Пламмета перескочил на Алекс.

— А что делает здесь эта блудница? Я не потерплю ее присутствия рядом с моей праведной женой.

— Ни вы, ни ваша праведная жена не имеете права возражать. Садитесь, Алекс.

Повинуясь жесту Рида, она опустилась на ближайший стул, обрадованная возможностью сесть. Конечно, Фергус Пламмет — вредный малограмотный фанатик. И мог бы казаться смешным, но при виде его у Алекс кожа покрывалась мурашками.

Рид уселся верхом на стул и пристально посмотрел на сидевшего по другую сторону стола проповедника. Открыл подготовленную одним из помощников папку.

— Что вы делали в среду вечером?

Пламмет закрыл глаза и склонил голову набок, как бы прислушиваясь к тайному голосу.

— Могу ответить, — сообщил он, когда спустя несколько секунд снова открыл глаза. — Я отправлял вечернюю службу в церкви. Мы молились о спасении этого города, о душах тех, кто будет совращен, а также о тех, кто вопреки воле Господа совратит невинных.

Лицо Рида было по-прежнему бесстрастным.

— Пожалуйста, отвечайте прямо и коротко. Я не хочу, чтобы допрос затянулся на весь день. В какое время проходит служба?

Пламмет снова изобразил, будто слушает кого-то.

— Это к делу не относится.

— Очень даже относится, — растягивая слова, сказал Рид. — Вдруг мне когда-нибудь вздумается посетить службу.

При этих словах миссис Пламмет хихикнула. И первая же поразилась собственной неожиданной выходке. Застыв от ужаса, она посмотрела на мужа, взиравшего на нее с осуждением.

— В какое время закончилась служба? — По голосу Рида

было ясно, что эта игра ему надоела и он больше не намерен подыгрывать.

Пламмет не спускал с жены осуждающих глаз. От стыда она опустила голову. Рид потянулся через стол и, взяв Пламмета за подбородок, резко повернул его к себе лицом.

— Нечего смотреть на нее, как на дерьмо под ногами. Отвечай. Да не вздумай снова нести свой бред.

Чуть вздрогнув, Пламмет закрыл глаза с видом незаслуженно оскорбленного человека.

— Господи, закрой уши мои, не дай слышать грязные слова врага Твоего, спаси мя от общества грешников сих.

— Чтобы спасти тебя, ему понадобится прислать сюда целую стаю ангелов, приятель. Если сейчас же не начнешь отвечать на мои вопросы, твоя задница очутится в тюрьме.

Эта угроза пробила ханжеский панцирь Пламмета. Он вытаращил глаза.

— На каком основании?

— Думаю, сначала федеральные власти займутся поджогом.

Алекс быстро взглянула на Рида. Он блефовал. Скаковые лошади относились к сфере торговли между штатами и поэтому подпадали под юрисдикцию министерства финансов. Но федеральные власти рассматривали дела о поджоге только в тех случаях, когда причиненный ущерб составлял не менее пятидесяти тысяч долларов. Пламмет не попался на удочку.

— Поджог? Это смешно. Единственное, что я сумел зажечь, так это пламень веры в сердцах моих прихожан.

— Ну, если так, тогда расскажите, что вы делали, начиная с вечера в среду и до сегодняшнего дня, когда мой помощник Каппел заметил, как вы шмыгнули на улицу через заднюю дверь того дома. Куда вы пошли, когда закончилась служба?

Пламмет приставил к щеке палец, изображая сильную сосредоточенность.

— Полагаю, что как раз в тот вечер я пошел навестить одного из наших больных братьев.

— Он может это подтвердить?

— К сожалению, нет.

— Он умер, я угадал?

Услышав сарказм в словах шерифа, Пламмет нахмурился.

— Нет, но когда я навещал его, бедняга метался в горячечном бреду. Он ничего не помнит. — Священник поцокал языком. — Он был очень плох. Его родные, конечно, подтвердят, что я сидел у его постели. Мы вместе весь вечер молились за него.

Проницательный взгляд Рида обратился на Ванду Пламмет. Она виновато отвернулась. Тогда Рид посмотрел на Алекс. Выражение его лица говорило, что все идет так, как он и ожидал. Он снова повернулся к Пламмету и резко спросил:

— Вы знаете, где находится ранчо Минтона?

— Конечно.

— Вы были там в среду вечером?

— Нет.

— Вы посылали кого-нибудь туда в среду вечером?

— Нет.

— Может быть, кого-то из прихожан? Тех верующих, в чьих сердцах вы раздули пламень во время молебна?

— Разумеется, нет.

— Разве не вы учинили там разгром, испачкали краской стены, набросали дерьма в поилки, разбили окна, а?

— Мне свыше дан совет, что не нужно больше отвечать ни на какие вопросы.

Он сложил руки на груди.

— Потому что можете ненароком изобличить себя?

— Нет!

— Вы лжете, Пламмет.

— Господь на моей стороне. — Он поиграл глазами, то сужая, то расширяя их. — «Если Бог на нашей стороне, — с пафосом продекламировал он, — то кто же против нас?»

— Недолго он будет на вашей стороне, — с угрозой прошипел Рид. Поднявшись со стула, он обошел вокруг стола и наклонился над Пламметом. — Господь не привечает лжецов.

— Отче наш, иже еси на небеси...

— Признавайтесь, Пламмет.

— ...да святится Имя Твое...

— Кого вы отправили туда, чтобы разнести ферму Минтона?

— ...приидет царствие Твое...

— Вы ведь *отправили* туда членов своей секты, верно? Пойти самому у вас кишка тонка.

Молитва резко оборвалась. Дыхание священника стало

легким и прерывистым. Вопрос попал в самую точку. Поняв это, Рид продолжал гнуть свое:

— Вы сами повели туда свою жалкую крысиную армию или только снабдили их баллонами с краской?

Рид говорил Алекс, что объехал все хозяйственные магазины, где продается краска. И ни один торговец не мог припомнить случая, чтобы кто-то купил большую партию. У Пламмета, очевидно, хватило хитрости не покупать всю краску в одной лавке, а может быть, он завез ее откуда-нибудь из-за города. Задержать Пламмета Рид не мог; никаких улик против него не было, но он мог одурачить проповедника, внушив ему, что тот оставил на месте преступления изобличающие его доказательства.

Однако и во второй раз Пламмет не клюнул на наживку Рида. Успокоившись и глядя прямо перед собой, он сказал:

— Не могу понять, о чем вы толкуете, шериф Ламберт.

— Начнем все сначала, — тяжело вздохнул Рид. — Послушайте, Пламмет, мы, мисс Гейтер и я, знаем, черт побери, что вы виновны. Вы ведь ей прямо велели быть пожестче с грешниками, а не то... Вот разгром, учиненный на ферме Минтонов, и был тем самым «не то», ведь так?

Пламмет молчал. Рид попробовал зайти с другой стороны:

— Разве исповедь не является благом для души? Облегчите свою душу, Пламмет. Признайтесь. И ваша жена сможет вернуться домой к детям, а я пораньше закончу сегодня работу.

Священник по-прежнему хранил молчание.

Рид снова начал допрос с самого начала и методично прошел по всем вопросам до конца, надеясь поймать Пламмета на какой-нибудь лжи. Несколько раз шериф обращался к Алекс, не хочет ли она задать вопрос Пламмету, но Алекс всякий раз отклоняла предложение. Так же как и Риду, ей не за что было уцепиться.

Рид так ничего и не добился. Ответы священника не менялись. Шериф ни на чем не сумел его поймать. По завершении еще одного утомительного раунда Пламмет, язвительно улыбаясь, сказал:

— Приближается время ужина. Вы позволите нам уйти?

Расстроенный, Рид провел рукой по волосам.

— Я же знаю, это сделали вы, благочестивый сукин сын.

Даже если вас там и не было, все равно, вы это устроили. И лошадь мою убили вы.

— Убил вашу лошадь? — живо отозвался проповедник. — Но это неправда. Вы сами убили ее. Я читал об этом в газете.

Рид издал рычание и кинулся к нему через всю комнату.

— По твоей вине. — Он снова нагнулся над Пламметом, отчего тот откинулся на спинку стула. — У тебя небось дух от радости захватило, когда ты читал об этом, ублюдок. Ты еще заплатишь мне за это животное, даже если мне придется собственными руками выдавить признание из твоей мерзкой глотки.

Допрос продолжался еще по меньшей мере час.

Алекс устала сидеть на жестком стуле, у нее все затекло. Один раз она встала и, чтобы размяться, прошлась по комнате. Но Пламмет следил за ней исступленным взглядом, и ей стало так не по себе, что она тут же вернулась на место.

— Миссис Пламмет?

Жена священника вздрогнула, когда Рид неожиданно назвал ее имя. До этого она сидела, опустив голову и ссутулив от усталости плечи. Тут она резко выпрямилась и устремила на Рида полный почтения и страха взгляд.

— Да, сэр?

— Вы подтверждаете все, что сказал мне ваш муж?

Она бросила искоса взгляд на Пламмета, судорожно глотнула и облизала губы. Потом опустила глаза и часто закивала головой.

— Да.

Лицо Пламмета оставалось бесстрастным, но губы дергались от едва сдерживаемой улыбки. Рид посмотрел на Алекс. Она чуть заметно пожала плечами.

Несколько мгновений он стоял в раздумье, уставившись в пол, затем рявкнул имя помощника. Тот немедленно возник в дверном проеме, как будто только и дожидался этого исполненного сдержанной ярости вызова начальника.

— Выпустите его.

Пламмет с громким звуком захлопнул Библию и встал. Словно крестоносец в полном боевом облачении, он промаршировал к двери, не удостоив вниманием жену, которая покорно засеменила в его кильватере.

Рид зло выругался ему вслед.

— Установите слежку за его домом, — приказал он помощнику. — И если заметите хоть что-то подозрительное, сразу сообщите мне. Черт, до чего же мне не хочется выпускать отсюда этого ублюдка.

— Не вините себя, Рид, — сочувственно сказала Алекс. — Вы провели очень обстоятельный допрос. Но вы же с самого начала знали, что улик у вас, по существу, нет.

Он резко повернулся, посмотрел на нее злыми глазами.

— Но, черт побери, вас ведь это не останавливает, а? — И вышел, громко топоча сапогами.

Алекс онемела от негодования.

Она вернулась к своему кабинетику, пошарила на дне сумочки, отыскивая ключ, и наклонилась, чтобы отпереть дверь. Вдруг она почувствовала, как мурашки забегали у нее по шее, и в следующее мгновение до ее слуха донесся зловещий шепот:

— Вас совратили безбожники. Вы якшаетесь с Сатаной и, подобно продающей себя блуднице, не испытываете при этом стыда.

Она резко обернулась. В глазах Пламмета снова горел фанатичный огонь. В углах рта белела слюна. Он тяжело дышал.

— Вы обманули мое доверие.

— Я не нуждаюсь в вашем доверии. — Голос у Алекс охрип от страха.

— Ваше сердце и ум помутили безбожники. А тело отмечено печатью самого дьявола. Вы...

Его схватили сзади и прижали к стене.

— Пламмет, я ведь вас предупреждал. — Рид был в ярости. — Убирайтесь с глаз моих долой, а не то я запру вас в тюрьме.

— По обвинению в чем? — взвизгнул проповедник. — У вас нет никаких улик, и вы не имеете права меня задерживать.

— За преследование мисс Гейтер.

— Я посланец Божий.

— Если бог захочет сообщить что-нибудь мисс Гейтер, он скажет ей сам, понятно? *Понятно?* — Он еще разок тряхнул Пламмета и отпустил. Повернулся к миссис Пламмет, которая в безмолвном ужасе прижималась к стене.

— Ванда, предупреждаю вас, уведите его домой. Немедленно! — рявкнул шериф.

С храбростью, которой Алекс никак от нее не ожидала, женщина схватила мужа за руку и буквально поволокла прочь. Спотыкаясь, они вскарабкались по ступенькам и исчезли за лестничным поворотом.

Только перехватив взгляд Рида, Алекс вдруг заметила, что прижимает руку к бешено колотящемуся сердцу, и поняла, как сильно она испугалась.

— Он вас не тронул, не ударил?

— Нет. — И, покачав головой, повторила: — Нет.

— Только не вешайте мне опять лапшу на уши. Он угрожал вам? Сказал что-нибудь такое, чем я мог бы пригвоздить его тощую задницу?

— Нет, просто нес всякую ерунду о том, что я продалась нечестивцам. Он считает меня изменницей в его стане.

— Собирайтесь. Поедете домой.

— Меня не нужно долго упрашивать.

Он снял ее жакет с вешалки у двери. Помогая ей одеться, он не просто подержал его, а чуть ли не втолкнул ее в этот жакет. Тем не менее Алекс была тронута его явной заботой о ее безопасности. Уже на ходу, пока они поднимались по лестнице, Рид надел свою отороченную мехом кожаную куртку и ковбойскую шляпу.

Очевидно, Пламметы вняли его совету и уехали. Их нигде не было видно. Стемнело. Площадь почти обезлюдела. Даже кафе закрылось. Народ туда стекался во время завтраков и обедов.

Алекс села за руль; в машине было холодно.

— Включите двигатель, пусть прогреется, но не уезжайте, пока я не приведу сюда свой пикап. Я поеду следом за вами до мотеля.

— В этом нет необходимости, Рид. Вы же сами сказали, что он, скорее всего, трус. Тот, кто угрожает, редко выполняет свои угрозы.

— Именно. Редко, — подчеркнул он последнее слово.

— К тому же я сама о себе позабочусь. Не нужно обо мне беспокоиться.

— А я о вас и не беспокоюсь. Я беспокоюсь о себе. Вы ведь за что боролись, на то и напоролись. Но как шериф я не допущу, чтобы в моем округе изнасиловали, изувечили или убили помощницу окружного прокурора. Ясно?

Он громко хлопнул дверью машины. Алекс смотрела ему вслед, пока он не исчез в темноте. Испытывая в душе сильное желание никогда больше не видеть ни его, ни его проклятого округа, она мысленно послала его в то самое пекло, о котором так часто распространялся Пламмет.

Увидев приближающиеся фары «Блейзера», она задним ходом выехала на улицу и повернула в сторону мотеля, который уже слишком давно служил ей домом. Ее возмущало, что она едет домой в сопровождении эскорта.

Даже не помахав на прощанье Риду в знак благодарности, она вошла в номер и заперла за собой дверь. Съела заказанный заранее безвкусный обед. Снова полистала альбомы школьных фотографий, хотя все снимки были уже так хорошо ей знакомы, что почти не задерживали внимания. Она устала, но не могла уснуть, нервы ее были слишком напряжены.

Ее мучили воспоминания о поцелуе Джуниора не потому, что он разжег ее чувственное воображение, а потому, что совсем не тронул ее. Ее преследовали воспоминания о поцелуях Рида, потому что ему с легкостью удалось то, чего хотел и не смог добиться Джуниор.

Когда Ангус вошел в ангар и обнаружил там ее с Ридом, то, и не читая пьесы, понял, в разгар какой сцены он попал. На его лице отразилось удивление, смешанное с неодобрением и еще с чем-то, чему она не могла подобрать названия. Смирением?

Она ворочалась с боку на бок от усталости, огорчения и, что скрывать, от страха. Сколько бы она ни отрицала, Пламмет очень беспокоил ее. Он, конечно, псих, но в его словах ей слышался какой-то намек на правду.

Ее стало заботить, что думают о ней ее подозреваемые. Их одобрение для нее теперь почти так же важно, как одобрение бабушки, которого она так и не смогла добиться. И это было так странно, что она с трудом себе в этом призналась.

Она не доверяла Риду, но желала его и хотела, чтобы он ответил ей взаимностью. Джуниор при всей своей лени ей тоже нравился, она чувствовала к нему острую жалость. В Ангусе как бы воплотились ее детские представления о строгом и любящем отце. Чем ближе была разгадка тайны их причастности к смерти матери, тем меньше ей хотелось узнать истину.

Вдобавок на горизонте маячила загадка убийства Клейстера Хикама. Лайла Тернера, которого подозревает Рид, до сих пор не нашли. Пока она не убедится, что бывшего рабочего с фермы Минтона убил Тернер, она по-прежнему будет считать, что Клейстера убрали как свидетеля убийства Селины. Значит, его убийца считает, что и она, Алекс, для него тоже опасна.

Поэтому, когда среди ночи она услышала, как мимо ее двери медленно едет машина и над кроватью проплывает свет фар, сердце ее сильно забилось от страха.

Отбросив одеяло, она прокралась к окну и выглянула в щель между рамой и плотной шторой. Тело ее обмякло от облегчения, и у нее вырвался тихий радостный возглас.

Сделав широкий разворот на стоянке перед мотелем, «Блейзер» шерифа еще раз проехал мимо ее двери.

Рид хотел было развернуться и двинуть туда, где, он знал, его ожидает хорошая выпивка, приветливая улыбка и теплая женщина, однако капот его машины упрямо смотрел в сторону дома.

Он заболел какой-то неизвестной болезнью. И, как ни странно, не мог от нее избавиться. Она жгла его и точила, переворачивала ему все нутро.

Дом, который он всегда любил, потому что находил в нем уединение, сейчас, когда он открыл скрипучую дверь, показался ему просто пустым. И когда только он смажет эти петли. Он включил лампу, но от этого в гостиной веселее не стало. При свете лампы стало еще заметнее, что дома его никто не ждет.

Не было даже собаки, которая, радостно помахивая хвостом, выбежала бы ему навстречу и лизнула руку. И не было ни золотой рыбки, ни попугая, ни кошки — никого, кто мог бы умереть и оставить после себя еще одну незаживающую рану.

Другое дело лошади. В них вкладываешь деньги. Но иногда к одной из них вдруг начинаешь относиться по-особенному, как к Быстрому Шагу. Рана еще саднила. Он постарался прогнать мысли о коне.

В лагерях беженцев из опустошенных голодом стран можно найти больший запас провизии, чем у него на кухне. Он редко ел дома. А если и ел, как сейчас, то обходился пивом и несколькими крекерами с арахисовым маслом.

По дороге в спальню Рид включил отопление, чтобы к утру совсем не замерзнуть. Постель была не застелена; он никак не мог вспомнить, что заставило его так быстро вскочить и убежать, когда он последний раз ночевал дома.

Он сбросил одежду и свалил ее в корзину, стоявшую в углу ванной; племянница Лупе заберет все стирать, когда придет в следующий раз. У него, наверно, больше белья и носков, чем у любого другого мужчины. И не то чтобы он питал к ним особое пристрастие, просто это позволяло ему реже отдавать белье в стирку. Его гардероб в основном состоял из джинсов и рубашек. Относя по нескольку пар тех и других раз в неделю в химчистку, он мог поддерживать приличный вид.

Рид чистил зубы над раковиной в ванной и рассматривал себя в зеркале. Нужно постричься. Вечно он забывает делать это вовремя. У него стало больше седых волос на висках. Когда они появились?

Он вдруг заметил, каким морщинистым стало его лицо. Зажав щетку в углу рта, наклонился поближе к зеркалу и пристально всмотрелся в свое отражение. Лицо его было испещрено трещинками и бороздками.

Короче, он выглядел старым.

Слишком старым? Для чего? Или, вернее, слишком старым для кого?

Пришедшее на ум имя вывело его из равновесия.

Он сплюнул и прополоскал рот, но в зеркало уже старался не смотреть, пока не выключил беспощадный верхний свет. Ему не нужно было заводить будильник. Он всегда вставал на рассвете. И никогда не просыпал.

Простыни были холодными. Он натянул одеяло до подбородка, дожидаясь, когда согреется его голое тело. Вот в такие минуты, как эта, в самые промозглые, темные и одинокие ночи, он жалел, что из-за Селины он так и не смог создать семью. В любое другое время он был рад, что свободен от всяких привязанностей.

Но вот в такие минуты он втайне жалел, что не женился. Лежать рядом с теплым телом женщины, пусть и не особенно любимой, или растолстевшей сразу после свадьбы, или даже предавшей тебя, даже такой, которая пилит тебя за то, что приносишь мало денег и много работаешь, — все же лучше, чем спать одному.

А может, все-таки нет. Черт его разберет. Из-за Селины он теперь уже никогда этого не узнает. Когда она умерла, он не любил ее, то есть не любил так, как любил всю жизнь, вплоть до того случая.

Он уже тогда задумывался, не пройдет ли их любовь вместе с юностью, насколько она настоящая и крепкая и не является ли она всего лишь заменой того, чего оба были лишены в жизни. Он всегда бы любил ее дружеской любовью, но сомнительно, чтобы их зависимость друг от друга оказалась надежным основанием для совместной жизни.

Возможно, Селина чувствовала его сомнения и потому ощутила потребность на какое-то время с ним расстаться. Они никогда об этом не говорили. И теперь ему этого уже никогда не узнать, но он подозревает, что все было именно так.

Он усомнился в прочности их детской любви задолго до того, как она уехала в то лето в Эль-Пасо. Если с возрастом его чувства к ней изменятся, то как, черт побери, он сможет сказать ей об этом? Он все еще мучился этими мыслями, когда она погибла, и в дальнейшем стал остерегаться новых привязанностей.

С тех пор он никогда не позволял себе увлечься кем бы то ни было. Сосредоточить все чувства на другом человеке, особенно на женщине, было смертельно опасно.

Много лет назад он поклялся себе брать от женщин все, что можно, — прежде всего в постели, но никогда больше не позволить себе относиться с нежностью ни к одной из них. И уж конечно, и близко не подпустить к себе любовь.

Но короткие романы тоже стали осложнять жизнь. Женщины неизменно привязывались к нему, а он не мог ответить взаимностью. Вот тогда-то он и стал прибегать к услугам Норы Гейл. Но теперь и это ему опостылело. Их постельные отношения стали однообразными и бессмысленными. Последнее время ему с трудом удавалось скрывать свою скуку.

На любом уровне женщина требовала от него гораздо больше, чем ему бы хотелось.

Тем не менее даже сейчас, лежа и повторяя мысленно свое кредо вечного холостяка, он поймал себя на мысли *о ней*.

Размечтался, как какой-нибудь молокосос. В его-то возрасте. Весь поглощен мыслями о ней. А за этими мыслями возникало, настойчиво пробиваясь в его сознание, чувство, очень похожее на нежность.

Однако по пятам за этим чувством всегда следовала боль; он не мог забыть, кто эта женщина и как ее появление на свет непоправимо изменило его жизнь; больно было думать, каким дряхлым он, должно быть, казался ей, такой юной, больно было видеть, как она целовала Джуниора.

— Проклятие!

Он застонал в темноте и закрыл глаза согнутой в локте рукой, но перед его мысленным взором вновь возникла та сцена. Он испытал тогда такой приступ ревности, что сам испугался. Удивительно, как это он не взорвался от ярости вместе с «Блейзером».

Откуда, черт побери, эта напасть? Почему он впустил эту девушку в свое сердце, ведь из этого ничего путного выйти не может, только расширится между ним и Джуниором пропасть, созданная ее матерью.

О семейном союзе — от этих слов его передернуло — между ним и Алекс и речи быть не могло, тогда почему его так беспокоит, что в глазах умной, красивой, успешно делающей карьеру Алекс он, вероятно, выглядит неотесанным деревенщиной, да к тому же *стариком*?

У них с Селиной все было общее, и тем не менее она оказалась недосягаемой для него, так какого же черта он вообразил, что у него выйдет что-нибудь с Алекс?

И еще одна маленькая деталь, с издевкой подумал он. *Убийство Селины*. Алекс никогда этого не поймет.

Однако никакие здравые рассуждения не мешали ему стремиться к ней. Всем телом он ощутил прилив тепла и желания. Ему хотелось почувствовать ее запах, прикосновение ее волос к своей щеке, груди, животу. Он едва не задохнулся, представив себе, как ее губы и язык касаются его кожи, но ради этого можно было и не дышать. Ему хотелось снова изведать вкус ее поцелуев, потеребить языком ее сосок.

Шепча в темноте ее имя, он воскресил в своей памяти тот миг, когда рука его, скользнув в чашечку лифчика, стала ласкать запретную плоть. Его сжигал огонь воспоминаний, горевший жарко и яростно.

Но в конце концов образ потускнел. И Рид почувствовал себя опустошенным и одиноким в своем холодном и темном доме.

Глава 33

— Доброе утро, Ванда Гейл. — Жена Фергуса Пламмета отшатнулась.

— Как вы меня назвали?

— Ванда Гейл, — повторила Алекс с мягкой улыбкой. — Вас ведь так зовут, правда? Вы одна из тройняшек, известных как сестры Гейл.

Миссис Пламмет стояла на пороге с посудным полотенцем в руках. Пораженная тем, что Алекс известно ее прошлое, она тихо ахнула. Ее глаза забегали, оглядывая двор, словно пытаясь понять, откуда грянет новый залп.

— Можно войти?

Алекс не стала дожидаться разрешения, а, воспользовавшись замешательством Ванды Гейл, шагнула через порог и закрыла дверь. Она обнаружила, кто такая миссис Пламмет, совершенно случайно, когда утром за кофе перелистывала школьные альбомы. Этот снимок она видела сотни раз, но тут вдруг он бросился ей в глаза. Сначала Алекс решила, что у нее обман зрения, и сверилась со списком имен на полях. Ванда Гейл Бертон.

Едва сдерживая волнение, она нашла адрес в телефонном справочнике и сразу поехала к Пламметам. Однако автомобиль она припарковала в другом конце квартала и отправилась к их дому только после того, как Фергус проехал мимо нее на своей машине.

Женщины стояли лицом к лицу в тускло освещенной прихожей. Алекс снедало любопытство. Ванда Гейл Пламмет была явно испугана.

— Мне не следует разговаривать с вами, — нервно прошептала она.

— Почему? Потому что вам муж запретил? — мягко спросила Алекс. — Я не собираюсь причинять вам никакого вреда. Давайте сядем.

Взяв на себя роль хозяйки, Алекс повела Ванду Гейл в гостиную; более унылой и непривлекательной комнаты ей еще не приходилось видеть. Ни одного яркого пятна, ничего, что оживляло бы обстановку. Ни растений, ни картин, за исключением одной, изображавшей распятого, истекающего кровью Христа, ни книг, ни журналов. Ничто не смягчало безрадостную атмосферу дома. Алекс знала, что трое детей Пламметов уехали с отцом, она видела их худые, унылые лица в машине. Они с Вандой Гейл были в доме одни. Они сидели бок о бок на грязном потертом диване, свидетельствовавшем о царившей в доме нужде. Ванда Гейл теребила в руках мокрое полотенце. От сильного волнения лицо у нее подергивалось. Было очевидно, что она до смерти боится то ли Алекс, то ли мужа, который обрушит на нее весь свой гнев, узнав, что в доме побывала Алекс.

Пытаясь успокоить ее, Алекс сказала:

— Мне нужно только поговорить с вами. Я случайно узнала, что ваше девичье имя Ванда Гейл Бертон.

— Но меня так больше не зовут. С тех пор, как я познала Христа.

— Расскажите мне об этом. Когда это случилось?

— В то лето, когда я кончила школу. Наша компания...

— Ваши сестры?

Она кивнула.

— И еще несколько друзей. Мы все набились в чью-то машину и поехали в Мидленд. Хотели повеселиться, — сказала она, опустив глаза. — Сразу за городом мы увидели такую большую палатку, разбитую на коровьем выгоне. Там шла служба евангелистов. И мы решили, зайдем, посмотрим, что это такое. Мы вошли ради смеха — знаете, пошутить над собравшимися, посмеяться над проповедью.

На ее лице отразилось раскаяние.

— Нас все смешило, потому что мы уже выпили и накурились гашиша, который кто-то привез из Игл-Паса. — Она сложила ладони и произнесла короткую покаянную молитву.

— Что же произошло? Вы испытали религиозное откровение?

Она кивнула, подтверждая догадку Алекс.

— Там был молодой священник. После молитвы и пения псалмов он взял микрофон. — Ее взгляд стал мечтательным, она мысленно перенеслась в прошлое. — Я даже не помню, о чем была проповедь. Его голос привел меня в состояние транса. Помню, что почувствовала, как его энергия вливается в меня. И не могла отвести от него глаз.

Ее взгляд прояснился.

— Другим все уже надоело, и они решили уйти. Я сказала им, пусть едут и заберут меня на обратном пути. А мне захотелось остаться. Когда он закончил проповедь, я пошла вместе со всеми к алтарю. Он возложил руки мне на голову и помолился о моем отвращении от греха. — С затуманенным взором она добавила: — В тот самый вечер я отдала свое сердце Иисусу и Фергусу Пламмету.

— И после этого вы поженились?

— Через два дня.

Алекс не знала, как поделикатнее подойти к следующему вопросу. Уважая чувства собеседницы, она назвала ее замужним именем:

— Миссис Пламмет, вы и ваши сестры... — Она запнулась, облизнула губы. — Я слышала...

— Знаю, что вы слышали. Мы были блудницами.

Алекс попыталась смягчить ее резкую уничижительную самооценку.

— Я знаю, что вы встречались со многими мужчинами.

Ванда снова принялась теребить полотенце.

— Я исповедалась Фергусу во всех своих грехах. Он простил меня так же, как и Господь. И, несмотря на мою порочность, заключил меня в объятия любви.

У Алекс сложилось несколько иное мнение о великодушии священника. Очевидно, ему нужна была жена, которая постоянно чувствовала бы себя обязанной ему за то, что он так великодушно простил ее, и которой его благородство казалось бы равным милости Божьей.

Бог забывал грехи; однако сомнительно, чтобы Фергус Пламмет забывал их тоже. Он, должно быть, вел им скрупулезный счет и использовал прошлое Ванды Гейл, чтобы полностью держать ее в своих руках. Он наверняка отравил ей жизнь постоянными напоминаниями о том, как ей повезло, что он даровал ей свое прощение.

Впрочем, то, что произошло с Вандой Гейл во время молебна в той палатке, несомненно оказало на нее глубокое и необратимое воздействие. Принятое ею в тот вечер решение начать новую жизнь оставалось нерушимым вот уже целых двадцать пять лет. Одно это вызывало у Алекс восхищение.

— Среди тех школьников, кому вы назначали свидания, были Рид Ламберт и Джуниор Минтон?

— Да, — ответила Ванда, улыбнувшись своим воспоминаниям, — они были самыми красивыми и самыми популярными мальчиками в школе. Всем девчонкам хотелось с ними встречаться.

— И Стейси Уоллес тоже?

— Ну, для нее не существовало никого, кроме Джуниора Минтона. Было, знаете, даже жалко ее, потому что она с ума сходила по Джуниору, а тот словно приклеился к Селине.

— А Селина любила Рида.

— Ну да. Вообще-то, Рид был, да и есть очень хороший. Он не обращался со мной и сестрами как с падалью, хоть мы именно этим и были. Он всегда был очень мил, когда... ну, в общем, когда водил нас куда-нибудь. И после всегда говорил спасибо.

Алекс выдавила болезненную улыбку.

— А когда Селина вышла замуж, он прямо как с ума сошел. Потом, когда она умерла... — Ванда Гейл сочувственно вздохнула. — Сейчас он часто злится, но в глубине души он все же хороший. — Она отвернулась. — Я знаю, он не любит Фергуса, но со мной вчера обращался уважительно.

Эта женщина и Рид были когда-то любовниками. Алекс пристально разглядывала ее. Невозможно было представить себе Ванду Гейл в страстных объятиях какого-нибудь мужчины, тем более Рида.

На лице ее еще сохранились следы былой миловидности, поэтому Алекс и узнала ее на фотографии из школьного альбома, но кожа стала дряблой, шея оплыла. Пышную взбитую прическу, которая украшала ее на школьной фотографии, заменил строгий скучный пучок. На глазах, так выразительно подкрашенных для снимка, теперь не было и следа косметики. Талия ее раздалась и теперь почти не отличалась размером от груди и бедер, которые, очевидно, были соблазнительно пышными в юности.

Ванда Гейл выглядела по меньшей мере лет на десять старше своих одноклассников — Рида, Джуниора и даже Стейси. Что же ее так состарило, подумала Алекс, прежние разгульные похождения или замужняя жизнь с Пламметом? Скорее всего последнее. Жить с ним радости мало. Несмотря на свое благочестие, он не давал окружающим ни тепла, ни любви. А по мнению Алекс, вера должна нести именно это. К ее восхищению этой женщиной примешивалась жалость.

Ей стало еще больше жаль Ванду Гейл, когда та, взглянув на гостью, робко заметила:

— Вы тоже были добры ко мне. Я даже не ожидала, вы ведь такая модная, у вас вон какие красивые вещи. — Она бросила завистливый взгляд на меховой жакет и кожаную сумку.

— Спасибо, — сказала Алекс. Затем, поскольку Ванда Гейл от смущения умолкла, Алекс возобновила вопросы: — А как сестры отнеслись к вашему замужеству?

— Я уверена, им это не понравилось.

— Значит, вы не знаете?

— Фергус считал, что лучше мне с ними больше не общаться.

— Он разлучил вас с семьей?

— Так было лучше, — сказала Ванда, немедленно вставая на защиту мужа. — С прежней жизнью я покончила, а они ведь были частью ее. Мне пришлось отвернуться от них, чтобы доказать Господу, что я отказываюсь от греха.

У Алекс появилась еще одна причина презирать священника. Он настроил жену против ее родни, использовав ее душу как инструмент давления.

— Где сейчас ваши сестры?

— Пегги Гейл умерла несколько лет назад. Я прочитала об этом в газете. У нее был рак. — На лице ее отразилась печаль.

— А другая? Нора Гейл?

Губы Ванды сложились в гримасу сурового осуждения.

— Она по-прежнему живет в грехе.

— Здесь, в городе?

— Ну да.

Она опять сцепила руки под подбородком и скороговоркой прочитала молитву.

— Я молю Господа Бога, чтобы она увидела свет веры, пока еще не поздно.

— Она так и не вышла замуж?

— Нет, она слишком любит мужчин, всех мужчин. Ей никогда не хотелось иметь только одного. Правда, может, Рида Ламберта, да сам-то он не хотел ничего постоянного.

— Он ей нравился?

— Очень. Они физически очень подходили друг другу, но любви у них все равно не получилось. Может, оттого, что они слишком похожи. Упрямые. И оба часто бывают злыми.

Алекс постаралась, чтобы ее следующий вопрос прозвучал вполне естественно:

— Вы не знаете, он по-прежнему встречается с ней?

— Наверное, — ответила она, сложив на груди руки и фыркая в праведном негодовании. — Мы все ему нравились, но Нора Гейл была у него на особом счету. Не знаю, спят ли они и теперь, но, конечно же, остались друзьями — куда денешься, они слишком много знают друг о друге. С той самой ночи, когда убили Селину...

— Что же было тогда?

— Что было когда?

— В ночь, когда убили Селину.

— Рид был у Норы Гейл.

У Алекс забилось сердце.

— Он был в ту ночь у вашей сестры? Вы уверены?

Ванда в недоумении посмотрела на нее:

— Я думала, об этом все знают.

«*Все, кроме меня*», — с горечью подумала Алекс.

Она спросила Ванду, где живет Нора Гейл. Ванда без особой охоты рассказала, как найти ее дом.

— Я там никогда не была, но знаю, где он находится. Думаю, вы его сразу заметите.

Алекс поблагодарила ее за информацию и поднялась. У двери Ванда снова занервничала.

— Боюсь, Фергусу не понравится, что я разговаривала с вами.

— От меня он ничего не узнает. — Ванда Гейл было успокоилась, но тут Алекс добавила: — Кстати, советую ему больше не хулиганить и буду очень ему признательна, если в моей почте не появятся новые письма с проклятиями.

— Письма?

Судя по ее виду, она понятия не имела о письме, которое поджидало Алекс в мотеле по ее возвращении из Остина, но Алекс все же была уверена, что Ванда Гейл должна о нем знать.

— Я не хочу вынуждать вас лгать ради мужа, миссис Пламмет, но должна предупредить, что то письмо находится у Рида, и он считает, что оно заслуживает внимания полиции. Уверена, что, если я получу еще хоть одно такое письмо, шериф арестует вашего мужа.

Алекс надеялась, что ее скрытая угроза окажет свое действие. Впрочем, сев в машину, она тут же умчалась мыслями вперед, к предстоящему разговору с женщиной, обеспечившей алиби Риду.

Двухэтажное строение напомнило Алекс придорожный трактир времен сухого закона, которые она видела в гангстерских фильмах. На фасаде не было никаких вывесок, и его нельзя было заметить с автострады, тем не менее на стоянке стояло несколько автофургонов, пикапов и даже последняя модель «Кадиллака».

Выложенная камнем дорожка была обсажена отважно цветущими пропыленными анютиными глазками. Несколько ступенек вели на широкую веранду. У входа висел старомодный колокольчик с веревочкой. Из дома доносилась приглушенная ресторанная музыка, но окна были плотно задернуты шторами, и ничего не было видно.

Дверь открыл огромный, как медведь, человек с окладистой серебристой бородой, закрывавшей всю нижнюю часть красного, как свежее мясо, лица. На нем был смокинг, белая рубашка и черный атласный галстук-бабочка, а поверх — длинный белый фартук. Выражение лица его было пугающе свирепым.

— Я... — начала Алекс.

— Заблудились, что ли?

— Я ищу Нору Гейл Бертон.

— А чего вам от нее надо?

— Поговорить.

— О чем?

— По личному делу.

Он недоверчиво прищурился.

— Что-нибудь продаете?

— Нет.

— Она вас ждет?

— Нет.

— Она занята.

Он хотел закрыть дверь, но тут из глубины дома к выходу подошел мужчина. Он протиснулся между привратником и Алекс, приподняв перед ней свою спортивную кепку с длинным козырьком и пробормотав «спасибо» швейцару. Алекс воспользовалась этим, переступила порог и вошла в строгого вида вестибюль.

— Пожалуйста, мне очень нужно поговорить с мисс Бертон. Обещаю не отнимать у нее много времени.

— Мисс, если вы ищете работу, то сначала нужно написать заявление и представить фотографии. Она встречается с девушками только после того, как посмотрит их фотографии.

— Я не ищу работу.

Он целую минуту рассматривал Алекс, но потом все же принял благоприятное для нее решение.

— Имя?

— Александра Гейтер.

— Ждите здесь, слышите?

— Да, сэр.

— Не двигайтесь с места.

— Хорошо.

Он удалился в глубь дома и стал подниматься по лестнице с такой грациозной легкостью, которую невозможно заподозрить в человеке его комплекции. Его приказ стоять на месте прозвучал столь непреложно, что буквально пригвоздил ее ноги к полу. Ей казалось, что никакая сила не может сдвинуть ее с места.

Однако уже через несколько мгновений Алекс потянуло туда, откуда доносилась музыка. Тихие голоса и приглушенный смех заставили ее приблизиться к фиолетовым парчовым занавескам, отделявшим коридор от комнаты. Но края штор плотно находили друг на друга, и ей ничего не было

видно. Подняв руку, она осторожно раздвинула их и заглянула в образовавшуюся щель.

— Мисс Гейтер.

Она вздрогнула и обернулась, виновато отдернув руку.
Бородатый великан угрожающе возвышался над ней, но его
мягкие розовые губы подергивались в чуть заметкой улыбке.

— Сюда, — сказал медведище. Обогнув лестницу, он остановился перед закрытой дверью. Громко стукнув три раза,
распахнул ее и сделал шаг в сторону, пропуская Алекс. Затем
притворил за ней дверь.

Алекс ожидала увидеть мадам возлежащей на атласных
простынях. Но та сидела за большим удобным письменным
столом, окруженным железными ящиками картотеки. Судя
по количеству конторских книг, папок и пачек писем, раз-
бросанных по столу, она работала здесь ничуть не меньше,
чем в будуаре.

И одета она была не так, как ожидала Алекс. Вместо едва
прикрывающего тело белья на ней был сшитый на заказ строгий шерстяной костюм. Правда, при этом она была увешана
драгоценностями, неподдельными и хорошей работы.

Ее обесцвеченные волосы напоминали красиво уложен-
ный ком снежно-белой сахарной ваты. Но эта старомодная
прическа ей тем не менее шла. Как и у сестры, ее фигура была
склонна к полноте, но и это ее не портило. Главным достоинством Норы была кожа, безупречно гладкая, матово-белая.
Алекс подумала, что эта кожа, наверное, никогда не знала
жгучего техасского солнца.

Голубые глаза мадам смотрели на Алекс оценивающе,
точно так же смотрел на нее и лежавший на столе по правую
руку от хозяйки кот.

— У вас лучше вкус, чем у вашей матери, — сказала она
без всякого вступления, не спеша оглядев Алекс с ног до головы. — У Селины было красивое лицо, но никакого чувства
стиля. А у вас есть. Садитесь, мисс Гейтер.

— Спасибо. — Алекс села на стул по другую сторону стола. Через секунду она рассмеялась и досадливо покачала головой. — Извините, что разглядываю вас.

— Ничего. Вы ведь видите мадам в первый раз.

— По правде говоря, нет. Я выступала обвинителем по

делу одной женщины в Остине, ее дом моделей оказался просто прикрытием для проституток.

— Она была неосторожна.

— Я собрала достаточно улик. Ей не удалось отвертеться.

— Это предупреждение?

— Мои полномочия на ваше заведение не распространяются.

— Как и на дело об убийстве вашей матери. — Она по-мужски, без лишних движений зажгла тонкую черную сигарету и протянула пачку Алекс, но та отказалась. — Выпьете что-нибудь? Извините, что говорю вам это, но, судя по вашему виду, вам бы это не помешало. — Она жестом показала на лакированный, инкрустированный перламутром бар.

— Нет, спасибо. Ничего не надо.

— Питер сказал, вы отказались заполнить анкету, из чего я заключаю, что вы пришли сюда не в поисках работы.

— Нет.

— Жаль. Вы бы имели успех. Красивое тело, хорошие ноги, необычные волосы. Это натуральный цвет?

— Да.

В улыбке мадам было что-то непристойное.

— Я знаю нескольких завсегдатаев, которым вы пришлись бы по вкусу.

— Спасибо, — сухо сказала Алекс, после этого комплимента ей захотелось немедленно принять ванну.

— Вас привело сюда, надо полагать, дело. Ваше, — она лениво улыбнулась, — не мое.

— Мне хотелось бы задать вам несколько вопросов.

— Но сначала я сама хотела бы задать вам один вопрос.

— Пожалуйста.

— Вас прислал сюда Рид?

— Нет.

— Хорошо. А то меня бы это огорчило.

— Я нашла вас через вашу сестру.

Одна бровь мадам поднялась чуть выше другой.

— Через Ванду Гейл? Я-то думала, она свято верит, что стоит ей только произнести вслух мое имя, как она тотчас превратится в соляной столб или еще невесть во что. Как она поживает? Впрочем, неважно, — добавила она, заметив колебания Алекс. — Я видела Ванду Гейл издалека. Она ужасно выглядит. Этот тщедушный хрен, который талдычит, что он посланник божий, почти совсем погубил ее здоровье и красоту. Дети ее ходят как оборванцы. Если ее устраивает такая жизнь, что ж, прекрасно, пусть живет, но зачем же детей держать в нищете?

Ее возмущение было искренним.

— В нужде праведности нет. Я хотела бы помочь ей материально, но уверена, что она скорее умрет с голоду, чем примет от меня хоть один цент, даже если муж и разрешит ей взять деньги. Она, что же, так прямо вам и заявила, что ее сестра шлюха?

— Нет, она только сказала мне, как вас найти. Мне кажется, она считала, что мне уже известна ваша... ваша профессия.

— А вы не знали?

— Нет.

— У меня очень доходное занятие, но сейчас я начинаю новое дело. Раньше, мисс Гейтер, я имела мужчин ради удовольствия, я и сейчас это делаю, но в основном ради денег. И знаете, что я вам скажу? От денег имеешь еще больше удовольствия. — Она самодовольно рассмеялась гортанным смехом.

В ней совсем не было свойственной Ванде Гейл робости. Алекс подумала, что мадам не испугалась бы и самого дьявола, она бы подошла к нему и, ни секунды не колеблясь, плюнула ему в глаза. А потом небось соблазнила бы.

— Между прочим, — продолжала Нора Гейл, — вам повезло, что застали меня. Я только что вернулась от своего банкира. Знаете, как бы он ни был занят, но всегда находит время, чтобы встретиться со мной.

Она махнула рукой в сторону открытой папки с документами, лежавшей прямо перед ней. Даже читая надпись на папке вверх ногами, Алекс сразу узнала знакомое название.

«НГБ инкорпорейтед», — беззвучно повторила она. Встретившись взглядом с Норой Гейл, она уловила в ее глазах злорадство.

— Так это вы «НГБ инкорпорейтед»? Нора Гейл Бертон? — чуть слышно сказала Алекс.

— Так и есть.

— Значит, это вы подписали письмо, которое прислали мне бизнесмены Пурселла.

— Я помогла составить его. — Она погрузила свои длинные с красивым маникюром ногти в блестящий мех и стала почесывать кота за ушами. — Мне не нравится то, что вы пытаетесь здесь заварить, мисс Гейтер. Совсем не нравится. Вы хотите поломать к чертовой матери все мои тщательно разработанные планы по расширению дела.

— Насколько я припоминаю, «НГБ инкорпорейтед» предполагает построить роскошный отель возле ипподрома.

— Верно. Курорт с площадками для игры в гольф, тренировочными площадками, теннисными кортами, спортивным залом, плавательными бассейнами. Называйте что хотите, там будет все.

— И при каждом номере по шлюхе?

Нора Гейл не обиделась, лишь снова рассмеялась своим похабным смехом.

— Нет, но кто лучше старой шлюхи знает, как развлечь клиентов? Над моим проектом работают лучшие в курортном строительстве архитекторы. Это будет впечатляющее, чертовски броское сооружение, что, как я понимаю, нравится туристам. Все, кто приезжает в Техас из других, особенно восточных штатов, ожидают увидеть здесь нечто очень кричащее, безвкусное, до рези в глазах яркое. Я не хочу разочаровывать своих клиентов.

— А у вас есть деньги, чтобы построить такое заведение? — спросила Алекс, чувствуя, как накипавшее в ней раздражение сменяется любопытством.

— Я накопила достаточно, чтобы получить необходимые кредиты. Милочка, по этим ступенькам, — она махнула в сторону лестницы, — поднималось столько ковбоев, шоферни, разных чиновников, политиков и студентов, что и не сочтешь. На самом-то деле я могу точно сказать, сколько их было, сколько времени каждый из них провел здесь, чем занимался, что пил, что курил, — все, что пожелаете узнать. Я веду подробнейшую отчетность.

Да, я шлюха, но отнюдь не дура. В нашем деле мало знать, как заставить мужика кончить. Надо знать, как заставить его кончить побыстрее, чтобы тут же заняться следующим.

И еще надо знать, как заставить его раскошелиться куда щедрее, чем он рассчитывал.

Она откинулась на спинку стула и погладила кота.

— Да, деньги у меня есть. Но, что гораздо важнее, у меня есть на плечах голова, чтобы сколотить из них целое состояние. Имея отель, я смогу заниматься законным бизнесом. Тогда мне больше не придется, пока я сама того не захочу, ублажать мужиков, которым невтерпеж потрахаться, и выслушивать очередную жалобу на то, что жена его не понимает.

Я живу надеждой, что в один прекрасный день уеду из этого дома, поселюсь в городе, буду ходить с высоко поднятой головой и любому, кому не понравится соседство со мной, смогу сказать: «Пошел ты в задницу». — Она ткнула сигаретой в сторону Алекс. — И я не хочу, чтобы какая-нибудь заводила, вроде вас, явилась откуда ни возьмись и все на хрен сорвала.

Это была целая речь. Помимо воли, Алекс пришла в восхищение, но не испугалась.

— Я всего лишь пытаюсь распутать дело об убийстве.

— Но уж не из любви к закону и порядку, не заливайте. Правительству штата плевать на убийство Селины Гейтер, иначе им занялись бы давным-давно.

— Вы сами только что признали, что это дело требует пересмотра.

Нора Гейл не без изящества пожала плечами.

— С юридической точки зрения — возможно, но с человеческой — едва ли. Послушайтесь, золотце, моего совета. Скажу вам, как сказала бы своей попавшей в переплет девушке. — Она подалась вперед. — Уезжайте. Оставьте все, как есть. Всем от этого будет только лучше, особенно вам.

— Вы знаете, кто убил мою мать, мисс Бертон?

— Нет.

— Вы верите, что ее убил Придурок Бад?

— Тот безобидный идиот? Нет.

— Значит, вы подозреваете кого-то другого. Кого?

— Этого я вам никогда не скажу.

— Даже в суде под присягой?

Нора Гейл качнула великолепной копной белых волос.

— Я не стану свидетельствовать против своих друзей.

— Рида Ламберта, например?

— Рида Ламберта, например. Мы старые приятели.

— Мне говорили.

Хриплый смешок Норы Гейл заставил Алекс поднять голову.

— Вам неприятно слышать, что мы с Ридом, бывало, трахались до потери сознания?

— С какой стати мне это должно быть неприятно?

Не сводя глаз с Алекс, Нора Гейл выпустила кверху облачко дыма и загасила окурок в хрустальной пепельнице.

— Вам лучше знать, золотце.

Алекс выпрямилась, пытаясь снова стать строгим прокурором.

— Он был с вами в ту ночь, когда убили мою мать?

— Да, — ответила она без малейшего колебания.

— Где?

— По-моему, в моей машине.

— Трахались до потери сознания?

— А вам-то что?

— Чисто профессиональный интерес, — огрызнулась Алекс. — Я пытаюсь установить алиби Рида Ламберта. Поэтому мне нужно знать, где вы были, что делали, сколько времени были вместе.

— А какая тут связь? Не понимаю.

— Позвольте мне судить об этом. К тому же какая разница, если вы расскажете все еще раз? Вы ведь уже рассказывали об этом следователю, который вас допрашивал.

— Никто меня не допрашивал.

— Что? — изумилась Алекс.

— Никто никогда меня не допрашивал. Думаю, Рид сказал им, что был со мной, и ему поверили.

— Он был с вами всю ночь?

— Я готова присягнуть в суде, что так оно и было.

Алекс посмотрела на нее долгим пристальным взглядом.

— А на самом деле?

— Под присягой я сказала бы, что был, — повторила она, в ее глазах светился откровенный вызов.

Это был тупик. Алекс решила бросить попытки пробить лбом стену. От этого у нее разболелась голова.

— Вы хорошо знали мою мать?

— Настолько хорошо, что плакать по ней не стала.

Своей резкой прямотой она не уступала Стейси Уоллес. Алекс никак не могла привыкнуть к этой прямолинейности.

— Послушайте, золотце, мне неприятно говорить об этом так резко, но вашу мать я терпеть не могла. Она отлично знала, что и Рид, и Джуниор — оба любят ее. Соблазн был слишком велик.

— Какой соблазн?

— Столкнуть их друг с другом и посмотреть, как далеко можно зайти. После того как убили вашего отца, она снова принялась заигрывать с ними. Рид не спешил простить ее за то, что она вернулась беременной, а Джуниор простил. Он, наверное, решил не упускать свой шанс. В общем, стал ухаживать всерьез.

Его родителям это не понравилось. А уж Стейси Уоллес просто лопалась от злости. Но все шло к тому, что Джуниор в конце концов получит Селину. Он рассказывал всякому встречному и поперечному, что женится на ней, как только окончит школу. Это чертовски льстило вашей бабушке. Она недолюбливала Рида и всегда мечтала видеть своим зятем Джуниора Минтона.

Нора Гейл умолкла, закуривая новую сигарету. Алекс нетерпеливо ждала, в ее груди нарастало напряжение. Когда Нора Гейл раскурила сигарету, Алекс спросила:

— А как Рид отнесся к намечавшейся свадьбе Селины и Джуниора?

— Он все еще злился на Селину, но по-прежнему любил ее, чертовски любил. Потому и пришел ко мне в ту ночь. А Селина отправилась ужинать на ранчо. Рид думал, что Джуниор сделает ей предложение. К утру, считал он, они будут уже помолвлены.

— Но к утру Селина была мертва.

— Именно так, золотце, — невозмутимо сказала Нора Гейл. — И, по-моему, это было лучшим решением для всех.

И, как бы ставя точку в ее ошеломляющем заявлении, прогремел выстрел.

Глава 34

— Боже мой, что это было? — вскочила Алекс.

— Выстрел, полагаю.

Нора Гейл была по-прежнему восхитительно спокойна,

Сокровенные тайны

но, когда знакомый Алекс великан распахнул дверь, она была уже на пороге.

— Питер, кто-нибудь пострадал?

— Да, мадам. Ранен один клиент.

— Позвони Риду.

— Слушаюсь, мадам.

Питер наклонился к стоявшему на столе телефону. Нора Гейл вышла из кабинета, за ней следом — Алекс. Широким театральным жестом мадам раздвинула шторы и окинула взором сцену. Со страхом и любопытством Алекс выглянула из-за ее плеча.

Двое мужчин, как поняла Алекс, вышибалы, держали третьего, притиснув его к нарядной стойке бара. Несколько едва одетых молодых женщин испуганно жались к обитой лиловым бархатом мебели. Еще один мужчина лежал на полу. Под ним на восточном, пастельных тонов ковре скопилась лужица крови.

— Что произошло?

Не получив ответа, Нора Гейл повторила вопрос более настойчиво.

— Они стали драться, — ответила наконец одна из проституток. — А потом вдруг раздался выстрел.

Она указала на пол. Там, у ног распростертого человека, лежал револьвер.

— Из-за чего они подрались?

После долгой паузы одна из девушек испуганно подняла руку.

— Ступай в мой кабинет и сиди там, — приказала Нора Гейл ледяным тоном. Он означал, что девушке следовало бы знать, как не допускать подобных происшествий. — Остальные отправляйтесь наверх и не выходите, пока вам не разрешат.

Никто не возражал. У Норы Гейл дисциплина была, как на корабле. Молодые женщины пролетели мимо Алекс, как стайка бабочек. По лестнице, навстречу им, натягивая на бегу одежду, промчались несколько мужчин. Все как один, не глядя по сторонам, они выскакивали через входную дверь.

Это было похоже на фарс, но смеяться совсем не хотелось. Алекс была подавлена. Ей уже приходилось вести дела о насилии, но одно дело читать о преступных действиях в по-

— 323 —

лицейском отчете и совсем другое — видеть все собственными глазами. Было что-то очень пугающее и реальное в зрелище и запахе свежей человеческой крови.

Нора Гейл жестом направила присоединившегося к ним Питера к истекающему кровью человеку. Питер опустился рядом с ним на колени и приложил пальцы к его сонной артерии.

— Он жив.

Алекс увидела, что Нора Гейл чуть заметно расслабилась. И она была не каменной, хотя держалась более чем уверенно. Просто она не подавала виду, как сильно обеспокоена происшедшим.

Заслышав вой сирены, Нора Гейл направилась к двери и, когда ввалился Рид, встретила его на пороге.

— Что случилось, Нора Гейл?

— Произошла ссора из-за девушки, — сообщила она. — Один человек ранен.

— Где он? Медики... — Рид внезапно замолк, увидев Алекс. Сначала он просто смотрел на нее, явно не веря своим глазам, потом его лицо потемнело от гнева. — Какого черта вы тут делаете?

— Провожу свое расследование.

— Какое, к черту, расследование! — прорычал он. — Проваливайте отсюда.

Раненый застонал и отвлек внимание Рида.

— Советую вам заниматься собственными делами, шериф Ламберт, — резко парировала Алекс.

Он выругался и опустился на колено возле раненого. Заметив на полу большую лужу крови, Рид полностью переключил свое внимание на жертву.

— Как себя чувствуешь, ковбой? — Человек застонал. — Как тебя зовут?

Раненый с трудом приоткрыл дрожащие веки. Судя по всему, он понял вопрос, но не мог ответить. Рид осторожно приподнял одежду, выясняя, откуда сочится кровь. Пуля попала в бок примерно на уровне пояса.

— Будешь жить, — сказал он раненому. — Потерпи еще несколько минут. Сейчас приедет «Скорая».

Он поднялся на ноги и подошел к мужчине, которого по-прежнему держали вышибалы. Тот стоял, опустив голову.

— Ну, а ты? Имя у тебя есть? — спросил Рид, приподнял опущенную голову за подбородок. — А-а, привет, Льюис, — сказал он протяжно. — Я-то думал, ты уже унес отсюда ноги, жалкая тварь. Значит, мое предупреждение не подействовало? Не могу передать тебе, как приятно мне снова засадить тебя к нам в тюрьму.

— Пошел ты на хрен, Ламберт, — бросил тот с наглой ухмылкой.

Рид размахнулся и так саданул ему кулаком в живот, что едва не достал до позвоночника. Льюис сложился пополам, но Рид мощным ударом в подбородок выпрямил его снова. Затем приподнял за лацканы пиджака и припер к стене.

— Много болтаешь, Льюис, — спокойно сказал Рид, даже не запыхавшись. — Посмотрим, как ты заговоришь после парочки месяцев в таком месте, где гадкие ребята заставят тебя по утрам сосать кое-что вместо завтрака.

Человек беспомощно заскулил. Когда Рид отпустил его, он сполз по стенке и мешком упал на пол. В комнату вошли помощники шерифа, озираясь на шикарную обстановку.

— Оказал сопротивление при аресте, — невозмутимо объяснил им Рид, махнув рукой в сторону Льюиса, затем коротко приказал надеть на него наручники, ознакомить арестованного с его правами и составить протокол о покушении на убийство. После этого он переговорил с медиками, которые вошли вслед за помощниками и теперь занимались распростертым на полу человеком.

— Он потерял много крови, — сообщил один из них Риду, вводя иголку шприца в руку раненого. — Положение серьезное, но должен выжить.

Убедившись, что все делается как надо, Рид снова обратил свое внимание на Алекс. Крепко ухватив ее руку повыше локтя, он потащил ее к двери.

— Пустите.

— Нора Гейл вас пока еще не взяла на работу, так что вам здесь делать нечего. Нора Гейл, закрывайтесь до утра.

— Но сегодня пятница, Рид.

— Ничего не поделаешь. И никого не выпускайте. Скоро приедут снимать показания.

Не разжимая руки, он провел Алекс вниз по ступенькам,

втолкнул в свой «Блейзер», чуть не вдавив ее при этом в сиденье, и захлопнул дверцу. Затем сел за руль.

— Там моя машина, — упрямо сказала она. — Я сама могу вернуться в город.

— Кто-нибудь из помощников потом пригонит ее. — Он повернул ключ зажигания. — Господи, и как это вас угораздило явиться сюда.

— Я поняла, какого сорта это заведение, только когда приехала.

— Ну а когда поняли, почему сразу не уехали?

— Я хотела поговорить с Норой Гейл. Как я понимаю, она ваш очень старый и близкий друг, — сказала она с притворной любезностью.

При въезде на шоссе им встретилась патрульная машина. Рид посигналил ей остановиться и опустил окно.

— Давайте сюда ключи от машины, — сказал он Алекс.

Она передала ему ключи; выбора у нее не было, и к тому же хоть она и храбрилась, но не могла унять дрожь.

Рид бросил ключи помощнику, приказав, когда они закончат предварительное дознание, послать напарника отвезти машину мисс Гейтер к мотелю «Житель Запада». Покончив с этим, он свернул на шоссе.

— Неужели вы не чувствуете за собой никакой вины? — спросила Алекс.

— Какой?

— Вы закрываете глаза на то, что в вашем округе действует бордель.

— Ах, это. Нет, не чувствую.

Она с изумлением посмотрела на него.

— Почему? Потому что мадам ваша старая пассия?

— Не только поэтому. В дом Норы Гейл стекаются все потенциальные нарушители порядка. А ее вышибалы держат их в рамках.

— Но сегодня не удержали.

— Сегодняшний день исключение. Этот подонок где ни появится, везде заварит кашу.

— Мне следовало бы написать на вас рапорт за жестокое обращение с арестованным.

— Он сам виноват, еще мало получил. Когда он прошлый раз проходил по уголовному делу, его чудом спасла какая-то юридическая формальность. Но на этот раз он у меня в тюрьме насидится. Да, между прочим, в Нью-Мехико поймали Лайла Тернера. Он признался, что перерезал горло Клейстеру за то, что тот повадился ходить к Руби Фэй. К вам это не имело ни малейшего отношения, так что перестаньте озираться по сторонам в поисках злоумышленников.

— Спасибо за информацию. — От этой новости на душе у Алекс полегчало, но последние события не шли у нее из головы. — Не пытайтесь переменить тему. Думаете, я стану покрывать вас? Пату Частейну будет очень интересно узнать, что у него под самым носом процветает бордель.

Рид рассмеялся. Он снял шляпу, пальцами пригладил волосы и покачал головой, изумляясь ее наивности.

— Вы знакомы с миссис Частейн?

— Какое это имеет...

— Ну а все же, знакомы или нет?

— Нет. Я разговаривала с ней по телефону.

— Она просто помешана на загородных клубах, загорелая, кожа да кости. Вся, как елка, увешана золотыми побрякушками, даже когда играет в теннис. И уж мнит о себе черт знает что. Уловили портрет? Ей очень нравится быть женой прокурора, зато не нравится сам прокурор, особенно в постели.

— Меня не интересует...

— Ее представление о любовной игре сводится к одному: «Кончай поскорее, да не помни мне прическу», и она скорее умрет, наверное, чем позволит ему кончить в рот.

— Вы омерзительны.

— В заведении у Норы Гейл у Пата есть любимица — вот она все проглотит да еще сделает вид, что нет ничего слаще; так что он и пальцем не двинет, чтобы закрыть бордель. Если вы действительно умны, в чем я начинаю всерьез сомневаться, то не поставите его в неловкое положение и даже вида не подадите, что вам известно про заведение Норы Гейл. И не вздумайте болтать об этом судье Уоллесу. Он туда никогда не ходит, но все его друзья развлекаются там. Черта с два он захочет испортить им удовольствие.

— Господи, неужели в этом округе все до единого развращены?

— Ради бога, Алекс, пора вам повзрослеть. Во всем мире все развращены. Возможно, вы единственная, кто, закончив юридический факультет, еще верит, что закон основан на нравственных принципах. Каждый в чем-то виновен. У каждого — своя темная тайна. И если повезет, то тайна твоего соседа окажется пикантнее твоей собственной. И тогда, зная его тайну, ты заставишь его помалкивать о твоей.

— Я рада, что вы сами заговорили об этом. В ту ночь, когда убили Селину, вы ведь были у Норы Гейл?

— Поздравляю. Наконец-то вы хоть что-то угадали.

— Не угадала. Мне сказала Ванда Пламмет.

— А ее вы когда вычислили? — усмехнулся он.

— И ее я не вычислила, — неохотно призналась Алекс. — Я узнала ее на фотографии в школьном альбоме. Вы могли бы сами рассказать мне про нее, Рид.

— Мог бы. Но тогда вы стали бы приставать ко всем со своими вопросами гораздо раньше.

— Я не приставала к ней. Она сама все рассказала.

— От страха. Сейчас, глядя на нее, и не скажешь, какая она была оторва.

— Поговорим лучше о ее сестре, о Норе Гейл. Когда убили мою мать, вы провели с ней всю ночь?

— А вам очень хочется знать?

— Что вы делали?

— Угадайте с трех раз, две первые догадки не в счет.

— Занимались любовью?

— Трахались.

— Где?

— У нее дома.

— Нора Гейл сказала, вы были в машине.

Он резко обогнал фермерский грузовик.

— Может, и так. Машина, дом, какая разница. Не помню.

— А до этого вы приезжали на ранчо.

— Ну и что?

— Вы там ужинали.

— Это мы уже обсуждали.

— То был особый вечер — на ужин пригласили Селину.

— Вы уже спрашивали об этом — не помните, что ли?

— Помню. Вы сказали мне, что ушли перед десертом, потому что не любите пирог с яблоками.

— Ошибаетесь. С вишнями. Я и сейчас его не люблю.

— Но вы ведь ушли не поэтому, Рид.

— Не поэтому? — На мгновение он отвел глаза от дороги и посмотрел на нее.

— Нет. Вы ушли, потому что боялись, что Джуниор сделает ей в тот вечер предложение. И еще больше вы боялись, что она его примет.

Рид резко затормозил «Блейзер» у мотеля перед входом в ее номер. Вылез, обошел вокруг и, открывая дверцу, чуть не сдернул ее с петель. Снова схватил Алекс за руку, вытащил из машины и подтолкнул к двери ее комнаты. Однако Алекс вновь упрямо повернулась к нему лицом.

— Все верно пока что, правда?

— Да, я пошел к Норе Гейл, чтобы выпустить пар.

— Помогло?

— Нет, поэтому я тайком вернулся на ранчо и нашел Селину в конюшне. А как мне пришло в голову, что она там, вы сами должны вычислить, госпожа прокурор, — усмехнулся он. — Я достал из кармана скальпель. Зачем я взял его из сумки ветеринара, когда с легкостью мог задушить ее руками, еще одна загадка, которую вам придется распутать. И заодно подумайте, куда я спрятал скальпель, когда разделся донага, чтобы трахнуть Нору Гейл, — она ведь наверняка бы его заметила.

В общем, я несколько раз полоснул им Селину. А тело бросил там же в расчете на то, что Придурок Бад увидит ее, проходя мимо, попытается помочь и в результате весь перемажется кровью.

— Думаю, все именно так и было.

— Значит, ваша голова набита дерьмом, и большой суд присяжных тоже придет к такому решению.

Он снова в сердцах подтолкнул ее к двери. Дрожащим голосом она бросила ему:

— Ваши руки в крови.

Он взглянул на свои руки.

— Кровь на них появилась раньше.

— В ночь, когда вы убили Селину?

Он посмотрел Алекс прямо в глаза. И, приблизив к ней лицо, угрожающе прохрипел:

— Нет, в ту ночь, когда она пыталась избавиться от вас.

Глава 35

Несколько секунд ошеломленная Алекс смотрела на него, не мигая. А затем набросилась на Рида. Ногтями она пыталась дотянуться до его лица, а носками туфель ударить по ногам. Он даже застонал от боли и удивления, когда она все-таки сильно пнула его по коленной чашечке.

— Лжец! Вы врете? *Врете!*

Она размахнулась, норовя влепить ему пощечину. Ему удалось увернуться.

— Перестаньте.

Защищая лицо, он сжал ее запястья. Она вырывалась изо всех сил, брыкаясь и лягаясь ногами.

— Алекс, я же не вру вам.

— Врешь! Ублюдок. Знаю, что врешь. Моя мать не пошла бы на это. Она меня любила. *Любила!*

Алекс дралась, как дикая кошка. Ярость и адреналин гнали кровь по жилам, прибавляя ей сил. И все же с ним ей было не совладать. Сжимая левой рукой оба ее запястья, он вытряхнул ключ из ее сумочки и отпер дверь. Они вместе ввалились в комнату. Рид захлопнул дверь ногой.

Она отбивалась, протестующе кричала, пыталась высвободить руки из его тисков и, как безумная, мотала головой из стороны в сторону.

— Алекс, прекрати, — жестко приказал он.

— Ненавижу тебя.

— Знаю, но я не лгу.

— Лжешь!

Она вертелась и извивалась, стараясь ударить его по ногам.

Он повалил ее на кровать и придавил собственным телом. Продолжая крепко сжимать запястья, второй рукой закрыл ей рот. Она попыталась укусить его руку, но он надавил сильнее, и теперь она уже не могла двинуть подбородком, не рискуя сломать челюсть. Глаза, смотревшие на него поверх его руки, горели ненавистью. Ее грудь высоко вздымалась при каждом вдохе. Он тоже ловил ртом воздух, восстанавливая дыхание, волосы упали ему на лоб.

Наконец он поднял голову и пристально посмотрел ей в глаза.

— Я не хотел говорить вам, — сказал он тихим прерывающимся голосом. — Но вы так и подталкивали меня. Вот у меня терпенье и лопнуло. Теперь что ж, сказанного не воротишь, но будь я проклят, если лгу.

Алекс двинула головой: «нет» светилось в ее неистовом взгляде. Выгнула спину, пытаясь сбросить его, но не могла пошевелиться под тяжестью его тела.

— Выслушайте меня, Алекс, — он сердито цедил слова сквозь зубы. — До того вечера никто и не знал, что Селина беременна. Прошло уже несколько недель, как она вернулась из Эль-Пасо, но я не ходил к ней, даже не звонил. Гордость не позволяла. Хотел, чтобы она тоже помучилась.

Он закрыл глаза и печально покачал головой.

— Мы играли друг с другом в детские игры, дурацкие, глупые игры мальчика с девочкой. Наконец я решил ее простить, — он улыбнулся с горькой насмешкой над самим собой. — Я отправился к ней вечером в среду, зная, что ваша бабушка уйдет на службу в баптистскую церковь. После службы она всегда оставалась на репетицию хора, и я рассчитал, что у нас с Селиной будет пара часов, чтобы спокойно все обсудить.

Подойдя к дому, я несколько раз постучал в дверь, но она не открыла. Я знал, что она дома, потому что в задних окнах, там, где ее спальня, горел свет. Может, подумал я, она принимает душ или радио включила слишком громко и потому не слышит моего стука; в общем, я обогнул дом и подошел к задним окнам.

Алекс лежала под ним, не шевелясь. В ее глазах больше не было враждебности, в них сверкали непролитые слезы.

— Я заглянул в окно ее спальни. Там горел свет, но Селины не было видно. Я постучал по стеклу, она не отозвалась, но я заметил ее тень, двигавшуюся по стене ванной. Я видел ее через приоткрытую дверь. Окликнул ее. Она не вышла, хоть и слышала меня. Потом... — Он зажмурился, лицо исказилось гримасой боли, затем продолжал: — Меня взяла злость, я, видите ли, решил, что она разыгрывает из себя недотрогу. Но тут она открыла дверь шире, и я увидел ее. Сначала я просто смотрел несколько секунд ей в лицо, я ведь так давно не видел Селину. Она тоже смотрела на меня. Вид у нее был растерянный, она будто спрашивала: «А что теперь?» И только тут я заметил кровь. На ней была ночная рубашка. И весь подол был испещрен красными полосами.

Алекс закрыла глаза. Крупные мутные слезы выскользнули из-под ее дрожащих век и скатились на пальцы Рида.

— Я чертовски испугался, — сказал он хрипло. — Проник в дом, не помню даже как. Очевидно, поднял раму и пролез внутрь. В общем, через несколько секунд я очутился в спальне, уже обнимая ее. В конце концов мы оказались на полу, и она как-то обмякла у меня в руках.

Она не хотела говорить мне, что произошло. Я стал кричать на нее, трясти. В конце концов, уткнувшись мне в грудь лицом, она прошептала: «Ребенок». И тогда я понял, что означает эта кровь и откуда она сочится. Я сгреб ее в охапку, выбежал на улицу и посадил в машину.

Минуту он молчал, вспоминая. А когда вновь принялся рассказывать, напряжения в голосе у него уже не было. Он заговорил сухим, безразличным тоном.

— В городе был один врач, который делал тайком аборты. Все об этом знали, но помалкивали, потому что аборты в Техасе были тогда еще запрещены. Я отвез Селину к нему. Позвонил Джуниору и велел привезти денег. Он приехал прямо туда. Потом мы с ним сидели и ждали, пока доктор занимался ею.

Он долгим взглядом посмотрел на Алекс, потом убрал руку. На нижней части ее и без того бледного лица остался резкий белый след от его руки. Теперь ее тело обмякло, она лежала неподвижно, будто мертвая. Он стер пальцами слезы с ее щек.

— Будь ты проклят, если солгал мне, — прошептала она.

— Я не солгал. Спроси Джуниора.

— Джуниор подтвердит, даже если ты скажешь, что небо зеленое. Я спрошу врача.

— Он умер.

— Естественно, — заметила она, сухо рассмеявшись. — Как она пыталась убить меня?

— Не надо, Алекс.

— Нет, скажи.

— Нет.

— Чем именно?

— Не имеет значения.

— Говори же, черт возьми!

— Вязальной спицей твоей бабушки.

Перепалка началась вполголоса, а закончилась громким криком. Внезапно наступившая тишина оглушила их.

— О господи, — простонала Алекс; закусив губу, она уткнулась лицом в подушку. — О господи!

— Ш-ш, не плачь. Селина не причинила тебе вреда, только себе.

— Но она ведь хотела убить меня. Не хотела, чтобы я родилась. — Все тело ее содрогалось от рыданий. Он принимал их и гасил своим телом.

— Почему врач просто не выковырнул меня, когда занимался ею?

Рид не ответил.

Алекс повернула голову и пристально посмотрела на него. Вцепилась в его рубашку и сжала кулаки.

— Рид, почему?

— Он предложил это.

— Тогда почему не сделал?

— Потому что я поклялся убить его, если он это сделает.

Между ними током пробежало какое-то новое, неизъяснимое чувство. Ощущение было таким сильным, что у нее перехватило дыхание, заболело в груди. Из горла непроизвольно вырвался смутный возглас. На минуту пальцы ее разжались, выпустив ткань рубашки, но потом сжались с новой силой, привлекая его ближе. Ее спина вновь выгнулась дугой, теперь уже не в попытке сбросить его, а чтобы теснее прижаться к нему.

Он запустил пальцы в ее волосы и, склонив русую голову, приник открытым ртом к ее рту. Ее влажные раскрытые губы тотчас отозвались на его поцелуй. Он засунул язык глубоко ей в рот. Она поспешно высвободила руки из рукавов жакета и обхватила его шею. Внезапно он поднял голову и посмотрел ей в глаза. От слез под глазами темнели круги, но голубые зрачки были кристально чисты и смотрели на него спокойно и прямо. Она прекрасно осознавала, что делает. Именно в этом он и хотел убедиться.

Он провел большим пальцем по ее влажным, припухшим от поцелуя губам. Ему хотелось целовать ее снова и снова.

Оторвавшись от губ, он приник к ее шее, и она беззащитно выгнулась навстречу ему. Он слегка покусывал и поглаживал языком ее кожу, ласкал ухо и шею, а когда одежда стала мешать, он, приподняв Алекс, стащил с нее свитер.

Они снова легли, и тишину комнаты нарушало только громкое прерывистое дыхание. Он расстегнул ее лифчик и отбросил его в сторону.

Пальцами легко коснулся ее груди, теплой и розовой от возбуждения. Обхватив одну грудь рукой, приподнял ее и взял губами сосок. Его настойчивая и искусная ласка вызвала у нее мучительный трепет в низу живота. Когда же сосок напрягся, Рид стал резко теребить его кончиком языка.

Охваченная незнакомым радостным волнением, Алекс невольно произнесла его имя. Он зарылся лицом в ложбинку между ее грудями и, теснее прижав ее к себе, повернул. Теперь она оказалась сверху. Одновременно он выскользнул из своей куртки, а она стала лихорадочно расстегивать пуговицы его рубашки. Он расстегнул «молнию» и пуговицу на юбке, стащил ее через бедра, захватив вместе с ней и нижнюю юбку. Алекс гладила пальцами густую поросль на его груди, целовала упругие мускулы, терлась щекой о его торчащий сосок.

Они снова поменялись местами. При этом ей удалось сбросить туфли и чулки. Рука его скользнула вниз по ее животу, оттянула трусики, властно накрыла ее холмик. Большим пальцем руки он раздвинул губы и открыл ее упруго податливую плоть. Погрузив в нее кончики пальцев, оросил крошечный бугорок влагой ее собственного желания.

Когда она застонала от наслаждения, он наклонился и поцеловал ее в живот. Стянув с нее трусики, уткнулся в ее темно-рыжие завитки между бедрами, прикоснулся к ней открытым ртом.

С трудом расстегнув у себя «молнию», взял ее руку и приложил к своему мощно торчавшему члену. Тихо чертыхнулся, когда она стиснула его в кулаке. Легким толчком раздвинул ей бедра и опустился между ними.

Гладкий кончик пениса скользнул между складками ее тела. Рид накрыл ладонями ее груди, легкими движениями потирая набухшие соски. Затем уверенно и плавно нажал бедрами, чтобы войти в нее. И не смог.

Он немного поменял позицию и предпринял новую попытку, но опять встретил сопротивление. Не веря себе, он приподнялся и посмотрел на Алекс в недоумении.

— Так, значит, у тебя никогда еще не было?..

Дыхание ее было неровным, трепещущие веки полузакрыты. Из горла вылетали тихие, страстные звуки. Руки беспокойно, как бы ища чего-то, скользили по его груди, шее, щекам. Кончики пальцев коснулись его губ.

Ее будоражащая притягательность и жар нежной плоти, крепко охватившей его плоть, подсказали решение. Он сделал еще одно мощное движение и полностью вошел в нее. Никогда в жизни он еще не слышал более возбуждающего звука, чем этот прерывистый удивленный вздох. Он воспламенил Рида.

— Боже, — простонал он. — О боже!

Он был весь во власти древнего инстинкта, бедра двигались в неистребимом стремлении владеть и наполнять. Зажав ладонями ее голову, он неистово поцеловал ее. Завершение его желания было похоже на снежный обвал. Он потряс Рида до основания. Казалось, ему не будет конца... и не хотелось, чтобы он прекращался.

Прошло несколько минут, прежде чем Рид разомкнул объятия и откинулся на подушки. Отодвигаться не хотелось, но, взглянув на Алекс, он отбросил мысли о продолжении.

Она лежала отвернувшись, щекой на подушке, и казалась слабой и измученной. Посмотрев на едва бьющуюся на ее шее жилку и заметив рядом оставленный его поцелуем синяк, Рид почувствовал себя насильником. Испытывая угрызения совести и мысленно проклиная себя, он высвободил пальцы из ее густых волос.

Стук в дверь заставил их обоих вздрогнуть. Алекс быстро натянула на себя смятое покрывало. Рид спрыгнул на пол. Мигом влез в джинсы.

— Рид, ты тут?

— Да, — отозвался он через дверь.

— Я, э-э, у меня тут ключи мисс Гейтер. Помнишь, ты велел мне...

Рид приоткрыл дверь, и помощник замолчал.

— Помню.

Он протянул через щель руку, и помощник вложил в нее ключи.

— Спасибо, — бросил Рид и закрыл дверь.

Он швырнул ключи на круглый столик перед окном. Они упали на фанерную облицовку стола с громким стуком, похожим на звон цимбал. Рид поднял с пола свою рубашку и куртку, которые он сбросил с кровати, хоть и не мог вспомнить когда. Натягивая одежду, он заговорил, не оборачиваясь:

— Я понимаю, вы сейчас себя ненавидите, но, может быть, вам станет легче, если я скажу, что тоже сожалею о случившемся.

Алекс повернула к нему голову и посмотрела на него долгим внимательным взглядом. Она искала на его лице свидетельства страсти, нежности, любви. Но лицо его оставалось невозмутимым, а глаза — чужими. В отрешенном взгляде не было никакой теплоты. Рид казался холодным и неприступным.

Алекс проглотила ком в горле, скрывая обиду. И в отместку за его отчужденность сказала:

— Что ж, мы теперь квиты, шериф. Вы спасли меня еще до моего рождения. — И помолчав, хрипло добавила: — А я отдала вам то, чего вы всегда хотели, но так и не получили от моей матери.

У Рида сами собой сжались кулаки, будто он собрался ударить ее. Резкими неуклюжими движениями он натянул на себя одежду. Обернулся у раскрытой двери.

— Что бы вас ни толкнуло на это, все равно, спасибо. Для девственницы вы трахались довольно прилично.

Глава 36

Джуниор скользнул в обтянутую оранжевым винилом кабинку в кафетерии мотеля «Житель Запада». Но при виде Алекс обворожительная улыбка исчезла с его лица.

— Дорогая, вы нездоровы?

Она с трудом изобразила на лице улыбку.

— Нет. Кофе? — И сделала знак официантке.

— Да, пожалуйста. — В его голосе звучала тревога.

Официантка хотела вручить ему большое пластиковое меню, но он лишь отмахнулся.

— Только кофе. — Потом, когда она налила ему в чашку кофе, он наклонился через стол и понизил голос до шепота: — Я так обрадовался, когда вы позвонили мне утром. Но, очевидно, что-то случилось. Вы бледны, как мел.

— Это потому, что я в темных очках, — она подергала очками вверх-вниз, пытаясь перевести все в шутку, но это ей плохо удалось.

— Что произошло?

Она откинулась на яркую обивку спинки, повернула голову к окну. Снаружи был солнечный день, и ее темные очки выглядели вполне уместно. Но больше ничего хорошего про этот день она сказать не могла.

— Рид рассказал мне, что Селина пыталась избавиться от ребенка.

Джуниор помолчал. Затем чуть слышно замысловато выругался. Отхлебнул кофе, хотел было что-то сказать, но передумал и наконец покачал головой с явным отвращением.

— Кой черт ему стукнуло в голову? Зачем он сказал вам?

— Значит, это правда?..

Он опустил голову, уставился взглядом в чашку.

— Ей было только семнадцать, Алекс, и она забеременела от парня, которого даже не любила и который отправлялся в Сайгон. Она испугалась. Она...

— Все эти факты мне известны, Джуниор, — нетерпеливо прервала она. — Почему вы всегда ее защищаете?

— Наверное, по привычке.

Устыдившись своего выпада, Алекс минутку помолчала, чтобы успокоиться.

— *Почему* она это сделала, я знаю. Мне просто не понятно, как она *могла*.

— Нам тоже, — нехотя признался он.

— Нам?

— Нам с Ридом. Он дал ей только два дня, чтобы очухаться, а потом мы втроем полетели в Эль-Пасо все улаживать. — Он отхлебнул кофе. — Мы встретились на взлетной полосе сразу после заката.

Алекс вспомнила, как она спросила однажды, брал ли Рид

когда-либо Селину в ночной полет. Он ответил тогда: «Один раз, Селине было очень страшно».

— Он украл самолет?

— *«Взял на время»* — он так это назвал. Наверное, Моу догадывался о том, что задумал Рид, но не подал виду. Мы сели в Эль-Пасо, взяли напрокат машину и поехали на военную базу. Рид подкупил охрану, и те сказали Элу Гейтеру, что к нему приехали родственники. Кажется, он не дежурил в тот день. Во всяком случае, он подошел к воротам, и мы, э-э, уговорили его сесть к нам в машину.

— И что дальше?

Он глядел на нее смущенно.

— Отвезли его в пустынное место и хорошенько отделали. Я боялся, что Рид убьет его. Не будь с нами Селины, так, наверное, и случилось бы. Она прямо впала в истерику.

— Вы принудили его жениться на ней?

— В ту же самую ночь. Мы рванули через границу, в Мексику. — Покачав головой, он криво усмехнулся своим воспоминаниям. — Гейтер был почти без сознания и с трудом произнес свой брачный обет. Рид и я поддерживали его во время церемонии с обеих сторон, чтобы он не упал, а потом отвезли обратно и свалили у ворот Форт-Блисса.

— Одного не возьму в толк. Почему Рид так добивался, чтобы Селина вышла замуж?

— Он все время повторял, что не допустит, чтобы ее ребенок был незаконнорожденным.

Алекс пристально посмотрела на него из-за темных очков.

— Тогда почему он сам на ней не женился?

— Он сделал ей предложение.

— Что же помешало?

— Я. Я тоже ей сделал предложение. — Заметив ее замешательство, он выдохнул: — Все ведь случилось на следующее утро после э-э...

— Понятно. Продолжайте.

— Селина еще не совсем пришла в себя и сказала нам, что плохо соображает и не может принять решение. Она умоляла нас не приставать к ней. Но Рид сказал, что она должна выйти замуж немедленно, а то все узнают, что случилось.

— Все равно все узнали, — заметила Алекс.

— Он хотел, сколько мог, защитить ее от сплетен.

— Должно быть, я очень тупа, но я никак не могу этого понять. Двое любящих мужчин умоляют Селину выйти замуж. Почему же она отказывается?

— Она не хотела выбирать между нами. — В раздумье он сдвинул брови. — Знаете, Алекс, это было первое умное и зрелое решение Селины. Мы учились в последнем классе. Бог свидетель, у Рида совсем не было денег. А у меня деньги были, но моих родителей хватила бы кондрашка, если бы я женился, не кончив школы, да еще на Селине, носившей ребенка от другого.

Однако у нее была еще одна причина, более важная, чем деньги или согласие родителей. Она знала: если она предпочтет одного из нас, это навсегда разрушит нашу дружбу. Третий стал бы лишним. И когда ей пришлось принимать решение, она не захотела разбивать наш треугольник. Забавно, правда? Хотя он все равно не уцелел.

— Что вы хотите сказать?

— Когда мы вернулись из Эль-Пасо, отношения между нами изменились. Раньше мы всегда были предельно честны друг с другом, а теперь все время как бы настороже. — В его голосе звучала грусть. — Когда она ходила беременной, Рид виделся с ней гораздо реже меня, да и я навещал ее нечасто. Мы были заняты в школе, а она в основном сидела дома. Ну мы, конечно, делали вид, что нас по-прежнему водой не разольешь, но когда сходились вместе, то слишком старательно притворялись, что все в порядке.

В тот вечер, когда она попыталась избавиться от вас, вы стеной встали между нами. Ни один из нас так и не смог ни перелезть через нее, ни обойти ее, ни пробиться сквозь. Стена оказалась непреодолимой. Разговоры стали вымученными. Смех неестественным.

— Но вы ведь не бросили Селину.

— Нет. В тот день, когда вы родились, мы с Ридом примчались в больницу. Не считая вашей бабушки, мы были первыми людьми, с которыми вы познакомились.

— Очень этому рада, — быстро сказала она.

— Я тоже.

— Будь я на месте Селины, я бы уловила момент и подцепила кого-нибудь из вас.

Его улыбка медленно угасла.

— Рид больше не делал ей предложения.

— Почему?

Джуниор знаком попросил официантку налить ему еще кофе. Затем, зажав чашку между ладонями, уставился в ее темную глубину.

— Он так и не простил ее.

— За Эла Гейтера?

— За вас.

Пораженная, Алекс прикрыла рот рукой. Знакомое чувство вины, которое она носила в себе всю жизнь, словно тисками, сдавило ее.

Почувствовав ее волнение, Джуниор поспешно сказал:

— Не потому что она забеременела. Он не мог простить ей попытки аборта.

— Не понимаю.

— Видите ли, Алекс, сам Рид ведь выжил наперекор судьбе. Если кому-то и было написано на роду пойти по кривой дорожке, так это ему. Казалось, скорее рак на горе свистнет, чем он выбьется в люди. Работники попечительных заведений, если бы такие водились тогда в Пурселле, наверное, показывали бы на него пальцем и говорили: «Вон идет пропащий человек. Он плохо кончит. Вот увидите». И ошиблись бы. Несчастья только закаляют Рида. Он отважен. Силен. Его сбивают с ног, а он поднимается и продолжает драться.

Теперь возьмем меня, — предложил он с презрительным смешком. — У меня столько недостатков, что я могу смотреть сквозь пальцы на слабости других. И я понимал, какое смятение и ужас, вероятно, испытывала Селина. Она пошла на отчаянный шаг, потому что испугалась, что все раскроется.

А вот Риду не понять, как можно выбрать путь наименьшего сопротивления. Он не простил ей этой слабости. Он чертовски требователен к себе и всех меряет на свой аршин. Но по его мерке почти невозможно жить. Поэтому он постоянно разочаровывается в людях. Он слишком высоко поднимает планку.

— Он циник.

— Мне понятно, откуда у вас такое впечатление, но он только внешне такой непробиваемый. Когда он разочаровывается в ком-то, а это происходит довольно часто, потому что люди всего лишь люди, он страдает. А страдая, становится злым.

— Он был и с моей матерью злым?

— Нет, никогда. В силу их отношений она больше, чем кто-либо, заставляла его и страдать, и разочаровываться. Но озлобиться против Селины он не мог, ведь он ее так любил. — Джуниор спокойно взглянул на Алекс. — Просто он не мог простить ее.

— И поэтому отошел в сторонку, уступив вам место?

— Которое я беззастенчиво занял, — рассмеялся Джуниор. — Я не такой привередливый, как Рид. Я не требую совершенства ни от себя, ни от других. Да, Алекс, несмотря на все ее недостатки, я вашу мать любил и хотел, чтобы она стала моей женой на каких угодно условиях.

— Почему же она не вышла за вас, Джуниор? — с искренним недоумением спросила Алекс. — Она ведь любила вас, я знаю.

— Я тоже это знаю. Ведь я чертовски хорош собой. — Он подмигнул Алекс и улыбнулся. — Вряд ли кто мне сейчас поверит, при той жизни, что я веду, но я был бы Селине верным мужем, а вам — прекрасным отцом. По крайней мере, мне очень того хотелось. — Он сцепил руки на столе. — Сколько раз я просил ее выйти за меня, но она всегда отказывала.

— Однако вы все же не отступали, вплоть до той самой ночи, когда она умерла.

Он быстро поднял на нее глаза.

— Да, в тот вечер я пригласил ее на ранчо, чтобы сделать предложение.

— И сделали?

— Да.

— И?

— С тем же успехом. Она отказала мне.

— Догадываетесь, почему?

— Да. — Он поерзал на месте. — Она все еще любила Рида. Всегда и неизменно ей нужен был только Рид.

Алекс отвернулась, она знала, как больно ему в этом признаваться.

— Джуниор, а где вы были в тот вечер?

— На ранчо.

— Я имею в виду — после того, как проводили Селину домой.

— Я не провожал ее. Подумал, что отец отвезет ее.

— Ангус?

— Я тогда очень расстроился, потому что она снова отказала мне. Видите ли, я уже сказал родителям, чтобы они привыкали к мысли о том, что скоро у них появятся невестка и внучка. — Он беспомощно развел руками. — Я жутко разозлился и бросился вон, просто дал деру, оставив Селину там.

— И куда вы направились?

— Я заглянул во все бары, где отпускали спиртное несовершеннолетним. Напился.

— Один?

— Один.

— Значит, алиби нет?

— Джуниору никакого алиби и не нужно. Он не убивал Селину.

Они были настолько поглощены беседой, что даже не заметили, как подошла Стейси Уоллес. Подняв глаза, они увидели, что она стоит возле их столика. Она смотрела на Алекс еще более враждебно, чем при их первой встрече.

— Доброе утро, Стейси, — смущенно сказал Джуниор. Ее внезапное появление, судя по всему, отнюдь не обрадовало его. — Садись и выпей с нами кофе. — Он подвинулся, освобождая ей место на своей стороне стола.

— Нет, спасибо. — Злобно глядя на Алекс сверху вниз, она сказала: — Отцепитесь от Джуниора со своими бесконечными расспросами.

— Ну-ну, Стейси, никто и не цепляется, — возразил он, пытаясь сгладить неловкость.

— Может, вы наконец прекратите все это?

— Не могу.

— А вы смогите. Всем от этого будет только лучше.

— Особенно убийце, — спокойно заметила Алекс.

Худая напряженная фигура Стейси задрожала, как струна.

— Катись отсюда, чтоб духу твоего здесь не было! Самовлюбленная мстительная сучка, ты...

— Только не здесь, Стейси, — быстро вмешался Джуниор, выскочив из кабинки и подхватив ее под руку. — Я провожу тебя до машины. А что ты здесь делаешь так рано? А-а, ваша карточная компания собралась на завтрак, — сказал он, заметив столик, за которым сидели женщины, с любопытством наблюдавшие за происходящим. — Очень мило, — он весело махнул им рукой.

Алекс, тоже заметившая назойливые взгляды, сунула под блюдце пятидолларовую бумажку и вышла из кафе почти вслед за Джуниором и Стейси.

Она стороной обошла машину Стейси, краем глаза наблюдая за ними, и видела, как Джуниор привлек к себе Стейси и, утешая, погладил по спине, нежно поцеловал в губы. Она прильнула к нему, спрашивая его о чем-то, что, очевидно, сильно тревожило ее. Судя по всему, его ответ ее успокоил. Она с облегчением прижалась к его груди.

Джуниор высвободился из ее объятий, но сделал это так обворожительно, что, когда он запихнул ее в машину и помахал на прощание рукой, на лице Стейси сияла улыбка.

Алекс была уже у себя в номере, когда он, постучав в дверь, сказал:

— Это я.

Она отперла дверь.

— Что все это значило?

— Она решила, что раз мы вместе завтракаем, то, значит, и ночь провели вместе.

— О господи! — прошептала Алекс. — Вот уж действительно у людей здесь очень богатое воображение. Уходите-ка лучше, а то снова что-нибудь подумают.

— А вас это задевает? Мне, например, все равно.

— А мне нет.

Алекс бросила смущенный взгляд на неубранную постель. Обычно горничная являлась, когда она еще принимала душ. Сегодня же, как назло, задерживается. Алекс боялась, что постель выдаст ее тайну. В комнате пахло Ридом. Его запах тончайшим слоем обволакивал все вокруг. Она опасалась, что Джуниор тоже это почувствует.

Бережным движением он снял с нее темные очки и легонько коснулся темных подглазий.

— Плохо спали?

«Мягко сказано», — подумалось ей.

— Лучше уж я сама вам расскажу. Ведь рано или поздно вы все равно узнаете. Вчера я побывала у Норы Гейл.

От удивления он раскрыл рот.

— Вот это да!

— Мне нужно было поговорить с ней. Похоже, она и есть алиби Рида, он был с ней в ту ночь, когда убили Селину. Короче, пока я разговаривала с ней, там выстрелом из револьвера ранили человека. Было много крови, кого-то арестовали.

Джуниор недоверчиво рассмеялся.

— Вы шутите.

— Если бы, — хмуро заметила она. — Получается, что я, представитель прокуратуры штата, оказалась замешанной в перестрелке двух ковбоев в борделе.

И вдруг ее словно прорвало. Вместо того, чтобы заплакать, она начала хохотать. И никак не могла остановиться. Она смеялась, пока у нее не заболели бока и слезы не покатились по щекам.

— Господи, это же невероятно. Если только Грег Харпер узнает об этом, он...

— Пат Частейн ему не скажет. У него есть девочка в...

— Я знаю, — перебила она. — Мне Рид сказал. Он приехал на вызов и выдворил меня оттуда. Похоже, он думает, что ему все сойдет с рук. — Она пренебрежительно передернула плечами, про себя надеясь, что ее притворство не слишком заметно.

— Приятно слышать ваш смех, — улыбаясь, заметил Джуниор. — Мне бы хотелось остаться и еще больше развеселить вас.

Он положил руки ей на ягодицы и стал поглаживать их. Алекс оттолкнула его.

— Если вам так хочется кого-нибудь развеселить, то нужно было поехать со Стейси. Вот уж кому это не помешало бы.

Он виновато отвел глаза.

— Чтобы ее осчастливить, особых стараний не требуется.

— Потому что она по-прежнему вас любит.

— Я ее недостоин.

— Для нее это не имеет значения. Она вам все что угодно простит. Да уже простила.

— Простит убийство? Вы об этом говорите?

— Нет, о вашей любви к другой — к Селине.

— Ну зачем сейчас об этом, Алекс, — прошептал Джуниор и наклонился, чтобы поцеловать ее.

Она увернулась от его губ.

— Нет, Джуниор.

— Почему нет?

— Сами знаете почему.

— Я все еще только приятель?

— Друг.

— Почему только друг?

— У меня настоящее все время путается с прошлым. Ваши слова о том, что вы хотели бы стать моим отцом, подавили во мне всякие романтические порывы.

— Глядя на вас сейчас, я вижу совсем не ту кроху в колыбели, а волнующую меня женщину. Я хочу вас обнять, хочу любить вас, но отнюдь не как отец.

— Нет, — она непреклонно покачала головой. — Ничего у нас не выйдет, Джуниор. Просто не складывается, и все тут.

Эти же слова нужно было сказать Риду. Почему она не сказала? А потому что она притворщица, вот почему. И еще потому, что одни и те же правила не всегда можно применить в схожих ситуациях, даже если и хочется. И потому, что сердцу не прикажешь. Они с Селиной в этом схожи.

— Мы никогда не будем любовниками.

Он беззлобно улыбнулся и сказал:

— Я упрямый. Когда это расследование закончится, я постараюсь, чтобы вы посмотрели на меня по-новому. Мы сделаем вид, что встретились впервые, и вы влюбитесь в меня до потери сознания.

«Что ж, пусть тешит свое самолюбие», — подумала Алекс. Она знала, что этому не бывать никогда, как не могло этого быть между ним и Селиной.

И в обоих случаях причиной был Рид Ламберт.

Глава 37

Секретарша Ангуса провела Алекс к нему в кабинет, размещавшийся в штаб-квартире концерна «Минтон энтерпрайсиз». Концерн скромно занимал несколько комнат в большом, специально построенном под конторы здании; с одной стороны соседом компании было заведение зубного врача, а с другой помещение занимали два совладельца юридической фирмы. Ангус вышел из-за стола навстречу Алекс.

— Спасибо, что зашли, Алекс.

— Я рада, что вы позвонили. Я и сама собиралась поговорить с вами.

— Хотите выпить?

— Нет, спасибо.

— Давно виделись с Джуниором?

— Сегодня утром вместе пили кофе.

Ангус был доволен. Его нотация, очевидно, подействовала. Джуниору, как обычно, нужна была нахлобучка, чтобы он начал поворачиваться.

— О моем деле потолкуем потом, — сказал Ангус. — Так о чем вы хотели поговорить со мной?

— О том самом вечере, Ангус, когда умерла моя мать.

Широкая улыбка исчезла с его лица.

— Садитесь. — Он подвел ее к небольшой, обитой тканью кушетке. — Что вы хотите знать?

— Когда сегодня утром я разговаривала с Джуниором, он подтвердил то, что мне было уже известно: в тот вечер он сделал Селине предложение. Мне также известно, что вы и миссис Минтон были против этого брака.

— Верно, Алекс, мы были против. Мне неприятно говорить вам об этом. И не хочется плохо отзываться о вашей матери, они ведь с Джуниором дружили, да и я обожал ее.

— Но не хотели, чтобы она стала его женой.

— Нет. — Он наклонился вперед и погрозил ей пальцем. — Не из снобизма, не думайте. Вовсе нет. Возможно, классовые и экономические различия повлияли на мнение Сары-Джо, но уж никак не на мое. Тогда я вообще был против того, чтобы Джуниор женился. В его-то возрасте!

— Почему же считанные недели спустя вы благословили его женитьбу на Стейси Уоллес?

«С ней держи ухо востро», — подумал Ангус.

— К тому времени ситуация изменилась, — с невинным видом заявил он. — Джуниор был страшно потрясен смертью Селины. А Стейси готова была целовать землю, по которой он ступал. Я решил, что она станет ему хорошей женой.

Какое-то время так и было. Я не жалею, что благословил этот брак.

— К тому же дочь судьи была гораздо более подходящей партией для сына Ангуса Минтона.

Его голубые глаза потемнели.

— Вы меня огорчаете, Алекс. То, что вы предполагаете, просто гнусно. Вы что же, думаете, я мог заставить сына жениться по расчету?

— Не знаю. А правда, могли бы?

— Нет! Ни за что!

— Даже если бы на карту было поставлено все?

— Послушайте, — сказал он, для выразительности понизив голос, — я всегда все делал только ради моего мальчика.

— Включая убийство Селины?

Ангус резко выпрямился.

— А это уже нахальство, барышня!

— Извините, мне не до тонкостей. Ангус, Джуниор утверждает, что в тот вечер он, обиженный и рассерженный, уехал из дому, потому что Селина ответила ему отказом.

— Верно.

— И домой Селину должны были отвезти вы.

— Да. Но вместо этого я предложил ей одну из машин и дал ключи. Она попрощалась со мной и ушла. Я считал, она спокойно уехала домой.

— Кто-нибудь слышал этот разговор?

— По-моему, никто.

— Даже ваша жена не слышала?

— Она поднялась к себе и легла сразу после ужина.

— Вот видите, Ангус? У вас нет алиби. Нет свидетеля тому, что произошло после ухода Джуниора.

Ему чрезвычайно льстило, что это обстоятельство явно беспокоит Алекс. На лице ее была написана тревога. Последнее время он уже не мог видеть в этой девушке врага. Она, очевидно, тоже испытывала противоречивые чувства.

— В ту ночь я спал с Сарой-Джо, — сказал он. — Она это покажет под присягой. И Рид тоже подтвердит. Мы еще были в постели, когда он прибежал на следующее утро и сказал, что нашел в конюшне тело Селины.

— А бабушка разве не беспокоилась о дочери? Она звонила на ранчо, когда Селина не пришла домой?

— Звонила, конечно, но Селина тогда уже ушла. Бабушка похвалила вас, сказала, что вы спите по ночам, не просыпаясь. Ей сказали, что Селина вот-вот приедет домой, и она снова легла спать. Только утром она поняла, что Селина так и не приехала.

— В какое время звонила бабушка Грэм?

— Не помню. Наверное, не поздно, потому что я еще не лег. Я обычно ложусь спать рано. А в тот день прямо с ног валился от усталости: мы с утра до вечера провозились с жеребой кобылой.

Алекс, нахмурясь, размышляла. Он усмехнулся.

— Правдоподобно звучит?

Она скупо улыбнулась в ответ.

— Да, но очень уж много неясного.

— Однако, черт побери, не настолько, чтобы просить большой суд присяжных привлечь меня к уголовной ответственности за убийство. Другое дело Придурок Бад — весь с головы до ног в крови, а в руках скальпель.

Алекс промолчала.

Ангус накрыл ладонью ее руку.

— Надеюсь, вы не обиделись на меня за откровенные слова о вашей матери.

— Нет, не обиделась, — слабо улыбнулась она. — За последние дни я узнала, что она была далеко не ангелом.

— Я бы никогда не разрешил Джуниору жениться на ней. И неважно, какая она была — святая или грешница.

Он заметил, как Алекс в волнении облизнула губы, прежде чем задать следующий вопрос.

— А что было для вас главной причиной, Ангус? То, что у нее родилась я?

«Вон оно что», — подумал он. Алекс винит себя за судьбу матери. Раскапывать это дело ее заставило чувство вины. Она жаждет отпущения греха, который возложила на нее Мерл Грэм. Какое злое дело сотворила с ребенком старая ведьма! Впрочем, сейчас ему это было на руку.

— Мое решение с вами совсем не связано, Алекс. Причиной были Рид и Джуниор. — Он смиренно сложил руки и, глядя на них, продолжал: — Джуниору надо, чтобы его время от времени кто-нибудь подстегивал. Энергичный отец, сильный друг, волевая женщина. — Он посмотрел на нее исподлобья. — Вы были бы ему прекрасной парой.

— Парой?

Он рассмеялся и широко развел руками.

— А, к черту, была не была, скажу напрямик. Я бы хотел, чтобы вы с Джуниором поженились.

— *Что?!*

Ангус до конца не понял, действительно ли она изумилась или просто чертовски хорошо играет. В любом случае он был доволен, что решился сам подтолкнуть это дело. Разве без его помощи Джуниор чего-нибудь добьется?

— Нашей семье очень пригодилась бы умная женщина-юрист. Подумать только, какую пользу вы принесете нашему бизнесу, не говоря уж о пустующих спальнях на ранчо. Они бы вмиг заполнились внучатами. — Он опустил взгляд на нижнюю часть ее тела. — Скроены вы для этого подходяще и влили бы в наш род свежую кровь.

— Вы, наверно, шутите, Ангус.

— Я еще никогда не был так серьезен. — Он похлопал ее по спине. — Ладно, давайте пока остановимся вот на чем: если между вами и Джуниором вспыхнет некое романтическое чувство, то я буду безмерно этому рад.

Она отодвинулась от его руки.

— Ангус, не хочу обижать ни вас, ни Джуниора, но то, на что вы рассчитываете... — она замялась, подыскивая нужное слово, затем рассмеялась, — нелепо.

— Почему?

— Вы просите меня сыграть роль, предназначавшуюся моей матери. Но ее вы отвергли.

— Вы годитесь на эту роль. А она не годилась.

— Но я не люблю Джуниора, и эта роль мне ни к чему. — Она встала и направилась к двери. — Извините, вы, наверное, меня неправильно поняли, или я кого-то из вас непреднамеренно ввела в заблуждение...

Он нахмурился, одарив ее мрачным, устрашающим взглядом, тем, от которого холодели в ужасе сердца его противников. Она выдержала его взгляд.

— До свидания, Ангус. Я позвоню.

После ее ухода Ангус налил себе виски, ему надо было успокоиться. Его пальцы сжимали стакан с такой силой, что было удивительно, как он не треснул.

Ангус Минтон не привык, чтобы его предложения подвергались сомнению, а тем паче осмеянию. И, черт побери, их ни разу еще не называли нелепыми.

Алекс ушла с чувством сильной тревоги. Несмотря на свои самые добрые намерения, она его все-таки обидела. И очень сожалела об этом. Но больше всего ее встревожило то, что она разглядела под маской старого добряка.

Ангус Минтон привык, чтобы все плясали под его дудку. А если делали это не слишком резво, так он и подтолкнуть был не прочь. Он терпеть не мог, чтобы ему перечили.

Еще сильнее, чем прежде, ей стало жаль Джуниора, который никак не попадал в ногу с отцом. Несомненно, это было источником постоянных трений между ними. Она также поняла, почему такой независимый человек, как Рид, покинул «Минтон энтерпрайзиз». Он не смог бы нормально работать под тяжелой пятой Ангуса.

Возвратившись к машине, она поехала куда глаза глядят; когда город остался позади, свернула на какой-то проселок. Пейзаж не очень радовал глаз. На ограде из колючей проволоки, которой, казалось, нет конца, зацепившись, висели шарики перекати-поля. Вразнобой работали насосы нефтяных вышек, черными силуэтами торчащие на фоне лишенной красок земли.

Поездка помогла: одной в машине хорошо думалось.

У нее, как и у матери, сложились запутанные отношения с тремя мужчинами, и все трое ей нравились. Ей не хотелось верить, что один из них убийца.

Боже, как все сложно! Постепенно, слой за слоем, она счищала коросту лжи. Если так продолжать и дальше, то в конце концов она, безусловно, докопается до истины.

Но время ее было на исходе. Уже через несколько дней Грег потребует представить результаты расследования. И если она не сможет предъявить ему ничего конкретного, он прикажет закрыть дело.

На обратном пути, уже приближаясь к городу, она обратила внимание, что идущий сзади пикап держится слишком близко.

— Болван, — пробормотала она, поглядывая в зеркало заднего вида.

Еще с милю пикап преследовал ее, словно тень. Из-за бившего в глаза солнца она не могла рассмотреть водителя.

— Что ж, если ты так торопишься, тогда иди вперед.

Она нажала на педаль тормоза, чтобы сзади включились тормозные огни. Но водитель не понял намека. На этой сельской дороге покрытая гравием обочина была такой узкой, что ее, считай, почти не было. Все же она прижалась к обочине в надежде, что пикап обгонит ее.

— Большое спасибо, — сказала она, когда грузовик, набирая скорость, рванул по разделительной желтой полосе.

Машина поравнялась с ней. Она видела ее боковым зрением. То, что водитель задумал большую гнусность, чем просто автомобильные гонки, дошло до нее, когда пикап пошел с ней вровень, что само по себе уже было опасным при той скорости, с которой они мчались.

— Дурак! — Она на миг повернула голову, чтобы посмотреть на него в окно. Вдруг грузовик резко вырвался вперед и, вильнув вправо, зацепил ее передний бампер своим задним. Машина Алекс потеряла управление.

Алекс вцепилась в руль, до отказа нажала на тормоз, — но все было напрасно. Машина перемахнула обочину и нырнула носом в глубокий сухой кювет. Ремни безопасности удержали Алекс в кресле, но от резкого толчка ее бросило вперед, и она сильно стукнулась о руль головой. Ветровое стекло разлетелось вдребезги, и осколки посыпались ей на затылок и руки. Стеклянному дождю не будет, казалось, конца.

Она не подозревала, что потеряла сознание. Первое, что она вдруг услышала, были чьи-то голоса, негромкие и мелодичные. Алекс никак не могла понять, что они говорят.

Алекс с трудом подняла голову. Это вызвало острую боль. Она подавила накатившуюся тошноту и усилием воли открыла глаза.

Вокруг стояли и с тревогой смотрели на нее люди; они говорили по-испански. Один из них открыл дверцу и произнес что-то с мягкой вопросительной интонацией.

— Да, все в порядке, — машинально ответила она. Она не

могла понять, почему они так странно смотрят на нее, но потом почувствовала струйку, бежавшую по щеке. Она подняла руку и потрогала голову. На дрожащих пальцах была кровь.

— По-моему, вам лучше остаться на ночь в больнице. О комнате я договорюсь, — сказал доктор.

— Нет, я предпочитаю вернуться в мотель. После парочки этих таблеток я просплю до утра. — Она показала на коричневый пластиковый пузырек с таблетками.

— Сотрясения у вас нет, но все равно несколько дней соблюдайте осторожность: никаких спортивных занятий или чего-нибудь в этом роде.

Она вздрогнула при одном упоминании о физическом напряжении.

— Это я обещаю.

— Через неделю снимем швы. Еще повезло, что вам раскроило макушку, а не лицо.

— Да, — неуверенно согласилась Алекс. Врачу пришлось обрить ей волосы на темени, но, если причесаться поискуснее, ничего не будет заметно.

— Вы готовы принять посетителя? Вас тут давно дожидаются. Можете оставаться здесь сколько захотите: в будние вечера у нас обычно мало пациентов.

— Спасибо, доктор.

Он вышел из перевязочной. Алекс попыталась сесть, но сильно закружилась голова. И при виде входившего Пата Частейна ей легче не стало.

— Мистер Частейн, сколько лет, сколько зим, — насмешливо сказала она.

Он подошел к столу, на котором она лежала, и робко спросил:

— Как вы себя чувствуете?

— Похуже, чем раньше, но скоро поправлюсь.

— Могу я чем-нибудь помочь?

— Нет. И незачем было приезжать сюда. А, кстати, как вы об этом узнали?

Он пододвинул единственный в комнате стул и сел.

— Мексиканцы остановили проходившую мимо машину.

Водитель доехал до ближайшего телефона и вызвал «Скорую помощь». Помощник шерифа, который поехал, чтобы разобраться на месте, говорит по-испански, вот он и узнал от них, что случилось.

— Они видели, как грузовик столкнул меня с дороги?

— Ну да. Вы могли бы его описать?

— Белого цвета. — Она посмотрела в глаза окружному прокурору. — А на двери была эмблема компании «Минтон энтерпрайсиз».

На лице Частейна застыли смятение и тревога.

— Мексиканцы сказали то же самое. Помощник не мог разыскать Рида, поэтому позвонил мне. — Кивком головы он указал на ее перевязанную голову: — Это не очень серьезно?

— Дня через два-три заживет. Повязку можно снять уже завтра. Пришлось наложить несколько швов. А еще мне досталось на память вот это. — Она вытянула руки, испещренные мелкими царапинами, которые остались после удаления стеклянных осколков.

— Алекс, вы узнали водителя?

— Нет.

Окружной прокурор испытующе посмотрел на нее, силясь понять, говорит ли она правду.

— Нет, — повторила она. — Поверьте, если бы я его узнала, я бы занялась им сама. Но я даже мельком не видела его. Все, что я смогла рассмотреть, так это силуэт на фоне солнца. Кажется, на нем была какая-то шляпа.

— Вы думаете, это была случайность?

Она приподнялась на локтях.

— А вы?

Он помахал рукой, показывая, что ей надо скорее лечь.

— Нет, пожалуй, что нет.

— Тогда не заставляйте меня тратить силы на ваши глупые вопросы.

Он провел рукой по волосам и выругался.

— Когда я обещал своему дружку Грегу Харперу дать вам карт-бланш, я не предполагал, что вы перевернете все вверх дном в моем округе.

У нее лопнуло терпение.

— Мистер Частейн, но ведь все шишки валятся на мою голову. Вам-то что скулить?

— Черт бы вас подрал, Алекс. Судья Уоллес и до этого меня не жаловал, а теперь совсем разошелся. Я уж не могу выиграть в суде ни одного дела. Трех самых уважаемых граждан округа вы чуть не вслух называете убийцами. Клейстера Хикама, старожила этого города, пришивают почти что в вашем присутствии. А когда вы являетесь в бордель Норы Гейл Бертон, там открывается пальба. На черта вам понадобилось тревожить это осиное гнездо?

Она прижала руку к стучащим вискам.

— Да уж точно не по своей воле. Я приехала проверить свидетельские показания. — Она наклонила голову и многозначительно посмотрела на него. — Да не волнуйтесь вы так, я не выдам вашего тайного интереса к заведению Норы Гейл.

Он виновато заерзал на стуле.

— Послушайте, Алекс, вы схватили быка за рога, и сегодня он чуть не убил вас.

— Это значит, я приближаюсь к разгадке. Кто-то, спасая свою шкуру, пытается меня убрать.

— Видимо, — угрюмо сказал он. — Что нового появилось у вас за последние дни?

— Во-первых, выявлены мотивы преступления.

— Что-нибудь еще?

— Не хватает конкретных алиби. Рид Ламберт говорит, что он был у Норы Гейл. Она призналась, что в случае необходимости готова пойти на дачу ложных показаний, лишь бы подтвердить его алиби, из чего я заключаю, что он был с ней не всю ночь.

— А как насчет Ангуса?

— Он утверждает, что был на ранчо, но там ведь находилась и Селина. Если Ангус провел всю ночь дома, то у него было достаточно возможностей совершить убийство.

— Как и у Придурка Бада, если он отправился на ранчо следом за Селиной, — заметил Частейн, — именно на это и укажет суду хороший защитник. Никого не осудят пожизненно на основании косвенных улик. Вы по-прежнему не в состоянии доказать, что один из них находился тогда в конюшне со скальпелем в руке.

— Сегодня, когда меня столкнули в кювет, я как раз ехала к вам, чтобы поговорить об этом.

— Поговорить о чем?

— О скальпеле ветеринара. Куда он девался?

На лице Частейна отразилось удивление.

— За эту неделю вы уже вторая, кто спрашивает меня о нем.

Алекс с трудом приподнялась на локте.

— А еще кто спрашивал?

— Я, — сказал стоявший в дверях Рид Ламберт.

Глава 38

У Алекс все перевернулось внутри. Она со страхом ждала минуты, когда снова увидит его. Рано или поздно такая встреча была неминуема, но она надеялась, что по крайней мере сумеет сделать вид, будто происшедшее между ними совсем не задело ее.

Теперь же, лежа на больничном столе, с испачканными кровью волосами, с оранжевыми пятнами йода на руках, не в силах даже сесть из-за слабости и головокружения, она отнюдь не являла собою воплощение невозмутимости и спокойствия.

— Здравствуйте, шериф Ламберт. Вам, наверное, приятно будет узнать, что я вняла вашему совету и перестала оглядываться в поисках злоумышленников.

— Привет, Пат, — сказал он, не обращая внимания на ее слова. — Я только что связался по радио с помощником.

— Значит, вы уже знаете, что случилось?

— Сначала я заподозрил, что здесь замешан Пламмет, но помощник сказал, что ее машину ударил грузовик, принадлежащий «МЭ».

— Верно.

— «МЭ» объединяет множество компаний. Чуть ли не каждый житель этого округа мог воспользоваться грузовиком фирмы.

— В том числе и вы, — язвительно предположила Алекс.

Наконец-то Рид заметил ее присутствие и обратил на нее тяжелый взгляд. Окружной прокурор смотрел на них в замешательстве.

— Э-э, а вы где были, Рид? Вас не могли разыскать.

— Я ездил верхом. На ранчо любой это подтвердит.

— Я все же обязан был спросить, — виновато сказал Пат.

— Понимаю, хотя вам следовало бы знать, что не в моем стиле сталкивать кого бы то ни было в кювет. Как вы считаете, помимо меня, кто мог это сделать? — многозначительно спросил Рид, обращаясь к Алекс.

Ей было невыносимо трудно думать об этом, гораздо легче произнести вслух.

— Джуниор, — тихо сказала она.

— Джуниор? — Рид рассмеялся. — На кой черт ему?

— Я виделась с ним сегодня утром. У него нет алиби на ту ночь, когда убили Селину. Он признает, что был страшно зол тогда. — Алекс опустила глаза. — Кроме того, у него, мне кажется, есть причины сердиться и на меня.

— Какие?

Она изо всех сил постаралась придать своему взгляду вызывающе пренебрежительное выражение.

— Утром он приходил ко мне в номер. — Больше она ничего не собиралась ему сообщать. Пусть сам делает выводы. Он чуть заметно сузил глаза, но не спросил, что делал Джуниор в ее номере. Либо не хотел знать, либо ему было все равно.

— Подозреваете кого-то еще? — спросил он. — Или только нас двоих?

— Ангус тоже не исключается. Я разговаривала с ним днем, и расстались мы не лучшим образом.

— Опять мы трое, а? Вы что же, считаете нас повинными во всем, что происходит в этом округе?

— Я ничего не считаю. В своих подозрениях я стараюсь придерживаться фактов. — От подступивших внезапно тошноты и головокружения она на минуту закрыла глаза, затем продолжила: — У меня есть еще один подозреваемый.

— Кто?

— Стейси Уоллес.

Пат Частейн подскочил, будто его ткнули горячим утюгом.

— Вы что, шутки со мной шутите? — Он быстро оглянулся на дверь, чтобы убедиться, что она закрыта. — Ради бога, скажите, что мне все это снится. Вы ведь не собираетесь предъявить ей официальное обвинение, а? Потому что, если вам такое взбрело в голову, я должен прямо сказать, Алекс, вы будете действовать на свой страх и риск. Я свою шею больше не подставлю.

— Вы вообще еще ни подо что не подставляли свою шею! — закричала Алекс, и крик этот болью отозвался в ее голове.

— Как Стейси могла заполучить грузовик компании? — спросил Рид.

— Фактов у меня нет, — устало произнесла Алекс. — Это лишь подозрение.

— Похоже, у вас ничего, кроме подозрений, и нет, — заметил Рид.

Она бросила на него грозный, как она надеялась, взгляд. Тут вмешался Пат:

— А на чем основываются ваши подозрения насчет Стейси?

— Она солгала мне, когда рассказывала, где она была в ночь убийства. — Алекс пересказала им сцену, произошедшую в женском туалете Охотничьего клуба. — Я знаю, она все еще любит Джуниора. Думаю, с этим никто не станет спорить.

Мужчины обменялись взглядами, означавшими согласие.

— Она опекает отца, как наседка цыпленка, и, разумеется, не хочет, чтобы рухнула его репутация. К тому же, — со вздохом добавила Алекс, — она ненавидит меня по той же причине, по которой ненавидела Селину: из-за Джуниора. Она думает, я, как в свое время и моя мать, краду у нее его любовь.

Пат, покачиваясь с носков на пятки, позвякал мелочью в кармане.

— Когда вы все это излагаете, звучит правдоподобно, но я просто представить себе не могу, чтобы Стейси отважилась на этот шаг.

— Кстати, все ваши последние догадки оказывались безосновательными, госпожа прокурор.

Алекс с трудом села.

— Давайте вернемся к скальпелю. — У нее так закружилась голова, что ей пришлось схватиться за край стола, чтобы удержаться в сидячем положении. — Когда Рид спрашивал вас о нем, Пат?

— А вы меня и спросите. — Рид подошел и встал прямо

перед ней. — Я говорил с ним о скальпеле несколько дней назад.

— Почему?

— Как и вы, хотел узнать, что с ним произошло.

— А если бы вы обнаружили его раньше меня, вы бы его уничтожили или представили в качестве улики?

У него на щеке дрогнул мускул.

— Вопрос имеет чисто теоретический интерес. Среди вещественных улик скальпеля нет.

— Вы проверили?

— Еще бы. Исчез бесследно. Причем, видимо, давным-давно. Скорее всего его просто выбросили, когда дело закрыли.

— Разве не могли из уважения к Коллинзам вернуть его им?

— Чего не знаю, того не знаю.

— А сняли оставшиеся на нем отпечатки пальцев?

— Я взял на себя смелость задать этот вопрос судье Уоллесу.

— Естественно. Что же он сказал, шериф?

— Он сказал — нет.

— Почему?

— Ручка была окровавлена и вся в отпечатках пальцев Придурка Бада. Поэтому снимать отпечатки со скальпеля не имело смысла.

Они смотрели друг на друга с такой враждебностью, что Пата Частейна прошиб пот.

— Давайте-ка, пожалуй, освободим процедурную. Алекс, я отвезу вас в мотель, ведь ваша машина разбита. Вы в состоянии дойти до машины или попросить кресло-каталку?

— Я сам ее отвезу, — заявил Рид, прежде чем она успела ответить Пату.

— Вы уверены, что вам это удобно? — счел необходимым спросить Частейн, хотя почувствовал явное облегчение оттого, что Рид снимал с него заботу об Алекс.

— Поскольку шериф сам это предложил, — сказала она Пату, — пусть везет.

Окружной прокурор выскочил из комнаты, пока кто-нибудь из них не передумал. Алекс насмешливо наблюдала за его поспешным бегством.

— Неудивительно, что уровень преступности в этом округе так высок. Ведь окружной прокурор труслив как заяц.

— А шериф продажен.

— Вы читаете мои мысли. — Она сползла с края стола и довольно долго, привалившись к нему, собиралась с силами. Потом попробовала сделать шаг, но покачнулась.

— Доктор дал мне болеутоляющее. Меня от него так шатает, может, все-таки попросить у них кресло-каталку?

— А может, вы все-таки останетесь на ночь здесь?

— Не хочу.

— Что ж, вам виднее.

Она и пикнуть не успела, как он сгреб ее в охапку и вынес из процедурной.

— Моя сумка, — она слабо махнула в сторону стола приемного отделения. Рид забрал сумку, затем, под изумленными взорами всего персонала отделения скорой помощи, вынес Алекс на улицу и опустил на переднее сиденье своего «Блейзера».

Она откинула голову на спинку сиденья и закрыла глаза.

— Где ты был сегодня днем? — спросила она, когда они уже ехали по шоссе.

— Я уже сказал.

— Скакал верхом даже после заката?

— Выполнял кое-какие поручения.

— С тобой и по радио не могли связаться. Где ты был, Рид?

— Во многих местах.

— А именно?

— Я был у Норы Гейл.

— А-а. — Алекс удивилась, что ей так больно это слышать.

— Нужно было допросить свидетелей той пальбы.

— Работал, значит?

— Да, помимо прочего.

— Ты по-прежнему спишь с ней?

— Иногда.

Она молила Бога, чтобы тот послал ему медленную, мучительную смерть.

— Может быть, это Нора Гейл отправила одного из своих битюгов прикончить меня в знак особого расположения к тебе? — сказала она.

— Возможно. Меня бы это не удивило. Если ей что-то не понравится, она раздумывать не станет.

— Она не любила Селину, — тихо заметила Алекс.

— Верно. Но ты не забыла, что я был у Норы Гейл в ту ночь, когда умерла Селина?

— Говорят, был.

Что же, Нора Гейл еще одна подозреваемая в убийстве Селины? От этой мысли у нее заболела голова. Она закрыла глаза. Когда они подъехали к мотелю, Алекс потянулась, чтобы открыть дверцу. Рид велел ей подождать, обошел вокруг и помог выйти из машины. Обхватив ее левой рукой за талию, он поддерживал ее, пока они медленно шли к двери.

Рид отпер дверь и довел Алекс до кровати.

Она с наслаждением легла.

— Холод-то какой, — сказал он, растирая руки и ища глазами термостат.

— Да, когда я прихожу, здесь всегда поначалу холодно.

— Вчера я этого не заметил.

Они быстро взглянули друг на друга и сразу отвернулись. От слабости Алекс снова закрыла глаза. Когда она их вновь открыла, Рид рылся в верхнем ящике комода напротив кровати.

— Что ты ищешь на этот раз?

— Во что тебе переодеться на ночь.

— Давай любую майку. Неважно какую.

Он вернулся к постели, осторожно примостился на краешке и снял с нее сапоги.

— Носки оставь, — сказала она, — у меня ноги замерзли.

— Ты сесть можешь?

Привалившись всем телом к его плечу, она села, и он стал возиться с ее пуговицами. Крошечные круглые пуговки, размером не больше таблеток, были обтянуты тканью платья. Их длинный ряд начинался у шеи и доходил до колен. Когда он добрался наконец до талии, он уже клял их на чем свет стоит.

Затем он уложил ее на подушку, вытянул руки из узких длинных рукавов и стянул платье снизу. С комбинацией хлопот не было, а вот с бюстгальтером вышла заминка. Но, сообразив, что к чему, он деловито и быстро расстегнул его и спустил с плеч бретельки.

— Я-то думал, у тебя только рана на голове и несколько царапин на руках.

Он, очевидно, поговорил с врачом.

— Верно.

— Тогда что все это...

Рид резко замолчал, поняв, что синяки на ее теле были засосами. Губы его скривились от жалости к ней. Ей захотелось погладить его по щеке и сказать, что все в порядке, что она вовсе не сердится на него за то, что его жадные губы так страстно целовали ее, что все тело оказалось в синяках.

Ничего она, конечно, не сказала. Его сурово нахмуренное лицо убивало в ней всякое желание разговаривать.

— Надо снова сесть, — отрывисто бросил он.

Ухватив Алекс руками за плечи, он приподнял ее и прислонил к изголовью. Собрав майку у ворота, попытался натянуть ее Алекс на голову. Но девушка вздрогнула, как только он коснулся ее волос.

— Так не пойдет, — пробормотал он.

Резким движением он разорвал ворот майки, и теперь голова проскользнула свободно, не причинив боли.

Уже лежа в постели, она пощупала разорванную ткань.

— Спасибо. Это моя любимая майка.

— Извини. — Он натянул ей одеяло до подбородка и встал. — Думаешь, обойдешься здесь одна?

— Да.

Он смотрел на нее с сомнением.

— Точно?

Она слабо кивнула.

— Может, подать тебе что-нибудь, прежде чем я уйду? Воды, например.

— Ладно. Поставь, пожалуйста, стакан на тумбочку.

Когда он вернулся со стаканом воды, она уже уснула. Рид постоял, глядя на нее. Разметавшиеся по подушке волосы были в сгустках крови. Лицо неестественно бледно. У него похолодело внутри при мысли о том, что она чудом избежала серьезной травмы, а может, и смерти.

Он поставил стакан на тумбочку и тихонько присел на край кровати. Алекс зашевелилась, неразборчиво забормотала и протянула руку, как бы стараясь что-то достать. В ответ на эту немую неосознанную просьбу Рид осторожно накрыл ее руки своими сильными мозолистыми ладонями.

Он бы нисколько не удивился, если бы она вдруг открыла глаза и начала упрекать его за то, что он лишил ее девственности. Но откуда, черт подери, было ему знать?

«Да хоть бы и знал, — подумал он, — *все равно сделал бы то же самое».*

Она не проснулась. Только тихо засопела и доверчиво обхватила пальцами его руку. В нем боролись здравый смысл и импульсивное желание, но схватка была недолгой, ее исход был предрешен еще до того, как заговорила совесть.

Он тихонько пристроился рядом с ней на кровати, вытянувшись во весь рост к ней лицом и ощущая ее нежное, пахнущее лекарствами дыхание.

Он любовался тонкими чертами ее лица, рисунком рта, длинными, лежащими на щеках ресницами.

— Алекс.

Он прошептал ее имя не затем, чтобы разбудить, а просто потому, что ему было приятно произносить его.

Она глубоко вздохнула, переключив его внимание на разорванную майку. Сквозь разрыв виднелись гладкие округлости ее грудей. В тусклом свете лампы ложбинка между ними казалась темной, бархатистой, его так и манило прижаться к ней губами.

Но нет, он не сделал этого. И даже не поцеловал ее трогательно-беззащитный рот, хотя из головы не шли ее нежные, глубокие и влажные поцелуи.

Ему хотелось ласкать дразнящие холмики ее грудей. Он видел, как под мягкой тканью майки темнеют ее соски, и знал, что они станут твердыми, стоит ему прикоснуться к ним языком или пальцами. А эта проклятая майка разжигала воображение сильнее, чем самые роскошные пеньюары и пояса Норы Гейл.

Было сущей пыткой лежать так близко к ней и не касаться ее — и в то же время какое блаженство ощущать ее рядом, смотреть на нее. Когда удовольствие и мука стали невыносимы, он нехотя высвободил руку и встал с постели.

Убедившись, что она тепло укрыта и лекарство подействовало, он тихо выскользнул из комнаты.

Глава 39

— Войдите.

Когда Рид вошел в комнату, Джуниор, сидя в постели, курил закрутку с марихуаной и смотрел телевизор.

— Привет. Каким ветром? — Он предложил Риду затянуться.

— Нет, спасибо.

Рид плюхнулся в кресло, положил ноги на стоявший рядом пуфик.

С тех пор как Рида впервые пригласили в эту комнату, в ней мало что изменилось, хотя Джуниор сменил обстановку на более современную, когда решил переехать домой после своего последнего развода. Это была просторная комната, где царил комфорт.

— Боже, ну и устал же я, — сказал Рид, проведя пятерней по волосам.

Джуниор погасил тлеющую сигарету и отложил ее в сторону.

— Да, вид у тебя неважный.

— Вот спасибо. — Рид печально усмехнулся. — Как это получается, что у меня вечно такой вид, будто на мне пахали, а у тебя всегда свежий и ухоженный?

— Гены. Посмотри на мою мать. Я ни разу в жизни не видел ее непричесанной.

— Наверно, и правда — гены. Бог свидетель, мой отец не очень-то заботился о своей внешности.

— Не рассчитывай на мое сочувствие. Ты прекрасно знаешь, что твоя грубая красота неотразима. У нас разные типы, вот и все.

— Вместе мы были бы силой.

— Уже были.

— Да?

— А помнишь тот вечер, когда мы вместе развлекались с одной из сестер Гейл за учебным манежем Национальной гвардии? Которая из них была тогда?

Рид фыркнул.

— Черт, не помню. Я так устал, что и думать трудно, а уж вспоминать и подавно.

— Много работаешь сверхурочно, да?

— Приходится не спускать глаз... — Рид намеренно сделал паузу, — с Алекс, чтобы хоть как-то уберечь ее.

Он заметил, что в глазах Джуниора блеснул интерес.

— Да, с ней достаточно хлопот.

— Я не шучу. Ее сегодня чуть не убили.

— Что? — Джуниор спустил ноги на пол. — Что случилось? Она ранена?

Рид рассказал Джуниору о случае на шоссе.

— Я позвоню ей, — сказал тот, как только Рид кончил.

— Не надо. Когда я уходил, она заснула. В больнице ей дали болеутоляющее, и оно уже начало действовать.

Он чувствовал на себе пристальный изучающий взгляд Джуниора, но делал вид, что не замечает его. Он не собирался объяснять, почему счел необходимым уложить Алекс в постель. Ему потребовалась вся его сила воли, чтобы уйти из ее комнаты, отказав себе в удовольствии пролежать рядом с ней всю ночь.

— Какие-то мексиканцы видели, как все произошло. Они сказали, что это был грузовик компании «Минтон энтерпрайсиз» и он преднамеренно сшиб ее с дороги.

Джуниор был в замешательстве.

— Мне прежде всего приходит на ум тот священник.

— А где бы он достал грузовик вашей компании?

— Какой-нибудь служащий мог оказаться одним из его прихожан.

— Этот вариант проверяется, хотя вряд ли он подтвердится.

Друзья минуту помолчали. Наконец Рид как бы между прочим сказал:

— Я слышал, ты сегодня утром завтракал с Алекс.

— Она позвонила и попросила с ней встретиться.

— Зачем?

— Утверждает, что ты рассказал ей о попытке Селины сделать аборт.

— А-а... — Рид отвернулся.

— Не хочу упрекать тебя, дружище, но...

— Тогда и не надо.

Рид с трудом поднялся с мягкого низкого кресла.

— Ну, ладно, ладно. Просто не понимаю, какая была в этом необходимость.

Но Рид не собирался обсуждать события вчерашнего вечера.

— О чем еще вы говорили за завтраком?

— О том вечере, когда умерла Селина. Алекс хотела знать, делал ли я ей предложение.

Джуниор передал свой утренний разговор с Алекс.

— Она поверила тебе, когда ты сказал, что ушел и напился в одиночку?

— Вроде бы да. Мне так показалось. Ведь все кругом мне верят.

Они обменялись чересчур долгим взглядом, и оба почувствовали неловкость.

— Так-так. — Рид уставился в окно. — Алекс сказала, что в кафе появилась Стейси и вела себя не очень-то дружелюбно.

Джуниор заерзал на месте.

— Я, э-э, последнее время встречаюсь со Стейси.

Рид резко обернулся.

— Встречаешься или трахаешься? Или для тебя это одно и то же?

— Виновен по обоим пунктам.

Рид выругался.

— Зачем ты раздуваешь это пламя?

— Удобно.

— Удобна Нора Гейл.

— Но не свободна — по крайней мере, для всех, кроме тебя.

Рид презрительно скривил губы.

— Жалкий ты сукин сын.

— Послушай, кому от этого вред? Стейси не хватает внимания. Ей оно необходимо.

— Потому что она любит тебя, болван.

— Э-э, — отмахнулся Джуниор. — Я знаю одно. Она терпеть не может Алекс. Боится, что она всем нам испортит жизнь, а особенно ее отцу.

— Алекс на это способна. Полна решимости найти преступника и засадить его в тюрьму.

Джуниор снова привалился к изголовью.

— А тебя это в самом деле беспокоит?

— Да, — сказал Рид. — Я много потеряю, если «МЭ» не получит лицензию на строительство ипподрома. Да ведь и ты тоже.

— К чему ты клонишь? Уж не к тому ли, что я столкнул Алекс в кювет? Это что, допрос, шериф? — спросил он с явной насмешкой.

— А если и так?

Красивое лицо Джуниора побагровело от гнева.

— Господи помилуй, ты что, спятил? — Он слез с постели и вплотную подошел к Риду. — Да я и волоса не трону на ее голове.

— Ты был сегодня утром в ее номере?

— Был, ну и что?

— Зачем? — рявкнул Рид.

— А ты как думаешь? — проорал в ответ Джуниор.

Рид слегка отдернул голову. Движение было рефлекторным, он не мог ни сдержать его, ни скрыть.

Несколько мгновений оба молчали, потом Джуниор проговорил:

— Она сказала «нет».

— А кто тебя спрашивал?

— Но ведь хотел же, — проницательно заметил Джуниор. — Скажи, Алекс и ее расследование имеют какое-нибудь отношение к твоему отказу вернуться в «МЭ»? — Он снова подошел к кровати и присел на край, устремив на Рида обиженный вопрошающий взгляд. — Ты не захотел даже сказать мне об этом, Рид?

— Нет.

— Почему?

— Не имело смысла. Я покинул компанию раз и навсегда. И больше не собираюсь иметь с ней дела.

— С *нами*, ты хочешь сказать.

Рид пожал плечами. Джуниор задумчиво смотрел на друга.

— Из-за Селины?

— Селины? — прошептал Рид и грустно усмехнулся. — Селину давно похоронили и забыли.

— Правда?

Друзья откровенно, отбросив всякое притворство, смотрели друг на друга. Наконец Рид сказал:

— Да.

— С тех пор как она умерла, между нами все пошло по-другому, разве не так?

— Иначе и быть не могло.

— Наверное, — угрюмо сказал Джуниор. — Мне очень жаль.

— Мне тоже.

— Ну а Алекс?

— Что Алекс?

— Это из-за нее ты не хочешь вернуться к нам?

— Черт, вовсе нет. Ты сам знаешь причину, Джуниор, или, по крайней мере, должен знать. Я много раз говорил тебе об этом.

— Эту чушь собачью про независимость? Причина не в этом. Ты куда лучше меня умеешь заставить Ангуса считаться с собой. — Джуниор тихо ахнул, осознав, что попал в самую точку. — Ах, вот в чем дело. Ты сторонишься «МЭ» ради меня.

— Ошибаешься, — слишком поспешно возразил Рид.

— Черта с два ошибаюсь, — прорычал Джуниор. — Вообразил, значит, что представляешь для меня, законного наследника, угрозу. Что ж, благодарю покорно, да только не нуждаюсь я в твоей милости!

Гнев Джуниора улетучился так же внезапно, как и вспыхнул.

— Черт, кого я тут дурачу? — Он презрительно фыркнул. — Ведь не себя же. — Он поднял голову и умоляюще посмотрел на Рида. — Я бы очень хотел, чтобы ты вернулся. Ты нам нужен, особенно когда построят ипподром.

— Ну а теперь кто несет чушь?

— Сам знаешь, что я прав. Отец умеет добиваться своего, но он действует, как бандит с большой дороги. Сейчас так дела больше не делаются. У меня есть шарм, но на скотоводческой ферме от него столько же толку, сколько от горных лыж на Ямайке. От шарма прок, только если заниматься сутенерством, о чем я, кстати, частенько подумываю.

— Шарм тоже не мешает.

— Отец далеко не глуп, он понимает, что ты способен нас сплотить, Рид. Ты стал бы буфером между нами. — Он опустил голову, глядя на свои руки. — Он предпочитает иметь дело с тобой, а не со мной.

— Джуниор...

— Давай хоть сейчас не будем притворяться, Рид. Мы давно уже не мальчики, и ни к чему нам лгать самим себе и друг другу. Отец готов поклясться на Библии, что гордится мною как сыном, но я-то знаю лучше. Да, конечно, он меня любит, но я проваливаю то одно дело, то другое. Ему хотелось, чтобы я походил на тебя.

— Это неправда.

— Боюсь, что правда.

— Не-а, — Рид упрямо покачал головой. — Ангус знает, что в решающий момент, когда отступать уже некуда, ты не пасуешь. Сколько раз...

— Сколько?

— Много раз, — подчеркнул Рид, — ты действовал именно как нужно. Иногда, правда, прежде чем принять на себя ответственность, ты тянешь до последней минуты. Зато, поняв, что все зависит только от тебя, ты справляешься. — Он положил руку Джуниору на плечо. — Просто время от времени кто-то должен пнуть тебя под зад, чтобы ты начал вертеться.

Разговор грозил стать сопливо сентиментальным. Хлопнув Джуниора по плечу, Рид направился к двери.

— Смотри не вздумай продавать это зелье ребятишкам, не то ты у меня ответишь по закону, понял?

Он уже открыл было дверь, но Джуниор его остановил:

— Я чертовски разозлился на тебя, когда ты явился в загородный клуб и увез Алекс.

— Знаю. Ничего не поделаешь. Дела.

— Дела? А аэродром? Там тоже были дела, да? У отца сложилось другое мнение.

Рид упорно молчал, ничего не подтверждая и не отрицая.

— Господи Иисусе, — выдохнул Джуниор, проводя ладонью по лицу. — Неужели все сначала? Мы снова влюбились в одну и ту же женщину?

Рид вышел, тихо прикрыв за собой дверь.

Глава 40

Стейси Уоллес убрала недоеденный салат из тунца и поставила перед отцом чашку с фруктами.

— Думаю, впредь она не будет чинить нам беспокойства, — твердо сказала она. Темой их разговора была Александра Гейтер. — Ты слышал, что с ней произошло?

— Насколько я понимаю, это не было случайностью.

— Тогда тем более ей надо поскорей убираться из города.

— По мнению Ангуса, она не собирается уезжать, — сказал судья, помешивая вишни, плававшие в густом сиропе. — Он говорит, будто Алекс убеждена в том, что кто-то хотел запугать ее и заставить уехать, прежде чем она изобличит убийцу.

— А ты свято веришь всему, что говорит Ангус? — раздраженно бросила Стейси. — Откуда ему известно, что она собирается делать?

— Со слов Джуниора.

Стейси отложила вилку.

— Джуниора?

— Угу. — Судья Уоллес отхлебнул чаю со льдом. — Он сидел вчера у ее постели.

— Я думала, она не осталась в больнице, а вернулась в мотель.

— Где бы она ни была, единственным, кто поддерживал ее связь с внешним миром, был Джуниор.

Судья был настолько поглощен своими собственными заботами, что не заметил, каким напряженным стал вдруг взгляд Стейси.

Он рывком поднялся из-за стола.

— Пожалуй, пойду, а то опоздаю. Сегодня утверждение присяжных и предварительное слушание по делу того типа, который на днях ранил человека в заведении Норы Гейл Бертон. Я рассчитываю на то, что он признает себя виновным в неосторожном обращении с оружием, но Ламберт хочет, чтобы Пат Частейн предъявил ему обвинение в предумышленном убийстве.

Стейси почти не слушала. Воображение рисовало ей картину того, как красавица Алекс Гейтер возлежит на гостиничной постели, а Джуниор послушно прислуживает ей.

— Кстати, — сказал судья, натягивая пальто, — ты видела записку, которую я вчера оставил тебе?

— Позвонить Фергусу Пламмету?

— Да. Это ведь тот самый евангелистский священник, который устроил в прошлом году большой скандал из-за того, что на карнавале в Хэллоуин[1] была лотерея. Да? Что ему от тебя нужно?

— Он агитирует за то, чтобы запретить азартные игры в округе Пурселл.

Судья фыркнул.

— Он не понимает, что с таким же успехом можно агитировать против следующей пыльной бури?

— Именно это я и сказала ему по телефону, — заметила Стейси. — Ему известно, что я член нескольких женских организаций, и он хотел, чтобы я выступила перед ними в поддержку его требований. Я, разумеется, отказалась.

Джо Уоллес взял портфель и открыл входную дверь.

— Рид уверен, что разгром, учиненный на ранчо Минтонов, — дело рук Пламмета, однако для его задержания у шерифа нет улик. — Судья не боялся обсуждать с дочерью служебные дела. Она давно пользовалась его полным доверием. — По-моему, Пламмет сам до такого бы не додумался, тут явно была чья-то направляющая рука. Рид мне все уши о нем прожужжал, но в данный момент Пламмет тревожит меня меньше всего.

Обеспокоенная Стейси схватила его за руку:

— А что тебя тревожит, папа? Алекс Гейтер? Не беспокойся. Что она может тебе сделать?

Он натянуто улыбнулся.

— Абсолютно ничего. Ты же знаешь, как я аккуратен в делах. Ну, побегу. До свидания.

Когда пришел почтальон, Ванда Гейл Бертон Пламмет как раз подметала веранду. Он вручил ей пачку писем, она поблагодарила. Просматривая письма, она вошла в дом. Как обычно, вся почта была адресована мужу. В основном счета и церковная корреспонденция.

Однако один конверт выделялся из всех. Он был из бежевой бумаги высшего качества, с тисненым обратным адресом, который был забит на машинке так, что его невозможно было прочесть. Их адрес тоже был напечатан на машинке.

---

[1] Канун Дня Всех Святых, 31 октября, празднуется в США и Великобритании.

Любопытство взяло верх над строгим наказом мужа самой не распечатывать адресованную им корреспонденцию. Ванда надорвала конверт. Внутри лежал чистый лист бумаги, в него были завернуты пять стодолларовых бумажек.

Ванда уставилась на деньги с таким видом, как будто это было послание с другой планеты. Даже во время самой многолюдной службы они никогда не собирали столько денег. Из пожертвований Фергус оставлял для семьи лишь малую толику. Все остальное шло на нужды церкви и ее «святого дела».

Эти деньги, без сомнения, прислал какой-то жертвователь, пожелавший остаться неизвестным. Последние дни Фергус звонил по телефону разным людям, вербуя добровольцев в пикеты у ворот фермы Минтонов. Он и денег просил. Он хотел поместить в газете объявления на всю страницу, призывающие к запрету игорного бизнеса. Реклама крестовых походов, да и сами эти походы стоят дорого.

Многие просто бросали трубку. А некоторые, прежде чем грохнуть трубкой, еще и обзывали безобразно. Мало кто выслушивал до конца и скрепя сердце обещал прислать свою лепту в поддержку дела.

Но подумать только, целых пять сотен долларов.

А еще он долго разговаривал с кем-то шепотом, по секрету. Ванда не знала, с кем велись эти тайные беседы по телефону, но подозревала, что они как-то связаны с тем происшествием на ферме Минтонов. Ох, до чего же тяжело ей было врать своему старому приятелю Риду. Он, конечно, понял, что она лжет, но вел себя по-джентльменски и не стал ее уличать.

Потом она сказала Фергусу, что ее беспокоит совершенное ею прегрешение, но тот заверил, что ложь здесь оправдана. Бог не желал, чтобы его слуги попали в тюрьму, где они не принесут пользы Божьему делу.

Она робко заметила, что святой Павел провел в тюрьме много дней и создал за решеткой самые вдохновенные страницы Нового Завета. Фергусу такое сравнение не понравилось, и он велел ей помалкивать о делах, слишком сложных для ее разумения.

— Ванда?

Она вздрогнула при звуке его голоса и машинально прижала деньги к своей усохшей груди.

— Что, Фергус?

— Это почтальон приходил?

— Э-э, да.

Она скосила глаза на конверт. Наверняка деньги имели отношение к тем тайным телефонным переговорам. А о них Фергус не захочет говорить.

— Я как раз несла тебе почту.

Она вошла в кухню. Он сидел за обеденным столом, который одновременно служил ему и письменным. Ванда положила на стол пачку писем. Когда она вернулась к раковине, чтобы домыть посуду, красивый конверт и его содержимое уже лежали в кармане ее фартука. Она потом отдаст его Фергусу, как сюрприз, пообещала себе Ванда. А пока можно помечтать о том, что она купит на эти деньги для своих троих детей.

У Алекс было тридцать шесть часов, чтобы все обдумать. Из-за непрекращающейся изнурительной головной боли она лежала в постели и перебирала мысленно все известные ей факты, а когда фактов не хватало, заполняла пробелы догадками.

Пора уже вырваться из замкнутого круга. До разгадки, вероятно, рукой подать, осталось лишь сделать решающий шаг. Неумолимо приближался назначенный Грегом срок. Надо заставить преступника разоблачить себя действием и перейти в наступление самой, даже если при этом придется блефовать.

Много дней назад она пришла к горькому выводу, что когда-то явилась причиной трагической гибели Селины, но Алекс не собиралась всю жизнь нести бремя этой вины одна. Тот, кто совершил преступление, кто бы он ни был, тоже должен испить свою чашу страданий.

Проснувшись утром, она снова почувствовала головную боль, но несильную, с такой болью уже можно было жить. Все утро она просматривала свои записи, обдумывая и анализируя данные, а когда судья Уоллес вернулся на работу после обеденного перерыва, она уже дожидалась его у дверей кабинета. Он явно ей не обрадовался.

— Я сказала мисс Гейтер, что у вас сегодня нет свободного времени, — оправдывалась миссис Липском в ответ на гневный взгляд судьи. — Но она все равно осталась вас ждать.

— Это правда, судья, — сказала Алекс. — Не могли бы вы все же уделить мне несколько минут?

Он посмотрел на часы.

— Минуты три, не больше.

Она вошла вслед за ним в кабинет. Он снял пальто и повесил на медную вешалку, стоявшую у стены. Сначала он уселся за стол и только потом, стараясь придать лицу грозное выражение, спросил:

— Ну, что у вас на этот раз?

— Чем подкупил вас Ангус Минтон?

Его лицо пошло пятнами.

— Не понимаю, о чем вы говорите.

— Понимаете. Вы, судья, упрятали невиновного человека в психиатрическую лечебницу. Вы знали, что он невиновен; во всяком случае, подозревали, что он ни при чем. Вы совершили это по просьбе Ангуса Минтона, не так ли? А в обмен потребовали, чтобы Джуниор женился на вашей дочери Стейси.

— Это невероятно! — Он грохнул кулаками по столу.

— Отчего же? Наутро после того, как Селина Грэм Гейтер была найдена убитой в конюшне на ранчо Минтона, вам позвонил Ангус, а может, пришел. Бад Хикс был уже схвачен неподалеку, весь перепачканный кровью, с зажатым в руке скальпелем, которым, как полагали, и было совершено убийство. Но этого должным образом так и не установили, ведь скальпель не был подвергнут тщательной экспертизе. Результаты вскрытия показали, что она умерла от многочисленных режущих ран, но судебный эксперт не имел возможности осмотреть тело: его уже кремировали; так что ее могли убить чем угодно.

— Придурок Бад зарезал ее скальпелем доктора Коллинза, — упрямо сказал судья. — Подобрал скальпель в конюшне и убил ее.

— Где же скальпель сейчас?

— Сейчас прошло двадцать пять лет. Уж не думаете ли вы, что он по-прежнему должен лежать в комнате вещественных улик?

— Нет, но думаю, что должен быть протокол его списания. Никто никогда не поинтересовался ни у доктора Коллинза, ни у его сына, не хотят ли они получить его обратно, хотя всем известно, что это был подарок его жены. Вам это не кажется странным?

— Бог его знает, что с ним случилось и куда задевались протоколы.

— Полагаю, судья, вы отделались от него сами. Согласно протоколам, именно суд, а не участок шерифа был последней инстанцией, где находился скальпель. Прежде чем прийти сюда, я проверила это сегодня утром.

— Зачем бы мне избавляться от скальпеля?

— А на тот случай, если кто-то вдруг затребует его, какой-нибудь следователь вроде меня; отсутствие скальпеля легко можно отнести на счет чиновничьей оплошности. Лучше пусть обвинят в неаккуратном ведении бумаг, чем в нарушении правосудия.

— Вы несносны, мисс Гейтер, — чопорно сказал он. — Как большинство мстителей, вы руководствуетесь чувствами, и у вас нет абсолютно никаких фактов для ваших чудовищных обвинений.

— И тем не менее я намерена передать свои соображения на рассмотрение большого суда присяжных. Видите, я оказываю вам услугу, раскрывая заранее свои карты. И вы сможете заблаговременно обсудить все ответы со своим адвокатом. Или вы, ссылаясь на Пятую поправку, откажетесь давать показания?

— Мне не придется делать ни того, ни другого.

— Хотите сейчас пригласить своего адвоката? Я с удовольствием подожду.

— Мне не нужен адвокат.

— Тогда я продолжу. Ангус попросил вас оказать ему услугу. За это вы тоже попросили его об одолжении.

— Джуниор Минтон женился на моей дочери, потому что любил ее.

— А вот этому я никак не могу поверить, судья Уоллес, поскольку он сам сказал мне, что сделал моей матери предложение в тот вечер, когда ее убили.

— Не нахожу объяснений его непостоянству.

— Зато я нахожу. Джуниор был взяткой вам за приговор Придурку Баду.

— Но и районный прокурор...

— В тот момент он находился в отпуске в Канаде. Это подтвердила утром его вдова. А его помощник получил достаточно улик, чтобы обвинить в убийстве уже Бада Хикса.

— Суд присяжных тоже осудил бы его.

— Не думаю, но что теперь об этом говорить. Вы позаботились о том, чтобы до суда присяжных дело не дошло. — Она глубоко вздохнула. — Кого прикрывал Ангус — себя, Джуниора или Рида?

— Никого.

— Но он ведь вам сказал, когда звонил в то утро?

— Не звонил он.

— Звонил. Как только арестовали Хикса, так и позвонил. Что сказал вам Ангус?

— Ничего он мне не говорил. Я вообще с ним не разговаривал.

Она встала со стула и оперлась руками на стол.

— Наверняка он сказал: «Послушай, Джо, я попал в переплет». Или: «Джуниор хватил тут через край». Или: «Помоги выпутать Рида. Ведь он мне как сын». Так оно и было, правда?

— Нет, вовсе нет.

— Вы, возможно, возразили, что не в силах ничего сделать. Может, попросили дать вам время подумать. Ангус, добрый малый, дал вам, конечно, несколько часов на размышление. И вот тогда вы заявили, что окажете ему эту маленькую услугу в обмен на брак между Стейси и Джуниором.

— Я не позволю вам...

— Может быть, вы даже обсудили этот вопрос с ней и миссис Уоллес.

— Вы клевещете на...

— Так, может, сама Стейси предложила условия сделки?

— Стейси понятия об этом не имела!

Он вскочил с кресла и, приблизившись к Алекс, прокричал эти слова ей в лицо. Когда до него дошло, в чем он признался, он заморгал, облизнул губы и повернулся к ней спиной. Его пальцы нервно забегали по медным шляпкам гвоздей, которыми было обито кожаное кресло. Это был подарок его дочери, его единственного ребенка.

— Вы знали, что Стейси безумно любит Джуниора Минтона.

— Да, — тихо сказал он. — Я знал, что она любит его сильнее, чем он того заслуживает.

— И что ее любовь безответна.

— Да.

— И что Джуниор спал с ней, когда ему только вздумается. Вы решили спасти ее репутацию, выдав как можно скорее замуж, пока она случайно не забеременеет.

Судья ссутулил плечи и ответил тихо и горестно:

— Да.

Алекс закрыла глаза и неслышно перевела дух. Внутреннее напряжение схлынуло с нее, как волна откатывает от берега.

— Судья Уоллес, кто убил мою мать? Когда Ангус просил вас засудить Бада Хикса, кого он защищал?

Судья посмотрел ей в глаза.

— Я не знаю. Бог свидетель, это правда. Клянусь всей моей жизнью.

Она поверила ему и прямо об этом сказала. Стараясь не шуметь, собрала свои вещи. Когда она была уже у двери, он тихо окликнул ее.

— Да?

— Если дело когда-либо дойдет до суда, будете ли вы настаивать, чтобы все это прозвучало в суде?

— Боюсь, что да. Очень сожалею.

— Стейси. — Он откашлялся. — Я не лгал, говоря, что она не знала о моем уговоре с Ангусом.

— Очень сожалею, — повторила Алекс.

Он уныло кивнул. Она вышла в приемную, закрыв за собой дверь. Секретарша бросила на нее возмущенный взгляд, пожалуй, вполне заслуженный. Ведь она таки вынудила судью сказать правду. Это было необходимо, но оставило у нее тяжелый осадок.

Алекс стояла на площадке, поджидая лифт, когда раздался револьверный выстрел.

— Боже, только не это, — прошептала она, не сознавая, что говорит вслух; портфель выпал у нее из рук, она бегом бросилась назад в конец коридора. Миссис Липском была у двери кабинета. Алекс оттолкнула ее и вбежала первой.

То, что она увидела, приковало ее к месту. Крик застрял у нее в горле, а по комнатам и коридорам эхом разнесся вопль секретарши.

Глава 41

Ровно через минуту после выстрела у дверей кабинета судьи Уоллеса уже столпились секретарши, судебные приставы и другие служащие суда.

Рид первым поднялся сюда с полуподвального этажа, где располагался полицейский участок. Он протолкался сквозь толпу, резко приказав следовавшим за ним помощникам очистить помещение. Обняв за плечи истерически рыдавшую миссис Липском, велел Имоджен, секретарше Пата Частейна, увести ее прочь. Затем набросился на Алекс:

— Отправляйтесь в мой кабинет, запритесь и сидите там, ясно? — Она непонимающе смотрела на него. — Ясно? — повторил он громко и тряхнул ее за плечи. Будучи не в состоянии говорить, она кивнула.

Обращаясь к одному из помощников, Рид приказал:

— Проводите ее в мой кабинет. И никого туда не впускайте.

Офицер увел ее вниз. Уходя, она видела, как Рид устремил взгляд на ужасную картину на письменном столе. Он провел рукой по волосам и пробормотал:

— Елки-палки.

Оказавшись в кабинете Рида, Алекс принялась ходить из угла в угол, рыдая, скрежеща от отчаяния зубами и устремив невидящий взгляд в пространство. Она мучительно переживала самоубийство судьи Джозефа Уоллеса.

Кровь стучала у нее в висках с такой силой, что швы на голове, казалось, вот-вот лопнут. Лекарство она, конечно, забыла. Лихорадочно обшарив весь стол шерифа, она не нашла даже аспирина. Неужели этот человек никогда не испытывает боли?

У нее кружилась голова, ее тошнило, руки были влажными и никак не могли согреться. Сверху, сквозь старую штукатурку потолка, просачивался каждый звук, но она ничего не могла разобрать. Оттуда все время доносился топот чьих-то шагов. Кабинет шерифа был хорошим убежищем от поднявшейся суматохи, но ей безумно хотелось знать, что же происходит там, в комнатах и коридорах верхнего этажа.

Алекс охватило отчаяние. Факты неумолимо вели к разгадке, которую ее душа не принимала. Признание судьи Уоллеса вновь подтверждало причастность к преступлению главных подозреваемых.

Попади Ангус в беду, он позаботился бы о своем спасении без всяких угрызений совести. Точно так же он подкупил бы судью, чтобы защитить Джуниора, и, вероятно, пошел бы на это и ради Рида. И все-таки, который из них троих вошел в ту ночь в конюшню и убил Селину?

Дверь резко распахнулась, и стоявшая у окна Алекс испуганно обернулась. Она не знала, сколько времени провела в кабинете, и, когда Рид щелкнул выключателем, вдруг поняла, что на улице почти стемнело. Она по-прежнему не имела представления о том, что происходит наверху и перед зданием суда.

Рид бросил на нее суровый взгляд, но ничего не сказал. Он налил себе чашку кофе и сделал несколько глотков.

— Почему ты оказываешься замешанной во всем, что происходит последнее время в городе?

Глаза ее моментально наполнились слезами. Еще минуту назад их не было, теперь же они катились градом. Она направила дрожащий указательный палец прямо в грудь Риду.

— Как ты можешь, Рид? Я ведь не знала, что...

— Что когда ты загонишь Джо Уоллеса в угол, он вышибет себе мозги? Но так и случилось, крошка. И его мозги стекают сейчас со стола.

— Заткнись.

— А куски его кожи с волосами мы нашли аж на противоположной стене.

Алекс закрыла рукой рот, подавляя крик. Повернувшись к Риду спиной, она неудержимо разрыдалась. Он положил руки ей на плечи, и хотя она попыталась отстраниться, он решительно повернул ее к себе и прижал к груди.

— Ну, ну, тише. Сделанного не воротишь. — Щекой она почувствовала, как поднялась в глубоком вздохе его грудь. — Забудь об этом.

Она резко отстранилась.

— Забыть? Но ведь умер человек. По моей вине.

— Разве ты нажала на курок?

— Нет.

— Тогда это не твоя вина.

Раздался стук в дверь.

— Кто там? — сердито спросил Рид.

Помощник назвал себя, и шериф разрешил ему войти. Он знаком велел ей сесть, а помощник тем временем вставил лист бумаги в пишущую машинку. Алекс в недоумении смотрела на Рида.

— Мы должны снять показания, — сказал он.

— Сейчас?

— Лучше с этим не тянуть. Готово? — спросил он помощника, тот кивнул. — Итак, Алекс, как все случилось?

Она промокнула лицо бумажной салфеткой и начала. Насколько возможно кратко, она рассказала, что произошло в кабинете судьи, при этом старательно избегая называть имена и обсуждавшиеся вопросы.

— Я вышла из его кабинета и дошла до лифта, — взгляд ее был устремлен на мокрый носовой платок, который она теребила в руках. — Тут я услышала выстрел.

— И бегом вернулись в кабинет?

— Да. Он завалился вперед. Голова лежала на столе. Я увидела кровь и... поняла, что он сделал.

— Вы видели пистолет?

Она покачала головой.

Рид сказал помощнику:

— Запишите, что она ответила «нет» и что она и не могла его видеть, потому что он выпал на пол из правой руки жертвы. Пока все.

Помощник бесшумно удалился. Рид подождал несколько секунд. Он сидел на углу стола, покачивая ногой.

— О чем ты говорила с судьей?

— Об убийстве Селины. Я обвинила его в том, что он избавился от вещественных улик и взял взятку.

— Серьезные обвинения. Как он на них отреагировал?

— Он признался.

Рид вынул что-то из кармана рубашки и бросил на стол. Серебряный скальпель упал с глухим металлическим звоном. От времени он потемнел, но был совершенно чистым.

При виде скальпеля Алекс отшатнулась.

— Где ты его нашел?

— В левой руке судьи.

Они обменялись долгим взглядом. Наконец Рид сказал:

— Это было его орудие самообвинения, он держал его в

ящике стола, чтобы постоянно напоминать себе о своем бесчестье. Неудивительно, что Уоллес свел счеты с жизнью, ведь он так гордился своей многолетней безупречной репутацией судьи. Поэтому предпочел снести себе полголовы, чем пережить крах своей карьеры.

— Это все, что ты можешь сказать?

— А что еще ты хочешь от меня услышать?

— Я хочу услышать твои вопросы о том, кто его подкупил. Чем? Почему? — Слезы на ее глазах моментально высохли. — Но ты уже все знаешь, да?

— Я же не вчера родился, Алекс.

— Значит, тебе известно, что Ангус заставил судью Уоллеса упрятать Придурка Бада в сумасшедший дом, якобы как убийцу Селины, а взамен обещал женить Джуниора на Стейси?

— Ну и что тебе это дает? — Уперев руки в боки, он возвышался над ней. — Это же только догадки. Ты ведь не можешь этого доказать. Даже если они и договорились, им обоим хватило ума не оставлять никаких улик. Никто ничего не записывал. И судебные власти примут все это с хорошей долей сомнения. Вот и получается, что человека нет, его репутация прекрасного судьи разлетелась в пух и прах, а у тебя все равно нет доказательств, чтобы повесить на кого-то убийство Селины.

Он сердито барабанил пальцами по своей груди.

— Мне сегодня пришлось поехать в дом судьи, чтобы сообщить Стейси, что старик вышиб себе мозги из-за твоих ничем не подкрепленных обвинений, которые большой суд присяжных скорее всего отвергнет как несостоятельные.

Он замолчал, подавляя раздражение.

— Пока я не спустил на тебя всех собак, предлагаю поскорее убраться отсюда и поехать в какое-нибудь более безопасное место.

— Безопасное? Для кого?

— Для тебя, черт подери! До тебя еще не дошло, чем все это пахнет? Пат Частейн близок к инфаркту, а Грег Харпер звонил уже три раза, хотел знать, не имеешь ли ты какого-либо отношения к самоубийству этого видного, уважаемого судьи. Стейси вне себя от горя, но когда приходит в сознание, то призывает погибель на твою голову.

А на ступенях здания суда стоит в пикете Пламмет со своей армией умалишенных, их плакаты извещают прохожих, что это и есть начало конца света. И весь этот хаос, госпожа прокурор, происходит из-за вас и вашего плохо состряпанного расследования.

Алекс показалось, что ее сердце готово разорваться от обиды, но она тем не менее бросилась отбивать атаку:

— Значит, пусть Уоллес живет как хочет, раз он такой славный малый?

— В таких щепетильных ситуациях, Алекс, надо действовать тоньше.

— Но к этой ситуации никто и близко еще не прикасался! — воскликнула она. — Так вот как вы трактуете закон, шериф Ламберт! Выходит, кое для кого законы не писаны? Вы что же, предусмотрительно отворачиваетесь в другую сторону, если ваш друг преступает черту дозволенного? Очевидно, так. Свидетельство тому Нора Гейл Бертон и ее бордель. А себя вы тоже считаете неподвластным правосудию?

Он не ответил. Молча подошел к двери, распахнул ее и отрывисто бросил:

— Пошли.

Она вышла с ним в коридор, и он повел ее к запасному лифту.

— Пат одолжил мне машину жены, — сказала она ему. — Она припаркована перед парадным входом.

— Знаю. А рядом с ней тебя поджидает орава репортеров, жаждущих узнать кровавые подробности самоубийства судьи. Поэтому я хочу вывести тебя через заднюю дверь.

Они вышли из здания незамеченными. Снаружи было совсем темно.

«Который, интересно, час?» — подумала Алекс. Они прошли до стоянки уже полпути, как вдруг из темноты вынырнула какая-то фигура и преградила им дорогу.

— Стейси! — тихо воскликнул Рид. Его рука машинально сжала рукоять пистолета, но пистолет остался в кобуре.

— Я знала, что перехвачу тебя, когда ты попытаешься скрыться.

Глаза Стейси были прикованы к Алекс. В них светилась такая ненависть, что Алекс захотелось в поисках защиты прижаться к Риду, но гордость не позволила.

— Прежде чем вы начнете говорить, Стейси, я хочу сказать вам, что мне искренне жаль вашего отца.

— Неужели?

— Ужасно жаль.

Стейси передернулась то ли от холода, то ли от отвращения — не разберешь.

— Ты явилась сюда, чтобы погубить его. Что ж ты теперь сожалеешь, тебе гордиться собой надо.

— Я не несу ответственности за прошлые ошибки вашего отца.

— Это все из-за тебя произошло! Почему ты не оставила его в покое? — Голос Стейси дрогнул. — Ведь никому, кроме тебя, не интересно, что произошло двадцать пять лет назад. Он уже был старик. И через несколько месяцев собирался уйти в отставку. Ну что он тебе сделал?

Алекс вспомнила последние обращенные к ней слова судьи. Стейси ничего не знала о тайной сделке, на которую он пошел ради нее. Алекс не стала наносить ей новую рану, пусть сначала хотя бы оправится от потрясения.

— Извините. Я не могу обсуждать с вами судебное дело.

— *Дело? Дело?* О каком деле ты говоришь? Твоя беспутная мать играла людьми, вернее, *мужчинами,* вертела ими как хотела, пока кто-то не вытерпел и не прикончил ее. — Глаза Стейси злобно сощурились, угрожающе сжав кулаки, она шагнула к Алекс. — Ты такая же, как она, — мастерица заварить кашу, вертихвостка и шлюха!

Она бросилась на Алекс, но Рид, встав между ними, схватил Стейси, крепко прижал к себе и держал так, пока ярость ее не утихла, и она, ослабев, разрыдалась, уткнувшись ему в грудь.

Он гладил ее по спине, бормоча слова утешения. Тайком, за спиной Стейси, он передал Алекс ключи от своей машины. Алекс взяла ключи, села в «Блейзер» и заперла дверь. Сквозь ветровое стекло она видела, как они свернули за угол и скрылись из виду. Через несколько минут Рид бегом вернулся к машине. Алекс открыла дверь, и он сел за руль.

— Она успокоилась? — спросила Алекс.

— Да. Я поручил ее друзьям. Они отвезут ее домой. И кто-нибудь подежурит у нее ночью. — Его губы скривила горькая усмешка. — Правда, того, кто ей нужен больше всех на свете, среди них нет.

— Отца?

Рид покачал головой.

— Джуниора.

Оттого что все складывалось так плохо и печально, Алекс снова расплакалась.

Глава 42

Она подняла голову, только когда джип тряхнуло на какой-то выбоине. Сквозь ветровое стекло попыталась определить, где они едут, но ночь была темной и на дороге не было видно никаких знаков.

— Куда мы едем?

— Ко мне. — Как только Рид сказал это, фары тотчас высветили дом.

— Зачем?

Он выключил мотор.

— Затем, что мне нельзя спускать с тебя глаз. Стоит мне отвернуться, как тут же появляются либо раненые, либо мертвые.

Он оставил ее сидеть в машине, а сам пошел отпереть дверь. Алекс хотела было уехать, но он предупредительно забрал ключи с собой. В какой-то степени Алекс почувствовала облегчение оттого, что у нее отняли возможность действовать. И хотя ей по-прежнему хотелось воспротивиться его диктату, у нее уже не было на это ни физических, ни душевных сил. Она с трудом открыла дверь и выбралась из машины.

Ночью дом выглядел совсем по-другому. Как женскому лицу, ему больше шло мягкое освещение, оно помогало скрывать недостатки. Рид вошел раньше ее и включил лампу. Сейчас он сидел на корточках перед камином, пытаясь длинной спичкой поджечь кучку щепок под аккуратно сложенными поленьями.

Когда сухие дрова, потрескивая, разгорелись, он поднялся и спросил:

— Есть хочешь?

— Есть? — Она повторила слово так, как будто впервые его слышала.

— Когда ты последний раз ела? Днем?

— Джуниор принес вчера вечером мне в номер гамбургер.

Он сварливо буркнул, направляясь к кухне:

— Не обещаю ничего такого шикарного, как гамбургер.

Благодаря племяннице Лупе содержимое кладовки значительно пополнилось, и теперь в ней можно было найти не только арахисовое масло и крекеры. Бегло осмотрев запасы, он предложил на выбор консервированный суп, спагетти, мороженые тамали, яичницу с беконом.

— Яичницу с беконом.

Они дружно и молча приступили к делу. Готовил в основном Рид. Он мало заботился о чистоте и презирал кулинарные тонкости. Алекс с удовольствием наблюдала за ним. Когда он поставил перед ней тарелку и опустился на стул по другую сторону маленького стола, она улыбнулась ему, но улыбка вышла печальной. Он заметил это и в замешательстве подцепил вилкой слишком большой кусок яичницы.

— В чем дело?

Она покачала головой и опустила глаза.

— Так, ничего.

Ответ, похоже, его совсем не удовлетворил. Но не успел он открыть рот, как зазвонил телефон. Рид протянул руку к висевшему на стене аппарату.

— Ламберт слушает. А-а, привет, Джуниор. — Он взглянул на Алекс. — Да, зрелище было не из приятных. — Он молча слушал. — Она, э-э, у нее была с ним встреча как раз перед тем, как это случилось. Боюсь, она все видела. — Он пересказал официальные показания Алекс. — Это все, что мне известно. Ну успокой их, ради бога. Завтра они, как и все остальные, прочтут об этом в газетах. Ладно, ты извини, но у меня был чертовски трудный день, и я устал. Дай Саре-Джо какую-нибудь таблетку и скажи Ангусу, что ему не о чем беспокоиться. — Он поймал хмурый взгляд Алекс, но невозмутимо продолжал: — Алекс? С ней все в порядке. Ну, если она не подходит к телефону, значит, наверное, принимает душ. Если тебе так уж хочется поиграть в доброго самаритянина, то кое-кому сегодня твоя помощь гораздо нужнее, чем Алекс.

Да, Стейси, конечно, идиот. Почему бы тебе не поехать туда и не посидеть с ней немного?.. Ладно, до завтра.

Положив трубку, он вернулся к прерванной еде.

— Почему ты не сказал ему, что я здесь? — спросила Алекс.

— А тебе хотелось бы, чтобы я сказал?

— Не очень. Просто мне интересно, почему ты не сказал.

— Ему не обязательно знать.

— Он поедет к Стейси?

— Надеюсь, но с Джуниором нельзя ни в чем быть уверенным. На самом деле, — сказал он, проглотив кусок, — похоже, мысли его заняты только тобой.

— Мной или тем, что я услышала от судьи Уоллеса?

— Думаю, и тем и другим вместе.

— Ангус расстроился.

— Естественно. Джо Уоллес был его старинным приятелем.

— Приятелем и сообщником. — Однако Рид не схватил наживку, он даже не поднял глаза от тарелки. — Рид, мне нужно поговорить с Ангусом. Я хочу, чтобы ты отвез меня к нему сразу после ужина.

Он невозмутимо взял чашку и, отхлебнув кофе, поставил обратно на блюдце.

— Рид, ты слышал меня?

— Да.

— Значит, отвезешь?

— Нет.

— Но я должна поговорить с ним.

— Не сегодня.

— Именно сегодня. Уоллес показал на него как на соучастника. Мне нужно допросить его.

— Никуда он не денется. Успеешь и завтра.

— Твоя преданность Ангусу похвальна, но ты ведь не можешь защищать его вечно.

Он сложил вилку и нож на пустую тарелку и отнес все в мойку.

— Сейчас я больше беспокоюсь о тебе, чем об Ангусе.

— Обо мне?

Он взглянул на ее тарелку и, с удовлетворением убедившись, что она пуста, убрал ее со стола.

— Ты сегодня видела себя в зеркале? На тебя больно смотреть. Несколько раз я готов был подхватить тебя, боялся, что рухнешь.

— Я нормально себя чувствую. И если ты отвезешь меня в мотель, я...

— Нет, — он отрицательно покачал головой. — Сегодня ты ночуешь здесь. Отоспишься немного, и репортеры тебя не достанут.

— Думаешь, они так и набросятся на меня?

— Смерть судьи — уже сенсация. А самоубийство судьи — тем более. Ты ведь была последней, кто говорил с ним перед смертью. К тому же ты ведешь расследование, которое очень беспокоит комиссию по бегам. Так что репортеры непременно устроят на тебя засаду в кустах у мотеля.

— А я запрусь у себя в номере.

— А я не собираюсь рисковать. Я ведь тебе уже сказал: не хочу, чтобы любимицу Харпера убили в моем округе. И без того за последние несколько недель округ по твоей милости получил слишком много публикаций криминальной хроники. На кой черт нам еще? Голова-то болит?

Опершись головой на руку, она машинально потирала виски.

— Да, немного.

— Прими что-нибудь.

— У меня ничего нет с собой.

— Дай-ка посмотрю, не найдется ли у меня чего-нибудь от головной боли.

Он обхватил руками спинку ее стула и вместе с ней оттащил от стола. Встав, она сказала:

— Ты держишь наркотики? Ты же знаешь, это противозаконно.

— А ты только о законе всегда и думаешь? Что правильно, а что неправильно? Ты всегда четко видишь грань между тем и другим?

— А ты нет?

— Если б видел, то мне частенько пришлось бы голодать. Я ведь воровал еду для себя и своего папаши. По-твоему, это было неправильно?

— Не знаю, Рид, — сказала она устало.

Спорить ей не хотелось, от напряжения болела голова.

Она машинально шла за ним, не понимая, куда он направляется, пока он не включил свет в спальне.

Очевидно, на ее лице отразилась тревога, потому что он язвительно усмехнулся.

— Не беспокойся. Совращать тебя не собираюсь. Я лягу на диване в гостиной.

— Правда, Рид, мне не следует здесь оставаться.

— Пора нам обоим относиться к этому по-взрослому, если ты, конечно, считаешь себя взрослой.

Ей было не до шуток, и она решительно заявила:

— Есть миллион причин, по которым я не могу здесь ночевать. И первая — мне нужно немедленно допросить Ангуса.

— Дай ему великодушно одну ночь отсрочки. Кому это повредит?

— Потом, Пат Частейн, наверное, ждет моего звонка.

— Я сказал ему, что ты падаешь с ног от усталости и свяжешься с ним утром.

— Я вижу, ты обо всем позаботился.

— Не хочу рисковать. Очень опасно, когда ты разгуливаешь на свободе.

Она прислонилась к стене и на минуту закрыла глаза. Гордость не позволяла ей признать себя побежденной, но и сопротивляться уже не было сил, она пошла на уступки:

— Ответь мне, пожалуйста, только на один вопрос.

— Валяй.

— Можно воспользоваться твоим душем?

Пятнадцать минут спустя она выключила воду и протянула руку за висевшим на вешалке полотенцем. Взяла пижаму, которую одолжил ей Рид. Пижама выглядела совсем новой.

— Мне ее принес в больницу Джуниор, когда несколько лет назад мне удаляли аппендикс, — объяснил Рид. — Я надевал ее, только чтобы не носить халат, который даже задницы не прикрывал. А вообще-то я пижам терпеть не могу.

Улыбаясь при воспоминании о недовольной гримасе, которую он при этом скорчил, она продела руки в рукава голубой шелковой пижамной куртки и застегнула пуговицы. В этот момент Рид постучал в дверь ванной.

— Я нашел таблетки от головной боли.

Куртка закрывала ее до середины бедер. Она открыла дверь и взяла у него пузырек с таблетками.

— Это сильное средство, — заметила она, прочитав этикетку. — Боль, видимо, была очень сильной. Это при аппендиците?

Он покачал головой.

— Корень зуба воспалился. Ну что, тебе лучше?

— Да, душ меня освежил. И голова уже не так сильно болит.

— Ты вымыла голову.

— Нарушила врачебный запрет. Доктор не велел мне этого делать еще неделю, но я не вытерпела.

— Дай-ка взгляну на твои швы.

Она наклонила голову, и он осторожно раздвинул волосы. Его пальцы двигались легко и проворно. Она совсем не чувствовала их, ощущая затылком лишь его дыхание.

— Вроде все нормально.

— Я старалась рану не трогать.

Рид отстранился, по-прежнему не спуская с нее глаз. Алекс смотрела на него. Они долго стояли так, молча глядя друг на друга. Наконец Рид сказал низким хриплым голосом:

— Прими все же таблетку.

Она повернулась к раковине и наполнила стакан водой из крана. Вытряхнула из пластиковой бутылочки одну таблетку, положила в рот и, закинув голову, проглотила. Опуская голову, она поймала в зеркале его взгляд. Закрыла пузырек с таблетками и обернулась к нему, вытирая губы тыльной стороной ладони.

Совершенно необъяснимо и неожиданно на глаза у нее навернулись слезы.

— Я догадываюсь, Рид, что ты обо мне не слишком высокого мнения, но если бы ты только знал, как мне жутко от того, что сделал судья Уоллес. — У нее задрожала нижняя губа, а голос охрип от волнения. — Это был кошмар, настоящий кошмар.

Она шагнула к нему, обвила его руками, прижалась щекой к груди.

— Пожалуйста, обними меня. Просто обними.

Он выдохнул ее имя и обхватил ее рукой за талию. Другую руку он положил ей на затылок, нежно прижимая ее голову к своей груди. Стараясь успокоить ее, он легкими движениями поглаживал ей голову, нежно целовал в лоб. При первом же прикосновении его губ Алекс подняла голову. Даже не открывая глаз, она чувствовала его страстный взгляд на своем лице.

Его губы коснулись ее губ, и, когда она разомкнула их, он тихо, со стоном, произнес ее имя и поцеловал долгим поцелуем. Его рука скользнула по ее мокрым волосам, погладила шею.

— Погладь меня еще, Рид, — прошептала она.

Он расстегнул пижаму и, просунув под куртку руки, обхватил ее тело, приподнял и прижал к себе. Соски ее слегка терлись о его рубашку. Голым животом она почувствовала холодное прикосновение пряжки на его ремне, а бугор, распиравший его ширинку, уткнулся в ее лобок, прижимаясь к мягким волосам.

От этих прикосновений ее словно током пронзило. Ей хотелось в полной мере насладиться каждым новым ощущением, но все вместе они сливались в мощную волну чувств, которая грозила затопить ее. Каждая клеточка ее тела жаждала любви. Она вся была во власти Рида.

Вдруг он отодвинулся от нее. В недоумении Алекс посмотрела на него широко открытыми глазами, сразу ощутив себя покинутой.

— Рид?

— Сначала я должен выяснить одну вещь.

— Какую?

— Ты спала с Джуниором?

— Я не буду отвечать на этот вопрос.

— Нет, будешь, — резко сказал он. — Если ты хочешь, чтобы мы продолжили, то ответишь. Ты спала с Джуниором?

Желание победило гордость. Она отрицательно покачала головой и тихо прошептала:

— Нет.

После нескольких секунд раздумий он сказал:

— Ладно, тогда на этот раз мы сделаем все, как надо.

Он взял ее за руку и повел в гостиную; она удивилась — ведь пока она была в ванной, он уже постелил ей в спальне. Гостиная освещалась лишь пламенем горевшего камина. Рид приготовил себе постель на диване, но сейчас сорвал простыни и расстелил их на полу перед камином. Алекс опустилась на колени, а он стал спокойно раздеваться.

В сторону полетели его ботинки, носки, рубашка и ремень. Повинуясь внутреннему порыву, Алекс отстранила его руки и принялась сама расстегивать джинсы. Ее пальцы медленно проталкивали через петли неподатливые металлические пуговицы. Когда все они были расстегнуты, она наклонилась и поцеловала его.

Почувствовав ее теплые влажные губы на своем животе, Рид застонал и обхватил ладонями ее голову.

— Так я больше всего люблю, — выдохнул он.

Ее руки скользнули внутрь джинсов, легли на ягодицы, а губы легкими движениями ласкали его кожу. Наконец ее язык прикоснулся к кончику его пениса.

— Подожди, Алекс, подожди, — простонал он. — Это выше моих сил, малыш.

Рид быстро выскользнул из джинсов, ногой отбросил их в сторону. Он стоял перед ней — высокий, поджарый, мускулистый, шрам от аппендицита был далеко не единственным на его теле.

В его волосах отражались отсветы пламени. Загорелая кожа казалась покрытой золотистым пушком, внизу волосы были темнее и гуще. Крепкие мускулы играли при каждом движении.

— Вылезай из этой чертовой пижамы, пока я не разорвал ее.

Сев на колени, Алекс сбросила пижаму с плеч. Скользящий шелк расстелился вокруг нее. Рид опустился перед ней на колени. Его глаза впивались в каждую клеточку ее тела.

Алекс подумала, что он не решается прикоснуться к ней, но наконец он поднес руку к ее волосам и пропустил влажные каштановые пряди между пальцами. Он следил взглядом, как рука медленно двигается вниз по шее к ее груди. Большой палец легкими быстрыми движениями поглаживал сосок, пока он не затвердел.

Затаив дыхание, она прошептала:

— Ты же не собирался меня совращать.

— Я лгал.

Они легли рядом. Он натянул покрывало, обнял ее, прижал теснее и поцеловал; в этом поцелуе было больше нежности, чем страсти.

— Ты такая маленькая, — прошептал он, касаясь ее губ. — Я сделал тебе очень больно тогда?

— Нет. — Он откинул голову и недоверчиво посмотрел на нее. Она стыдливо потупилась. — Немножко.

Он положил руку ей на горло, поглаживая его большим пальцем.

— Откуда мне было знать, что ты девственница?

— Ну, конечно.

— А почему, Алекс?

Она склонила голову набок и посмотрела на него снизу вверх.

— А что, причина так уж важна, Рид?

— Только потому, что ты позволила мне.

— Мне и в голову не приходило позволять тебе. Все случилось само собой.

— Не жалеешь?

Она притянула с себе его голову. Их поцелуй был долгим и жадным. Его рука снова нашла ее грудь. Отбросив покрывало, он наблюдал, как пальцы ласкают сосок.

— Рид, — робко сказала она, — я стесняюсь.

— Я хочу видеть. Если станет холодно, скажи.

— Мне не холодно.

Еще до того, как он опустил голову и взял губами сосок, у нее вырвались прерывистые, страстные звуки. Он искусно ласкал ее грудь. Затем рука его скользнула вниз, по изящному изгибу ее талии, погладила бедро и ногу. Он игриво коснулся ее пупка, потер косточками пальцев живот. Когда он коснулся треугольника ее упругих волос, его глаза потемнели.

— Я хочу, чтобы на этот раз ты кончила, — пробормотал он.

— Я тоже.

Он просунул руку у нее между ног. Она слегка приподняла бедра, чтобы ему было удобнее. Влага уже оросила ее. Он вложил в нее пальцы.

— Рид, — задохнулась она от удовольствия.

— Тс-с. Наслаждайся, и все.

Легкими касаниями большого пальца он гладил самое чувствительное место ее плоти, жарко целуя при этом ее чувственный рот.

— Кажется, сейчас, — выдохнула она между поцелуями.

— Не торопись. Поговори со мной. Мне никогда не удается поговорить в постели.

— Поговорить? — Она и думать об этом не могла. — О чем?

— О чем угодно. Мне хочется слышать твой голос.

— Я... я не знаю...

— Говори, Алекс.

— Мне нравится смотреть, как ты готовишь, — выпалила она первое, что пришло в голову.

— Что? — Он тихо засмеялся.

— Ты так отважно стучал и гремел сковородками. И все измазал вокруг. А яйца ты не просто разбивал, а разносил вдребезги. Твоя неумелость была совершенно очаровательной.

— Сумасшедшая.

— Это ты сводишь меня с ума.

— Я?

Он опустил голову и стал ласкать языком ее живот. Большим пальцем он продолжал гладить ее медленными, возбуждающими движениями, а два других пальца ритмично скользили вверх-вниз. Теплая волна новых приятных ощущений нахлынула на нее. Все внимание сосредоточилось на легких движениях его большого пальца, а когда вместо пальца Рид коснулся ее языком, из груди Алекс вырвался крик.

Вцепившись ему в волосы, она подняла бедра ближе к его горячему жадному рту и головокружительному волшебству его языка.

Она открыла глаза только после того, как улеглись потрясшие ее конвульсии. Его лицо низко склонилось над ней. Мокрые пряди волос прилипли к ее щекам и шее. Он откинул их на подушку.

— Что говорит женщина в такой момент, Рид?

— Ничего, — хрипло отозвался он. — Твое лицо уже все сказало. Впервые в жизни я наблюдал за лицом женщины.

Алекс была глубоко тронута этим признанием, но попробовала отшутиться:

— Вот и прекрасно, в таком случае ты не знаешь, правильно я вела себя или нет.

Он взглянул на ее порозовевшие груди, на сверкавшую в лонных волосах влагу.

— Ты все сделала правильно.

Она любовно провела пальцами по его голове.

— Знаешь, а ведь это могло произойти гораздо раньше, например, тогда на аэродроме. Или в тот раз в Остине, когда ты отвез меня домой. Я умоляла тебя остаться со мной. Почему ты не остался?

— Мне не нравилась причина, по которой ты хотела, чтобы я остался. Мне нужна была женщина, а не маленькая девочка, потерявшая своего папочку. — Он заметил сомнение на ее лице. — Кажется, я не убедил тебя.

Не в силах выдержать его проницательный взгляд, она смотрела куда-то мимо его плеча.

— Ты уверен, что причина именно в этом? Или, может быть, тебе был нужен кто-то совсем другой?

— Ты имеешь в виду именно Селину, а не кого-то другого?

Алекс отвернулась. Ухватив ее за подбородок, он заставил ее посмотреть ему в лицо.

— Послушай, Алекс. Я жутко разозлился, когда ты сказала тогда ночью, ну, ту чушь, что я беру от тебя якобы то, что всегда хотел получить от Селины. Я хочу, чтобы ты поняла. Нас здесь только двое. Между нами никого нет. И привидений тоже нет. Поняла?

— Думаю, что поняла.

— Нет. — Он так яростно затряс головой, что пряди русых волос упали ему на глаза. — И нечего тут думать. Знай, ты — единственная женщина, о которой я думаю сейчас. Ты единственная женщина, о которой я думаю с тех пор, как встретил тебя. Ты единственная женщина, которую мне хочется трахать каждую минуту, когда я не сплю, и которую я трахаю даже во сне.

Я слишком стар для тебя. Наверное, глупо и неправильно с моей стороны тебя хотеть. И все чертовски сложно. Но хорошо это или плохо и чья бы ты ни была дочь, я хочу тебя. — Он уверенно вошел в нее. — Понимаешь? — Темп его движений все ускорялся, объятия становились все жарче. Он простонал: — Понимаешь?

Он заставил себя понять.

Джуниор проснулся до рассвета, что случалось с ним крайне редко. Он плохо спал. Последовав совету Рида, он провел несколько часов у Стейси. Врач дал ей успокоительное, но оно плохо действовало. Всякий раз, как он, решив, что она уснула, вставал с кресла возле ее постели, она просыпалась, сжимала его руку и умоляла не уходить. Он приехал домой, когда было уже далеко за полночь. Но беспокойство за Алекс не оставляло его, и он все время просыпался.

Открыв утром глаза, он первым делом потянулся к стоявшему на тумбочке телефону и набрал номер мотеля «Житель Запада». Он попросил уставшего и раздраженного к концу долгого дежурства портье соединить его с номером Алекс. Джуниор насчитал десять гудков. Нажав на рычаг, он позвонил в отделение шерифа. Ему сказали, что Рид еще не появлялся. Он велел соединить его с телефоном в машине Ламберта, но оператор ответил, что он не включен. Тогда он позвонил Риду домой и услышал сигнал «занято».

Расстроенный, он вылез из постели и начал одеваться. Куда могла деться Алекс? Неизвестность стала невыносимой. Он сам все выяснит и начнет с Рида.

Он прокрался мимо спальни родителей, хотя за дверью уже слышалось какое-то движение. Он был уверен, что Ангус заговорит с ним о сделке с судьей Уоллесом относительно Стейси. Но Джуниор еще не готов был это обсуждать.

Он вышел из дому и сел в «Ягуар». Утро было ясное, холодное. До дома Рида Джуниор доехал всего за несколько минут. Обрадовался, увидев, что «Блейзер» еще стоит перед домом, а в доме горит камин: из трубы вьется дым. Рид всегда поднимается рано. Может, и кофе уже вскипел.

Джуниор рысцой преодолел веранду и постучал в дверь. Пытаясь согреться, он переминался с ноги на ногу и дул на руки. Рид открыл дверь не скоро. Он был в одних джинсах, на лице помятое, сонное, недовольное выражение.

— Черт, который час?

— Неужели я поднял тебя с постели? — недоверчиво спросил Джуниор, открывая вторую дверь и входя в гостиную. — Поздновато для тебя, правда?

— Зачем ты приехал? Что случилось?

— Я надеялся, что это ты мне скажешь, что случилось.

У Алекс всю ночь не отвечает телефон. Ты имеешь какое-нибудь представление, где она может быть?

Уголком глаза он заметил расстеленную перед камином постель, какое-то движение в коридоре. Чуть повернув голову, он увидел ее перед спальней Рида. Ему бросились в глаза всклокоченные волосы, красные распухшие губы, голые ноги. На ней была куртка от пижамы, которую он подарил Риду, когда тот лежал в больнице. Видно было, что она провела бурную ночь.

Задохнувшись, Джуниор сделал шаг назад. Он привалился к стене, поднял к потолку глаза и горько рассмеялся.

Рид положил руку ему на плечо.

— Джуниор, я...

Джуниор гневно стряхнул его руку.

— Тебе не достаточно того, что ее мать была твоей, да? Тебе и она понадобилась тоже.

— Это совсем не так, — холодно сказал Рид.

— Не так? Тогда скажи, как? На днях ты открыл мне зеленую улицу. Сказал, что Алекс тебе не нужна.

— Ничего подобного я не говорил.

— Но, черт побери, ты же не сказал: отойди. А как только понял, что я ею интересуюсь, так тотчас пошел в атаку, да? Чего ты так спешил? Боялся, что если она сначала переспит со мной, то уж никогда не согласится поменять высший класс на плебейские радости?

— Джуниор, прекрати! — крикнула Алекс.

Но Джуниор не слышал ее. Его внимание приковал Рид.

— Почему так получается, Рид: все, чего я ни захочу, обязательно достается тебе. Футбольные награды, уважение моего собственного отца. Селина тебе уже была не нужна, но ты позаботился, чтобы она и мне не досталась, верно?

— Заткнись! — рявкнул Рид, угрожающе надвигаясь на него.

Вытянутый палец Джуниора нацелился Риду прямо в грудь.

— Не приближайся ко мне, слышишь? Не смей, черт побери, даже близко ко мне подходить!

Он громко хлопнул входной дверью. Эхо отозвалось во всех углах маленького дома. Когда рев «Ягуара» затих вдали, Рид направился в кухню.

— Кофе хочешь?

Алекс ошеломили слова Джуниора, но еще больше ее потрясла реакция Рида. Она бросилась на кухню. Молотый кофе посыпался из металлического ковшика, когда она схватила Рида за руку и повернула к себе.

— Пока я окончательно не влюбилась в тебя, Рид, я хочу последний раз спросить тебя кое о чем. — Она глубоко вздохнула. — Это ты убил мою мать?

Ее сердце гулко стучало.

— Да, — ответил он.

Глава 43

Дрожа от гнева, Фергус Пламмет стоял у постели и глядел на спящую жену.

— Ванда, проснись.

Его властный голос мог бы разбудить и мертвого.

Ванда открыла глаза и села, еще не совсем проснувшись и ничего не понимая.

— Фергус, который час... — но тут же осеклась, увидев, что в его руке зажаты пять изобличающих ее сотенных бумажек.

— Вставай, — приказал он и направился вон из комнаты.

Трепеща от страха, Ванда поднялась с постели. Наспех оделась и безжалостно стянула сзади волосы, боясь еще чем-нибудь прогневить мужа.

Он ждал ее, сидя за столом на кухне, прямой и непреклонный. Она боязливо, подобно раскаивающейся грешнице, приблизилась к нему.

— Фергус, я... я хотела сделать тебе сюрприз.

— Молчать! — рявкнул он. — Пока я не разрешу тебе говорить, ты будешь молчать и каяться в душе.

Он сверлил ее осуждающим взглядом. От стыда Ванда Гейл опустила голову.

— Где ты их взяла?

— Их принесли вчера с почтой.

— С почтой?

Она судорожно закивала головой:

— Да. В том конверте. — Конверт лежал на столе рядом с его чашкой кофе.

— Почему ты спрятала их от своего супруга, которому, согласно Священному писанию, ты должна покоряться?

— Я... — начала она, но запнулась и облизнула губы, — я хотела сделать тебе сюрприз.

В глазах его светилось подозрение.

— Кто их прислал?

Ванда подняла голову и тупо посмотрела на него.

— Не знаю.

Он закрыл глаза и стал покачиваться, словно в трансе.

— Изыди, Сатана, приказываю тебе, освободи ее от своей злой воли. Ты завладел ее лживым языком. Отдай его, во имя...

— Нет! — закричала Ванда. — Я не лгу. Я подумала, что они, наверное, пришли от кого-нибудь из тех, ну, с кем ты разговаривал по телефону про то, что ты устроил на ранчо Минтонов.

Он пулей сорвался с места, обежал стол и угрожающе навис над ней.

— Как ты смеешь? Помалкивай! Я же велел тебе никогда, *никогда* не заикаться об этом!

— Я забыла, — съежившись, сказала она. — Вдруг, думаю, деньги прислали в знак благодарности за то, что ты сделал.

— Я знаю, кто их прислал, — прошипел он.

— Кто?

— Пошли.

Он схватил ее за руку и потащил к двери, ведущей из кухни в гараж.

— Куда ты собрался, Фергус?

— Подожди, узнаешь. Я хочу, чтобы грешники встретились лицом к лицу.

— Но дети...

— За ними присмотрит Господь, пока мы не вернемся.

Сидя рядом с дрожащей Вандой, Пламмет вел машину по спящим улицам города. На шоссе он свернул в западном направлении. Казалось, он не замечает холода; его грело сознание собственной праведности. Когда он свернул на боковую дорогу, Ванда уставилась на него, отказываясь верить собственным глазам, но он взглянул на нее с таким гневным укором, что она благоразумно поостереглась открывать рот.

Он подъехал к большому дому и велел жене выйти из машины. Его решительные шаги гулко прозвучали по полым ступенькам, и стук в дверь громко разнесся в предутренней тишине. Никто не открыл, и он забарабанил еще громче. Снова никто не отозвался, тогда он изо всех сил постучал в ближайшее окно.

Нора Гейл собственноручно отперла дверь и направила дуло маленького пистолета прямо ему в лоб.

— Мистер, надеюсь, у вас имеется веская причина, чтобы барабанить в мою дверь и поднимать меня в такой безбожно ранний час.

Фергус воздел руки над своей склоненной головой и воззвал к Богу и всем святым ангелам, чтобы они очистили грешницу от скверны.

Нора Гейл оттолкнула его и шагнула к сестре. Они смотрели друг на друга. В ореоле блестящих платиновых волос Нора Гейл выглядела великолепно, особенно если учесть, что ее подняли прямо с постели. Постоянное употребление дорогих ночных кремов позволило ей сохранить отменный цвет лица. В своем розовом, расшитом мелкими жемчужинами атласном халате она была совершенно ослепительна. Рядом с сестрой Ванда была похожа на разжиревшую коричневую воробьиху.

— Сегодня холодно, — заметила Нора Гейл, как будто они расстались только вчера. — Пойдемте в дом.

Она вошла первой и стояла в дверях, пока таращившая глаза сестра не переступила порог борделя. Проходя мимо Фергуса, Нора ткнула пистолетом в его худые ребра и сказала:

— Если ты сейчас же не прекратишь горланить свою молитву, я отстрелю тебе яйца, понял, проповедник?

— А-аминь! — неожиданно воскликнул он и закончил молиться.

— Благодарю, — с усмешкой сказала Нора Гейл. — Уверена, что молитвы мне еще пригодятся. Пошли. Я давно хотела поговорить с вами.

Через несколько минут они уже сидели за столом ее на вид совсем не греховной, а вполне обычной кухни. Кофе был готов и разлит по фарфоровым чашкам. Но Фергус приказал

Ванде не прикасаться к нему, словно это было ядовитое зелье.

— Ты не можешь победить нас, — возбужденно сказал Фергус, — Господь на нашей стороне, и Он сильно гневается на тебя, блудницу, уводящую с пути истинного наших слабых духом братьев.

— Побереги силы, — махнула на него рукой Нора Гейл. — Я-то Бога чту, а если что и стоит между Ним и мной, так это мое личное дело и тебя не касается. А в тебе меня страшит только одно — твоя тупость.

Он обиделся и зашипел на нее, как гадюка:

— Это ты прислала моей жене свои в грехе добытые деньги?

— Да. По виду твоей жены и детей мне показалось, что деньги им очень пригодятся.

— Мы не нуждаемся в твоих деньгах.

Нора Гейл наклонилась вперед и с ленивой улыбкой заговорила вкрадчивым голосом:

— Однако ж ты не бросил их мне обратно в лицо, а?

Его рот собрался, будто кисет на шнурке.

— Я никогда не отвергаю дара, который посылает мне Господь от щедрот своих.

— Конечно, нет. — С довольным видом Нора Гейл положила себе в кофе два куска сахара. — Именно поэтому я хочу заключить с тобой сделку, *преподобный* Пламмет.

— Я не вступаю в сделки с безбожниками. Я пришел сюда как посланник Божий, чтобы предостеречь тебя от гнева Его, чтоб услышать твое раскаяние...

— А хочешь новый храм?

Поток красноречия тут же иссяк.

— А?

Нора Гейл не спеша помешивала кофе.

— Хочешь получить новый храм? Большую великолепную церковь, которая затмит все церкви города, даже новую, Иоанна Крестителя. — Она помолчала, прихлебывая кофе. — Вижу, ты потерял дар речи, что само по себе уже благословенно.

И опять улыбнулась, довольная, словно кошка, только что вылизавшая блюдце сметаны.

— Когда закончится строительство ипподрома и гостиницы «Пурселл Даунс», я стану очень богатой и респектабельной. И в твоих интересах, священник, принимать мои великодушные дары, а уж я позабочусь, чтобы они были немалыми и поступали регулярно. Впоследствии, когда ко мне приедут репортеры из «Техасского ежемесячника» или из программы «60 минут», чтобы взять интервью у самой богатой деловой женщины штата, они сообщат и о том, как щедро я занимаюсь благотворительностью.

А в обмен на роскошную церковь, которую я тебе построю, — сказала она, снова наклоняясь вперед, — я хочу, чтобы ты прекратил свои гневные проповеди против тотализатора. Займись-ка лучше другими грехами. А если тебе не хватает материала, что ж, я охотно предоставлю тебе целый список моих прегрешений, ибо, дорогой, повинна во всех.

Он сидел с открытым ртом, как рыба, выброшенная на сушу. Мадам, вне всякого сомнения, полностью овладела его вниманием.

— И больше ты не станешь выкидывать фокусов, вроде тех, что устроил на ранчо Минтонов с неделю назад. Да, да, — жестом унизанной драгоценностями руки она остановила его протесты. — Я знаю, что это сделал ты. По твоей вине пришлось усыпить очень дорогую лошадь, и это меня просто бесит.

Глаза ее сощурились.

— Если ты еще хоть раз сотворишь подобную глупость, ты у меня быстро слетишь со своей кафедры, господин священник. Видишь ли, у меня большие планы, и я сшибу с ног любого, кто встанет на моем пути. Если у тебя есть трудности, с которыми ты не можешь справиться, приходи ко мне. А месть оставь тем, кто умеет мстить и при этом не попадаться. — Она откинулась на спинку стула. — Итак?

— Мне тут есть над чем подумать.

— Не пойдет. Ответ мне нужен сегодня. Прямо сейчас. Ну, что тебе больше нравится, стать большой шишкой в церковных кругах и получить красивый новый храм или сесть в тюрьму? Потому что, видишь ли, если я сейчас же не услышу от тебя «да», то позову своего старого приятеля Рида Ламберта и скажу ему, что у меня есть свидетель того ночного налета на ранчо. Ну, так что, дорогой, кафедра или тюрьма?

Фергус судорожно сглотнул. Он боролся с собой, со своей совестью, но не долго. Голова его качнулась в знак согласия.

— Хорошо. Да, и еще одно, — продолжала она тем же жизнерадостным тоном. — Перестань обращаться с моей сестрой как с подстилкой для ног. Мне рассказали, что на днях ты публично отчитал ее в кабинете шерифа. Если я еще хоть раз услышу что-нибудь подобное, я самолично отрежу твой мерзкий язык и скормлю его первой попавшейся собаке. Усвоил?

Он проглотил слюну.

— Я отправляю Ванду Гейл на курорт в Даллас, она будет отдыхать и нежиться там две недели, хотя за этот срок от тебя не очень-то отдохнешь. Как ты рассчитываешь привлечь людей в свою новую церковь, если твоя собственная жена похожа на заезженную клячу? А дети поедут летом в лагерь. У них будут новые велосипеды и бейсбольные перчатки, потому что я отменяю твой запрет на игры и запишу их весной в команду юниоров. — Она подмигнула. — Их тетушка Нора Гейл станет, черт побери, доброй феей для этих ребят. Вам все понятно, ваше преподобие?

И снова Пламмет быстро кивнул.

— Отлично. — Она откинулась на спинку стула, невозмутимо покачивая стройной ногой. — Теперь, когда мы обо всем договорились, давай обсудим сроки. Первую дотацию ты получишь в тот самый день, когда будет подписана лицензия, а затем деньги будут поступать первого числа каждого месяца. Чеки пойдут со счета компании «НГБ инкорпорейтед». Мне не помешают налоговые льготы, — добавила она с гортанным смехом.

Затем, отвернувшись от Фергуса, она посмотрела на сестру.

— Ванда Гейл, не жди, пока я отправлю тебя в Даллас. Воспользуйся деньгами, которые я прислала, и купи себе и детям одежду. И, ради бога, сделай что-нибудь со своими волосами. Они у тебя как пакля.

У Ванды увлажнились глаза.

— Спасибо, спасибо.

Нора Гейл потянулась к руке сестры, но передумала и вместо этого закурила свою тонкую черную сигарету. Сквозь густое облако попавшего ей в глаза дыма она сказала:

— Пожалуйста, дорогая, пожалуйста.

Глава 44

— Джуниор?

Он повернулся от бара, у которого делал себе уже второй за последние десять минут коктейль.

— Доброе утро, мать. Хочешь коктейль «Кровавая Мэри»? Сара-Джо прошла через комнату и выхватила у него из руки бутылку водки.

— Что с тобой происходит? — спросила она гораздо более суровым, чем обычно, тоном. — Почему ты пьешь так рано?

— Не так уж и рано, если учесть, во сколько я встал.

— Ты куда-то ездил. Я слышала, как ты уходил. Где ты был?

— И мне хотелось бы это знать, — сказал входивший в комнату Ангус. — Мне нужно поговорить с тобой.

— Хочешь, угадаю о чем, — сказал Джуниор с напускной веселостью. — О судье Уоллесе.

— Верно.

— И о моей женитьбе на Стейси.

— Да, — неохотно подтвердил Ангус.

— Держу пари, ты собираешься рассказать мне, почему было так чертовски важно, чтобы я на ней тогда женился.

— Это было нужно для твоей же пользы.

— Ну, это ты мне уже говорил двадцать пять лет назад. На самом деле это была сделка, правда? Ты попросил его закрыть дело об убийстве Селины в обмен на мой брак со Стейси. Что, я угадал? Алекс, очевидно, тоже угадала. И когда она со своей гипотезой пришла к судье, тот застрелился.

Близкая к обмороку, Сара-Джо закрыла рот рукой. Ангус пришел в бешенство. Его руки сжались в кулаки.

— Тогда не было другого выхода. Я не мог допустить, чтобы здесь проводили серьезное расследование. Я должен был уберечь свою семью и свое дело. Пришлось попросить судью об одолжении, у меня не было выбора.

— А Стейси знала об этом?

— Я, по крайней мере, ей не говорил. Сомневаюсь, что она знает.

— Слава богу.

Джуниор бросился в кресло. Его голова свесилась на грудь.

— Пап, ты не хуже меня знаешь, что Придурок Бад был невиновен.

— Ничего такого я не знаю.

— Брось. Он был совсем безобидным. И ты знал, что он не убивал Селину, но ты сделал все, чтобы наказание понес он. Зачем ты вмешался и не дал событиям развиваться естественным путем? В итоге мы бы все от этого только выиграли.

— Тебе известно, что это не так.

— Известно? — Он поднял голову и посмотрел на родителей горящим напряженным взглядом. — А тебе известно, кого я видел сегодня утром в постели Рида, всю такую нежную, соблазнительную и удовлетворенную? Алекс. — Он резко откинулся, положил голову на подушку кресла и с горьким смехом добавил: — *Дочку* Селины. Господи, подумать только!

— Алекс провела ночь у Рида? — загремел Ангус.

— Меня это не удивляет, — презрительно фыркнула Сара-Джо.

— Почему же ты не помешал этому, Джуниор? — резко спросил Ангус.

Почувствовав, что отец закипает от гнева, Джуниор заорал:

— Я пытался!

— Очевидно, недостаточно. Ей следовало быть в твоей постели, а не в постели Рида.

— Она взрослая женщина. И ей не нужно моего разрешения, чтобы спать с ним. Или с кем угодно. — Джуниор стремительно поднялся с кресла и направился к бару.

Сара-Джо загородила ему дорогу.

— Эта девица мне не по душе. Такая же беспутная, как и ее мать, но, если тебе ее так хочется, почему ты позволил Риду Ламберту отнять ее?

— Дело обстоит еще хуже, Сара-Джо, — веско сказал Ангус. — Наше будущее зависело от того, какое мнение о нас сложится у Алекс. Я надеялся, что она станет членом нашей семьи. Но, как всегда, Джуниор с заданием не справился.

— Не ругай его, Ангус.

— Почему, черт возьми? Он мой сын. И я буду ругать его,

сколько мне вздумается. — Затем, подавив раздражение, он тяжело вздохнул. — Ладно, какой прок теперь махать кулаками. Неудавшаяся любовь Джуниора еще не самая большая наша беда. Боюсь, нам грозит судебное расследование.

Он вышел из комнаты, хлопнув дверью.

У бара Джуниор налил себе рюмку чистой водки. Но когда он поднес ее ко рту, Сара-Джо схватила его за руку.

— Когда ты наконец поймешь, что ты ничем не хуже Рида? *Лучше.* Опять отец расстроился из-за тебя. Ну сделай наконец хоть что-нибудь, чтобы он мог тобой гордиться! Джуниор, дорогой, пора тебе уже стать взрослым и начать действовать самому.

Онемевшая Алекс смотрела на Рида, отказываясь верить своим ушам. Он же спокойно тыльной стороной ладони смахнул со стола просыпанный кофе и снова наполнил кофеварку. Когда из нее стал капать кипящий напиток, он повернулся к Алекс.

— Что ты смотришь на меня, словно язык проглотила? Разве ты не это ожидала услышать?

— Это правда? — прохрипела она. — Ты убил ее?

Он отвернулся, постоял так несколько мгновений, глядя в пространство, затем снова повернул голову и глянул ей прямо в глаза.

— *Нет*, Алекс. Я не убивал Селину. Если бы я хотел ее убить, то сделал бы это голыми руками задолго до той ночи. И это было бы убийство при смягчающих вину обстоятельствах. И не стал бы я красть скальпель. И уж, конечно, черт побери, не позволил бы, чтобы вместо меня мотал срок тот несчастный слабоумный.

Она шагнула к нему, прижалась к его груди.

— Я верю тебе, Рид.

— Что ж, это уже немало.

Обнимая, он погладил ее по спине. Она уткнулась ему в грудь.

Он почувствовал, как желание поднимается в нем, но тут же отстранил ее от себя.

— Кофе готов.

— Не отталкивай меня, пожалуйста, Рид. Я хочу еще немножко побыть в твоих объятиях.

— Я тоже хочу, и не только этого, — он погладил ее по щеке, — но у меня есть подозрение, что наш разговор сильно помешает любовным объятиям.

Он налил кофе и поставил кружки на стол.

— Почему ты так говоришь? — Она села напротив него.

— Потому что ты хочешь узнать, известно ли мне, кто вошел в тот вечер в конюшню?

— Ты знаешь?

— Нет, не знаю, — он энергично покачал головой. — Клянусь богом, не знаю.

— Но тебе известно, что это мог быть либо Джуниор, либо Ангус.

Он неопределенно пожал плечами.

— Тебе никогда не хотелось узнать, кто из них?

— А какая разница?

Ответ ошеломил ее.

— Для меня есть разница. И для тебя должна быть.

— Почему? Ни черта от этого не изменится. Селину не вернешь. И не изменишь ни твоего, ни моего несчастливого детства. И не заставишь твою бабушку полюбить тебя.

Заметив выражение ужаса на ее лице, он сказал:

— Да, Алекс, я знаю, что именно поэтому ты взяла на себя роль мстительницы за Селину. Мерл Грэм всегда нужен был козел отпущения. Каждый раз, когда Селина чем-нибудь не угождала матери, все шишки доставались мне. «Этот парнишка Ламберт» — по-другому она меня не называла и при этом всегда кривилась.

Так что меня совсем не удивляет, что она наложила на тебя эту пожизненную епитимью во искупление вины. Себя она не считала виноватой в судьбе Селины. И ни за что не хотела признать, что Селина, как любой человек на этой грешной земле, делала что ей вздумается и когда вздумается. А ты, единственное невинное в этом проклятом деле существо, оказалась во всем виноватой.

Он глубоко вздохнул.

— Какой прок от того, что мы узнаем, кто ее убил?

— Я должна узнать, Рид, — сказала она, чуть не плача. —

Ведь убийца был еще и вором. Он ограбил меня. Будь моя мать жива, она бы меня любила. Знаю, что любила бы.

— Ради бога, Алекс, она же совсем не хотела тебя! — закричал он. — Так же, как не хотела меня моя мамаша. Но я никаких расследований о ней проводить не стал.

— Потому что ты боишься! — заорала она в ответ.

— Боюсь?

— Боишься, что правда причинит тебе боль.

— Я не боюсь, — сказал он. — Мне это безразлично.

— А мне, слава богу, нет. Я не такая холодная и бесчувственная, как ты.

— Вчера ночью я тебе таким не казался, — усмехнулся он. — А может, ты сохранила девственность потому, что на свиданиях предпочитала работать языком?

Алекс отшатнулась, как будто ее ударили. Онемев от обиды, она смотрела на него через стол. Лицо его было замкнутым и враждебным, но ее незащищенность сломила Рида. Он длинно выругался и ткнул себе пальцами в глаза.

— Извини. Не понимаю, как такое вырвалось. А все потому, что ты чертовски раздражаешь меня, когда заводишь свою песню. — Он опустил руку. Его зеленые глаза смотрели на нее умоляюще. — Брось все это, Алекс. Отступись.

— Не могу.

— Не хочешь.

Она коснулась его руки.

— Тут мы никогда не придем с тобой к согласию, Рид, но мне не хочется спорить. — На лице ее отразилась нежность. — Особенно после вчерашней ночи.

— Некоторые сочли бы, что то, что произошло вон там, — он указал в сторону гостиной, — способно стереть прошлое.

— Значит, ты позволил этому случиться в надежде, что я прощу и забуду?

Он отдернул руку.

— Тебе все-таки очень хочется разозлить меня, да?

— Нет, я вовсе не хочу, чтобы ты сердился. Просто постарайся, пожалуйста, понять, почему я не могу все бросить, когда разгадка так близко.

— Я не понимаю.

— Тогда прими это как есть. И помоги мне.

— Чем? Указать пальцем либо на моего покровителя, либо на лучшего друга?

— Несколько минут назад Джуниор выступал здесь отнюдь не в роли лучшего друга.

— В нем говорили его ущемленная гордость и ревность.

— В тот вечер, когда убили Селину, его тоже снедала ревность. Его гордость была ущемлена. Селина отвергла его предложение, потому что все еще любила тебя. Могло это привести его к убийству?

— Да ты сама подумай, Алекс, — сказал он раздраженно. — Даже если Джуниор и взбесился из-за Селины, неужто он схватил подвернувшийся скальпель и начал кромсать ее? И потом, можешь ты, не кривя душой, предположить, что Джуниор способен убить кого-нибудь, как бы он ни был зол?

— Значит, это сделал Ангус, — тихо сказала она.

— Не знаю. — Рид вскочил со стула и принялся мерить шагами кухню. Ему давно не давала покоя та же догадка. — Ангус был против женитьбы Джуниора на Селине.

— Ангус более вспыльчив, чем Джуниор, — сказала она, как бы рассуждая сама с собой. — Я видела его в гневе. И могу представить себе, что, когда идут ему наперекор, он способен убить. А какие отчаянные меры он предпринял, чтобы закрыть дело раньше, чем следствие доберется до него.

— Куда это ты собралась? — встрепенулся Рид, когда она встала со стула и направилась в ванную.

— Мне нужно поговорить с ним.

— Алекс! — Он двинулся за ней. Подергал ручку двери ванной комнаты, но она заперлась изнутри. — Я не хочу, чтобы ты ездила туда.

— Но мне необходимо. — Уже одетая, она открыла дверь и протянула руку. — Можно мне взять твою машину?

Он сурово смотрел на нее.

— Ты сломаешь ему жизнь. Об этом ты подумала?

— Да, и каждый раз, когда я испытываю приступ жалости, я напоминаю себе о муках своего сиротского детства, которые я терпела, пока он жил припеваючи. — Она закрыла глаза и постаралась успокоиться. — Я не хочу уничтожить Ангуса. Я всего лишь выполняю свою работу, делаю то, что нужно делать. Честно говоря, он мне нравится. При других обстоятельствах я могла бы испытывать к нему очень теплые чувства. Но обстоятельства тебе известны, и не в моих силах изменить их. Когда человек нарушает закон, он должен понести наказание.

— Вот как? — Сжав ее локоть, он притянул Алекс к себе. — А какое наказание должен понести прокурор, который спит с подозреваемым?

— Ты больше не подозреваемый.

— Но вчера ночью ты этого еще не знала.

В бешенстве она вырвала руку и побежала к выходу, схватив ключи от машины со стола, куда, как она заметила, он бросил их накануне вечером.

Рид не стал ее преследовать, а позвонил к себе в отделение. Без всякого вступления он рявкнул:

— Подать мне сюда машину, живо!

— Машины разъехались, шериф. Все, кроме джипа.

— Подойдет. Давайте его сюда.

Глава 45

К величайшему удивлению своих подруг, Стейси Уоллес вышла в гостиную безукоризненно одетая, с сухими глазами и на вид вполне спокойная. А они-то все это время разговаривали вполголоса из уважения к ее горю. Думали, что она отдыхает, набираясь сил перед предстоящим ей испытанием.

В дом тек нескончаемый поток обеспокоенных знакомых, которые несли керамические и стеклянные блюда, наполненные салатами, тушеным мясом, овощами, разными сладостями. И все без исключения спрашивали:

— Ну как она?

Судя по всему, Стейси мужественно перенесла смерть отца. Как обычно, она была безукоризненно одета и причесана. Если бы не темные круги под глазами, можно было бы предположить, что она собралась в клуб.

— Стейси, мы не разбудили тебя? Мы повесили на дверь записочку, чтобы люди не звонили, а стучали..

— Я уже давно не сплю, — сказала она друзьям. — Когда ушел Джуниор?

— Где-то ночью. Хочешь чего-нибудь поесть? Господи, тут нанесли еды на целую армию.

— Нет, спасибо, пока ничего не хочу.

— Звонил мистер Дэвис. Ему нужно обсудить с тобой организацию похорон, он сказал, что готов это сделать в любое удобное для тебя время.

— Я позвоню ему попозже.

Под взглядами изумленных подруг она подошла к шкафу и достала пальто. Они переглянулись в недоумении и тревоге.

— Стейси, дорогая, куда ты?

— По делу.

— Мы с радостью выполним все твои поручения. Для этого мы и пришли.

— Я признательна вам, но этим делом я должна заняться сама.

— Что же нам говорить людям, которые приходят навестить тебя? — озабоченно спросила одна из подруг, провожая ее до порога.

Стейси повернулась к ней и спокойно сказала:

— Говорите что хотите.

Ангус, похоже, совсем не удивился, когда в его кабинет неожиданно вошла Алекс. Сидя на кожаном диване, он массировал палец на ноге, который постоянно причинял ему боль.

— Не слышал, как вы подъехали. Я сам только что пришел из конюшни. Там у нас мерин-двухлеток заболел накостницей, только черта с два его голень болит сильнее, чем моя подагра.

— Лупе мне сказала, что вы пошли сюда.

— Хотите позавтракать? Кофе?

— Нет, спасибо, Ангус. — Гостеприимен, несмотря ни на что, подумала Алекс. — Вам удобно поговорить сейчас?

Он засмеялся.

— Полагаю, как и в любое другое время, если учесть, о чем мы собираемся говорить.

Она села рядом с ним на диван. Ангус внимательно смотрел на нее своими проницательными голубыми глазами.

— Значит, Джо все разболтал, прежде чем застрелиться?

— Он не пригласил меня перед смертью в кабинет, чтобы исповедаться, если вы это имеете в виду, — ответила она, — однако мне известно о вашей с ним сделке. Как вам удалось уговорить Джуниора пойти на это, Ангус?

— В то время, — сказал он, даже не пытаясь ничего отрицать, — мальчик был абсолютно равнодушен ко всему, что с ним происходило. Смерть Селины так его потрясла, что он, наверное, уже только после свадьбы понял, что женился. И знаете, что я вам скажу? Не уверен, что он смог бы пережить те первые месяцы, если бы не внимание и забота Стейси. Я потом ни разу не пожалел о заключенной с Джо сделке.

— Ради кого вы пошли на эту сделку?

Резко сменив тему, он вдруг сказал:

— Что-то у вас сегодня неважный вид. Небось, Рид ночью заездил?

Она в смущении опустила голову.

— Вам Джуниор рассказал?

— Да. — Он, морщась, натянул ботинок на больную ногу. — Не могу сказать, что меня это удивило; расстроило — да, но не удивило.

Она подняла голову.

— Почему?

— Яблочко от яблоньки. Для Селины всегда существовал только один мужчина — Рид. Бог его знает почему. Так было, и все. Химия. Наверное, это так называется сегодня.

Он опустил ногу на пол и откинулся на спинку дивана.

— Что у вас с ним?

— Больше, чем химия.

— Любите, значит, его?

— Да.

Лицо его приняло озабоченное выражение.

— Предупреждаю вас, Алекс, как отец, Рида любить не просто. Он с трудом проявляет чувства и тяжело принимает их от других. Несмотря на свой возраст, он до сих пор не может забыть обиду на мать, которая бросила его младенцем.

— Поэтому он и Селину не смог простить, когда она связалась с Элом Гейтером и родила меня?

— Вероятно. Он ведь никогда не показывал и вида, что страдает. Ходил тут как ни в чем не бывало, а у самого в сердце зияла рана величиной с Техас. Всегда скрывал чувства под эдакой бравадой: «А мне на все плевать». Но я-то видел, как он подавлен. Против вас он, ясное дело, зла не держит, но Селину он так и не простил за обман.

— А Джуниор?

— Джуниор не мог простить ей, что она любила Рида больше, чем его.

— Но ни один из них ее не убивал. — Она посмотрела ему прямо в глаза. — Ее убили вы, да?

Он встал и отошел к окну. Оглядел все то, что создал своими руками на пустом месте и теперь должен потерять.

В комнате несколько минут царила напряженная тишина. Наконец он сказал:

— Нет, не я. — Затем, медленно повернувшись, добавил: — Но хотел убить.

— Почему?

— Ваша мать играла людьми. Ей это нравилось. Когда я впервые увидел ее, она была маленьким сорванцом. Если бы она такой и осталась, все, возможно, пошло бы по-другому. Но она повзрослела и поняла, что имеет власть над обоими этими ребятами, женскую власть. И стала пользоваться ею в своих играх.

У Алекс заболело сердце. Она слушала чуть дыша. Как будто смотрела фильм ужасов, все время ожидая, что вот сейчас покажется голова чудовища. Ей и хотелось досмотреть картину до конца, и в то же время было слишком страшно. Ведь чудовище могло оказаться омерзительным.

— Я видел, куда она клонит, — говорил Ангус, — но что я мог поделать? Она натравливала их друг на друга.

Почти то же самое она уже слышала от Норы Гейл. *Соблазн был слишком велик.*

— И чем старше они становились, тем больше... — продолжал Ангус. — Крепкая дружба между мальчиками стала похожа на червивое яблоко. Как червяк, Селина выела его сердцевину. Нет, она мне не нравилась, — он вернулся и сел на диван. — Но я желал ее.

Только убедившись, что она не ослышалась, Алекс ошарашенно воскликнула:

— *Что?*

Ангус криво усмехнулся:

— Не забывайте, я был тогда на двадцать пять лет моложе

и весил на тридцать фунтов меньше. Этого у меня еще и в помине не было, — он погладил свой выпирающий живот, — да и волосы были погуще. Меня, можно сказать, тогда еще считали сердцеедом.

— Я спросила не потому, что сомневаюсь в вашей привлекательности, Ангус, просто я не имела понятия, что...

— И никто не имел. Это был мой маленький секрет. Даже она не знала... до того самого вечера, когда умерла.

Его имя вырвалось у Алекс как стон. Чудовище-правда было не просто страшным, оно было омерзительным.

— В тот вечер Джуниор убежал, чтобы утопить свое горе в вине. А Селина пришла сюда, в эту комнату. Она сидела как раз на том месте, где вы сейчас сидите, и плакала. Жаловалась, что не знает, как ей быть. Она любит Рида так, как не сможет любить никого другого. Джуниора она тоже любит, но не настолько, чтобы выйти за него замуж. И не знает, как ей одной вырастить вас. Каждый раз, когда она смотрит на вас, вы напоминаете ей об ошибке, которая навеки погубила ей жизнь.

Так она все плакала и плакала, ожидая сочувствия, а я слушал и думал про себя: «Какая же ты эгоистичная сучка». Она ведь сама навлекла на себя все свои беды. Ей было наплевать, что она ранит других людей и играет их судьбами. Ее заботило только одно — как зло скажется на ней. — Он покачал головой, посмеиваясь над собой, затем продолжал: — Но это не мешало мне желать ее. Я хотел ее все сильнее. Наверное, я оправдывался в собственных глазах тем, что она, мол, не заслуживает ничего лучшего, как удовлетворять похоть такого старого мужлана, как я. — Он глубоко вздохнул. — Словом, я сделал попытку.

— Вы сказали, что вы желаете ее?

— Ну, прямо я ей этого не сказал. Предложил поселить ее за городом, где-нибудь поблизости. Сказал, что все расходы возьму на себя. У нее не будет никаких забот, кроме одной — немножко развлечь меня, когда я ее навещу. Я хотел, чтобы она и вас взяла с собой, и миссис Грэм, хотя сомнительно, что ваша бабушка согласилась бы. Короче, — заключил он, — я предложил ей стать моей любовницей.

— Что она ответила?

— Ничего, черт ее дери. Просто смотрела на меня несколько секунд, а потом стала хохотать.

У Алекс холодок побежал по спине от его взгляда, когда он хрипло добавил:

— А вам известно, что я не выношу, когда потешаются над моими предложениями.

— Ах ты, паршивый сукин сын!

Они оба одновременно обернулись на этот голос. В дверях с искаженным от ярости лицом стоял Джуниор. Жестом обвинителя он наставил на отца дрожащий указательный палец.

— Ты не хотел, чтобы я женился на ней, потому что приберегал ее для себя! Ты убил ее, потому что она отвергла твое мерзкое предложение! Чертов ублюдок, из-за этого ты убил ее!

Дорога показалась ей более неровной, чем обычно. А может быть, она сама попадала во все выбоины, потому что глаза ей застилали слезы. Изо всех сил Алекс старалась удержать «Блейзер» на дороге, ведущей к дому Рида.

Когда Джуниор набросился на Ангуса с кулаками, она выскочила из комнаты. Ее расследование восстановило сына против отца, друга против друга, и она просто не могла больше этого выдержать. Она сбежала.

Все они были правы. Все пытались предупредить ее, но она отказывалась слушать. Подстегиваемая чувством вины, упрямая и бесстрашная, до зубов вооруженная собственными представлениями о добре и зле и поощряемая безрассудством молодости, она бросилась копать на запретной территории, нарушив ее неприкосновенность. Она разбудила ярость давно успокоившихся злых духов. Вопреки благоразумным советам продолжала копать. Теперь эти духи, уже не боясь обнаружить себя, взбунтовались.

Ей с детства внушили, что Селина была хрупкой, трагически погибшей в самом расцвете лет безутешной вдовой с новорожденным младенцем на руках, испуганно взиравшей на жестокий мир вокруг нее. На самом же деле она оказалась эгоисткой, вертевшей людьми, как ей вздумается, и жестокой по отношению к тем, кто любил ее.

Мерл заставила Алекс поверить, что она виновата в смерти матери. Жестами, словами и делом, открыто или намеками она заставляла внучку постоянно чувствовать себя недостойной и виноватой.

Ну так вот, Мерл ошибалась. Селина сама была виновата в том, что ее убили. Усилием воли Алекс сбросила с себя чувство вины и раскаяния. Она была свободна! Теперь для нее не имело значения, чья рука держала тот скальпель. Это произошло не из-за нее. Ее первой мыслью было поделиться с Ридом этим ощущением свободы. Она припарковала машину перед его домом и взбежала на крыльцо. У двери помедлила и тихо постучала. Подождала несколько секунд и, потянув на себя незапертую дверь, шагнула внутрь.

— Рид?

Дом был пустым и мрачным. Направляясь в спальню, Алекс снова позвала его, уже, впрочем, догадавшись, что его там нет. Она повернулась и заметила свою сумку, забытую на тумбочке. Заглянула в соседнюю ванную, не оставила ли чего-нибудь там, собрала свои вещи и положила их в сумку.

Защелкнув ее, она услышала, как ей показалось, знакомый скрип входной двери. Алекс постояла и прислушалась.

— Рид?

Звук не повторился.

Погрузившись в сладкие воспоминания минувшей ночи, она потрогала лежавшие на тумбочке вещи Рида — солнцезащитные очки, расческу, которой он так редко пользовался, запасную медную пряжку с гербом штата Техас. Сердце ее было переполнено любовью, она повернулась, чтобы уйти, но тут же застыла на месте. В двери спальни стояла женщина и держала в руке нож.

Глава 46

Черт, что здесь происходит? Рид схватил Джуниора за шиворот и стащил с распростертого на полу Ангуса. У того из рассеченной губы текла кровь, но, как ни странно, старик смеялся.

— Где ты так здорово научился драться, парень, и почему

не делал этого раньше? — Он сел и протянул руку Риду. —
Помоги мне.

Рид, бросив на Джуниора предупреждающий взгляд, отпустил его ворот и помог Ангусу подняться.

— Кто-нибудь из вас наконец скажет мне, какого дьявола
все это значит? — рявкнул Рид.

Когда прибыл джип, Рид поехал прямо к Минтонам.
Встревоженная Лупе встретила его в дверях сообщением, что
мистер Минтон и Джуниор дерутся.

Рид вбежал в кабинет и увидел, что они, сцепившись, ка-
таются по полу. Джуниор всерьез норовил ударить отца по голове, но удары в основном не достигали цели.

— Он хотел сам заполучить Селину, — объявил Джуниор,
тяжело дыша от возбуждения и ярости. — Я слышал, как он
рассказывал Алекс. Он намеревался содержать Селину как
любовницу. А когда она отказалась, убил ее.

Ангус спокойно промокал носовым платком кровь на
подбородке.

— Ты правда в это веришь, сынок? Ты считаешь, я смог
бы принести в жертву все — твою мать, тебя, это ранчо —
ради какой-то потаскушки?

— Я слышал, как ты признался Алекс, что хотел Селину.

— Да, хотел, но только той половиной, что ниже пояса, я
ведь не любил ее. Мне было не по душе, что она встала между
тобой и Ридом. Но черта с два я бы поставил все на карту,
чтобы убить ее. Может, мне и захотелось ее прикончить,
когда она рассмеялась над моим предложением, но я этого не
сделал. — Он переводил взгляд с одного на другого. — Один
из вас избавил меня от этого, когда убил ее.

Они неловко переглянулись. Все прошедшие двадцать
пять лет слились в один решающий миг. До сегодняшнего
дня ни одному из них не хватило мужества задать другим этот
вопрос. Правда могла оказаться слишком горькой, поэтому
все эти годы имя убийцы оставалось тайной.

Они, не сговариваясь, согласились молчать об убийце Селины, защищаясь от страшившей их правды.

— Я девчонку не убивал, — сказал Ангус. — Я уже говорил Алекс, что дал Селине ключи от одной из машин и велел
ехать домой. Она вышла через парадную дверь, и больше я ее
не видел.

— Ну а я в тот вечер, расстроившись из-за ее отказа, — сказал Джуниор, — объехал все пивные и хорошо набрался. Не помню даже, где я был и с кем. Но думаю, что запомнил бы, если б искромсал Селину.

— А я ушел, когда подали десерт, — сказал Рид. — И всю ночь прокувыркался с Норой Гейл. В конюшню пришел около шести утра. Тогда и нашел ее.

Ангус озадаченно покачал головой.

— Значит, все, что мы сказали Алекс, — правда.

— Алекс? — воскликнул Рид. — Вы говорите, она только что была здесь?

— Папа разговаривал с ней, когда я пришел.

— А где она сейчас?

— Сидела вот здесь, — сказал Ангус, указывая на пустое место на диване. — А как Джуниор налетел на меня и сбил с ног, так я уж больше ничего не видел. Обрушился на меня, что твой бык, чертяка этакий, — сказал он, нанося сыну понарошку удар в подбородок. Джуниор расплылся в мальчишеской улыбке.

— Перестаньте дурачиться и скажите мне наконец, где Алекс.

— Успокойся, Рид. Она должна быть где-то здесь.

— Я не видел ее, когда приехал, — заметил Джуниор, — почему ты так беспокоишься о...

— А тебе не ясно? — бросил Рид через плечо. — Если никто из нас не убивал Селину, значит, тот, кто сделал это, на свободе и он так же зол на Алекс, как и мы в свое время.

— Боже, я и не подумал.

— Ты прав, Рид.

— Пошли.

Все трое бросились к выходу. Когда они сбегали по ступенькам крыльца, к дому подъехала машина, и из нее вышла Стейси Уоллес.

— Джуниор, Ангус, Рид, я рада, что застала вас. Это касается Алекс.

Рид летел на своем джипе так, будто за ним гнались черти из преисподней. Выезжая с частной дороги Минтонов на шоссе, он нагнал своих помощников, доставивших ему джип, и посигналил им остановиться.

— Вы не видели моего «Блейзера»? — крикнул он. — Его вела Алекс Гейтер.

— Ага, видели, Рид. Она ехала в направлении вашего дома.

— Большое спасибо, — и, прокричав пассажирам «держитесь!», круто развернул машину.

— А в чем дело? — спросила Стейси. Верх джипа был спущен, и, чтобы не выпасть, она изо всех сил вцепилась в верхнюю перекладину. В своей размеренной жизни она еще ни разу не попадала в такие смертельно опасные передряги.

Напрасно она пыталась задержать Минтонов и Рида. Они так спешили вскочить в джип, что чуть не сбили ее с ног. А ей коротко бросили, что если ей так необходимо с ними поговорить, то пусть садится в машину. И она влезла на заднее сиденье рядом с Джуниором, Ангус сел впереди с Ридом.

— Возможно, Алекс грозит опасность! — прокричал Джуниор прямо в ухо Стейси. Его слова утонули в реве холодного северного ветра.

— Какая опасность?

— Долго рассказывать.

— Я была в мотеле! — крикнула Стейси. — Дежурный сказал, что она, наверное, на ранчо.

— А зачем она тебе? — спросил Рид, не оборачиваясь.

— Я не все высказала ей вчера. Это из-за нее папа погиб, хоть она и не держала пистолет и не нажимала на курок.

Джуниор обнял ее, притянул к себе и поцеловал в висок.

— Оставь, Стейси. Джо покончил с собой не из-за Алекс.

— Не только это, — смущенно сказала Стейси. — Ее расследование дало пищу разговорам о... ну, в общем, мы ведь поженились вскоре после смерти Селины. И многие решили... ты же знаешь, сколько кругом недалеких и подозрительных людей. А теперь снова начались пересуды. — Она умоляюще посмотрела на него. — Джуниор, почему ты женился на мне?

Он пальцем приподнял ей подбородок.

— Потому, Стейси, что ты красивая энергичная женщина, лучше всех, черт побери, что у меня были, — сказал он серьезно. Не в его власти было полюбить ее, но он мог оценить ее доброту, порядочность и безграничную любовь к нему.

— Значит, ты хоть немножко любишь меня?

Он улыбнулся и, утешая ее, сказал:

— Черт побери, да я тебя очень люблю, детка.

У нее на глазах блеснули слезы. Лицо осветилось такой радостью, что стало почти красивым.

— Спасибо, Джуниор.

Вдруг Ангус подался вперед и указал вдаль.

— Господи помилуй, ведь это похоже...

— Дым, — мрачно закончил Рид и до отказа выжал акселератор.

Глава 47

— Сара-Джо! Что вы здесь делаете? — воскликнула Алекс.

Сара-Джо безмятежно улыбнулась.

— Я ехала за тобой всю дорогу от самого нашего дома.

— Зачем?

Алекс не спускала глаз с ножа. Это был обычный кухонный нож, но в руках Сары-Джо он уже не казался обычным. Раньше ее рука всегда выглядела женственно-хрупкой. Теперь же рука, сжимавшая нож, казалась костлявой и зловещей.

— Я приехала, чтобы избавиться от того, что опять стало мне поперек горла. — Глаза ее широко раскрылись, затем сузились. — Как тогда дома, в Кентукки. Жеребчик, который мне понравился, достался моему брату. Это было несправедливо. Пришлось избавиться и от брата, и от жеребчика, иначе я бы не успокоилась.

— Что... что вы сделали?

— Я заманила брата в конюшню, сказала, что у жеребенка колики. А затем заперла дверь и подожгла.

Алекс в ужасе отшатнулась.

— Чудовищно!

— Да, что правда, то правда. На несколько миль вокруг воняло горелой кониной. Запах исчез только через неделю.

Алекс поднесла к губам дрожащую руку. Женщина была явно сумасшедшей и оттого еще более страшной.

— Но в ту ночь, когда я убила Селину, мне не было надобности поджигать конюшню.

— Почему же?

— Да тот идиот, Придурок Бад, что ходил за ней по пятам, притащился на ранчо. Я столкнулась с ним, когда выходила из конюшни. Он притаился в темноте и до смерти напугал меня. Потом он вошел и увидел ее. Бросился на нее и понес жуткую околесицу. Вдруг вижу, он подбирает скальпель доктора Коллинза. — Она расплылась в улыбке. — Тут я и поняла, что ни к чему поджигать конюшню и губить таких чудных лошадок.

— Вы убили мою мать, — сквозь слезы сказала Алекс. — Вы убили мою мать.

— Она была беспутной девкой. — Лицо Сары-Джо разительно изменилось, потемнев от злобы. — Я молилась день и ночь, чтобы она вышла замуж за Рида Ламберта. Таким способом я бы избавилась от обоих. У Ангуса должен быть один сын, тот, которого подарила ему я! — воскликнула она, ударяя себя в грудь кулаком. — Зачем он держал при себе этого ублюдка?

— А какое это имело отношение к Селине?

— Эта тупица доигралась до того, что забеременела. Рид отвернулся от нее. — Она стиснула зубы, отчего ее тонкие черты исказились. — Когда Джуниор занял место Рида, мне пришлось следить и выжидать. Он ведь и в самом деле хотел жениться на ней. Нет, только вообразите, представитель рода Пресли женится на потаскухе с незаконным ребенком! Разве могла я позволить сыну загубить свою жизнь?

— Значит, вы искали подходящего случая, чтобы убить ее?

— Она сама мне его предоставила. Джуниор убежал в тот вечер из дома совершенно расстроенный. Потом Ангус выставил себя перед ней полным дураком.

— Вы случайно услышали их разговор?

— Я подслушала.

— И почувствовали ревность.

— Ревность? — Она мелодично рассмеялась. — Боже упаси, конечно, нет. У Ангуса всегда были женщины, в течение почти всей нашей с ним жизни. Возможно, я и не стала бы возражать против его связи с Селиной при условии, что он поселил бы ее подальше от города и от Джуниора. Но эта глупая сучка рассмеялась, рассмеялась прямо в лицо моему мужу, который вывернул перед ней свою душу!

Она часто заморгала глазами, ее крошечные груди судорожно поднимались и опускались при каждом вдохе. Голос стал пронзительным. Алекс знала, что надо действовать очень осторожно, отвлекая Сару-Джо разговором. Пока она обдумывала, что сказать, до нее донесся запах дыма.

Она глянула мимо Сары-Джо в коридор. Он наполнялся дымом. Языки пламени лизали стены гостиной.

— Сара-Джо, — голос у Алекс дрожал. — Мне хочется поговорить с вами об этом, но...

— Стой на месте! — резко скомандовала Сара-Джо и замахнулась ножом, заметив, что Алекс сделала нерешительный шаг вперед. — Ты приехала сюда и стала мутить воду точь-в-точь как она. Ты предпочла Рида моему Джуниору. Ты разбила ему сердце. Ангус встревожен и расстроен смертью судьи Уоллеса, который умер по твоей вине. Ведь Ангус считал, что Селину убил кто-то из мальчиков. — Она зло улыбнулась. — А я знала, что он так подумает. И что мальчики не станут ни о чем спрашивать, тоже знала. Я рассчитывала на их преданность друг другу. Все прошло безупречно. Уверенный, что он прикрывает мальчиков, Ангус договорился с судьей. Меня, конечно, расстроило, что Джуниору пришлось жениться так рано, но, слава богу, он женился на Стейси, а не на Селине.

Дым становился все гуще. Он клубился вокруг Сары-Джо, но она, казалось, совсем не замечала его.

— Ты задавала слишком много вопросов, — продолжила она с печалью в голосе. — Я пыталась припугнуть тебя тем письмом. Конечно, я все сделала так, будто его отправил этот псих, преподобный Пламмет, но письмо-то написала я.

Похоже, она была очень довольна собой. Воспользовавшись этим, Алекс стала крадучись, шаг за шагом, медленно продвигаться вперед.

— Но ты не вняла моему предупреждению, и тогда я сбила тебя с дороги на одном из грузовиков компании. Если бы ты умерла тогда в кювете, то судья Уоллес, наверное, был бы сейчас жив и никто не узнал бы о его договоре с Ангусом. — Теперь она разволновалась всерьез. — Но после сегодняшнего дня мне уже не придется...

Алекс прыгнула вперед и ударила Сару-Джо по запястью. Однако та оказалась сильнее, чем она ожидала. Нож остался в руке Сары-Джо. Алекс вцепилась в ее руку и не отпускала, стараясь увернуться от направленных в нее ударов.

— Я не позволю тебе разрушить мою семью, — бормотала Сара-Джо, направляя удар в живот Алекс.

В отчаянной борьбе за нож женщины упали на колени. Не спуская глаз с лезвия, Алекс уворачивалась от ударов, но дым становился все гуще, и она с трудом различала нож. Глаза у нее слезились. Она стала задыхаться. Сара-Джо отбросила ее к стене. Алекс почувствовала, что от удара у нее на голове лопнули швы.

Однако ей удалось вскочить на ноги, и она потащила Сару-Джо по коридору, заполненному клубами дыма. Все правила спасения при пожаре вылетели у Алекс из головы. Она старалась не дышать, но легкие разрывались без кислорода, а ведь ей нужны были силы, чтобы тащить Сару-Джо.

Они уже почти добрались до гостиной, и тут до Сары-Джо дошло, что Алекс берет верх. Она с новыми силами ринулась в атаку. Нож полоснул Алекс по лодыжке, и она вскрикнула. И снова она почувствовала его зазубренный край на своей икре, но, шатаясь, продолжала тащить Сару-Джо.

И вдруг она выпустила ее из рук. Еще несколько секунд назад Алекс дралась с ней за свою жизнь, а теперь ее охватила паника при мысли, что она потеряла своего врага в удушливом черном дыму, таком густом, что даже силуэт Сары-Джо невозможно было сквозь него разглядеть.

— Сара-Джо? Где вы?

Алекс закашлялась от дыма. Вытянув вперед руки, она шарила вокруг себя в поисках женщины, но пальцы ловили только раскаленный воздух.

Затем верх взял инстинкт самосохранения. Она повернулась и, пригнувшись, бросилась бегом по коридору. Обогнув горящую мебель в гостиной, она вслепую рванулась к входной двери. Дверь была целая, но уже тлела. Алекс схватилась за ручку и сильно обожглась.

Крича от страха и боли, она выскочила на веранду.

— Алекс!

Из последних сил она двинулась, спотыкаясь, на голос Рида и увидела слезящимися от дыма глазами неясные очертания джипа, который со скрежетом затормозил всего в нескольких ярдах от нее.

— Рид, — прохрипела она, протягивая к нему руки. И упала. Он выскочил из машины, склонился над ней. — Сара-Джо, — с трудом подняв руку, Алекс указала на горящий дом.

— Боже мой, мать? — Джуниор перепрыгнул через бортик джипа и бросился к дому.

— Джуниор, вернись! — завизжала Стейси. — Господи, нет, нет!

— Сын, не смей! — Ангус протянул руку, намереваясь остановить пробегавшего мимо Джуниора. — Слишком поздно!

Рид был уже на крыльце, но Джуниор отшвырнул его в сторону. Рид упал спиной на лестницу и скатился вниз по ступенькам. Но и падая, он попытался поймать Джуниора за лодыжку.

— Джуниор, нельзя! — проревел он.

Джуниор обернулся, посмотрел на него.

— На этот раз, Рид, вся слава достанется мне.

Он улыбнулся Риду своей самой очаровательной улыбкой и вбежал в горящий дом.

ЭПИЛОГ

— Я подумала, что ты, наверное, здесь.

Рид, казалось, не слышал, как подошла Алекс, пока она не заговорила с ним. Он посмотрел на нее через плечо, затем снова повернулся к двум свежим могилам. На минуту воцарилась неловкая тишина, затем он сказал:

— Я обещал Ангусу приходить каждый день и смотреть, чтобы все тут было в порядке. Он пока еще не чувствует в себе достаточно сил.

Алекс подошла поближе.

— Я заезжала к нему сегодня днем. Он изо всех сил старался бодриться, — печально заметила она. — Напрасно он прячет свое горе. Я ему так и сказала. Надеюсь, он меня понял.

— Уверен, он был тебе рад.

— А я не уверена. — Рид подошел к ней. Нервным жестом она откинула упавшие на лицо волосы. — Если бы я не приехала сюда, не начала это расследование...

— Перестань снова терзать себя, Алекс, — горячо сказал он. — Ты ни в чем не виновата. Никто не предполагал такую степень душевного расстройства у Сары-Джо, даже Ангус, а ведь он был женат на ней много лет. Джуниор... э-э... — Он замолчал, судорожно пытаясь проглотить комок в горле.

— Тебе будет не хватать его.

— Не хватать его, — повторил он с деланным безразличием. — Чурбан стоеросовый. Вбежать в горящий дом, когда тот уже готов развалиться. На такую глупость способен только круглый идиот.

— Ты же знаешь, почему он это сделал, Рид. Он не мог иначе.

При виде его слез у Алекс перехватило горло от подступивших рыданий. Она шагнула к нему и дотронулась до его руки.

— Ты любил его, Рид. Разве в этом так трудно признаться?

Он смотрел на убранную цветами могилу.

— Все вечно твердили, что он завидовал мне. И никто никогда не догадывался, как завидовал ему я.

— Ты завидовал Джуниору?

Он кивнул.

— Тому, что ему было дано от рождения. — Он жестко, насмешливо хмыкнул. — И почти все время злился на него за то, что все его преимущества пропадают впустую.

— Мы любим людей не благодаря, а вопреки тому, какие они есть. По крайней мере, так должно быть. — Она убрала руку и, постаравшись придать своему голосу легкость и непринужденность, сказала: — Ангус говорил мне, что собирается продолжить строительство ипподрома.

— Да, он старикан упрямый.

— И твой аэродром скоро начнет процветать.

— Было бы неплохо. К концу года я уйду с работы, — сообщил он. И, заметив ее удивление, объяснил: — Я подал прошение об отставке. Не могу одновременно работать шерифом и заниматься аэродромом. Пора выбирать либо то, либо другое. Вот и решил выбрать аэродром.

— Прекрасно. Я рада за тебя. Ангус говорит, ты собираешься присоединиться к его компании.

— Посмотрим. Хочу купить еще одну скаковую лошадь на страховку, которую я получил за Быстрого Шага. Думаю сам ее тренировать. Ангус обещал помочь.

Его безразличный тон не обманул ее, но она не стала расспрашивать. Будь она игроком, она бы поставила все свои деньги на этот будущий союз. Теперь от него больше выиграет Ангус, чем Рид.

— А ты? Когда ты возвращаешься к себе в прокуратуру? — спросил он.

Она сунула руки в карманы и пожала плечами.

— Еще не знаю. Учитывая мои раны...

— Как они, кстати?

— Все заживают хорошо.

— Не болят?

— Уже нет. В общем-то, я уже вполне здорова, но Грег велел мне не торопиться. Ему известно, в каком напряжении я жила последнее время. — Она поковыряла мягкую землю носком сапога. — Не уверена, что мне вообще хочется возвращаться. — Почувствовав его удивление, она улыбнулась. — Вам это покажется забавным, шериф, но недавно я поняла, как много сочувствия вызывают у меня обвиняемые. Для разнообразия я, возможно, займусь защитой.

— Станешь общественным защитником?

— Может быть.

— Где?

Она глубоко заглянула в его глаза.

— Я еще не решила.

Рид стал приглаживать ботинком только что взрыхленную землю.

— Я, э-э, читал твое заявление в газете. Ты поступила достойно, закрыв дело за недостаточностью улик, — тихо сказал он.

— В самом деле, какой смысл опротестовывать первоначальное решение суда?

— Никакого, особенно сейчас.

— Вероятно, с самого начала не имело смысла, Рид. — Он поднял голову и посмотрел на нее оценивающим взглядом. — Ты был прав, вы все были правы. Это расследование велось в личных целях. Я воспользовалась им и всеми причастными к делу людьми, чтобы доказать, что бабушка ошиблась. — Она прерывисто вздохнула. — Селина уже не может исправить свои промахи, но я-то еще могу. — Она кивнула в сторону расположенной рядом могилы, давней, заросшей травой, где у подножия плиты лежала одна-единственная роза. — Это ты положил?

Рид посмотрел на могилу Селины.

— Думаю, Джуниору было бы приятно поделиться с ней цветком. Ты же знаешь, каким он был дамским угодником.

Алекс обрадовало, что он сказал это с улыбкой.

— А ведь до меня только во время похорон дошло, что это фамильный участок Минтонов. Матери понравилось бы, что она лежит рядом с ним.

— А он лежит там, где всегда мечтал быть. Рядом с Селиной, и между ними — никого.

У Алекс запершило в горле, глаза наполнились слезами.

— Бедная Стейси. Она так и не смогла пробить тропинку к сердцу Джуниора.

— Так ведь и никто другой не смог. Несмотря на свою любовь к женщинам, Джуниор был однолюб.

Не сговариваясь, они повернулись и пошли с холма вниз, туда, где стояли их машины.

— Это была твоя идея, чтобы Стейси на время переехала на ранчо? — спросила Алекс, осторожно шагая по траве.

Казалось, ему не хочется распространяться об этом. Он только утвердительно, хоть и неохотно, пожал в ответ плечами.

— Ты очень хорошо придумал, Рид. Им будет лучше друг подле друга.

Хотя дочь покойного судьи никогда уже не переменит своего отношения к ней, тем не менее Алекс могла понять и простить ее враждебность.

— Стейси необходимо о ком-то заботиться, — сказал Рид. — А Ангус очень нуждается сейчас в заботе.

Уже стоя у своей машины, Алекс повернулась к нему и спросила вдруг охрипшим голосом:

— А ты? Кто позаботится о тебе?

— А я в этом не нуждаюсь.

— Неправда, нуждаешься, — сказала она, — просто никому не позволяешь. — Она сделала к нему шаг. — Так и дашь мне уехать из города, уйти из твоей жизни и даже не попытаешься остановить меня?

— Да.

Она смотрела на него с любовью и отчаянием.

— Ладно. Только вот что я скажу тебе, Рид. Я буду любить тебя всю жизнь, а ты можешь сопротивляться сколько хочешь. — Это прозвучало как вызов. — Посмотрим, сколько ты продержишься.

Он откинул голову, как бы оценивая ту решимость, которую выражала ее фигура, голос, глаза.

— Смотри-ка, а ты уже выросла.

Она робко улыбнулась в ответ.

— Ты ведь любишь меня, Рид Ламберт. Я же знаю, ты любишь меня.

Он медленно кивнул, и ветер взъерошил его русые волосы.

— Да, люблю. Хоть ты и заноза, но я люблю тебя. — Он чуть слышно выругался. — Впрочем, это ничего не меняет.

— Чего не меняет?

— Нашего возраста, например. Я состарюсь и умру намного раньше тебя.

— Какое это имеет значение сегодня, вот в эту минуту?

— Имеет, конечно, черт побери, и еще какое.

— Ровно никакого.

Задетый ее спокойной уверенностью, он стукнул кулаком по ладони:

— Господи, до чего ж ты упряма!

— Да, уж если мне очень сильно чего-нибудь хочется и если я чувствую, что права, я ни за что не отступлюсь.

Несколько долгих мгновений он пристально смотрел на нее, борясь в душе с самим собой. Ему предлагали любовь, но он боялся принять ее. Затем, длинно выругавшись, он запустил пальцы в ее темно-каштановые волосы и притянул к себе. Просунул руку под жакет к ее теплому, нежному, податливому телу.

— Черт, у вас неопровержимые аргументы, госпожа прокурор, — буркнул он.

Прислонив Алекс к машине, он гладил ее грудь, живот, бедра, тесно прижимался к ней всем телом. Он целовал ее со страстью, любовью и еще — чего раньше с ним почти не бывало — с надеждой.

Оторвавшись от губ, он уткнулся лицом в ее теплую шею.

— Всю жизнь мне всегда доставались обноски, подачки, все из вторых рук, а чтоб мне первому — никогда, ничего. И вот наконец — ты, Алекс, Алекс...

— Ну, скажи это, Рид.

— Будь моей женой.

Литературно-художественное издание

Сандра Браун

СОКРОВЕННЫЕ ТАЙНЫ

Редактор *С. Боброва*
Художественный редактор *Е. Савченко*
Технические редакторы *Н. Носова, И. Ковалева*
Корректор *М. Мазалова*

Налоговая льгота — общероссийский классификатор
продукции ОК-005-93, том 2; 953000 — книги, брошюры.

Подписано в печать с готовых монтажей 19.08.2000.
Формат 84×108 $^1/_{32}$. Гарнитура «Таймс».
Печать офсетная. Усл. печ. л. 22,7. Уч.-изд. л. 21,3.
Тираж 5000 экз. Заказ № 5577.

ЗАО «Издательство «ЭКСМО-Пресс»
Изд. лиц. № 065377 от 22.08.97.
125190, Москва, Ленинградский проспект, д. 80, корп. 16, подъезд 3.
Интернет/Home page — www.eksmo.ru
Электронная почта (E-mail) — info@ eksmo.ru

Книга — почтой:
Книжный клуб «ЭКСМО»
101000, Москва, а/я 333. E-mail: bookclub@eksmo.ru

Оптовая торговля:
109472, Москва, ул. Академика Скрябина, д. 21, этаж 2
Тел./факс: (095) 378-84-74, 378-82-61, 745-89-16
E-mail: reception@eksmo-sale.ru

Мелкооптовая торговля:
Магазин «Академкнига»
117192, Москва, Мичуринский пр-т, д. 12/1
Тел./факс: (095) 932-74-71

ООО «Унитрон индастри». Книжная ярмарка в СК «Олимпийский».
г. Москва, Олимпийский проспект, д. 16, метро «Проспект Мира».
Тел. 785-10-30. E-mail: bookclub@cityline.ru

*Всегда в ассортименте новинки
издательства «ЭКСМО-Пресс»:*
ТД «Библио-Глобус», ТД «Москва», ТД «Молодая гвардия»,
«Московский дом книги», «Дом книги на ВДНХ»

ТОО «Дом книги в Медведково». Тел.: 476-16-90
Москва, Заревый пр-д, д. 12 (рядом с м. «Медведково»)

ООО «Фирма «Книинком». Тел.: 177-19-86
Москва, Волгоградский пр-т, д. 78/1 (рядом с м. «Кузьминки»)
ГУП ОЦ МДК «Дом книги в Коптево». Тел.: 450-08-84
Москва, ул. Зои и Александра Космодемьянских, д. 31/1

АООТ «Тверской полиграфический комбинат»
170024, г. Тверь, пр-т Ленина, 5.